AF238341

ACCESO GRATIS *a la Lectura en la Nube*

Para visualizar el libro electrónico en la nube de lectura envíe junto a su nombre y apellidos una fotografía del código de barras situado en la contraportada del libro y otra del ticket de compra a la dirección:

ebooktirant@tirant.com

En un máximo de 72 horas laborables le enviaremos el código de acceso con sus instrucciones.

JUSTICIA Y GÉNERO

JUSTICIA Y GÉNERO

Directora:
MARÍA JOSÉ BRAVO BOSCH

Coordinadora:
ANA I. GONZÁLEZ FERNÁNDEZ

UniversidadeVigo

Grupo de
Innovación Docente
Docentia et Mulier

tirant lo blanch
Valencia, 2023

Esta publicación forma parte de las actividades por el Grupo de innovación docente: *Docentia et mulier,* aprobado por la Universidad de Vigo, por acuerdo de la COAP de 20 de diciembre de 2019, cuya coordinadora es María José Bravo Bosch.

©   TIRANT LO BLANCH
EDITA: TIRANT LO BLANCH
C/ Artes Gráficas, 14 - 46010 - Valencia
TELFS.: 96/361 00 48 - 50
FAX: 96/369 41 51
Email: tlb@tirant.com
www.tirant.com
Librería virtual: www.tirant.es
DEPÓSITO LEGAL: V-3568-2023
ISBN: 978-84-1197-220-8

Si tiene alguna queja o sugerencia, envíenos un mail a: *atencioncliente@tirant.com.* En caso de no ser atendida su sugerencia, por favor, lea en *www.tirant.net/index.php/empresa/politicas-de-empresa* nuestro procedimiento de quejas.

Responsabilidad Social Corporativa: *http://www.tirant.net/Docs/RSCTirant.pdf*

Autores

María José Bravo Bosch

Eleonora Nicosia

Domenico Dursi

María Elisabet Barreiro Morales

Cristina García Fernández

Lavinia Lantieri

José Agustín González-Ares Fernández

Pablo Bonorino

Inés Celia Iglesias Canle

Ana I. González Fernández

Maria Hylma Alcaraz Salgado

Fco. Javier Álvarez García

Gregorio Serrano Hoyo

Almudena Valiño Ces

Maria Vital da Rocha

Margarida Santos

Pasquale Bronzo

Elena Andolina

Angela Busacca

Ana Vázquez Lemos

Índice

PRIMERA PARTE
ANTEDECENTES HISTÓRICOS

SEGUNDA PARTE
ESTEREOTIPOS DE GÉNERO EN EL DERECHO ACTUAL

TERCERA PARTE
LA VIOLENCIA CONTRA LA MUJER EN LA LEGISLACIÓN PENAL ESPAÑOLA

CUARTA PARTE

LA POSICIÓN DE LA MUJER EN EL DERECHO COMPARADO

Presentación

En los últimos tiempos proliferan los estudios centrados en las mujeres, tanto desde el punto de vista histórico, como jurídico, e incluso analizando la posición social femenina en una comunidad global que no resulta ajena a los cambios del último siglo.

Con todo, resulta necesario relacionar conceptos que no se identifican habitualmente con el escenario femenino, y que sin embargo están íntimamente vinculados con el lenguaje de las mujeres, como sucede con la justicia.

El presente trabajo de investigación, recogido en este libro ilusionante, realizado conjuntamente por autores de varios países, España, Italia, Portugal y Brasil, refiere la necesaria conexión entre justicia y género, comenzando por la desconexión primigenia cuando se habla en la primera parte de los antecedentes histórico-jurídicos que proyectan una imagen patriarcal subsumida en las costumbres de los antepasados, si bien la acepción de justicia como *ius suum cuique tribuendi* no responde a cuotas de género explícitas.

La segunda parte incide en los estereotipos de género en el derecho actual. La argumentación probatoria, la perspectiva de género en las decisiones judiciales, los prejuicios, la libre valoración de la prueba y género en el proceso, así como el principio de igualdad, constituyen el objeto principal de estudio, del que se desprende que resulta necesaria una presencia subliminal de la concepción epistemológica de género.

La violencia contra la mujer en la legislación española se analiza en la tercera parte, con las mujeres migrantes y su conquista de la ciudadanía, los comentarios generales a la Ley Orgánica 10/2022 de 6 de septiembre de garantía integral de la libertad sexual, las nuevas excepciones a la dispensa familiar de mujer y menores en supuestos de violencia vicaria, y las medidas civiles en la orden de protección de víctimas de violencia de género, que fortalecen el convencimiento generalizado socialmente de la necesidad legisladora continua que provea de disposiciones imprescindibles en esta materia.

La parte conclusiva se dirige al derecho comparado. Aquí se recogen las aportaciones de Brasil en materia de justicia de género en el combate de las desigualdades, el convenio de Estambul en relación con el delito de violación y coacción sexual en el derecho penal portugués, la detención femenina, la tutela de la víctima de violencia de género, así como el Convenio de Estambul en el tema de violencia contra las mujeres, todo ello centrado en Italia, lo que da cuenta de la sororidad en materia jurídica relacionada con el colectivo femenino.

El deseo plural de las personas que han participado en esta obra se proyecta en el afán de informar y presentar esta exégesis de la situación social, histórica y jurídica de la presencia de la justicia en relación con las mujeres y la perspectiva de género, la condena de los actos ilícitos y la juridicidad de las acciones cotidianas, que reflejan que aún queda un largo camino por recorrer en el universo femenino de la agenda global.

María José Bravo Bosch
Universidade de Vigo

PRIMERA PARTE
ANTEDECENTES HISTÓRICOS

Capítulo 1

Justicia y Género

MARÍA JOSÉ BRAVO BOSCH
Universidad de Vigo

RESUMEN: La justicia es analizada desde el concepto proporcionado por el jurista Ulpiano, y la difícil relación con el género en la antigua Roma. Las mujeres, sometidas por el patriarcado dominante, en virtud de los *mores maiorum* que otorgaban al colectivo femenino un papel secundario en la sociedad, debían identificarse con los valores de pudor y castidad, para ser protegidas por su debilidad de sexo. Las mínimas rebeliones femeninas fueron condenadas por la historiografía masculina, con la intención de seguir sometiendo a la *mulier*. Al final, realizamos un breve recorrido por el derecho actual, para demostrar la necesidad de seguir trabajando en el ámbito de los derechos de las mujeres.

PALABRAS CLAVE: Justicia, Género, Mujer, *Mores Maiorum*, Discriminación, Antigua Roma, Violencia.

ABSTRACT: Justice is analyzed from the concept provided by the jurist Ulpiano, and the difficult relationship with gender in ancient Rome. Women, subjected by the dominant patriarchy, by virtue of the mores maiorum that gave the female collective a secondary role in society, had to identify with the values of modesty and chastity, to be protected for their weakness of sex. The minimal female rebellions were condemned by male historiography, with the intention of continuing to subdue the mulier. At the end, we make a brief tour of the current law, to demonstrate the need to continue working in the field of women's rights.

KEY WORDS: Justice, Gender, Women, *Mores Maiorum*, Discrimination, Ancient Rome, Violence.

El jurista Ulpiano, en Digesto 1.1. *pr.* (*Ulp. 1 reg.*), refiere que al estudioso del derecho le conviene conocer de dónde proviene la palabra *ius*, derecho, recordando que procede de la palabra *iustitia*, justicia, que es el arte de lo bueno y lo equitativo, como la define de forma elegante el jurista Celso[1]:

Iuri operam daturum prius nosse oportet, unde nomen iuris descendat. est autem a iustitia appellatum: nam, ut eleganter celsus definit, ius est ars boni et aequi.

Si continuamos con la exégesis del conocido texto, podemos ver como el célebre Ulpiano nos recuerda, a continuación, que los juristas son los que cultivan la justicia y quienes separan lo justo de lo injusto, discerniendo lo lícito de lo ilícito, profesando el conocimiento de lo bueno y equitativo, para completar su deseo de hacer buenos a los hombres, no sólo por el temor a las penas sino con la incitación de los premios, y buscando con afán, la verdadera filosofía y no la aparente[2].

Y en Digesto 1.1.10 *pr.* (*Ulpianus 1. Reg.*), nos encontramos con una acepción de justicia profusamente publicitada, tanto en la antigua Roma como en la actualidad, reconocida en el presente como lema de infinidad de facultades de Derecho en el ámbito internacional:

Iustitia est constans et perpetua voluntas ius suum cuique tribuendi.

---

[1]   J. VALLET DE GOYTISOLO, *Estudios sobre fuentes del derecho y método jurídico*, Madrid, 1982, pp. 565 ss., da cuenta de cómo la definición celsiana del derecho, como arte de lo bueno y lo justo, necesita de la interpretación de artífices concretos que puedan establecer en cada caso el *id quod iustum est*.

[2]   *Ulpianus, libro 1. Institutionum: 1. Cuius merito quis nos sacerdotes appellet: iustitiam namque colimus et boni et aequi notitiam profitemur, aequum ab iniquo separantes, licitum ab illicito discernentes, bonos non solum metu poenarum, verum etiam praemiorum quoque exhortatione efficere cupientes, veram nisi fallor philosophiam, non simulatam affectantes.*

Detengamos nuestra atención en esta definición: "La justicia es la constante y perpetua voluntad de dar a cada uno su derecho". La magnífica concepción de la justicia por parte de los romanos se contiene en esta frase, que resume cualquier ingente tratado en la contundente realidad de que la justicia es la voluntad constante, pero además perpetua, de dar a cada uno lo que le corresponde.

De nuevo en D. 1.10.1, Ulpiano se pronuncia con respecto a los principios del derecho, en referencia al hecho de vivir honestamente y no hacer daño al prójimo, insistiendo en dar a cada uno lo suyo:

Iuris praecepta sunt haec: honeste vivere, alterum non laedere, suum cuique tribuere.

Este afán de dar a cada uno lo suyo, forma parte de los *tria praecepta iuris*, síntesis del derecho que se desenvuelve en una comunidad que vive en sociedad. En la misma dirección, pero con un sentido más amplio, afirma A. D'ORS: "Derecho es el conjunto de deberes morales que la sociedad, en un determinado momento histórico y en determinado espacio, considera que son exigibles. Para realizar esta exigencia de deberes, la sociedad organiza una forma de coacción ajustada a ciertas reglas generales. Cuando en ese trámite, que puede llamarse de jurisdicción, interviene la decisión de una persona o conjunto de ellas en razón de su conocimiento de lo que es o no exigible, con independencia de la persona o del poder que solicitan el cumplimiento de un deber, es decir, cuando intervienen jueces que dan en sentencia sobre los posibles conflictos, tenemos un derecho propiamente dicho"[3].

En la antigua Roma, los intérpretes necesarios del derecho se identificaban con los juristas, fundamentales en su labor de

---

[3]   A. D'ORS, *Derecho y sentido común. Siete lecciones de derecho natural como límite del derecho positivo*, 2ª ed., Madrid, 1999, p. 27.

discernir lo justo de lo injusto, incluyendo el conocimiento de las cosas divinas y humanas, recogidos en el texto ulpianeo en D. 1.10.2.:

Iuris prudentia est divinarum atque humanarum rerum notitia, iusti atque iniusti scientia.

Estos maravillosos operadores jurídicos, como miembros de la ilustre jurisprudencia[4], tienen una función memorable, en la que deben acompañar su saber jurídico con la prudencia que resulta necesaria cuando se trabaja en el mundo del derecho, en la búsqueda de la verdadera justicia.

Como decía Cicerón, resulta meridianamente claro que tanto la justicia como la honorabilidad deben ser buscadas por sí mismas. Todos los hombres buenos aman la equidad y la justicia en sí mismas, y un hombre bueno no se equivoca ni ama lo que no debe amarse. Por lo tanto, la justicia debe ser buscada y valorada de esa forma singular. Si es así, entonces también la justicia lo es, y las demás virtudes también deben ser valoradas de acuerdo con su íntima percepción. ¿Es la generosidad gratuita o por dinero? Si resulta amable sin recibir nada a cambio, entonces es gratuita; si es por una recompensa, entonces es contratada. No hay duda de que aquel que es considerado generoso o amable sigue el deber, y no la recompensa a su gesto. Por lo tanto, la justicia tampoco busca ni recompensa ni precio: se busca por sí misma y es la causa y opinión de todas las demás virtudes[5].

---

[4] C. T. LEWIS- C. SHORT, *A latin dictionary*, Oxford, 1879, *s.v. jurisprudentia*, p. 1018: "The science of law"; P. CERAMI, *s.v. Giurisprudenza-Scienza giuridica nel diritto romano*, en *Digesto delle Discipline Privatistiche. Sezione civile IX, UTET,* Turín, 1993, p. 191.

[5] Cic. *De legibus* 1.48: *Sequitur (ut conclusa mihi iam haec sit omnis oratio), id quod ante oculos ex iis est quae dicta sunt, et ius et omne honestum sua sponte esse expetendum. Etenim omnes uiri boni ipsam aequitatem et ius ipsum amant, nec est uiri boni errare et diligere quod per se non sit diligendum:*

En esta imprescindible tarea de la búsqueda de la justicia, la jurisprudencia romana ocupó un lugar de primer orden para identificar y establecer los principios orientadores del derecho, transformando la justicia en un instrumento real[6].

Una mayor complejidad se establece al relacionar el concepto de justicia con el de género, puesto que la perspectiva romana no diferenciaba al género en su distribución equitativa y justa del derecho, sino que priorizaba la necesidad de darle a cada uno lo que le corresponde, en la creencia de que resultaba ser la máxima universalmente requerida por la sociedad.

En la organización social romana la estratificación jerárquica se fue conformando progresivamente, pero los cánones establecidos para poder pertenecer a un determinado orden social se impusieron de tal modo que Roma se dividió en distintos

---

per se igitur ius est expetendum et colendum. Quod si ius, etiam iustitia; sin ea, reliquae quoque uirtutes per se colendae sunt. Quid? Liberalitas gratuitane est an mercennaria? Si sine praemio benignus est, gratuita; si cum mercede, conducta. Nec est dubium quin is qui liberalis benignusue dicitur, officium non, fructum sequatur. Ergo item iustitia nihil expetit praemii, nihil pretii: per se igitur expetitur eademque omnium uirtutum causa atque sententia est.

[6]   Cfr. R. DE CASTRO CAMERO, *El jurista romano y su labor de concreción de la justicia*, en *Persona y Derecho*, 74, 1, 2016, p. 119-120: "Para lograr esto, algunos prudentes como Neracio llegaron a la conclusión de que era necesario apoyar el derecho en la ética para que conservara su integridad… Otros juristas, sin embargo, consideraron que la ciencia jurídica era custodia, más que de un determinado conocimiento, de un pensamiento que expresaba aquello en lo que consistía la civilización… En el desarrollo de una concepción del derecho desde una perspectiva filosófico-jurídica humanitaria fue muy destacada la contribución de los juristas de la edad de los severos, particularmente, la de Ulpiano. En sus escritos, apreciamos una estrecha relación entre derecho, justicia y equidad, dado que el fin último del derecho sería establecer un orden justo y realizar la «equidad natural»".

núcleos de poder, mayor y mejor en la cúspide de la división social estatuida, con un trasfondo claramente discriminatorio con respecto a las mujeres.

Y todo ello como consecuencia de las luchas de poder entre los distintos grupos sociales, con la clara pretensión por parte de los patricios, de perpetuar sus derechos con respecto a la plebe que pertenecía al estrato inferior y por lo tanto debían aceptar resignadamente el destino que les había tocado. De esta forma, la aristocracia romana decidió reconstruir la historia arcaica de Roma con un marcado carácter ideológico, cuyo elemento vertebrador iban a ser las costumbres de los antepasados, los *mores maiorum*, para así poder consolar a la plebe con el mito de que las obligaciones que se les imponían las marcaba la antigua tradición romana, por lo que sólo respetando las costumbres ancestrales el pueblo romano conseguiría el triunfo como sociedad y como Estado[7].

Este mensaje repetido de forma inmisericorde de generación en generación logró convencer a los diferentes estratos sociales durante largo tiempo de la correcta distribución de cometidos en la sociedad romana, otorgando a las mujeres el último peldaño de la jerarquización social establecida.

Los problemas desestabilizadores de la sociedad romana volvieron a manifestarse con la expansión imperialista, ya que se vislumbró el peligro de perder los valores tradicionales familiares, y surgió un debate entre tradición e innovación protagonizado por las clases más influyentes[8], cuyos representantes más

---

[7]   Vid. al respecto, G. ORWELL, *1984*, trad. esp., R. Vázquez Zamora, Madrid, 1980, p. 120, en donde se avala la tesis de la aristocracia romana en las palabras del protagonista, Winston: "El que controla el pasado controla el futuro; y el que controla el presente controla el pasado".

[8]   K. BRINGMANN, *Weltherrschaft und innere Krise Roms im Spiegel der Geschichtsschreibung des zweiten und ersten Jahrhunderts v. Chr.*, A&A 23,

conservadores aprovecharon la decadencia y relajación de las costumbres en la época imperial para ponerla como nefasto ejemplo del alejamiento de los *mores* necesarios. A mayor cosmopolitismo más relajación de las costumbres y mayor decadencia social, por lo que se hacía necesaria una reforma social.

De este modo, y de nuevo mediante la maquinaria de publicidad necesaria, se consiguió el objetivo perseguido, convenciendo a los ciudadanos romanos de la necesidad de preservar la moral y las costumbres para conseguir mayores éxitos en materia belicista, imprescindibles para el equilibrio perfecto de la economía romana, justificando éticamente el imperialismo romano mediante una historiografía entregada a la causa de la conservación imperecedera de las costumbres como amuleto de la Urbs.

La oligarquía era la primera interesada en legitimar ese mensaje conservador para permanecer inalterable en la cúspide social, con una presencia indispensable en el plano político. Si la fuente primigenia del derecho antiguo se reconocía en los *mores maiorum* nadie sería capaz de destruir la aceptación social e ideológica de las costumbres ancestrales.

La perversión del plan establecido por el patriarcado residió en hacer depositarias de esta tradición inmutable a las mujeres, puesto que las convertía en transmisoras perennes de los fundamentos jurídicos y sociales de la civilización romana, adjetivando negativamente al mismo tiempo su condición femenina, puesto que la virtud, el pudor y la castidad[9], al lado de

---

1977, pp. 28-49, en donde trata la percepción de buena parte de la aristocracia romana de que existía una directa relación entre la decadencia moral de Roma y la expansión imperialista.

[9]   F. CENERINI, *La donna romana*, Bolonia, 2009, p. 33, se refiere a las palabras clave de la representación ideal de las matronas romanas, que vienen a ser pocas y siempre las mismas: "*casta*, cioé, che ha rapporti sessuali solo all'interno del matrimonio a fini procreativi;

otro elenco interminable de excelencias morales, las disminuía en comparación con los hombres precisamente en virtud de esa tradición de los valores romanos que debían transmitir[10].

Las mujeres debían ser el símbolo silente y conformado del respeto conservador a las costumbres de los antepasados[11], y

_____

pudica, modesta e riservata; *pia*, dedita alle pratiche del culto e al rispetto della tradizione del *mos maiorum*, il costume degli antenati, considerato l'unico codice morale di comportamento valido per i Romani; *frugi*, semplice e onesta; *domiseda*, che sta in casa; *lanifica*, che sta al telaio.

[10]   R. P. RODRÍGUEZ MONTERO, *Hilvanando atributos femeninos en la antigua Roma*, en *Fundamentos romanísticos del derecho contemporáneo, 2. Derecho de personas*, Madrid, 2021, p. 898: "Frente al valor, el coraje, la fortaleza, la capacidad de control, la constancia, la dignitas presentadas como virtudes masculinas que permiten a los hombres desarrollar toda una serie de tareas que conciernen a la organización y la administración de la vida de la comunidad a que pertenecen-, a las mujeres, situadas en un plano de inferioridad y subordinación, se les exigen en los primeros siglos de la Urbs otras virtudes, tales como el pudor, la castidad, la reserva, la modestia, la piedad, y a ellas se acompañaban otros deberes, entre los que se encontraba en primer lugar el del silencio".

[11]   E. CANTARELLA, *Pasado Próximo. Mujeres Romanas De Tácita A Sulpicia*, trad. esp., M. I. Núñez Paz, Madrid, 1997, p. 63, detalla la consigna del silencio femenino en la época arcaica, al lado de otras virtudes como la modestia y la reserva, y trae a colación el epitafio de la tumba de una mujer del siglo II a.C., en la que se dirige así a los viandantes desde su tumba: "Extranjero, no tengo mucho que decirte. Ésta es la tumba no hermosa de una mujer que fue hermosa. Sus padres la llamaron Claudia. Amó a su marido con todo su corazón. Dio a luz dos hijos. Uno lo deja en la tierra, al otro lo ha enterrado. Amable en el hablar, honesta en su comportamiento, guardó la casa, hiló la lana. No tengo más que decirte. Sigue tu camino" (*CIL*, I, 2, 15364). A esas virtudes, evidentemente destacadas por su cónyuge, le seguían ciertos deberes entre los que destacaba en primer lugar el del silencio, proclamado como excelencia de las mujeres, representado incluso en las deidades, como en Angerona,

cualquier desviación de su papel conllevaría desgracias al pueblo, cuyas supersticiones deberían acallar con un comportamiento intachable, ya que eran objetivo fácil de los preservadores de la moral si se desviaban aunque fuera mínimamente del plan establecido. Las habladurías, íntimamente unidas a las supersticiones de aquel tiempo, convertían en culpable a la *mulier* que parecía, con sus actos, que se alejaba de las costumbres inmemoriales impuestas con rigor al sexo femenino, aunque no tuvieran fundamento alguno. Recordemos, en el ámbito de las vestales, la culpabilidad manifiesta que se les atribuía en caso de que el fuego sagrado se extinguiese, suceso que siempre se unía a un acto delictivo contra la castidad, cometido por la virgen vestal, con funestas consecuencias para la misma.

Lo peor de tal adoctrinamiento fue que las mujeres terminaron por aceptar el papel atribuido a las mismas en la sociedad[12], y fueron en múltiples ocasiones las primeras en denunciar la actitud de otras mujeres que no procedían de acuerdo con las normas establecidas. Subyugadas, sometidas[13], y además actuando como delatoras de la conducta

___

numen protector de Roma, representada amordazada (Macr. *Sat.* 1.10.8), que parece callar para recordar que quien disimula sus preocupaciones y dolores, llega al placer sensual, gracias a su paciencia, si bien esta interpretación de Masurio Sabino (Macr. *Sat.* 3.9.8) no es seguida unánimemente, ya que Plinio cree que el silencio de la Diosa se debe a su obligación de no revelar el nombre secreto de Roma (Plinio, *Nat. Hist.* 3.5.65).

[12] R. RODRÍGUEZ LÓPEZ, *La auctoritas de la gens Julia*, en *Mujeres en tiempos de Augusto, Mujeres en tiempos de Augusto. Realidad social e imposición legal*, R. RODRÍGUEZ LÓPEZ/M. J. BRAVO BOSCH (Eds.), Valencia, 2016, p. 459: "para no caer en el 'antimodelo' la mujer debe autocensurarse, ser casta en el sentido más empobrecedor del término, para evitar cualquier tipo de sospecha del otro, de la sociedad".

[13] I. NÚÑEZ PAZ, *Silencio femenino, negación de las emociones y continuidad histórico jurídica de la violencia institucionalizada contra las mujeres*,

inapropiada de otras mujeres, sin ningún tipo de remordi-
miento, es más, la mayor parte de las veces convencidas de
que contribuían con su delación femenina a mayor gloria
del pueblo romano.

La práctica cotidiana de la *pudicitia* femenina[14], no suponía la ausencia de las mujeres en la vida social romana, ya que
participaban en algunos actos, y se dejaban ver en distintas
ocasiones, sin que ello supusiera paridad social alguna con el
patriarcado dominante. El decoro era considerado un símbolo honorable para las mujeres romanas, por lo que el pudor
exigido se representaba en la vestimenta femenina, si bien
el status social permitía el uso ornamental de ciertos com-
plementos, como el derecho de las matronas, *ius stolae*, de
poder llevar la estola[15], que atestigua la condición de la *ma-*

---

en *Fémeris*, 2.1, 2017, p. 56: "El dogma de la inferioridad femenina
está implícito en el mandato imperativo de sentirse bien sirviendo
a los varones. Anularse y sufrir en función de los otros, se considera
algo natural e identitario. La esposa, a la que también se inculca su
deber de estar bella, ha de aceptar esta situación sintiéndose feliz.
Cubrir las necesidades del esposo le "brindará una enorme satisfacción personal".

[14]   Val. Max. 7.1.1: *uxorem pudicitia et fecunditate conspicuam*; Sen. *Dial.*
12.16.4, pasaje en el que Séneca escribe a su madre Helvia, y le dice
que el ornamento más apropiado para una mujer es la *pudicitia;*
R. LANGLANDS, *Sexual morality in Ancient Rome*, Cambridge, 2006,
p. 38: "It is also clear that *pudicitia* is something different from the
repressive 'chastity' or 'continence' which those from cultures under the influence of puritan Christian sexual ethics might expect.
A competition of sexual continence alone makes no sense, unless
you expect almost every participant eventually to buckle under the
strain and give in to the allure of adultery. One cannot compete in
not doing something; there must be more to competitive *pudicitia*
than this".

[15]   Fest. *De verborum significatu, s.v. matronas: appellabant eas fere, quibus
stolas habendi ius erat;* A. BERGER, *Encyclopedic Dictionary of Roman
Law*, Filadelfia 1953, *s.v. stola*, p. 718: "A garment of an honorable,

terfamilias, prenda femenina que otorgaba un prestigio social del que las mujeres romanas no están dispuestas a prescindir, que se prohibía a las infames, dedicadas a la prostitución[16], y por supuesto a las esclavas, a las que el concepto de pudor les resultaba ciertamente extraño por su condición de objetos al servicio de su dueño.

Resulta tan importante la identificación de las mujeres pudorosas, que en el caso del *Edictum de adtemptata pudicitia*[17], si el agresor, por motivos de confusión, atentaba al pudor de jóvenes o madres de familia romanas sin saber de su condición, como sucedía con el cortejo a doncellas que van vestidas de esclavas[18], el agresor tendría menos culpa, así como si las matro-

---

married woman"; E. NACK-W. WÄGNER, *Roma*, Barcelona, 1960, p. 319: "Encima de la túnica llevaba la mujer la *stola*, el vestido exterior, que mostraba casi el mismo corte que la túnica y por debajo estaba adornada con un volante (*insita*). Para sujetar el vestido, las ricas se servían de un cinturón de metal precioso y adornado con perlas", para luego continuar con una referencia a la *palla*, parecida a la toga de los hombres y que cubría el cuerpo por entero, y al tocado de calle, que consistía "a menudo en un largo velo, llamado *flammeum*, que se sujetaba en el pelo mediante agujas... El color de los vestidos, era, primitivamente, casi siempre el blanco natural. Posteriormente se llevaban también vestidos exteriores en tonalidades delicadas de rojo, amarillo y verde, como dan de ello testimonio las terracotas pintadas y las pinturas murales de Pompeya. Sólo la túnica siguió siendo blanca".

[16] Para diferenciar a las meretrices de las pudorosas matronas, se imponía a las primeras el deber de vestirse con el *amiculum*, como se refleja en *Isid. Orig.* 19.26.5, en donde se concreta que la manteleta (*amiculum*) es el palio de lino de las meretrices.

[17] M. J. BRAVO BOSCH, *Algunas consideraciones sobre el Edictum de adtemptata pudicitia*, en *Dereito* vol. 5, 2, 1996, pp. 41 ss.

[18] Sobre la vestimenta de las esclavas y las prostitutas, D. DE LAPUERTA MONTOYA, *Estudio sobre el Edictum de adtemptata pudicitia*, Valencia, 1999, pp. 125 ss.

nas vistiesen con traje de meretrices y no con la *stola*[19], propia de las *matresfamilias,* como se reconoce en D. 47.10.15.15:

> *Si quis virgines appellasset, si tamen ancillari veste vestitas, minus peccare videtur, multo minus si meretricia veste feminae, non matrumfamiliarum vestitae fuissent; si igitur non matronali habitu femina fuerit, et quis eam appellavit, vel ei comitem abduxit, iniuriarum tenetur.*

Así, el ultraje condenable en orden a determinar la conducta punible del agresor se concentraba en la representación femenina de la vestimenta, ya que sí el atacante alegaba desconocimiento o ignorancia del estatus de la persona que sufría la agresión, por no estar vestida conforme a los cánones de su status podría verse libre de los cargos imputables.

Este hostigamiento impenitente mostrado hacia las mujeres, contenido supuestamente en las costumbres inmemoriales de los antepasados, era la excusa perfecta para domeñar la naturaleza femenina, despreciada en su supuesto carácter voluble, su tendencia a verbalizar excesivamente, y su falta de mesura y de prudencia.

El ejemplo más contundente de la percepción de las mujeres como seres inestables, frívolos, caprichosos, antojadizos, inestables y volubles lo constituye el histriónico relato de la primera manifestación femenina de la historia de la que poseemos mayor información. Fue llevada a cabo durante el episodio de

---

[19]   C. V. DAREMBERG-E. SAGLIO, *Dictionnaire des antiquités grecques et romaines, d'après les textes et les monuments,* París, 1873, p. 191: "Le mot latin *stola*... fut à l'origine d'une acception aussi vague. Mais bientôt il ne s'appliqua plus qu'à une forme de vêtement déterminée. Il désigna la robe des dames romaines. Le costume habituel des matrones se composait de trois pièces: la *tunica* (*interior* ou *intima*), qui tenait lieu de chemise; la *stola,* qui était la robe proprement dite; et la *palla,* simple manteau carré, pareil au *pallium* grec, qu'on jetait librement sur le tout [*pallum,* tunica]".

la abrogación de la *lex Oppia*[20], una de las leyes suntuarias que prohibía la ostentación pública de más de media onza de oro[21], así como el uso de vestidos de colores llamativos[22], o la utilización de carruajes en la ciudad de Roma[23], o a mil pasos de la

---

[20] La fecha de creación de esta ley resulta discutida, no la de su abrogación, si bien se acepta tradicionalmente el año 215 a.C., del consulado de Quinto Fabio Máximo y Tiberio Sempronio Graco, como el momento en el que el tribuno de la plebe Gayo Oppio, *Caius Oppius*, propuso una ley para gravar el lujo de las mujeres romanas; contra, optando por el año 213 a.C. como la fecha real, A. HAURY, *Une année de la femme à Rome*, en *Mélanges off. à j. Heurgon*, Roma, 1976, 1, pp. 427-436.

[21] C. VENTURINI, *Leges Sumptuariae*, en *Studi di diritto delle persone e di vita sociale in Roma antica. Raccolta di Scritti*, A. PALMA (ed.), Nápoles, 2014, p. 567, cree que la ley no prohibía poseer una cantidad de oro superior a media onza, sino el hecho de exhibirla en los adornos mostrados en público: "Non riesco, infatti, a sottrarmi all'idea che le restrizioni introdotte valessero, sì, a precludere esibizioni di fasto inopportune nel clima della guerra annibalica ma costituissero anche, ponendo un indiretto freno alle spese prodotte da vanità femminile e non suscettibili di venire frenate dai *tutores*, una misura che aveva, almeno paralelamente, di mira il fine di mantenere quanto più possibile integri i patrimoni delle *sui iuris* destinate a tornare alla famiglia agnatizia con la loro morte".

[22] V. KÜHNE, *La lex oppia sumptuaria y el control sobre las mujeres*, en *Mulier. Algunas Historias e Instituciones de Derecho romano*, R. RODRÍGUEZ LÓPEZ /M.J. BRAVO BOSCH (eds.), Madrid, 2013, p. 39, en donde pone de manifiesto que la limitación se debía a que los elementos textiles eran muy costosos, porque se empleaban materiales de difícil obtención para la confección de los tintes y por la utilización de telas muy ricas y elaboradas en su realización, como sucedía con la seda.

[23] E. M. AGATI MADEIRA, *La lex oppia et la condition juridique de la femme*, en *RIDA* 51, 2004, p. 90: "Il est bien vrai que le tribun devait faire référence à des femmes latines très riches, puisque, tenant compte de l'étroitesse et du caractère tortueux des rues romaines, jusqu'au début de l'Empire, le droit d'utiliser une voiture était un honneur

misma, excepto en el caso de la realización de actos públicos de carácter religioso[24].

Esta famosa ley restrictiva, tenía como función primordial la sanción pública del lujo[25], para tranquilizar, por un lado, a una población privada de casi todos los bienes básicos como consecuencia de la expansión territorial llevada a cabo con una monumental escalada bélica, pero también para calmar los ánimos del patriarcado tradicionalista que denostaba la ornamentación excesiva de las mujeres, por el riesgo que entrañaba para la *pudicitia* exigida a las matronas romanas.

Pero en el año 195 a.C.[26], Roma obtiene una gran victoria contra los cartagineses, por lo que la continencia del lujo ya no parece tan necesaria como antaño. Así, los tribunos de la plebe Marco Fundanio y Lucio Valerio solicitan a los concilios plebeyos la abrogación de la *lex Oppia* por el sesgo innecesario, pero se encuentran con la oposición de otros dos magistrados de igual rango, los dos Brutos, Marco Junio y Tito Junio, quie-

---

réservé aux vestales et aux triomphateurs. La plupart des personnes utilisaient la litière".

[24] Vid., en referencia al uso de *pilentum* y *carpentum* por parte de las mujeres, Liv. 5.25.8-9: *Grata ea res ut quae maxime senatui unquam fuit; honoremque ob eam munificentiam ferunt matronis habitum ut pilento ad sacra ludosque, carpentis festo profestoque uterentur,* ya que fue una concesión senatorial, al haber ayudado el colectivo femenino en el año 395 a.C. con sus joyas y ornamentos, a fabricar una copa en ofrenda a Apolo.

[25] No el lujo que afecta a la esfera privada; C. J. BERRY, *The idea of Luxury. A conceptual and historical investigation,* Cambridge, 1994, p. 84: "Luxury represented the use of wealth to serve private satisfaction".

[26] E. GABBA, *Del buon uso della richezza,* Milán, 1988, p. 84: "Certamente la polemica contro il lusso femminile può trovare una collocazione storico-cronologica nella Roma del primo decennio del II sec. a.C.: nel 195 si era avuta l'abrogazione, invano contrastata da Catone, della *lex Oppia,* che limitava le spese voluttuarie delle matrone".

nes, dirigidos por Catón[27], el rígido conservador de los valores tradicionales romanos, refieren la necesidad de mantener la *lex Oppia* con la amenaza de interponer su veto tribunicio, la *intercessio*, para evitar la abrogación del suntuario plebiscito.

La novedad reside en la manifestación pública de las mujeres romanas[28], en una especie de escrache -de acuerdo con el lenguaje actual-, que ocupó todas las calles y accesos al Foro, reclamando su derecho a exhibir todas sus joyas, ahora que la República había recuperado su esplendor, y las arcas del Estado auguraban una época económicamente estable para el tesoro romano.

Si bien las fuentes atestiguan algún otro precedente de movilización pública femenina con intenciones políticas[29], el rechazo despectivo del cónsul Catón, así como la numerosa participación de mujeres, venidas incluso del rural, en el claro empeño de conseguir su propósito final, hacen de este episodio un hecho memorable para la historia romana, en la que

---

[27] J. S. RUEBEL, *Cato and Scipio Africanus*, en *The Classical World*, 71, 3, 1977, p. 161, en donde destaca el conservadurismo de Catón, ya reflejado anteriormente en la disputa entablada con Escipión el Africano con ocasión del juicio al que fue sometido el célebre general romano: "Cato embodied the 'old' Roman farmer-soldier, politically conservative, provincial, and chauvinistic; Scipio captured all the best and worst of the new phil-Hellenism, a liberal, flamboyant, and Cosmopolitan sophisticate".

[28] P. CULHAM, *The Lex Oppia*, en *Latomus*, 41, 4, 1982, p. 791, afirma que no resulta increíble pensar que las mujeres se puedan organizar entre ellas. De hecho, tendrían que tener sus propios contactos para participar en los cultos religiosos.

[29] Sirva como ejemplo el relato de Livio, 3.48.8, acerca del episodio de la muerte de Virginia a manos de su padre para evitar que el depravado decenviro Apio Claudio pudiese arrebatarle su castidad: *Sequentes clamitant matronae, eamne liberorum procreandorum condicionem, ea pudicitiae praemia esse? cetera, quae in tali re muliebris dolor, quo est maestior imbecillo animo, eo miserabilia magis querentibus subicit.*

una muchedumbre femenina organizada consiguió doblegar a la conciencia masculina, siempre oscilante en su temor de perder la potestad secularmente ejercida sobre el colectivo femenino en una demostración de poder marital.

La descripción de los hechos la realiza Tito Livio, 34.1-8[30]:

Inter bellorum magnorum aut uixdum finitorum aut imminentium curas intercessit res parua dictu sed quae studiis in magnum certamen excesserit. M. Fundanius et L. Ualerius tribuni plebi ad plebem tulerunt de Oppia lege abroganda. tulerat eam C. Oppius tribunus plebis Q. Fabio Ti. Sempronio consulibus in medio ardore Punici belli, ne qua mulier plus semunciam auri haberet[31] neu uestimento uersicolori uteretur neu iuncto uehiculo in urbe oppidoue aut propius inde mille passus nisi sacrorum publicorum causa ueheretur[32]. M. et P.

---

[30]   Val. Max. 9.1.3: *Vrbi autem nostrae secundi Punici belli finis et Philippus Macedoniae rex deuictus licentioris uitae fiduciam dedit. quo tempore matronae Brutorum domum ausae sunt obsidere, qui abrogationi legis Oppiae intercedere parati erant, quam feminae tolli cupiebant, quia his nec ueste uarii coloris uti nec auri plus semunciam habere nec iuncto uehiculo propius urbem mille passus nisi sacrificii gratia uehi permittebat. et quidem optinuerunt ut ius per continuos xx annos seruatum aboleretur: non enim prouiderunt saeculi illius uiri ad quem cultum tenderet insoliti coetus pertinax studium aut quo se usque effusura esset legum uictrix audacia. quod si animi muliebris apparatus intueri potuissent, quibus cotidie aliquid nouitatis sumptuosius adiectum est, in ipso introitu ruenti luxuriae obstitissent. sed quid ego de feminis ulterius loquar, quas et inbecillitas mentis et grauiorum operum negata adfectatio omne studium ad curiosiorem sui cultum hortatur conferre, cum temporum superiorum et nominis et animi excellentis uiros in hoc priscae continentiae ignotum deuerticulum prolapsos uideam? idque iurgio ipsorum pateat;* Orosio, *adv. pag.* 4. 20. 14; Zonar., 9. 17. 1:

[31]   F. GORIA, *Il dibattito sull'abrogazione della lex Oppia e la condizione giuridica della donna romana*, en *Atti I Convegno 'La donna nel mondo antico'*, Turín, 1987, p. 266, n. 2, señala que normalmente se entiende el término *habere* usado por Livio en el sentido de "tener en propiedad".

[32]   F. GARCÍA JURADO, *Las críticas misóginas a las matronas por medio de las meretrices en la comedia Plautina*, en *Cuadernos de Filología Clásica.*

Iunii Bruti tribuni plebis legem Oppiam tuebantur nec eam se abrogari passuros aiebant; ad suadendum dissuadendumque multi nobiles prodibant; Capitolium turba hominum fauentium aduersantiumque legi complebatur. matronae nulla nec auctoritate nec uerecundia nec imperio uirorum contineri limine poterant, omnes uias urbis aditusque in forum obsidebant, uiros descendentes ad forum orantes ut florente re publica, crescente in dies priuata omnium fortuna matronis quoque pristinum ornatum reddi paterentur. augebatur haec frequentia mulierum in dies; nam etiam ex oppidis conciliabulisque conueniebant. iam et consules praetoresque et alios magistratus adire et rogare audebant; ceterum minime exorabilem alterum utique consulem M. Porcium Catonem habebant, qui pro lege quae abrogabatur ita disseruit:

En este meticuloso relato, a partir del instante previsto para la abrogación de la controvertida ley, destaca el discurso de Catón[33], sumamente extenso, del que extraeremos algún pá-

---

Estudios Latinos, 4, Madrid, 1993, p. 41, compara este fragmento con un pasaje de la *Aulularia* de Plauto, 500-502, en el que un *senex*, Megadoro, realiza una crítica sobre el lujo excesivo que tanto atrae a las matronas que aportan una dote al matrimonio: *enim mihi quidem aequum est purpuram atque aurum dari, ancillas, mulos, muliones, pedisequos, salutigerulos pueros, uehicla qui uehar.*

[33] L. PEPPE, *Posizione giuridica e ruolo sociale della donna romana in età repubblicana*, Milán, 1984, p. 44: "Quanto all'orazione catoniana, gli studiosi sono quasi concordi nel ritenere che Livio non trascriba un eventuale testo originale, ma sono poi divisi sulla possibilità che questo testo fosse a disposizione di Livio e che quindi questi si fosse limitato a rielaborarlo in modo più o meno ampio o che invece lo storico patavino avesse inventato di sana pianta il discorso; ed in queste attività Livio avrebbe avuto come scopo o l'elogio dei tempi passati o l'ossequio del moralismo augusteo; a continuación afirma que un dato es seguro: existe una versión totalmente distinta en Zonar. 9. 17. 1-4 que transmite en *oratio recta* las conclusiones de los dos discursos, conclusiones que no tienen nada que ver con las presentadas por Livio, aceptando la verosimilitud de las versiones de Zonaras, "più fedele all'annalistica"; contra, J. BRISCOE, *A commentary on Livy. Books XXXIV-XXXVII*, Oxford, 1981, pp. 41 ss, en donde

rrafo sintético de su pensamiento, y gracias al cual podemos observar la tendencia misógina del magistrado represor, así como su censura despiadada del comportamiento femenino, intentando convencer al auditorio masculino, con una prosa deliberadamente exaltada, de la necesidad de controlar a las mujeres, tal y como se aprecia en Livio 34.2.1:

Si in sua quisque nostrum matre familiae, Quirites, ius et maiestatem uiri retinere instituisset, minus cum uniuersis feminis negotii haberemus: nunc domi uicta libertas nostra impotentia muliebri hic quoque in foro obteritur et calcatur, et quia singulas sustinere non potuimus uniuersas horremus.

Hemos preferido destacar este breve fragmento ya que resume la ideología patriarcal de Catón[34], convencido de la superioridad perenne masculina, quien, siguiendo el hilo

---

afirma que los discursos contenidos en Zonara son una invención; F. GORIA, *Il dibattito sull'abrogazione della lex Oppia e la condizione giuridica della donna romana*, en *La donna nel mondo antico*, cit., p. 268, reflexiona sobre la posibilidad de adscribir efectivamente al discurso de Catón, resumido y parafraseado por Livio, las afirmaciones que el escritor paduano le atribuye: "L'opinione che tende a prevalere fra gli studiosi più recenti è quella secondo cui tale discorso non sarebbe mai stato pubblicato e sarebbe stato ricostruito da livio utilizando forse materiali tratti da altre orazioni catoniane o basandosi su fonti annalistiche".

[34] Creemos necesario añadir otro extracto del relato de Livio 34. 3. 1-2, puesto que nos transmite la insistencia de la inflexibilidad de Catón: *Recensete omnia muliebria iura quibus licentiam earum adligauerint maiores uestri per quaeque subiecerint uiris ; quibus omnibus constrictas uix tamen continere potestis. quid? si carpere singula et extorquere et exaequari ad extremum uiris patiemini, tolerabiles uobis eas fore creditis? extemplo simul pares esse coeperint, superiores erunt,* cuando recuerda como los antepasados ya habían frenado la licenciosidad de las mujeres mediante leyes que las obligaban a una obediencia debida marital, preguntando a los maridos si serían capaces de tolerarlas cuando estuvieran en pie de igualdad con ellos, si no las sujetaban mediante limitaciones;

central de su discurso, reprocha gravemente a los hombres el no haber sabido mantener los derechos sobre las mujeres, así como la autoridad de los maridos en los hogares, ya que, de haberlo hecho, tal acto de insubordinación femenina no se habría producido.

La conclusión, contenida en *et quia singulas sustinere non potuimus uniuersas horremus,* se debe traducir así: "ya que fuimos incapaces de resistirlas individualmente debemos temerlas ahora unidas".

El resto del alegato catoniano no desmerece el tono peyorativo respeto dirigido a las mujeres[35], pero no debería extrañarnos en un contexto histórico de prevalencia masculina obtenida con los triunfos bélicos y la defensa territorial del Estado romano.

Su incendiario exabrupto no consiguió el efecto deseado, y la abrogación de la ley se produjo, si bien este éxito no se puede escribir en términos de libertad femenina en mayúsculas, ya que las mujeres tradicionales continuaron con su excursus vital contenido, para distinguirse de las demás mujeres en su noble condición que implica mesura y equilibrio como virtudes de una ejemplar matrona romana.

Todo ello unido a la posición jurídica de la mujer, que le impedía desempeñar oficios viriles, *officia virilia,* por lo que no podía acceder a la magistratura ni ser juez[36], entre otras tantas

---

D. KIENAST, *Cato der Zensor,* Heidelberg, 1954, p. 22, con amplia literatura sobre la oración Catoniana;

[35] P. DESIDERI, *Catone e le donne. Il dibattito liviano sull'abrogazione della lex Oppia,* en *Opus* 3, 1984, pp. 63-73.

[36] D. 5.1.12.2 (*Paul. 17 ad ed.*): *Non autem omnes iudices dari possunt ab his qui iudicis dandi ius habent: quidam enim lege impediuntur ne iudices sint, quidam natura, quidam moribus. natura, ut surdus mutus: et perpetuo furiosus et impubes, quia iudicio carent. lege impeditur, qui senatu motus est. moribus feminae et servi, non quia non habent iudicium, sed*

exclusiones de la vida pública, si bien podían participar en los *officia civilia* de forma parcial, como veremos enseguida al hablar del caso de Carfania, que consistían, por lo general, en la representación, en los negocios jurídicos, de intereses de terceros, así como en la representación procesal.

La mujer romana que debe ser elogiada y puesta como ejemplo en la comunidad romana no debe tener las aptitudes del hombre, por lo tanto, no debe ser aguerrida, ni valiente, ni con mando, ni independiente, ni con ideas propias, y un etcétera muy largo que se podría completar con todas las restricciones que se deben imponer al colectivo femenino para tenerlo aletargado y lejos de la tentación de apartarse de las normas de la sociedad romana que las excluía de casi todos los eventos jurídicos, sociales e históricos que pudieran repercutir negativamente en el honor de su *gens*, o provocasen un estigma excluyente, que sería con carácter perpetuo para el conjunto familiar.

De ahí la necesidad de imponerle un tutor permanente, un *tutor mulieris*[37], que refrendase con su *auctoritas* los actos jurídicos que pudiera llevar a cabo la mujer, pero que sin ese asesoramiento especializado masculino, por cuanto el tutor tenía que ser siempre un varón, podrían suponer un fracaso total. La transmisión generacional de este vigilante perenne de los negocios jurídicos femeninos obligaba a todas las mujeres a

---

quia receptum est, ut civilibus officiis non fungantur. En este texto se contiene la prohibición femenina para poder actuar como jueces, al lado de la prohibición realizada al sordomudo por su naturaleza, al enfermo mental incurable y al impúber, por carecer de juicio; al expulsado del senado porque lo impide la ley; y como no, las costumbres, que impiden la función jurisdiccional a las mujeres y a los esclavos, no por carecer de juicio, sino porque la costumbre siempre ha admitido que no pueden desempeñar *officia* civiles.

[37] M. J. BRAVO BOSCH, *Mujeres y Símbolos en la Roma republicana. Análisis jurídico-histórico de Lucrecia y Cornelia*, Madrid, 2017, pp. 41 ss.

someterse a un experto en *auctoritas,* que en muchas ocasiones llevaba a cabo su cometido de forma irregular, o incompleta, con culpa en sus responsabilidades o incluso con dolo, para perjudicar, pero sobre todo que no incrementaba el haber de la mujer, sino que debía autorizar las gestiones de ésta para que pudiera concluir sin problema sus negocios legítimos.

Bien es cierto que el tiempo dulcificó las funciones del tutor, y que llegó a convertirse en un instrumento periclitado, pero tal era la fuerza de la organización patriarcal que nunca se derogó, para pervivir en la conciencia colectiva como una amenaza persistente de peligro hacia las mujeres, que podría volver a implantarse si ellas se atreviesen a desocupar su espacio de silente sumisión.

Un caso aislado que siempre ha llamado la atención por su fuerza es el de Carfania, que en razones de justicia y género merece un papel protagonista. Aunque las mujeres no podían representar a otros en un proceso ni tampoco en el ámbito de los negocios jurídicos, sí que podían asumir y finalizar contratos en los que tuvieran interés, y defender la legitimidad de los actos relacionados con esos contratos, actuando por sí mismas, sin representación procesal, ante la autoridad jurisdiccional correspondiente.

El jurista Ulpiano trae a colación el motivo de la exclusión femenina a la hora de abogar en causas ajenas, puesto que no es propio de su sexo el mezclarse en defensas que las ponen en evidencia como carentes del pudor femenino, poniendo como antimodelo a la 'descarada' Carfania, que importunaba al magistrado en su actuación como abogada, tal y como se describe en D. Ulp. 6 ed. D. 3.1.1.5:

5. *Secundo loco edictum proponitur in eos, qui pro aliis ne postulent: in quo edicto excepit praetor sexum et casum, item notavit personas in turpitudine notabiles. Sexum: dum feminas prohibet pro aliis postulare. Et ratio quidem prohibendi, ne contra pudicitiam sexui congruentem alienis causis se immisceant, ne virilibus officiis fungantur*

mulieres: origo vero introducta est a Carfania improbissima femina, quae inverecunde postulans et magistratum inquietans causam dedit edicto. Casum: dum caecum utrisque luminibus orbatum praetor repellit: videlicet quod insignia magistratus videre et revereri non possit. Refert etiam Labeo publilium caecum asprenatis noni patrem aversa sella a Bruto destitutum, cum vellet postulare. Quamvis autem caecus pro alio postulare non possit, tamen et senatorium ordinem retinet et iudicandi officio fungitur. Numquid ergo et magistratus gerere possit? Sed de hoc deliberabimus. Exstat quidem exemplum eius, qui gessit: Appius denique Claudius Caecus consiliis publicis intererat et in senatu severissimam dixit sententiam de Pyrrhi captivis. Sed melius "milius" est, ut dicamus retinere quidem iam coeptum magistratum posse, adspirare autem ad novum penitus prohiberi: idque multis comprobatur exemplis.

En relación con este edicto del pretor, el magistrado romano estableció unos límites muy claros por razón del sexo y también excluyendo ciertos defectos, y de forma concreta detalló a las personas señaladas por la nota de infamia. La cuestión es que se refirió concretamente a las mujeres, hablando del sexo femenino, y motivando la prohibición de actuar procesalmente las mujeres en defensa de los intereses de otra persona, puesto que cuando las causas no le son propias, demuestran que carecen del pudor propio de su condición femenina, y hay que evitar que desempeñen oficios viriles[38]. Lo destacable es que el motivo de este edicto se fundamenta en la presencia de Carfania, esa abogada insolente y descarada que motiva la creación edictal. Si utilizamos el argumento al contrario, podríamos deducir que antes de la emanación del edicto las mujeres

---

[38]   La verdad es que la generalización de tal veto no se observaba en los oficios que podríamos resumir como deleznables, ya que había mujeres gladiadoras que podían trabajar sin problema alguno, como afirma D. DAUBE, *Civil Disobedience in Antiquity*, Edimburgo, 1972, p. 26 : "Imperial Rome had women gladiators but no women lawyers".

sí podían participar en la representación de los intereses de otras personas sin ser vetadas por ello, puesto que, a la vista del enunciado de Ulpiano, la función principal de edicto es la prohibición femenina a partir del mismo, y no con anterioridad.

Podemos suponer el estupor y el escándalo que produjo la figura de Carfania ante un patriarcado que apartaba a las mujeres de cualquier cometido considerado impropio de su género, además de por su condición de esposa de un senador romano, Licinio Bucco, en el siglo I a.C., y por ello entendemos las palabras de Valerio Máximo 8.3.2:

> *C. Afrania vero, Licini Bucconis senatoris uxor, prompta ad lites contrahendas, pro se semper apud praetorem verba fecit, non quod advocatis defi ciebatur, sed quod inpudentia abundabat. itaque inusitatis foro latratibus adsidue tribunalia exercendo muliebris calumniae notissimum exemplum evasit, adeo ut pro crimine inprobis feminarum moribus C. Afraniae nomen obiciatur. prorogavit autem spiritum suum ad C. Caesarem iterum P. Servilium consules: tale enim monstrum magis quo tempore exstinctum quam quo sit ortum memoriae tradendum est.*

El escritor romano describe a Carfania como una *uxor* con tendencia a plantear litigios, que ellas misma presentaba ante el pretor, adjetivando peyorativamente que lo hacía porque carecía de pudor y no porque no pudiese contratar a un abogado, lo que la hacía parecer a los ojos de la sociedad romana todavía más despreciable. Insistiendo en esa deriva peyorativa, Valerio insiste en sus molestas interrupciones con "ladridos" en el Foro dirigidos a la autoridad jurisdiccional, y así Carfania queda identificada con una mujer degradada en sus perversas costumbres, contrarias a los ancestrales y vigentes *mores maiorum*, apelativo de "C. Afrania" que se dedica a partir de ese momento a las féminas sin pudor.

En fin, ni siquiera la defensa legítima de los derechos en femenino estaba bien vista en el mundo romano, por lo que las posibilidades de emancipación eran realmente mínimas. Bien es cierto que nuestro conocimiento se nutre de una historia contada mayoritariamente por hombres que no dan voz a las mujeres relevantes de cada periodo concreto de la evolución jurídica y social del *ius romanorum*, relegando el protagonismo femenino a la *domus*, el hogar, como el único lugar de expansión de las mujeres y sustrayendo incluso dentro de la casa familiar cualquier tipo de autoridad o potestad por parte de la mujer, por lo que acceder a fuentes objetivas con un prisma igualitario es prácticamente imposible en referencia a la prístina sociedad romana.

Con todo, las mujeres no estaban invisibilizadas jurídicamente, como cabría pensar, ya que el colectivo femenino era objeto de derecho, y eran tenidas en cuenta por el *ius* para conformar el espacio jurídico diseñado ex profeso para el colectivo femenino.

Las matronas romanas, por lo tanto, eran reconocidas como sujetos de derecho[39], pero con una capacidad limitada, por no decir que su status se identificaba con una cierta discapacidad, atribuida a su debilidad de espíritu. Por lo tanto, esa presencia femenina en las fuentes de producción y conocimiento del

---

[39]   I. NÚÑEZ PAZ, *Auctoritas y mujeres romanas ¿Ejercicio o sumisión?*, en *ARENAL*, 22, 2, 2015, p. 351: "Son sujeto pasivo, pero no activo; están excluidas en la norma jurídica de todas las dignidades públicas empezando por la más relevante, la dignidad consular... El derecho a votar en los comicios y a ser votadas (*ius honorum*) se niega a la mitad de la población libre. La alteridad femenina se encuentra por tanto en una convención, que fundamentada en los *mores maiorum* les prohíbe de por vida el acceso al *ius suffragii*, el derecho al voto, y como derivación al *ius honorum* o acceso a ocupar las magistraturas y el rango senatorial". Con respecto a la *potestas*, por lo tanto, la autora excluye la posibilidad de ejercicio por parte de las mujeres, apostando, sin embargo, por la *auctoritas* femenina, ya que en su opinión "algunas se ganaron, por méritos propios o ajenos, el privilegio de la *auctoritas* entendida como posición de una institución o de una persona respecto a la sociedad".

derecho romano se realizaba con la intención propia del pensamiento de un *paterfamilias*, de someter a una estricta vigilancia a las mujeres, intentando evitar cualquier exceso femenino que pudiera perjudicar al conjunto de la *gens* familiar[40].

De este modo, la regulación en femenino perseguía el objetivo de imbuir a los ciudadanos romanos protagonistas del patriarcado de la necesidad de tutelar a las mujeres de forma perenne, por su fragilidad de ánimo, y por su débil condición.

Resulta necesario insistir en que si bien se advierte la presencia femenina en el derecho romano, no se aprecia como un espacio de libertad regulado en beneficio del colectivo de las mujeres, sino como un elenco de obligaciones morales, éticas, jurídicas y sociales por la propia condición femenina, esclavizándolas desde su propio nacimiento, al servicio de la organización patriarcal.

Los juristas romanos, por lo tanto, debían realizar una construcción jurídica de los términos adecuados para referirse a las mujeres, ya que eran los únicos legitimados para tal función, y con el tiempo fueron utilizando la gran mayoría los mismos

---

[40] El escenario no es el mismo en todas las épocas históricas, ya que desde el derecho romano arcaico al justinianeo los cambios se reflejan en la legislación y la jurisprudencia, aunque el *leit motiv* reside en un mismo principio, el preservar el patriarcado romano de la emancipación perjudicial femenina; vid. al respecto, R. RODRÍGUEZ LÓPEZ, *Mujeres en los difíciles tiempos del Imperio romano de Occidente. Nov. Mai. 5,6,7 y 9 (458-459 d.C.)*, Madrid, 2022, p. 22: "Resulta llamativo como escenarios ya vividos a finales de la República y principios del Imperio -con otras coordenadas diversas-, vuelvan a ser objeto de disposiciones jurídicas, y que los adulterios, las violaciones o la castidad femenina sigan siendo problemas familiares", añadiendo que el sistema patriarcal se siente incómodo con un nuevo fenómeno, el de las mujeres pudientes que ya no se someten a nadie, que son independientes, y que incluso pueden llegar a desviar el patrimonio familiar.

epítetos, denigrantes para las mujeres pero reconocidos como propios de su condición.

No creemos que adjudicar a las mujeres la denominación *imbecillitas sexus*[41], sea un atributo en positivo, sino más bien un antimodelo de denominación del género femenino[42], que refiere la debilidad de sexo, y se utiliza, por ejemplo, en senado-consultos como el Veleyano, en el que a pesar de parecer que intenta proteger a las mujeres de engaños en el ámbito comer-

---

[41]   D. 16.1.2.2-3 (*Ulpianus libro 29 ad edictum*): 2. *Verba itaque senatus consulti excutiamus prius providentia amplissimi ordinis laudata, quia opem tulit mulieribus propter sexus inbecillitatem multis huiuscemodi casibus suppositis atque obiectis. 3. Sed ita demum eis subvenit, si non callide sint versatae: hoc enim divus Pius et Severus rescripserunt. Nam deceptis, non decipientibus opitulatur et est et Graecum Severi tale rescriptum: decipientibus mulieribus senatus consultum non opilatur. Infirmitas enim feminarum, non calliditas auxilium demeruit.*

[42]   A. D'ORS, *Derecho y sentido común. Siete lecciones de derecho natural como límite del derecho positivo*, cit., pp. 33-34, en el apartado "La mujer, especie del género": "En este sentido de ser que deriva del hombre, la mujer es una «especie» que viene a perfeccionar el género humano. Para designar el género se sigue hablando de «hombres», pero dentro de este género, la especie femenina es un aditamento, no sólo necesario para la vida del género humano, sino también, y precisamente por esta necesidad, un perfeccionamiento «humano». Dentro del género, la especie femenina no sólo «tiene» una forma diferenciada, sino que «es» una forma que, al perfeccionar el género, lo embellece, pues la belleza consiste en la perfección de una forma. La lengua latina da a la palabra *species* un sentido similar al de forma, y al adjetivo *speciosus*, el mismo sentido que *formosus*. Así, pues, podemos decir que lo del «bello sexo» es una manera popular... de aludir a la mayor «especiosidad» de la mujer. El ser humano que es además mujer, es así un ser más perfecto que el ser «humano» que sólo es hombre. Esta dualidad de los sexos, aunque pueda tener cierto parecido con el que resulta de otros seres vivos, es decir, aquellos cuyo género se reproduce, tiene en el hombre un sentido del todo especial, y se manifiesta como una culminación de la creación divina".

cial, en realidad presume a priori la incapacidad de comprensión de los negocios jurídicos en los que se podía ver inmersa una mujer, por su condición de fémina, elemento esencial para la protección jurídica.

Algunos de los calificativos utilizados con más frecuencia, *infirmitas sexus*, insisten en la debilidad del espíritu femenino, y son utilizados para referir la volubilidad de las mujeres, incapaces y no aptas para los negocios[43], e incluso imposibilitadas para poder delatar a alguien[44], como consecuencia de su natu-

---

[43]   D. 27. 10. 9 (*Ner.* 1 *membran.*): *Cuius bonis distrahendis curatores facere senatus permisit, eius bona creditoribus vendere non permisit, eius bona creditoribus vendere non permisit, quamvis creditores post id beneficium bona vendere mallent; sicut enim integra re potestas ipsorum est, utrum velint, eligendi, ita quum alterum elegerint, altero abstinere debent. Multoque magis id servari aequum est, si etiam factus est curator, per quem bona distraherentur, quamvis nondum explicato eo negotio decesserit; nam et tunc ex integro alius curator faciendus est, neque heres prioris curatoris onerandus, quum accidere possit, ut negotio vel propter sexus, vel propter aetatis infirmitatem, vel propter dignitatem maiorem minoremve, quam im priore a curatore spectata erat, habilis non sit; possint etiam plures heredes ei existere, neque aut per omnes id negotium administrari expediat, aut quidquam dici possit, cur unus aliquis ex his potissimum onerandus sit* Este texto, indirectamente relacionado con el léxico utilizado, viene a colación en el momento en el que se refiere a no gravar al heredero de un curador (en el texto se refiere al primero en el caso de que fallezca), ya que puede ser que no sea apto para el negocio por motivos tales como la edad o la debilidad del sexo, resultando suficiente motivo para entender la incapacidad y la exoneración del gravamen.

[44]   D. 49. 14. 18 *pr.* (*Marcianus libr. singulari de delatoribus*): *Deferre non possunt mulieres propter sexus infirmitatem, et ita sacris constitutionibus cautum est*; las mujeres no pueden ser delatoras por razón de la debilidad de su sexo, es lo que dispuso en las sacras constituciones, ya que la condición femenina implica que son débiles de espíritu, no pueden escapar a su naturaleza y por lo tanto se debe tener en cuenta en las distintas normas, concretamente aquí en constitucio-

raleza disminuida, con un ánimo débil que las hace merecedoras de singularidades jurídicas restrictivas en el orbe romano.

Veamos un texto de Paulo, en el que se encuentra la misma acepción en D. 22.6.9 pr. (*Paul. lib. sing. de iuris et facti ignorantia*):

Regula est iuris quidem ignorantiam cuique nocere, facti vero ignorantiam non nocere. Videamus igitur, in quibus speciebus locum habere possit, ante praemisso quod minoribus viginti quinque annis ius ignorare permissum est. Quod et in feminis in quibusdam causis propter sexus infirmitatem dicitur: et ideo sicubi non est delictum, sed iuris ignorantia, non laeduntur. Hac ratione si minor viginti quinque annis filio familias crediderit, subvenitur ei, ut non videatur filio familias credidisse.

Lo destacable en este caso, teniendo en cuenta la regla general de que la ignorancia del derecho perjudica igualmente, no así la inepcia del hecho, reside en que cuando Paulo concreta las excepciones al principio común, la primera en relación con los sujetos menores de veinticinco años a los que se exime de perjuicio en caso de ignorancia del derecho, la segunda en referencia a las mujeres, el jurista justifica la exención femenina de posibles perjuicios por la debilidad de su sexo, *propter sexus infirmitatem dicitur*, sin ningún género de dudas, certificando el asentimiento social generalizado de que las mujeres deben ser tenidas en cuenta por el derecho con atenuantes y eximentes de forma continuada, como consecuencia de su débil condición de féminas[45].

---

nes que atribuyen la discapacidad femenina al ánimo débil que les es innato.

[45]   Vid. al respecto, con un análisis exhaustivo, M. J. BRAVO BOSCH, *Mujeres y Símbolos en la Roma republicana. Análisis jurídico-histórico de Lucrecia y Cornelia*, cit., pp. 34 ss.

Ciertamente no parece que exista consideración jurídica alguna en positivo destinada al colectivo de las mujeres romanas, pero debemos tener presente que nuestra mentalidad actual debe ser capaz de realizar una exégesis sincrónica comparativista con las civilizaciones de aquel momento, y diagnosticar la posición jurídica femenina de las mujeres coetáneas a las *matresfamilias* a la hora de evaluar consignas patriarcales en demérito de nuestro género.

La realidad de aquel tiempo nos proyecta a una mujer romana que en el derecho romano arcaico vivía sometida y aislada en la *domus,* a salvo de la mirada de otros hombres, protegiendo la pureza de la sangre para que los descendientes perteneciesen realmente al núcleo familiar por agnación, parentesco civil, pero también por cognación, el parentesco de sangre transmitido por vía de las mujeres. Pero la evolución de la sociedad romana produjo cambios en las necesidades y deseos femeninos, y provocó revoluciones individuales y grupales por parte de las mujeres, que se convirtieron en personas empoderadas en comparación con la presencia femenina de otras comunidades.

No se trata aquí de transmitir una idea equivocada de la realidad societaria de un patriarcado feroz como el romano, pero sí de ampliar la visibilidad de una colectividad que evolucionó en positivo en el itinerario de la *mulier,* si bien hubo épocas de involución y jamás de avances significativos en materia de igualdad de derechos para ambos sexos.

Por otro lado, resulta evidente que la mentalidad romana no tuvo en cuenta en absoluto la posición jurídica de las mujeres a la hora de conceptuar la justicia, puesto que afecta al ser humano de forma global, se definió en el contexto de las necesidades del derecho como regulador de una sociedad, y solo desde una mentalidad pacata se puede concebir una intención discriminatoria femenina en la definición de justicia romana.

La cuestión no baladí es distinguir los tiempos anteriores del derecho actual, y dejar muy clara la necesaria igualdad en la sociedad a la que pertenecemos hoy en día. La justicia y el género son temas fundamentales en cualquier sociedad que busque ser justa e igualitaria.

El patriarcado permitió asimismo ejemplos abominables que parecen fruto de un derecho primitivo, impropio de una sociedad occidental civilizada, como el matrimonio reparatorio, reconocido en el derecho italiano hasta 1981, en el artículo 544 de su código penal[46], como un mecanismo de reparación del honor de la mujer ultrajada, que debía contraer matrimonio con su agresor sexual, no como una obligación femenina sino como el deber legal masculino de evitar una condena de cárcel si se casaba con su víctima, que a la vez recuperaba su honra con el enlace contra natura con el violentador de su pudor.

Este delito de honor, fue denunciado por Franca Viola en el año 1966, cuando se negó a contraer matrimonio con su violador, por primera vez y públicamente, consiguiendo la condena del agresor en Trapani, Sicilia[47]. Raptada por Filippo Melodia, un mafioso local, con la ayuda de 12 cómplices, fue violada, maltratada y retenida sin alimento durante varios días, hasta que el agresor decidió comunicarse con el entorno familiar de la mujer para poder reparar su afrenta. De hecho, parece que

---

[46]   Articolo 544 Codice Penale: 'Per i delitti preveduti dal capo primo e dall'articolo 530, il matrimonio, che l'autore del reato contragga con la persona offesa, estingue il reato, anche riguardo a coloro che sono concorsi nel reato medesimo; e, se vi è stata condanna, ne cessano l'esecuzione e gli effetti penali'.

[47]   I. BARTHOLINI, *Le politiche pubbliche e la violenza come "rischio" nella Sicilia occidentale*, en *Le politiche contro la violenza di genere nel welfare che cambia. Concetti, modelli e servizi*, (F. Cimagalli, ed.), Milán, 2014, pp. 134 ss.

fueron los familiares de la víctima, en un primer momento, quienes procuraron con mayor interés el matrimonio reparador, ya que no veían otra forma de restaurar su honor perdido. Esto se debía tanto a evitar la propagación de rumores en una sociedad que tenía una mentalidad patriarcal y machista, como a que la joven damnificada, al perder su virginidad, tendría dificultades para encontrar marido debido a la forma de pensar de la sociedad arcaica de su tiempo[48].

El colmo de la injusticia residía en que solo la víctima perdía el honor, no el criminal que la había violado. El violador, realizaba un negocio jurídico con la familia de la deshonrada, y al ofrecerse a casarse con la víctima y asumir todos los gastos del matrimonio, evitaba la pena de prisión, al tiempo que se redimía totalmente en la comunidad que residía. Sin duda, el hecho de que la violación se considerase todavía un delito no contra la persona sino contra la moral pública y las buenas costumbres ayudaba en ese desdibujamiento del *ius* en el ámbito de las mujeres, hasta que a finales de los 90 la violación se convirtió, por fin, en un delito contra la persona.

Aun así, tuvieron que pasar varios años hasta que se consiguió derogar la norma opresora que degradaba doblemente a la mujer agredida, al obligarla a aceptar como cónyuge al autor del violento ilícito sexual, lo que da cuenta de la visión inerte del legislador durante largo tiempo en la reivindicación de los derechos de la mujer.

---

[48] El reconocido escritor, historiador y periodista I. MONTANELLI llegó a publicar en *Il Corriere della Sera*, durante el proceso, aprovechando el impacto que tuvo el mismo a nivel nacional, que Franca Viola dijo no, pero no solo a su violador, sino a un sistema de relaciones basado en el avasallamiento del hombre sobre la mujer, a una serie de tabús y costumbres que constituían el pilar de aquella sociedad arcaica: *https://archivio.corriere.it/Archivio/i-percorsi/franca-viola-nozze-riparatrici-codice-donne-122016.shtml*

En el contexto del derecho español, estos temas han sido objeto de discusión y evolución a lo largo de la historia. Durante siglos, el sistema jurídico español ha estado basado en la discriminación de género. Las mujeres no tenían acceso a la educación y eran consideradas legalmente incapaces, lo que significaba que no podían poseer propiedades ni ejercer plenamente sus derechos civiles.

El Código civil español de 1889 era un fiel espejo de la sociedad española en materia matrimonial, claramente discriminatoria a favor del marido en la relación jurídica con la mujer, ya que era el varón quien ostentaba la representación legal, por lo cual la esposa debía obtener el permiso correspondiente para poder realizar los diferentes actos de contenido jurídico y patrimonial, la denominada licencia marital, como se puede observar en el artículo 60: "El marido es el representante de su mujer. Esta no puede, sin su licencia, comparecer en juicio por sí o por medio de Procurador. No necesita, sin embargo, de esta licencia para defenderse en juicio criminal, ni para demandar o defenderse en los pleitos con su marido, o cuando hubiere obtenido habilitación conforme a lo que disponga la Ley de Enjuiciamiento civil"

El artículo 61 del Código civil español de 1889, insistía en esa licencia marital, vigente hasta 1975[49], del siguiente modo: "Tampoco puede la mujer, sin licencia o poder de su marido, adquirir por título oneroso ni lucrativo, enajenar sus bienes, ni obligarse, sino en los casos y con las limitaciones establecidas por la Ley". Esta autorización del marido era además independiente del régimen económico del matrimonio, que podía haber optado por una sociedad de gananciales o separación de bienes. Por lo tanto, aunque los bienes fueran privativos de la

---

[49] Con la ley de 2 de mayo de 1975, desaparece por fin la licencia marital, y se inicia una evolución lenta, aunque ciertamente significativa, hacia la necesaria igualdad.

mujer no podía enajenarlos, lo que la convertía en un sujeto cuya capacidad de obrar estaba anulada jurídicamente[50], que necesitaba de la asistencia 'legal' del marido para poder actuar en el mundo del derecho.

A partir de la Constitución de 1978, se ha avanzado significativamente en la lucha contra la discriminación de género. La igualdad entre hombres y mujeres se ha convertido en un principio fundamental, y se han aprobado leyes específicas para abordar la violencia de género y promover la igualdad en todos los ámbitos. Sin embargo, aún queda mucho por hacer, y la discriminación de género sigue siendo un problema en la sociedad española.

Existen todavía posibilidades legislativas de futuro en la lucha contra la discriminación de género, y si bien podríamos traer a colación un vasto conjunto de leyes que promueven la igualdad de género, y protegen a las mujeres de la violencia machista, ámbito de actuación del que se ha preocupado el legislador y que debe ser destacado, aún quedan ámbitos del derecho que deben buscar el equilibrio y la paridad hasta sus últimas consecuencias.

Con todo, y a modo de conclusión, existen algunas voces que, a nuestro modo de ver, involucionan el espectro jurídico de la justicia y el género, como sucede en los últimos tiempos en el ámbito de la mediación. En caso de violencia de género, el texto de la ley Orgánica 1/2004, de 28 de diciembre, de Me-

---

[50] Sirva como ejemplo lo dispuesto en el antiguo artículo 1263 del Código Civil, en el que se equiparaba la disposición de la mujer casada para prestar consentimiento en los contratos, con los menores, dementes y sordomudos analfabetos: "No pueden prestar consentimiento: 1° Los menores no emancipados. 2° Los locos o dementes y los sordomudos que no sepan escribir. 3° Las mujeres casadas, en los casos expresados por la ley." 3 "(…) existe una potestad de dirección que la naturaleza, la religión y la historia atribuyen al marido".

didas de Protección Integral contra la Violencia de Género, contiene de forma explícita el siguiente texto en su artículo 44:

"Competencia. Se adiciona un artículo 87 ter en la Ley Orgánica 6/1985, de 1 de julio, del Poder Judicial, con la siguiente redacción: «1. Los Juzgados de Violencia sobre la Mujer conocerán, en el orden penal, de conformidad en todo caso con los procedimientos y recursos previstos en la Ley de Enjuiciamiento Criminal, de los siguientes supuestos: a) De la instrucción de los procesos para exigir responsabilidad penal por los delitos recogidos en los títulos del Código Penal relativos a homicidio, aborto, lesiones, lesiones al feto, delitos contra la libertad, delitos contra la integridad moral, contra la libertad e indemnidad sexuales o cualquier otro delito cometido con violencia o intimidación, siempre que se hubiesen cometido contra quien sea o haya sido su esposa, o mujer que esté o haya estado ligada al autor por análoga relación de afectividad, aun sin convivencia, así como de los cometidos sobre los descendientes, propios o de la esposa o conviviente, o sobre los menores o incapaces que con él convivan o que se hallen sujetos a la potestad, tutela, curatela, acogimiento o guarda de hecho de la esposa o conviviente, cuando también se haya producido un acto de violencia de género. b) De la instrucción de los procesos para exigir responsabilidad penal por cualquier delito contra los derechos y deberes familiares, cuando la víctima sea alguna de las personas señaladas como tales en la letra anterior. c) De la adopción de las correspondientes órdenes de protección a las víctimas, sin perjuicio de las competencias atribuidas al Juez de Guardia. d) Del conocimiento y fallo de las faltas contenidas en los títulos I y II del libro III del Código Penal, cuando la víctima sea alguna de las personas señaladas como tales en la letra a) de este apartado. 2. Los Juzgados de Violencia sobre la Mujer podrán conocer en el orden civil, en todo caso de conformidad con los procedimientos y recursos previstos en la Ley de Enjuiciamiento Civil, de los siguientes asuntos: a) Los de filiación, maternidad y paternidad. b) Los de nulidad del matrimonio, separación y divorcio. c) Los que versen sobre relaciones paterno filiales. d) Los que tengan por objeto la adopción o modificación de medidas de trascendencia familiar. e) Los que versen exclusivamente sobre guarda y custodia de hijos e hijas menores o sobre alimentos reclamados por un progenitor contra el otro en nombre de los hijos e hijas menores. f) Los que versen sobre la necesidad de asentimiento en la adopción. g) Los que tengan por objeto la oposición a las resoluciones administrativas en materia de protección de menores. 3. Los Juzgados de Violencia sobre la Mujer tendrán de forma exclusiva y excluyente competencia en el orden civil cuando concurran simultáneamente los siguientes requisitos: a) Que se trate de un proceso civil que tenga por objeto alguna de las materias indicadas en el número 2 del presente artículo. b) Que alguna de las partes del proceso civil sea víctima de los actos de violencia de género, en los términos a que hace referencia el apartado 1 a) del presente artículo. c) Que alguna de las partes del proceso civil sea imputado como autor, inductor o cooperador necesario en la realización de actos de violencia de género. d) Que se hayan iniciado ante el Juez de Violencia sobre la Mujer actuaciones penales por delito o falta a consecuencia de un acto de violencia sobre la mujer, o se haya adoptado una orden de protección a una víctima de violencia de género. 4. Cuando el Juez apreciara que los actos puestos en su conocimiento, de forma notoria, no constituyen expresión de violencia de género, podrá inadmitir la pretensión, remitiéndola al órgano judicial competente. 5. En todos estos casos está vedada la mediación".

Por lo tanto, la mediación no resulta posible en caso de violencia de género, ante la falta de equilibrio entre las partes que participan en la mediación. Sin embargo, se propone obviar esta falta de equidad ante las supuestas ventajas que se obtendrían ante esta desigual mediación, con la que nosotros manifestamos claramente nuestra disconformidad.

Si la lucha secular de la necesaria reivindicación femenina por la igualdad en los derechos ha ido *in crescendo* desde hace largo tiempo, si resulta evidente que la paridad absoluta conduce en una sociedad moderna al avance jurídico más pleno en materia de igualdad, no nos dejemos llevar por un buenismo doctrinal que augura éxitos imponderables en una materia como la mediación, cuando la posición equitativa de las partes es imprescindible por el grado de implicación de las mismas en el proceso alternativo de solución de su conflicto.

La liberación femenina exige esfuerzos en materia de justicia y una legislación acorde con el siglo XXI. Nuestro compromiso debe cristalizar en la realidad cotidiana, y contribuir a la igualdad en un mundo que ocupamos por lo menos en su mitad, y que merece el reconocimiento jurídico y social que largo tiempo le ha sido esquivo.

Bibliografía

AGATI MADEIRA, E. M., *La lex oppia et la condition juridique de la femme*, en *RIDA* 51, 2004.

BARTHOLINI, I., *Le politiche pubbliche e la violenza come "rischio" nella Sicilia occidentale*, en *Le politiche contro la violenza di genere nel welfare che cambia. Concetti, modelli e servizi*, (F. Cimagalli, ed.), Milán, 2014.

BERGER, A., *Encyclopedic Dictionary of Roman Law*, Filadelfia 1953.

BERRY, C. J., *The idea of Luxury. A conceptual and historical investigation*, Cambridge, 1994.

BRAVO BOSCH, M. J., *Algunas consideraciones sobre el Edictum de adtemptata pudicitia*, en *Dereito* vol. 5, 2, 1996.

BRAVO BOSCH, M. J., *Mujeres y Símbolos en la Roma republicana. Análisis jurídico-histórico de Lucrecia y Cornelia*, Madrid, 2017.

BRINGMANN, K., *Weltherrschaft und innere Krise Roms im Spiegel der Geschichtsschreibung des zweiten und ersten Jahrhunderts v. Chr.*, A&A 23, 1977.

BRISCOE, J., *A commentary on Livy. Books XXXIV-XXXVII*, Oxford, 1981.

CANTARELLA, E., *Pasado Próximo. Mujeres Romanas De Tácita A Sulpicia*, trad. esp., M. I. Núñez Paz, Madrid, 1997.

CENERINI, F., *La donna romana*, Bolonia, 2009.

CERAMI, P., *s.v. Giurisprudenza-Scienza giuridica nel diritto romano*, en *Digesto delle Discipline Privatistiche. Sezione civile IX, UTET*, Turín, 1993.

CULHAM, P., *The Lex Oppia*, en *Latomus*, 41, 4, 1982.

DAREMBERG, C. V.-SAGLIO, E., *Dictionnaire des antiquités grecques et romaines, d'après les textes et les monuments*, París, 1873.

DAUBE, D., *Civil Disobedience in Antiquity*, Edimburgo, 1972.

DE CASTRO CAMERO, R., *El jurista romano y su labor de concreción de la justicia*, en *Persona y Derecho*, 74, 1, 2016.

DE LAPUERTA MONTOYA, D., *Estudio sobre el Edictum de adtemptata pudicitia*, Valencia, 1999.

DESIDERI, P., *Catone e le donne. Il dibattito liviano sull'abrogazione della lex Oppia*, en *Opus* 3, 1984.

D'ORS, A., *Derecho y sentido común. Siete lecciones de derecho natural como límite del derecho positivo*, 2ª ed., Madrid, 1999.

GABBA, E., *Del buon uso della richezza*, Milán, 1988.

GARCÍA JURADO, F., *Las críticas misóginas a las matronas por medio de las meretrices en la comedia Plautina*, en *Cuadernos de Filología Clásica. Estudios Latinos*, 4, Madrid, 1993.

GORIA, F., *Il dibattito sull'abrogazione della lex Oppia e la condizione giuridica della donna romana*, en *Atti I Convegno 'La donna nel mondo antico'*, Turín, 1987.

HAURY, A., *Une année de la femme à Rome*, en *Mélanges off. à j. Heurgon*, Roma, 1976.

LANGLANDS, R., *Sexual morality in Ancient Rome*, Cambridge, 2006.

LEWIS, C. T.- SHORT, C., *A latin dictionary*, *s.v. juris-prudentia*, p. 1018: "The science of law".

KIENAST, D., *Cato der Zensor*, Heidelberg, 1954.

KÜHNE, V., *La lex oppia sumptuaria y el control sobre las mujeres*, en *Mulier. Algunas Historias e Instituciones de Derecho romano*, R. RODRÍGUEZ LÓPEZ /M.J. BRAVO BOSCH (eds.), Madrid, 2013.

NACK, E.-WÄGNER, W., *Roma*, Barcelona, 1960.

NÚÑEZ PAZ, I., *Auctoritas y mujeres romanas ¿Ejercicio o sumisión?*, en *ARENAL*, 22, 2, 2015.

NÚÑEZ PAZ, I., *Silencio femenino, negación de las emociones y continuidad histórico jurídica de la violencia institucionalizada contra las mujeres,* en *Fémeris,* 2.1, 2017.

ORWELL, G., *1984,* trad. esp., R. Vázquez Zamora, Madrid, 1980.

PEPPE, L., *Posizione giuridica e ruolo sociale della donna romana in età repubblicana,* Milán, 1984.

RODRÍGUEZ LÓPEZ, R., *La auctoritas de la gens Julia,* en *Mujeres en tiempos de Augusto, Mujeres en tiempos de Augusto. Realidad social e imposición legal,* R. RODRÍGUEZ LÓPEZ/M. J. BRAVO BOSCH (Eds.), Valencia, 2016.

RODRÍGUEZ LÓPEZ, R., *Mujeres en los difíciles tiempos del Imperio romano de Occidente. Nov. Mai. 5,6,7 y 9 (458-459 d.C.),* Madrid, 2022.

RODRÍGUEZ MONTERO, R. P., *Hilvanando atributos femeninos en la antigua Roma,* en *Fundamentos romanísticos del derecho contemporáneo, 2. Derecho de personas,* Madrid, 2021.

RUEBEL, J. S., *Cato and Scipio Africanus,* en *The Classical World,* 71, 3, 1977.

VALLET DE GOYTISOLO, J., *Estudios sobre fuentes del derecho y método jurídico,* Madrid, 1982.

VENTURINI, C., *Leges Sumptuariae,* en *Studi di diritto delle persone e di vita sociale in Roma antica. Raccolta di Scritti,* A. PALMA (ed.), Nápoles, 2014.

Capítulo 2

La iniuria a la uxor

ELEONORA NICOSIA

Professore associato
Università di Catania

RESUMEN: El presente trabajo aborda la protección procesal prevista en el caso de *iniuria* a la *uxor*, centrándose en la acción otorgada al suegro por *iniuria* a la *nurus*.

PALABRAS CLAVE: *iniuria, nurus, manus, patria potestas*

ABSTRACT: This paper examines the procedural protection in case of *iniuria* to the *uxor*, focusing on the action which the father-in-law could bring for the *iniuria* to the *nurus*.

KEYWORDS: *iniuria, nurus, manus, patria potestas*

1. En este periodo me estoy ocupando de relaciones familiares, y particularmente de la *manus* sobre la mujer casada. He intentado elegir un tema coherente con la materia del libro, 'Justicia y género', y por eso trataré de algunas fuentes relativas a la tutela judicial de la *uxor* ofendida por *iniuria*.

El primer texto acerca de la *iniuria* que examinaremos es el famoso:

Gai. 3.221: P*ati* autem *iniuriam videmur non solum per nosmet ipsos, sed etiam per liberos nostros quos in potestate habemus; item per* *uxores nostras, cum in manu nostra sint. Itaque si filiae[1] meae quae Titio nupta est iniuriam feceris, non solum filiae nomine tecum agi iniuriarum potest, verum etiam meo quoque et Titii nomine.*

Tratando de la *iniuria*, durante la exposición relativa a las *obligationes ex delicto*, Gayo explica que sufrimos *iniuria* no sólo si la injuria se comete directamente hacia nosotros mismos, sino también si se comete hacia nuestros descendientes que están bajo nuestra *potestas*; y continúa afirmando que igualmente sufrimos injuria a través de nuestras mujeres (*item per uxores nostras*). En su inmediata prosecución, el texto de Gayo ha razonablemente originado problemas de interpretación. En efecto, en el Codigo verones se leen las palabras *c· in manu nostra sint*[2]: la abreviatura *c·* debería ser correctamente resuelta con *cum*[3]. Por lo tanto, Gayo estaría afirmando que el marido sería tutelado por la *iniuria* hacia la mujer sólo en el caso que ella fuera *in manu*. Pero esta afirmación parece mal conectarse con la siguiente parte del discurso que empieza con un *itaque*, que tendría la función de conexión entre el di-

---

[1]   En el Codigo Verones entre *itaque si* y *bfilia* se lee *veltiae.* cfr. Studemund, G., *Apographum*, apud S. Hirzel, Lipsiae 1874, p. 186 r. 2. Los editores suelen suprimir las palabras *veltiae*; algunos dejan *vel* suprimiendo sólo las letras *tiae*, así Nelson, H.L.W.-Manthe, U., *Gai Institutiones III 182-225. Die Deliktsobligationen. Text und Kommentar*, Duncker & Humblot, Berlin 2007, p. 117, Manthe, U., *Gaius. Institutiones*[2], Wissenschaftliche Buchgesellschaft, Darmstadt 2010, p. 314; una interesante exposición de las distintas propuestas de emendación del texto también en E. Dubois, E., *Institutes de Gaius*, Marescq Ainé, Paris 1881, p. 387 nt. 711.

[2]   Studemund, G., *Apographum* cit., p. 186 r. 1. Han seguido la lección correcta de Studemund en sus ediciones: Polenaar, B.J., *Syntagma Institutionum novum. Gai institutiones iuris civilis Romani*, Brill, Lugduni Batavorum 1876, p. 331 e nt. 1, Dubois, E., *Institutes de Gaius* cit., p. 386 s. e nt. 710, Nelson, H.L.W.-Manthe, U., *Gai Institutiones* cit., p. 117, así como Manthe, U., *Gaius. Institutiones*[2] cit., p. 314.

[3]   Cfr. Studemund, G., *Apographum* cit., p. 260

scurso que sigue y el precedente; en cambio, en este discurso
siguiente, Gayo habla de la tutela por la *iniuria* hacia la *uxor*
que non haya hecho la *conventio in manum* y se encuentre aún
bajo la *potestas* de su padre[4]. Precisamente por eso, para que
el discurso de Gayo se haga coherente[5], muchos editores integran (o, más bien, corrigen) así el texto: quamvis *in manu*
non *sint*; o sea, sustituien el *cum* con *quamvis*[6] y *nostra* con

---

[4] Según Corbino, A., «Interventi e repliche», en *Poteri negotia actio-*
nes nella esperienza romana arcaica. Atti del convegno di diritto romano,
Copanello 12-15 maggio 1982, Edizioni Scientifiche Italiane, Napoli
1984, p. 85 s., este paso demostraría «la possibile coesistenza di *po-*
testas e *manus* sulla stessa persona … Gai. 3.221 è forse … la prova
decisiva che … la attuale esistenza della *manus* non è per sé incom-
patibile con la concorrente attuale esistenza della *potestas* paterna
sulla donna»; v. tambien Id., «Schemi giuridici dell'appartenenza
nell'esperienza romana arcaica», en *La proprietà e le proprietà. Pontig-*
nano, 30 settembre-3ottobre 1985, a cura di Cortese, E., Giuffrè, Milano
1988, p. 11 ss., e Id., «*Status familiae*», in *Homo, caput, persona. La*
costruzione giuridica dell'identità nell'esperienza romana, a cura di Corbino, A., Humbert, M., Negri, G., University Press, Pavia 2010, p. 188
nt. 65. Sobre esta opinión, v. las dudas ya expuestas por Talamanca,
M., «Interventi e repliche», en *Poteri negotia actiones* cit., p. 89, y los
argumentos de Cursi, M.F., «*Pati iniuriam per alios* (Gai. 3,221-222)»,
en *BIDR.*, núm. 106 (2012), p. 260 s.

[5] Sin llegar a eliminar la frase como glosa, como propone Mommsen:
v. Krüger, P., *Gai Institutiones*[4], Weidemannos, Berolini 1899, p. 154
comm. r. 10. Entre los editores acogen la prepuesta de Mommsen:
desde su primera edición, Girard, P.F., *Textes de droit romain*, A. Rousseau, Paris 1890, p. 259 e nt. 2, y De Zulueta, F., *The Institutes of Gaius*,
I, Clarendon Press, Oxford 1946, p. 226 y nt.6; v. la clara exposición
de las ediciones en relación con este fragmento en Nelson, H.L.W.-
Manthe, U., *Gai Institutiones* cit., p. 254.

[6] A propuesta de Lachmann, C., *Gaii Institutionum commentarii*
quattuor (Goescheniana editio tertia), in aedibus G.A. Reimeri, Berolini 1842, p. 306 e nt.12, que utilizaba el mismo material (las a.d.
'schede') también utilizado por Böcking, E., *Apographum*, apud S.
Hirzelum, Lipsiae 1866, v. p. 186, donde se leyó *q·*, en lugar de *c·*; cfr.

non[7]. De esta forma la primera parte del texto de Gayo se haría coherente (y lógicamente conectada) con su segunda parte, donde después de *itaque* se habla justo de la *uxor* que no está *in manu* del marido.

Por ahora vamos a ver la prosecución del discurso de Gayo, volviendo después sobre esta problemática parte del texto.

Y así (*itaque*), nos explica Gayo, si una *filia familias*, que sea también casada, sea ofendida por *iniuria*, se otorgarà la *actio iniuriarum* contra el ofensor no sólo *filiae nomine*, sino también *patri nomine* y *viri nomine* (*etiam meo quoque et Titii nomine*). Pués, esta última frase está logicamente conectada con cuanto se dice en la primera parte del texto, donde se explica que podemos sufrir *iniuria* también cuando se cometa hacia los que están bajo nuestra *potestas*, dado que se hace el ejemplo de la *filia familias*, aún *in potestate patris*, y casada, más que a la frase que inmediatamente precede donde, si leemos el paso así como se lee en el palimpsesto, se hace el caso de la *iniuria* hacia la *uxor* que, al contrario, haya hecho la *conventio in manum* con el marido. Por lo tanto, el *itaque* que une esta última frase a la precedente resultaría no congruente.

Aunque este 'enlace incoherente' entre las dos partes del texto podría ser un falso problema: en la primera parte del texto Gayo se ocupa de la *iniuria* hacia los *potestati subiecti*, asì

Nelson, H.L.W.-Manthe, U., *Gai Institutiones* cit., p. 254 y Manthe, U., «Gaio, il Veronese e gli editori», in *AUPA*. núm. 57 (2014), p. 353 ss.

[7] Aún a propuesta de Lachmann, C., *Gaii Institutionum* cit., p. 306 y nt.12. Algunos editores insertan *non* y dejan también *nostra*: también sobre esto me remito a Nelson, H.L.W.-Manthe, U., *Gai Institutiones* cit., p. 117 y p. 254. Sobre esta integración, como sobre la anterior, utile y claro me parece el relato preciso de Dubois, E., *Institutes de Gaius* cit., p. 387 nt. 710.

como en la segunda parte del texto, después de *itaque*, se ocupa aún de *potestati subiecti*, o sea de la peculiar hipótesis de la *filia in potestate*, que está también casada. La frase *item per uxores nostras, cum in manu nostra sint* podría sencillamente ser una incidental (causada por aquella aspiración a la exhaustividad típica de Gayo), por medio de la cual el jurista quiere rapidamente acordar que cuanto dicho relativamente a los *filii in potestate* vale también para la *uxor in manu*, sometida a un poder distinto de la *potestas* (de la cual ha hablado), pero colocada en la familia de su marido en condición de *filiae loco*[8]. Si se acoje esta proposta interpretativa no haría falta de acoger enmiendas del texto, tampoco justificadas paleograficamente[9].

---

[8] Un esquema expositivo, sin embargo, no inusual en Gayo, que a menudo se ocupa en su tratación de los *filii* y de las *filiae* y súbito después de la *uxor in manu* (*filiae loco*). V., sólo a título de ejemplo, Gai. 3.41: ... *si vero intestatus moriatur suo herede relicto adoptivo filio <vel> uxore, quae in manu ipsius esset...*; Gai. 3.104: ... *inutilis est stipulatio, si ab eo stipuler, qui iuri meo subiectus est, item si is a me stipuletur. servus quidem et qui in mancipio est* et fiłia familia*s et quae in manu est, non solum ipsi, cuius iuri subiecti subiectaeve sunt, obligari non possunt, sed ne alii quidem ulli* (en este fragmento el jurista hubiera mencionado también los *filii familias* junto a las *filiae familias* en la reconstrucción del texto, fiłus filiaque familia*s, propuesta por Longo, S., *Filius familias se obligat? Il problema della capacità patrimoniale dei filii familias*, Giuffrè, Milano 2003, p. 86; v. también p. 87 y nt. 88, donde la a. también señala, citando las fuentes, que «con frequenza si riscontra, infatti, nelle *Institutiones* l'accostamento della *uxor in manu*, in quanto *filiae loco*, alla condizione dei *liberi in potestate*»); Gai. 3.114: ... *is autem qui in potestate patris est, agit aliquid ... Eadem de filia familias et quae in manu est, dicta intellegemus.*

[9] La «contradicción» entre las dos partes del texto debería resolverse (comparando el pasaje de Gayo con el correspondiente de las Instituciones de Justiniano, I. 4.4.2) suponiendo que a la primera parte del texto siguiera «una parte, ora perduta, in cui egli [Gaio] ... dava conto dei contrasti di opinioni avutisi in proposito», segun Astolfi, R., *Il matrimonio nel diritto romano preclassico*[2], Cedam, Padova 2002, p. 392 (v. también Id., *Il matrimonio nel diritto romano classico*, Wolters

De todos modos, para nuestros directos intereses, estos presumidos problemas del texto no son influyentes. Veamos más bien las informaciones seguras que se deducen del texto: contra el autor de la *iniuria* hacia una mujer casada, aún *in potestate patris*, porqué no hice la *conventio in manum*, se otorgan tres acciones (una a la *filia*, una al *pater* y una al marido).

2. Las mismas informaciones de Gayo las encontramos también en Ulpiano en:

D. 47.10.1.9 (Ulp. 56 *ad ed.*): *Idem ait Neratius ex una iniuria interdum tribus oriri iniuriarum actionem neque ullius actionem per alium consumi. Ut puta uxori meae filiae familias iniuria facta est: et mihi et patri eius et ipsi iniuriarum actio incipiet competere.*

Ulpiano hace referencia a la opinión de Neracio[10] a propósito de la tutela otorgada en caso de *iniuria*: de una sóla *iniuria* pueden tal vez producirse tres acciones; el ejercicio por uno de

---

Kluwer Cedam, Milano 2014, p. 350), a cuya opinión se une, Fusco, S., *Specialiter autem iniuria dicitur contumelia*, Inschibboleth Edizioni, Roma 2020, p. 149.

[10]   El fragmento se abre con las palabras *idem ait*, en cuanto en el parrafo precedente Ulpiano había ya referido la opinión de Nerazio (D. 47.10.1.8, Ulp. 56 *ad ed.*: *Sive autem sciat quis filium meum esse vel uxorem meam, sive ignoraverit, habere me meo nomine actionem Neratius scripsit.*). Ulpiano dice que Neracio había escrito que tanto que el autor de la *iniuria* supiera como si no supiera que la persona ofensa fuera mi hijo o mi mujer, la acción me compete (*meo nomine*) en calidad de *pater* o de marido. Pués, según Ulpiano, era la voluntad de injuriar a la persona ofendida lo que justificaba la concesión de la acción a quien estaba ligado a la persona ofendida por un vínculo potestativo o matrimonial; no era necesaria la intención por parte de quien cometía la *iniuria* de ofender también a la persona apoderada o al marido, para que se les concediera la acción por la ofensa, aunque, involuntariamente causada. Sobre este punto, con discusión de la literatura anterior, v. Ziliotto, P., «Le ingiurie allo schiavo», in *TSDP*. núm. 13 (2020), p. 19 y nt. 45.

los legitimados no extingue las acciones de los otros. Y también Ulpiano hace el mismo ejemplo que hemos ya visto en Gayo: si se cumpla injuria hacia una *filia familias* casada, las tres acciones corresponden al marido, al *pater* e a la misma mujer. La atestación de Ulpiano confirma las noticias ya dadas por Gayo: contra el autor de la injuria hacia la mujer casada aún sometida a la *potestas* de su *pater* se otorgan tres acciones acumulativas, cada acción se puede ejercer por quién se considere perjudicado por la *iniuria*, pués no sólo la *uxor*, sino también el *pater* y el marido.

Una vez más, el derecho a tres acciones en caso de *iniuria* hacia la mujer casada *in potestate patris* se considera pacifico en un largo fragmento de Paulo, donde el jurista, recordando también la prestigiosa opinión de Pomponio (*Pomponius recte putat*), explica los criterios que se aplican para la *aestimatio* tanto a favor del *pater* como del marido por la *iniuria* sufrida por medio de la *uxor*.

D. 47.10.18.2 (Paul. 55 *ad ed.*): *Si nupta filia familiae iniuriam acceperit et vir et pater iniuriam agant, Pomponius recte putat, tanti patri condemnandum esse reum, quanti condemnetur, si ea vidua esset, viro tanti, quanti condemnaretur, si ea in nullius potestate esset, quod sua cuiusque iniuria propriam aestimationem haberet. Et ideo si nupta in nullius potestate sit, non ideo minus eam iniuriam agere posse, quod et vir suo nomine agat.*

También Paulo, así como ya Gayo y Ulpiano/Neracio, examina la hipótesis de la *filia familias* casada ofendida por *iniuria*. Según el jurista, la *aestimatio* a favor del *pater* y del marido tiene que preocurar de dar a cada uno plena satisfacción de la *iniuria* sufrida (*quod sua cuiusque iniuria propriam aestimationem haberet*), asì que, a favor del *pater*, se debe condemnar el ofensor a lo que habría sido condenado si la *mulier* hubiera sido viuda, y, a favor del marido, a lo que habría sido condenado si la *mulier* no hubiera estado bajo la *potestas* de alguien. De la acción ejercida directamente por la mujer se habla en la segunda parte del fragmento, cuando se expone el caso de la mujer que no está bajo *potestas*: con las palabras *non ideo minus eam iniuriam agere posse, quod et vir suo nomine agat*, el jurista quiere precisar como también en este caso, así como en el precedente (*iniuria* hacia la mujer *in potestate patris*) la mujer tiene directamente acción, dado que [11] el marido ejerce la acción *suo nomine*[12].

De todos los testimonios examinados hasta ahora aparece claramente delineado que tipo de protección se proporcionaba para el caso de *iniuria* a la mujer.

Además que corresponder directamente acción *proprio nomine* a la mujer ofendida, cualquiera fuera su condición juridica (*sui iuris* o *alieni iuris*), podían legitimamente ejercer la *actio iniuriarium* tanto el *pater*, si la mujer estaba aún bajo su *potestas* (la *filia familias* de la cual hablan los textos que hemos visto hasta ahora), como el marido, tanto si fuera como si no fuera titular de la *manus* sobre la *uxor*; en este sentido concordan los testimonios de Gayo, Ulpiano y Neracio (cuya opinión Ulpiano recuerda). Según Paolo (y Pomponio, por él recordado) no parece ser relevante si la mujer esté o no esté sujeta a la *manus* del marido.

Por lo tanto, en la hipótesis de *iniuria* hacia la *filia familias* casada, contra el ofensor, por una única *iniuria*, se daban tres

---

[11]   Forcellinus, E., voz *quod*, en *Totius latinitatis Lexicon*, III, Typis Seminarii, Patavii 1830, p. 843: «quia, quoniam: conjunctionis causalis vice ponitur indicativo aut conjunctivo». Sobre la forma correcta de citar el *lexicon*, v. Nicosia, G., «Il *'Forcellinus'*», in *IVRA* núm. 69 (2021), p. 495 s.

[12]   Sobre las dudas que han surgido en la doctrina sobre el derecho a la *actio iniuriarum* de la *uxor* injuriada según Pomponio/Paolo, v. Desanti, L., «Più *iniuriae* da un'ingiuria – L'oltraggio ai *potestati vel affectui subiecti –*», in *Ann. Univ. Ferrara-Sc. Giur.*, NS., núm. 21 (2007), p. 39 ss.

acciones acumulativamente, indepentientes cada una de las otras; o sea, el ejercicio de una de las acciones no causaba la extinción de las otras dos; cada una de las tres acciones perseguía la *aestimatio* por entero de la ofensa hacia la *uxor*.

3. A la luz de lo dicho hasta ahora, más facil será entender un fragmento de Ulpiano sobre el mismo tema:

D. 47.10.1.3 (Ulp. 56 *ad ed.*): *Item aut per semet ipsum alicui fit iniuria aut per alias personas. Per semet, cum directo ipsi cui patri familias vel matri familias fit iniuria: per alias, cum per consequentias fit, cum fit liberis meis vel servis meis vel uxori nuruive: spectat enim ad nos iniuria, quae in his fit, qui vel potestati nostrae vel affectui subiecti sint.*

Una vez más, también Ulpiano explica que puede cumplirse *iniuria* tanto directamente al ofendido como por medio de otras personas. E inmediatamente después pone los ejemplos de una y otra figura de *iniuria*: se causa al propio sujeto cuando se realiza directamente contra el *pater familias*, es decir un sujeto *sui iuris*, o la *mater familias*; se causa por consecuencia cuando se realiza contra los propios *filii* o esclavos o *uxor* o *nurus*. A continuación, Ulpiano explica porqué se otorga tutela también en caso de *iniuria* causada *per alias personas*: se cumple hacia sujetos *qui vel potestati nostrae vel affectui subiecti sint*. Según Ulpiano, por lo tanto, se le corresponde tutela también a quien o sea titular de la *potestas* (*potestati nostrae ... subiecti sint*) sobre el sujeto ofendido o a quien sea enlazado al sujeto ofendido por un vínculo afectivo (*affectui subiecti sint*).

Además, creo que en este fragmento pueda darse cualquiera significado al termino *mater familias*[13]; en efecto,

---

[13] Aunque todos están de acuerdo en que la expresión *mater familias* designaba inicialmente a la mujer casada bajo la *manus* de su marido, coexisten diferentes opiniones en cuanto a la ampliación exacta del significado que adquirió la expresión a lo largo de los siglos.

como hemos visto, se le daba protección a la mujer ofendida por *iniuria* con una acción *proprio nomine,* tanto que
fuera una *uxor in manu* cuanto que fuera una mujer casada
sui iuris, así como en el caso que fuera una *uxor* aún *in potestate patris*[14].

Más atención tiene que ser dedicada a la sigiuente parte del
texto, ahí donde Ulpiano fija quiénes son las *aliae personae* a
través de las cuales, si se cumpla *iniuria,* somos ofendidos por
iniuria también nosotros *per consequentias.*

Seguramente están sometidos a la *potestas* los *liberi* y los esclavos. Igualmente, es seguro que no está sometida a *potestas* la
uxor, que, en todo caso, está *affectui subiecta:* como hemos visto
al marido como tal se le otorgaba la *actio iniuriarum,* independientemente de que la mujer esté *in manu.* Hasta ahora, entonces, Ulpiano confirma cuanto habíamos dicho en referencia a
la opinión de Neracio (D. 47.10.1.9) y cuanto habíamos visto
en Gaio (y, probablemente, también en Paolo/Pomponio, D.
47.10.18.2).

Cfr. principalmente: Fiori R., «*Materfamilias*», in *BIDR.* núm. 96-97
(1993-94), p. 455 ss., Giunti, P., «*Mores* e *interpretatio prudentium* nella
definizione di *materfamilias* (una qualifica fra *conventio in manum* e
status di sui iuris)», en *Nozione formazione e interpretazione del diritto
dall'età romana alle esperienze moderne. Ricerche dedicate al Professor Filippo Gallo,* I, Jovene, Napoli 1997, p. 301 ss.

[14] Tutelada como los otros *filii, in potestate patris,* precisamente; diferente y más articulada reflexión habría que hacer en referencia a
los *servi.* V. a este respecto: Guerrero Lebrón, M., *La injuria indirecta
en derecho romano,* Dykinson, Madrid 2005, partic., p. 101 ss.; Desanti,
L., «*Più iniuriae* da un'ingiuria» cit., p. 44 ss.; Biccari, M.L., «*Atrocitas:* alle radici della teoria penalistica circa le aggravanti di reato»,
en *Studi Urbinati,* A, núm. 62.1-2 (2011), partic. p. 42 ss.; Cursi, M.F.,
«*Pati iniuriam*» cit., partic. p. 267 ss.; ZILIO᠈TTO, P., «Le ingiurie» cit.,
passim.

Más complejo apareció y aparece explicar el derecho a la *actio iniuriarum* del suegro por la *iniuria* hacia la nuera. Se ha asumido que el suegro tenga este derecho en el caso que la mujer del hijo *alieni iuris* no esté bajo el poder de *manus*; la acción fundaría su justificacion en el *affectus* recordado por Ulpiano[15]. Pero, si la *nurus* no está *in manu*, o está aún *in potestate*, o, más bien, no está más *in potestate*: en el primer caso la acción se le otorgará al *pater* de la mujer; en el segundo caso se le otorgará a la misma mujer[16]. En ambos casos, sin embargo, se le otorga la acción también al marido.

Si, en vez, se quiera interpretar en el sentido de que el suegro ejerce la acción que le compete al hijo *alieni iuris*, se confundirían el plano de la titularidad de la acción con el plano del concreto ejercicio de la acción y no se resolverían los problemas interpretativos que plantea el fragmento. Así interpretando, en efecto, la acción del suegro no sería justificada por el *affectus*, sino por la *potestas* del *pater*/suegro sobre el *filius*/marido; incluso reconstruyendo así, se perdería, el paralelismo que, creo, se haya entendido ver en el fragmento entre *potestas* y *filii* y *servi*, por un lado, y *affectus* y *uxor* y *nurus*, por otro lado.

---

[15] Cursi, M.F., «*Pati iniuriam*» cit., p. 264: según la a., Ulpiano haría el caso de la mujer *sui iuris*; en efecto, «qualora il marito fosse *in potestate* la *manus* sulla donna veniva assorbita dalla *potestas* del *pater* e la moglie era posta sullo stesso piano dei *filii*» (v. también Fiori, R., «*Materfamilias*» cit., p. 475), con la consecuencia de que, v. p. 266, «nel matrimonio *cum manu* … l'offesa alla moglie comportava la sola iniziativa del marito o del di lui padre se si fosse trattato di un *filius familias*». En realidad, v. *infra*, texto y notas 19 y 20, la mujer del hijo no estaba colocada en posición similar a la de las hijas sino a la de las nietas.

[16] V. lo que dice claramente Paolo en D. 47.10.18.2, que acabamos de examinar: *Si nupta filia familiae iniuriam acceperit et vir et pater iniuriam agant … Et ideo si nupta in nullius potestate sit, non ideo minus eam iniuriam agere posse.*

Además, creo que no deba confundirse el plano de la titularidad de la acción con el plano de quién en concreto ejerce la acción: en ninguno de los textos que hemos visto hasta ahora se especifica que el marido, que tiene derecho a la acción, sea *sui iuris*; aún más: en los textos hasta ahora examinados se otorga la acción a la mujer *filia familias*. El tema del concreto ejercicio de la acción otorgada al *alieni iuris* permanece fuera de la discusión en los textos de los juristas hasta ahora examinados[17]. También en esta hipótesis, en todo caso, de conformidad con las reglas generales reletivas al ejercicio de la acción, la acción era ejercida por el titular de la potestad sobre el sujeto *alieni iuris*[18].

Quizá el texto pueda interpretarse en otro modo, para intentar de lograr resultados más satisfactorios. Si se supone que la elección, en la expresión *uxori nuruive*, de utilizar el sufijo *-ve* es sólo una elección estilística, o sea, venga utilizado en lugar de los numerosos *vel* que preceden, más bien que para poner en la misma condición los dos miembros (*uxor*

---

[17]   La misma observación, relativa a D. 47.10.1.9, la hace Desanti, L., «Più *iniuriae* da un'ingiuria» cit., p. 35 («scopo di Nerazio, infatti, non era quello di sottolineare a chi spettasse promuovere concretamente il giudizio, ma quali fossero i soggetti simultaneamente lesi, a nome dei quali si poteva agire») y, p. 36, relativamente a Gai. 3.221.

[18]   Basta recordar un fragmento de Ulpiano que, citando el texto del edicto, registra como normal el ejercicio concreto por parte de quien tiene el poder de la acción debida al *filius* por la iniuria sufrida y como excepcional la hipótesis de la concesión de la acción directamente al *filius* en el caso de que el *pater* no estuviera presente y no hubiera un *procurator* que pudiera ejercer la acción (D. 47.10.17.10, Ulp. 57 *ad ed.*: *Ait praetor: 'si ei, qui in alterius potestate erit, iniuria facta esse dicetur et neque is, cuius in potestate est, praesens erit neque procurator quisquam existat, qui eo nomine agat: causa cognita ipsi, qui iniuriam accepisse dicetur, iudicium dabo'*). Sobre las excepciones a la incapacidad procesal de los *alieni iuris* ofendidos por *iniuria*, v., de recién, S. Fusco, *Specialiter autem iniuria* cit., p. 156 ss.

e *nurus*), y que la mención de la *nurus* no se enlace con la
mención del *affectus*, sino con aquella de la *potestas*, el texto
se presta a una interpretación diferente y clara. También en
caso de *iniuria* hacia la *nurus* se ofende *per consequentias* il titular de la *patria potestas* sobre de ella, o sea el suegro que ha
adquirido este poder a través de la *conventio in manum* cumplida entre la mujer y su *filius* (*familias*), en cuya *familia* ella
entra, en condición de *filiae loco* en proporción al marido[19] y
de *neptis loco* en proporción al suegro[20].

---

[19]   Ya Volterra, E., «Nuove ricerche sulla "conventio in manum"», en
Memorie Accademia dei Lincei, ser. VIII, vol. XII, núm. 4 (1966), p.
345 s. [ahora en *Scritti Giuridici*, III, Jovene Editore, Napoli 1991,
p. 97 s.], había sostenido correctamente que la *manus* sobre la
uxor era siempre adquirida por el marido, aunque *alieni iuris*. Si
bién esta opinión no me parece se haya seguido en la doctrina,
ya que se continúa (casi unánimemente) a considerar un hecho
adquirido que era el *pater*/suegro quien adquiría la *manus* sobre
la *nurus* casada con el *filius in potestate*, creo que la intuición de
Volterra era correcta, aunque no del todo aceptable en unos argumentos y algunas de las conclusiones a las que llegó. A través
del examen de los datos textuales de que disponemos, en mi *Un
alieni iuris titolare della manus sulla uxor*, Libreria editrice Torre,
Catania 2020, p. 36 ss., he podido llegar a la conclusión de que
el titular del poder de *manus* sobre la *uxor* era siempre el marido,
aunque *alieni iuris*.

[20]   Son bien conocidos los fragmentos en los que se repite la definición de la *nurus* en condición de *neptis loco* en relación al suegro:
Gai. 1.148 (*Uxori quae in manu est proinde ac filiae, item nurui quae
in filii manu est proinde ac nepti tutor dari potest*), Gai. 2.159 (*Idem
iuris est et in uxoris persona quae in manu est, quia filiae loco est, et
in nuru quae in manu filii est, quia neptis loco est*); Gai. 3.41 (...
*Sive enim faciat testamentum libertus, iubetur ita testari, ut patrono suo
partem dimidiam bonorum suorum relinquat, et si aut nihil aut minus
quam partem dimidiam reliquerit, datur patrono contra tabulas testa-
menti partis dimidiae bonorum possessio; si vero intestatus moriatur suo
herede relicto adoptivo filio vel uxore quae in manu ipsius esset, vel nuru
quae in manu filii eius fuerit, datur aeque patrono adversus hos suos he-*

Aún más, así reconstruyendo, se preserva, en caso de *iniuria*, el derecho a tres acciones, ilustrado por Gayo, Neracio (y compartido por Ulpiano) y Paulo, para el caso de la mujer casada que no sea *sui iuris*, sino está sometida a la *potestas* de otro. Si titular de la *patria potestas* sobre la mujer es su padre, su acción se acumulará con la de la *filia/uxor* y la del marido; si titular de

---

redes partis dimidiae bonorum possessio ...), Coll. 16.2.3, Gai. 3 *instit.* (*Vxor quoque, quae in manu est, ei cuius in manu est sua heres est, quia filiae loco est: item nurus quae in filii manu est, nam et haec neptis loco est...*), Tit. Ulp. 22.14 (*Sui heredes instituendi sunt vel exheredandi. Sui autem heredes sunt liberi, quos in potestate habemus, tam naturales quam adoptivi: item uxor, quae in manu est, et nurus, quae in manu est filii, quem in potestate habemus*). Tal condición sólo puede ser adquirida por la *uxor* del *filius familias* si se opina que fue siempre el marido, aunque *alieni iuris*, titular de la *manus* sobre la *uxor* (v. nt. anterior), y no, como aún se cree, el *pater*/suegro; más bien, éste, gracias a la *conventio in manum* realizada por su *filius* con la *uxor*, adquiría la *potestas* sobre ella. Llegué a esta convicción en mi *Un alieni iuris* cit., p. 45 ss., a través el examen de las fuentes que han llegado hasta nosotros sobre el tema de la titularidad de la *manus*.

la *patria potestas* sobre la mujer es el suegro[21], será su acción a acumularse con la de la *uxor* y del marido[22].

---

[21]   Volterra, E., «Nuove ricerche» cit., p. 291 (292) nt. 76 [*Scritti* cit., p. 43 (44) nt. 76], considera que el texto de Ulpiano ha sido modificado por los compiladores, que suprimieron una referencia original del jurista a la *manus* del *pater* sobre su esposa y la *manus* del *filius* sobre la *nurus*; en su opinión, el jurista se habría referido originariamente a «*qui vel potestati vel manui nostrae subiecti sint*»: la acción por iniuria a la *uxor* se otorgaba porqué ella estaba bajo la *manus*, por iniuria a la *nurus* porqué ella estaba bajo la *patria potestas*; el a. también considera que la referencia al *affectus* fue introducida por los compiladores, y señala, aceptablemente, que «le parole usate nel testo, *affectui subiecti*, se possono formalmente riferirsi alla *uxor*, verso la quale esiste il vincolo di *affectio* o *affectus maritalis*, non sono in alcun modo giustificabili nei confronti della *nurus*». Como se acaba de demostrar, en texto, la intuición es correcta, pero la interpretación de Volterra no me parece aceptable. Aún menos aceptable, a la luz de lo dicho en el texto y en las notas anteriores, es la opinión de aquellos autores que consideran interpolado el texto de Ulpiano, suponiendo que la acción por *iniuria* alla *nurus* se le otogaba al suegro en cuanto titular de la *manus* sobre ella: cfr. Astolfi, R., *Il matrimonio nel diritto romano preclassico*[2] cit., p. 391 nt.168; Id., *Il matrimonio nel diritto romano classico* cit., p. 349 nt. 3; Nowicka, D., «Family relations in cases concerning *iniuria*», en *Mater familias. Scritti romanistici per Maria Zabłocka*, Varsavia 2016, p. 630 (v., también, p. 629 nt. 26).

[22]   Que ésta es la estructura de las relaciones familiares lo confirman también dos textos relativos a la definición de *mater familias*. Se trata de Gell. 18.6.9 (... '*matrem*' autem '*familias*' appellatam esse eam solam, *quae in mariti manu mancipioque aut in eius, in cuius maritus, manu mancipioque esset, quoniam non in matrimonium tantum, sed in familiam quoque mariti et in sui heredis locum venisset.*) e di Serv. *ad Aen.* 11.476 (... *matrem vero familias eam esse, quae in mariti manu mancipioque, aut in cuius maritus manu mancipioque esset, quoniamin familiam quoque mariti et sui heredis locum venisset...*). En ambas las fuentes se dice, prácticamente con las mismas palabras, que es *mater familias* aquella que *in mariti manu mancipioque aut in eius, in cuius maritus, manu mancipioque esset*, con la consecuencia de que no sólo está *in matrimo-*

4. Una interesante confirmación de lo dicho hasta ahora nos la proporciona el texto, correspondiente a lo de Gayo, de las Instituciones de Justiniano, sobre la *iniuria* a la *uxor*.

I. 4.4.2: *Patitur autem quis iniuriam non solum per semet ipsum, sed etiam per liberos suos quos in potestate habet: item per uxorem suam, id enim magis praevaluit. Itaque si filiae alicuius, quae Titio nupta est, iniuriam feceris, non solum filiae nomine tecum iniuriarum agi potest, sed etiam patris quoque et mariti nomine. Contra autem, si viro iniuria facta sit, uxor iniuriarum agere non potest: defendi enim uxores a viris, non viros ab uxoribus aequum est. Sed et socer nurus nomine, cuius vir in potestate est, iniuriarum agere potest.*

El fragmento imita en su primera parte Gai. 3.221. También aquí se precisa que sufrimos *iniuria* no solo directamente (*per semet ipsum*), sino también por medio de los propios *liberi*, que están sometidos a la *potestas*, y de la propia esposa (*sed etiam per liberos suos quos in potestate habet: item per uxorem suam*); pero aquí se añade que, con referencia a la concesión de la acción al marido por la *iniuria* hacia la esposa, *id enim magis praevaluit*,

---

nium, sino *in familiam quoque mariti et in sui heredis locum venisset*. La mujer no está *in mancipio* del marido, ni, aún menos, el *filius* está *in mancipio* y, menos aún, *in manu* del *pater*. Así, para intentar dar una interpretación coherente a estas fuentes creo que debemos asumir que el concepto que se pretende expresar es que la mujer casada con un *filius familias* se encontraba dentro de la familia de su marido en la misma condición que el propio marido, es decir, *in potestate* (como sabemos, *neptis loco*, porqué *filiae loco* del marido) del suegro titular de la *potestas* sobre su marido. De modo similar se había expresado ya Volterra, E., «Nuove ricerche» cit., p. 281 [*Scritti* cit., p. 33], al afirmar que «Gellio e Servio usassero una termilogia inesatta e comunque non conforme a quella dei giuristi», y, p. 333 s. [*Scritti* cit., p. 85 s.], que «per effetto della *conventio in manum* accompagnata dal matrimonio,... la donna è fittiziamente considerata generata dal marito, si costituisce su di essa la *patria potestas*... del *paterfamilias* di questo».

dando a entender que se hubieran tenido diferentes opiniones entre los juristas sobre el asunto.

A continuación se hace el mismo ejemplo del texto de Gayo (y también de Ulpiano/Neracio en D. 47.10.1.9 y de Paulo/Pomponio en D. 47.10.8.2) de la *filia familias* casada que haya sufrido *iniuria*, y también en este fragmento se confirma que en caso de injuria hacia la mujer, aún *in potestate patris*, se otorgan tres acciones. Pués, incluso en la epoca de Justiniano, asì como en la época clasica, continúa a otorgarse tanto una acción a la *uxor*, como una a su *pater familias*, como una a su marido. Y también queda claro aquí como cada uno de ellos tiene derecho a la acción *proprio nomine* (*non solum filiae nomine tecum iniuriarum agi potest, sed etiam patris quoque et mariti nomine*). Inmediatamente después, se hace una aclaración, que no está presente en el fragmento de Gayo, sobre el diferente tratamiento procesal de la *iniuria* a partes inversas: si, al revés, es el marido a sufrir *iniuria* no se otorga la acción a la mujer, dado que, se explica, *aequum est* que las mujeres sean defendidas por el marido, pero no que los maridos sean defendidos por las mujeres[23]. El fragmento se cierra, y ésta es la parte que más nos interesa, con la afirmación de que el suegro puede ejercer la *actio iniuriarum* en el caso que el marido este aún sometido a su *potestas*, pero *nurus nomine*. De primer impacto, entonces, encontraríamos un elemento de novedad en la época de Justiniano, respecto a la época clásica: para otorgar la *actio iniuriarum* no tendría relieve solo la condición juridica de la *uxor*, sino también la del marido; en caso de que el marido fuera aún *filius familias*, se le otorgaría acción también a su padre. Llegados a este punto, pués, las acciones en caso de *iniuria* a una mujer todavía

---

[23] Principio ya consolidado en la época clásica, y con la misma motivación; es bastante mirar a D. 47.10.2 (Paul. 50 *ad ed.*): *Quod si viro iniuria facta sit, uxor non agit, quia defendi uxores a viris, non viros ab uxoribus aequum est.*

filia familias, casada con un *filius familias* serían cuatro: una a la mujer, una al marido, una al padre de la mujer, una al padre del marido (!).

Pero en el fragmento de las Instituciones encontramos una aclaración: al suegro se le otorga acción *nurus nomine*. Dicha aclaración constituye una 'anomalía' en comparación con las fuentes en la misma materia que hemos visto hasta ahora, en todas las cuales, se dice que cada uno de los legitimados tiene acción *proprio nomine*, y lo mismo se dice también en este texto en referencia a la mujer *filia familias*. Por lo tanto, si al suegro se le da acción *nurus nomine*, eso significaría que la acción o se da a él o se da a la nuera: pués, la acción del uno excluiría la acción del otro[24], dado que se tendrían dos acciones ambas fundadas en el mismo titulo justificativo, y éste sería el único testimonio en este sentido en tema de *iniuria*[25]. Si, en cambio, querríamos pensar que con la expresión *nurus nomine* se haga referencia al hecho que es el suegro quién ejerce concretamente la acción, quizá se haga aún más oscuro el significado de la afirmación: el suegro no tiene titulo para actuar *nurus nomine*, por qué ya no puede tener ningún poder sobre ella; la *manus* ha desaparecido (desde tiempo), así que la *uxor* ya no entra en la familia del marido en condición de *filiae loco* respecto a él

---

[24]   Mientras que en D. 47.10.1.3 (muy probablemente tenido en cuenta en la redacción de esta parte de las Instituciones), el único otro texto que habla del derecho del suegro a ejercer una acción por la injuria hacia la nuera casada con el hijo aún *in potestate*, se infiere que el suegro tiene acción *proprio nomine*. *Item ... alicui fit iniuria ... per alias personas...: spectat enim ad nos iniuria, quae in his fit...*

[25]   Como hemos visto, en efecto, en D. 47.10.1.9, las acciones por *iniuria* a la *uxor* eran acumulativas (y, por tanto, el ejercicio de una de ellas no extinguía las demás acciones: *neque ullius actionem per alium consumi*), ya que cada una se fundaba en un título justificativo distinto: cada uno de los legitimados actuaba por su propia *iniuria* (*proprio nomine*).

(y de *neptis loco* respecto al suegro). Como hemos visto, ahora puede actuar el *pater* de la mujer para ella, si *potestati subiecta*, o ella misma, si *sui iuris*.

Se podría encontrar una explicación al final del texto de las Instituciones. Los justinianeos han 'heredado' de la época clásica la concesión al suegro de la acción por *iniuria* alla *nurus*, pero, se dan cuenta que faltaba el fundamento juridico, la *patria potestas*, que hubiera justificado la concesión al suegro de la acción *proprio nomine*, por la *iniuria* hacia la nuera. Así eligen de continuar a conceder la acción, pero *nurus nomine*, con el resultado de no alterar la lógica del derecho de tres acciones en la hipótesis de *iniuria* a la *uxor, filia familias*.

5. Brevísimas conclusiones al final de este recorrido por las fuentes. Creo que la concesión de tres acciones en caso de *iniuria* hacia la *uxor* (o sea, la posibilidad de otorgar accion también a otros sujetos ofendidos por la *iniuria* hacia la *uxor*, directamente ofendida y legitimada a la *actio iniuriarum*) arrojen luz sobre la estructura de la *familia*. Probablemente, asì como opina la doctrina dominante, en la época más antigua, cuando era lo normal que a través la *conventio in manum* la esposa ingresara en la familia del marido, la concesión al marido de la *actio iniuriarum* se fundaba en su poder de *manus* sobre la mujer. En efecto, así como el *pater* tenía acción por la *iniuria* hacia sus propios hijos bajo su poder de *potestas*, del mismo modo, el marido tenía acción por la *iniuria* sufrida por su mujer sometida a su poder de *manus*. En caso que el marido fuera un *filius familias*, a su acción se acumulaba, y no podía ser de otra manera, también la acción del suegro de la mujer dado que era titular de la *patria potestas* sobre ella.

Cuando, en vez, empieza a ser la regla el matrimonio sin hacer la *conventio in manum*, sigue siendo normal la concesión de la *actio iniuriarum* al *pater*, al cual desde siempre se la otorgó, si la esposa hubiera permanecido *in potestate patris*; puede ser que más problemático, al menos al principio, haya parecido la concesión de la *actio iniuriarum* al marido que ya no era titular de ningun poder sobre la *uxor.* por eso, la concesión de la *actio iniuriarum* empieza a fundarse en el *affectus* que sigue vinculando marido y mujer, independientemente de la existencia o inexistencia del poder de *manus.* Este eventual momento de duda en referencia a la concesión al marido de la *actio iniuriarum* por la ofensa sufrida por la mujer no sometida a la *manus,* sólo se registraría en el pasaje *item per uxorem suam, id enim magis praevaluit* de I. 4.4.2; en ninguna de las fuentes anteriores que nos han llegado sobre el tema hay rastro de ello.

Bibliografía

BÖCKING, E., *Apographum,* apud S. Hirzelum, Lipsiae 1866

CORBINO, A., «Interventi e repliche», en *Poteri negotia actiones nella esperienza romana arcaica. Atti del convegno di diritto romano, Copanello 12-15 maggio 1982*

CURSI, M.F., «*Pati iniuriam per alios* (Gai. 3,221-222)», en *BIDR.,* núm. 106 (2012)

DE ZULUETA, F., *The Institutes of Gaius,* I, Clarendon Press, Oxford 1946

DESANTI, L., «Più *iniuriae* da un'ingiuria – L'oltraggio ai *potestati vel affectui subiecti* –», in *Ann. Univ. Ferrara-Sc. Giur.,* NS., núm. 21 (2007)

DESANTI, L., «Più *iniuriae* da un'ingiuria» cit., p. 44 ss.; Biccari, M.L., «*Atrocitas:* alle radici della teoria penalistica circa le aggravanti di reato», en *Studi Urbinati,* A, núm. 62.1-2 (2011)

DUBOIS, E., *Institutes de Gaius,* Marescq Ainé, Paris 1881

FIORI R., «*Materfamilias*», in *BIDR.* núm. 96-97 (1993-94)

Forcellinus, E., voz *quod,* en *Totius latinitatis Lexicon,* III, Typis Seminarii, Patavii 1830

FUSCO, S., *Specialiter autem iniuria dicitur contumelia,* Inschibboleth Edizioni, Roma 2020

GIRARD, P.F., *Textes de droit romain,* A. Rousseau, Paris 1890

GIUNTI, P., «*Mores* e *interpretatio prudentium* nella definizione di *materfamilias* (una qualifica fra *conventio in manum* e *status di sui iuris*)», en *Nozione formazione e interpretazione del diritto dall'età romana alle esperienze moderne. Ricerche dedicate al Professor Filippo Gallo,* I, Jovene, Napoli 1997

GUERRERO LEBRÓN, M., *La injuria indirecta en derecho romano*, Dykinson, Madrid 2005

KRÜGER, P., *Gai Institutiones*⁴, Weidemannos, Berolini 1899

Lachmann, C., *Gaii Institutionum commentarii quattuor* (Goescheniana editio tertia), in aedibus G.A. Reimeri, Berolini 1842

MANTHE, U., *Gaius. Institutiones*², Wissenschaftliche Buchgesellschaft, Darmstadt 2010

NELSON, H.L.W.-MANTHE, U., *Gai Institutiones* cit., p. 254 y Manthe, U., «Gaio, il Veronese e gli editori», in *AUPA.* núm. 57 (2014)

NELSON, H.L.W.-MANTHE, U., *Gai Institutiones III 182-225. Die Deliktsobligationen. Text und Kommentar*, Duncker & Humblot, Berlin 2007

NICOSIA, G., «Il *'Forcellinus'*», in *IVRA* núm. 69 (2021)

NOWICKA, D., «Family relations in cases concerning *iniuria*», en *Mater familias. Scritti romanistici per Maria Zabłocka*, Varsavia 2016

POLENAAR, B.J., *Syntagma Institutionum novum. Gai institutiones iuris civilis Romani*, Brill, Lugduni Batavorum 1876

VOLTERRA, E., «Nuove ricerche sulla "conventio in manum"», en *Memorie Accademia dei Lincei*, ser. VIII, vol. XII, núm. 4 (1966)

ZILIOTTO, P., «Le ingiurie allo schiavo», in *TSDP.* núm. 13 (2020)

Capítulo 3

Alla ricerca di un difficile equilibrio. Le res communes omnium tra esigenze economiche e rapporto con le risorse naturali

DOMENICO DURSI
Università Sapienza di Roma

SOMMARIO: I. L'ODIERNO DIBATTITO SUI BENI COMUNI E LE RAGIO-
NI DI UNA RICERCA DI STORIA GIURIDICA SULLA UGUALIANZA. II. LE
RES COMMUNES OMNIUM MARCIANEE: CENNI SUL FONDAMENTO E
SULLO STATUTO DI UNA CATEGORIA DI BENI. III. UNA CONSIDERA-
ZIONE CONCLUSIVA. Bibliografía.

RIASSUNTO: Partendo dal dibattito italiano sulla nozione di beni comuni e
ugualianza, l'articolo analizza la categoria marcianea di res communes omnium per delinearne lo status giuridico, da cui risulta che nessuno può essere
escluso dal godere delle risorse che la natura mette a disposizione di tutti.

PAROLE CHIAVE: beni comuni, donne, uomini; res communes omnium; diritto naturale; pesca; caccia; acqua; aria; beni pubblici

ABSTRACT: Starting from the Italian debate on the notion of commons and
equality, the article analyzes the Marcian category of res ommunes omnium
to outline its legal status, which shows that no one can be excluded from
enjoying the resources that nature makes available to all.

KEYWORDS: commons, women, men; res communes omnium; natural law; fishing; hunting; water; air; public goods

I. L'ODIERNO DIBATTITO SUI BENI COMUNI E LE RAGIONI DI UNA RICERCA DI STORIA GIURIDICA SULLA UGUALIANZA

L'ormai acquisita consapevolezza della finitezza delle risorse e della necessaria costruzione di un equilibrato rapporto tra uomo e natura induce a individuare sempre nuovi strumenti, materiali e immateriali che consentano di preservare l'ambiente e – direi – il Pianeta, per le future generazioni. Tra quelli immateriali, un ruolo centrale svolgono le normative approvate negli ultimi anni proprio a tale ultimo scopo. Né si può tralasciare la riflessione sviluppatasi in ambito giuridico con l'intento di elaborare nuove e più incisive misure. Ora, benché, come è di ogni evidenza, i problemi in questione non si ponessero per il mondo antico, lo storico del diritto e il giusromanista, in particolare, ove voglia offrire un contributo alla sfida di questi tempi, ha il dovere di analizzare quegli istituti giuridici elaborati dagli antichi per fissare un qualche criterio di utilizzo delle risorse naturali.

Il mio contributo, pertanto, verterà sul tema delle *res communes omnium* con un accento posto sul rapporto tra necessità economiche e natura che è alla base – mi pare – della sua elaborazione.

L'attenzione verso questa peculiare categoria di *res* è, come noto, tornata in auge nel primo decennio del ventunesimo secolo allorché imperversava ad ogni livello il dibattito sui beni comuni, dalla dimensione filosofica e politica a quella eminentemente giuridica.

Quanto a quest'ultima, basti qui ricordare gli importanti interventi giurisprudenziali (S.U. della Cassazione del febbraio 2011 nn. 3665, 3811, 3812, 3936, 3937, 3938, 3939) e le discussioni che hanno visto protagonisti i cultori del diritto positivo: mi riferisco, in particolare, ai civilisti e agli amministrativisti.

In particolare, la Suprema Corte italiana ha utilizzato l'espressione "beni comuni", richiamandosi, peraltro, alle *res communes omnium* del diritto romano, configurandoli come "beni strumentalmente collegati alla realizzazione degli interessi di tutti i cittadini [...] che indipendentemente da una preventiva individuazione da parte del legislatore, per loro intrinseca natura o finalizzazione risultino, sulla base di una compiuta interpretazione dell'intero sistema normativo, funzionali al perseguimento e al soddisfacimento degli interessi della collettività"[1].

Il richiamo di questa nozione non giungeva per caso; del resto, parafrasando una celebre affermazione ricorrente nel *de rerum natura* di Lucrezio, *de nihilo nihil*[2]. Infatti, è bene ricordare come già nel 2008 nell'ambito dei lavori della Commissione, istituita con Decreto del Ministro della giustizia per la riforma del regime codicistico dei beni[3] e presieduta dal compianto Stefano Rodotà, si giungeva a elaborare una nozione di "beni comuni" all'interno del disegno di legge poi abortito[4]. Nel dettaglio, per beni comuni dovevano intendersi quelle cose che esprimono utilità funzionali all'esercizio

---

[1] S.U. n. 3811 del 2011.
[2] Lucr. *de rer. nat.*, 1,149; 1, 205; 2,287.
[3] Si tratta del decreto del Ministro della Giustizia del 14 giugno 2007.
[4] Gli esiti dei lavori furono discussi in un convegno organizzato dall'Accademia Nazionale dei Lincei il 22 aprile del 2008, i cui atti possono leggersi ora nel volume MATTEI, REVIGLIO, RODOTÀ, *I beni pubblici*.

dei diritti fondamentali nonché al libero sviluppo della persona, e sono informati al principio della salvaguardia intergenerazionale delle utilità che non rientrano *stricto sensu* nella specie dei beni pubblici, poiché sono a titolarità diffusa, potendo appartenere non solo a persone pubbliche, ma anche a privati"[5]. Da qui, poi, venivano elencate alcune tipologie di beni così caratterizzati.

In sostanza, l'assenza di una definizione normativa di beni comuni non ha impedito che nel nostro ordinamento vivano due nozioni di beni comuni, la prima, quella della Cassazione, più incentrata sugli interessi di tutti i cittadini, come rilevato da Di Porto[6], la seconda, invece, sembrerebbe porre al centro i diritti fondamentali della persona.

Il dibattito sui beni comuni, peraltro, aveva travalicato i confini dell'Accademia e delle Corti ed era stata posta anche alla base della campagna referendaria del 2011 sull'utilizzo delle risorse idriche che, come si ricorderà, rivendicava per l'acqua la qualificazione di bene comune da cui doveva discendere un peculiare statuto giuridico.

Questo fermento di interessi su diversi piani, aveva condotto uno dei massimi protagonisti di quel dibattito, Stefano Rodotà, a definire il 2011 "l'anno dei beni comuni"[7].

Leggendo i contributi che venivano pubblicati, si poteva constatare, tuttavia, come gli sporadici richiami al diritto romano erano, per lo più, di maniera e spesso, gli scritti che pre-

---

[5]   La definizione si può leggere nella relazione di accompagnamento del disegno di legge 2031 presentato al Senato nel febbraio 2010, nel corso della XVI legislatura, oltreché nel comma tre lettera c dell'art. 1 della stessa (p. 9.), consultabile al seguente link: https://www.senato.it/service/PDF/PDFServer/DF/217244.pdf.

[6]   DI PORTO, *Res in usu publico*, p. 49; ID., *I beni comuni*, p. 166.

[7]   RODOTÀ, *Il valore*, p. 26.

sentavano una maggiore sensibilità storica si fermavano agli usi civici medievali, senza inoltrarsi lungo i sentieri della millenaria esperienza del diritto romano, ove come si apprende sin dai corsi istituzionali, era nota la categoria delle *res communes omnium*, appunto, che presenta una qualche assonanza – si badi, non un'equivalenza concettuale, tra nozioni sorte in epoche e contesti assai diversi[8] – con i beni comuni. Anche per queste ragioni, ho dedicato al tema una ricerca, poi confluita in una monografia[9], cui si farà spesso riferimento in queste pagine: essa si poneva l'intento di analizzare le fonti romane in argomento, per provare a delineare la formazione della categoria e il suo statuto, nel quadro più ampio della teoria dei beni elaborata dai giuristi romani.

II. LE RES COMMUNES OMNIUM MARCIANEE: CENNI SUL FONDAMENTO E SULLO STATUTO DI UNA CATEGORIA DI BENI

Occorre, peraltro, chiarire come per lungo tempo lo studio della categoria in questione fu condizionato dal giudizio che ne aveva dato Mommsen in una lettera indirizzata a Vittorio Scialoja, relativa a un testo epigrafico, nel quale l'illustre antichista definiva le *res communes omnium*, come categoria senza né capo, né coda[10]. Data l'autorevolezza della definizione per molto tempo, non si assegnò rilevanza alla categoria e si arrivò al punto di inserire la stessa sin nel titolo di un ponderoso volume in argomento: mi riferisco al lavoro monografico di Ubaldo Robbe *La differenza sostanziale tra 'res nullius' e 'res nullius in bonis' e la distin-*

---

8   In tal senso Fiorentini, *Res communes omnium e commons*, pp. 75 ss.; Santucci, *'Beni comuni'*, pp. 1395 ss.

9   Dursi, *Res.*

10   Mommsen, *Sopra una iscrizione*, pp. 129 ss., part. p. 131.

zione delle 'res' pseudo-maricanee "che non ha né capo né coda"[11]. Va
per vero sottolineato come fu per opera di Giuseppe Branca[12],
che iniziò una inversione di tendenza e una rivalutazione della
nozione. L'autore, infatti, nel 1942 pubblicò un lavoro monografico sulle *res extra commercium humani iuris,* incentrata sulla dog-
matica marcianea, di cui si dimostrava la classicità. Il lavoro – sia
detto per inciso – valse l'ordinariato a Branca, con un eccellente
giudizio, formulato dai commissari Salvatore di Marzio, Lauro
Chiazzese e Giorgio La Pira, i quali rilevarono come lo studio
avesse determinato un cambio di paradigma nella interpretazione della categoria[13]. Su questo solco si sono mossi, poi, diversi
studiosi. Non potendoli menzionare tutti per non appesantire
questa rifessione, mi corre l'obbligo di richiamare, più recentemente gli scritti di Mario Fiorentini[14] in argomento. Menzione
meritano, poi, i lavori di Andrea Di Porto sulle *res in usu publico,*
categoria diversa ma contigua, nei quali sono presenti molteplici
spunti valevoli anche per le *res communes omnium,* in particolare,
sotto il profilo della legittimazione ad agire – di natura popolare – degli interdetti a tutela dell'uso comune di questi beni, e
gli scritti di Laura Solidoro[15], Paola Lambrini[16], Marco Falcon[17],

---

[11] Robbe, *La differenza sostanziale tra 'res nullius' e 'res nullius in bonis.*

[12] Branca, *Le cose extra patrimonium,* pp. 226 ss.

[13] Su questa vicenda Masi, *L'opera di Giuseppe Branca,* pp. 21 ss., part. p. 34 s.

[14] *Ex multis,* Fiorentini, *Fiumi e mari;* Id., *L'acqua da bene economico a «res communis»,* pp. 39 ss.; Id., *Spunti volanti,* pp. 75 ss.; Id., *Res communes omnium e commons,* pp. 153 ss.

[15] Solidoro Maruotti, *La tutela dell'ambiente;* Ead., *Il civis e le acque,* pp. 236 ss.

[16] Lambrini, *Alle origini dei beni comuni,* pp. 85 ss.; Ead, *Alle origini dei beni comuni,* pp. 394 ss.; da ultimo, Ead., *Per un rinnovato studio,* pp. 817 ss.

[17] Falcon, *'Res communes omnium'. Vicende storiche,* p. 107; Id., *'Res communes omnium' e diritto dell'"outer space',* online.

Laura d'Amati[18], e, assai di recente, il contributo monografico di Giovanni Carlo Seazzu[19]

I testi fondamentali sono del giurista Marciano, il quale, nelle sue Istituzioni, dapprima afferma che vi sono cose comuni di tutti per diritto naturale, cose delle collettività, cose di nessuno e cose dei singoli che sono la gran parte[20]. Egli poi proseguiva affermando che per diritto naturale sono beni di tutti l'aria, l'acqua che scorre, il mare e in ragione di questo i lidi del mare[21].

In primo luogo, si è reso necessario chiarire come Marciano distinguesse questa categoria da quella delle *res publicae*, nella quale, per il giurista, tra le altre, rientrano fiumi e porti[22]. Il problema si poneva in quanto nell'elencazione di Marciano riportata nel Digesto non appare la menzione delle *res publicae*, poi, però, impiegata dal giurista nel prosieguo della sua esposizione. D'altra parte, il testo delle Istituzioni di Giustiniano[23] in materia di *divisio rerum*, inequivocabilmente tratto dalle Istitu-

---

[18] D'AMATI, *Aedificatio in litore*, pp. 645 ss.; EAD., *Brevi riflessioni in tema di res communes omnium*, pp. 333 ss.

[19] SEAZZU, *Res communes omnium oggi*.

[20] Marc. 3 *inst*. D. 1.8.2pr.: *Quaedam naturali iure communia sunt omnium, quaedam universitatis, quaedam nullius, pleraque singulorum, quae variis ex causis cuique adquiruntur.*

[21] Marc. 3 *inst*. D. 1.8.2.1: *Et quidem naturali iure omnium communia sunt illa: aer, aqua profluens, et mare, et per hoc litora maris.* Da segnalare come LAMBRINI, *Per un rinnovato studio*, p. 825 rileva l'assenza di *aer* in tutti i più antichi testimoni della *littera Bononiensis*.

[22] Marc. 3 *inst*. D. 1.8.4.1: *Sed flumina paene omnia et portus publica sunt.*

[23] Inst. 2.1pr.: *Superiore libro de iure personarum exposuimus: modo videamus de rebus. quae vel in nostro patrimonio vel extra nostrum patrimonium habentur. quaedam enim naturali iure communia sunt omnium, quaedam publica, quaedam universitatis, quaedam nullius, pleraque singulorum, quae variis ex causis cuique adquiruntur, sicut ex subiectis apparebit.*

zioni di Marciano, data la quasi totale coincidenza tra i testi[24], reca la categoria delle *res publicae* giustapposta a quella delle *res communes omnium*. In sostanza, appare chiaro che Marciano distinguesse le *res communes omnium* dalle *res publicae* e la mancata menzione di queste ultime nella *divisio rerum* marcianea riportata nel Digesto pur di difficile spiegazione, potrebbe trovare ragione nella congettura secondo la quale i giustinianei avrebbero omesso il riferimento alle *res publicae* perché nella catena di testi in cui è incastonato il brano marcianeo, il riferimento alle medesime appariva qualche riga sopra. Né l'intervento era idoneo ad alterare il pensiero del giurista severiano sui beni, considerato che in un ulteriore brano dello stesso giurista, pre-

---

[24]   Sul punto mi sia consentito rinviare a DURSI, *Res*, p. 7; ID. *Aelius Marcianus*, p. 80, pp. 151 ss., ove si prospetta come il testo delle Istituzioni giustinianee potesse presentarsi più conforme all'originale marcianeo rispetto a quello del Digesto. Di diverso avviso BASILE, *Res communes omnium*, pp. 119 ss. per il quale in Marciano non vi sarebbe una frattura concettuale tra beni di tutti e beni pubblici in quanto il giurista avrebbe sciolto la categoria delle *res publicae* in quella delle *res communes omnium* e in quella delle *res universitatis*. Diversi argomenti ostano, a mio modo di vedere, all'accoglimento di una tale impostazione. A voler trascurare gli altri, basti pensare che se il giurista avesse voluto eliminare la categoria delle *res publicae* dalla classificazione, ben difficilmente l'avrebbe impiegata poco dopo per specificare la natura dei fiumi e dei porti. D'altra parte, sarebbe pure difficile spiegare gli esempi richiamati (a volerli considerare congiuntamente, mare, aria, acqua che scorre, lido, teatri e stadi delle città), a fronte di altri ben più significativi. Si pensi alle vie pubbliche. Infine, pur non trattandosi di argomentazione decisiva, occorre rilevare come Ulpiano, che pure richiama le *res communes omnium* includendovi pressoché le medesime *res* di Marciano, individua una diversa disciplina per le *res publicae*. Sembra difficile ipotizzare che nello stesso torno di tempo emergesse dagli scritti di due giuristi una netta divergenza nella disciplina delle due categorie di *res*. D'altra parte, in tutti i giuristi che se ne occupano – anche quelli che li qualificano *res publicae* – il lido e il mare presentano una disciplina diversa da quella delle altre *res publicae*.

sumibilmente collocato qualche riga dopo rispetto all'elencazione delle diverse tipologie di *res,* appariva appunto un richiamo chiaro e inequivoco alle *res publicae.*

L'ulteriore domanda cui si deve rispondere è se quella delle *res communes omnium* in Marciano – comprendente aria, acqua che scorre, mare e a causa del mare il lido – debba considerarsi un'elencazione tassativa o, meramente esemplificativa. Mi è parso di trovare la risposta dall'analisi di un testo tratto sempre dal libro terzo delle Istituzioni marcianee, conservato nel Digesto poco dopo quello in esame e concernente le *res universitatis*[25]. Marciano ivi afferma che rientrano in questa categoria teatri, stadi e altri simili, *similia.* Proprio quest'ultima precisazione rende evidente come il giurista, in questo caso, stesse descrivendo un elenco aperto, laddove, ciò non emerge affatto con riferimento alle *res communes omnium.* Di più: la circostanza che per Marciano il lido rientri tra le cose comuni di tutti solo in quanto vi rientra il mare, pure, mi pare che deponga nella stessa direzione. Proprio l'attenzione terminologica dello *scriptor iuris,* mi pare consenta di rilevare come nel caso delle *res communes omnium* si trattasse di un elenco chiuso e tassativo, il che, peraltro, si mostra conforme alla peculiare natura di siffatti beni.

Si è, poi, notato come la categoria fosse spesso impiegata dagli imperatori per dirimere controversie tra pescatori e proprietari di ville litoranee. Leggiamo di rescritti imperiali, sia in

---

[25] Marc. 3 *inst.* D. 1.8.6.1: *Universitatis sunt non singulorum veluti quae in civitatibus sunt theatra et stadia et similia et si qua alia sunt communia civitatium. ideoque nec servus communis civitatis singulorum pro parte intellegitur, sed universitatis et ideo tam contra civem quam pro eo posse servum civitatis torqueri divi fratres rescripserunt. ideo et libertus civitatis non habet necesse veniam edicti petere, si vocet in ius aliquem ex civibus.*

Ulpiano, per il quale i suddetti intervennero *saepissime*[26], sia in Marciano[27]. Si trattava di provvedimenti volti a impedire ai proprietari di ville litoranee di proibire l'accesso al lido per scopi di pesca. Tutto ciò pone in rilievo come le *res communes omnium* avessero una ben determinata portata pratica, ben lungi, dunque, dall'essere – come pure si è sostenuto[28] – una categoria priva di rilievo pratico e frutto delle influenze filosofiche dei giuristi che la richiamano.

Dalla lettura dei testi richiamati, emerge, dunque, un profilo ben preciso: a nessuno poteva essere impedita la pesca in mare, benché si potesse vietare la pesca in piscine private. Vi è di più: altrettanto emerge con riferimento alla caccia degli uccelli. A tal proposito, giova segnalare come Ulpiano ricolleghi la natura *communis omnium* dell'*aer* proprio all'*aucupatio*, affermando, altresì, come non si possa vietare ad alcuno di praticare la caccia agli uccelli, benché si possa ostacolare l'accesso in un campo altrui[29]. Anche in questo caso, inoltre, vi è il ricordo di un rescritto dell'imperatore Antonino Pio che afferma come

---

[26]   Ulp. 57 *ad ed.* D. 47.10.13.7: […]: *si quem tamen ante aedes meas vel ante praetorium meum piscari prohibeam, quid dicendum est? me iniuriarum iudicio teneri an non? et quidem mare commune omnium est et litora, sicuti aer, et est saepissime rescriptum non posse quem piscari prohiberi: sed nec aucupari, nisi quod ingredi quis agrum alienum prohiberi potest. usurpatum tamen et hoc est, tametsi nullo iure, ut quis prohiberi possit ante aedes meas vel praetorium meum piscari: quare si quis prohibeatur, adhuc iniuriarum agi potest. in lacu tamen, qui mei dominii est, utique piscari aliquem prohibere possum.*

[27]   Marc. 3 *inst.* D. 1.8.4pr.: *Nemo igitur ad litus maris accedere prohibetur piscandi causa, dum tamen villis et aedificiis et monumentis abstineatur, quia non sunt iuris gentium sicut et mare: idque et divus Pius piscatoribus Formianis et Capenatis rescripsit.*

[28]   *Ex multis*, Pernice, *Die sogenannten «res communes omnium»*, p. 11; Sokolowsky, *Die Philosophie im Privatrecht*, pp. 43 ss.; Bonfante, *Corso*, pp. 51 ss.

[29]   Ulp. 57 *ad ed.* D. 47.10.13.7 riportato *supra*.

non fosse ragionevole – si badi – non vietato, andare a caccia di uccelli in terreni in proprietà privata[30].

Se a ciò si aggiunge l'altra *res* rientrante nella categoria, l'*aqua profluens*, si coglie un primo centrale aspetto. Si trattava di *res* che la natura (di qui il riferimento al *ius naturale*, che però sottende anche una prospettiva più ampia, quella che potremmo definire giusnaturalismo romano[31], di cui pure si coglie l'eco in Marciano[32]) aveva posto a disposizione di tutti

---

[30] Call. 3 *de cogn.* D. 8.3.16: *Divus Pius aucupibus ita rescripsit:* οὐκ ἔστιν εὔλογον ἀκόντων τῶν δεσποτῶν ὑμᾶς ἐν ἀλλοτρίοις χωρίοις ἰξεύειν

[31] In tal senso SCHIAVONE, *Ius*, pp. 275 ss., il quale pone in rilievo come in più luoghi Ulpiano, Fiorentino e Trifonino affermino come la schiavitù sia contraria alla natura o al diritto naturale e sia frutto del diritto delle genti. Al riguardo, si vedano Ulp. 1 *inst.* D. 1.1.4: *Manumissiones quoque iuris gentium sunt. est autem manumissio de manu missio, id est datio libertatis: nam quamdiu quis in servitute est, manui et potestati suppositus est, manumissus liberatur potestate. quae res a iure gentium originem sumpsit, utpote cum iure naturali omnes liberi nascerentur nec esset nota manumissio, cum servitus esset incognita: sed posteaquam iure gentium servitus invasit, secutum est beneficium manumissionis. et cum uno naturali nomine homines appellaremur, iure gentium tria genera esse coeperunt: liberi et his contrarium servi et tertium genus liberti, id est hi qui desierant esse servi.*; Ulp. 43 *ad Sab.* D. 50.17.32: *Quod attinet ad ius civile, servi pro nullis habentur: non tamen et iure naturali, quia, quod ad ius naturale attinet, omnes homines aequales sunt.* Flor. 9 *inst.* D. 1.5.4.1: *Servitus est constitutio iuris gentium, qua quis dominio alieno contra naturam subicitur.* Tryph. 7 *disp.* D. 12.6.64: *Si quod dominus servo debuit, manumisso solvit, quamvis existimans ei aliqua teneri actione, tamen repetere non poterit, quia naturale adgnovit debitum: ut enim libertas naturali iure continetur et dominatio ex gentium iure introducta est, ita debiti vel non debiti ratio in condictione naturaliter intellegenda est.*

[32] DURSI, *Aelius Marcianus*, pp. 56 ss., ove si evidenzia come pure Marciano si trovi l'affermazione per la quale la schiavitù sia radicata nel diritto delle genti o nel diritto civile, (Marc. 1 *inst.* D. 1.5.5.1: *Servi autem in dominium nostrum rediguntur aut iure civili aut gentium: iure civili, si quis se maior viginti annis ad pretium participandum venire passus est: iure gentium servi nostri sunt, qui ab hostibus capiuntur aut qui ex*

gli uomini, per consentire loro di approvvigionarsi dei primordiali elementi per la sopravvivenza. Ecco, dunque, le necessità economiche cui tali beni rispondevano[33].

Merita, poi, un'ulteriore riflessione il congegno predisposto dai giuristi romani per il perseguimento di questo scopo. Occorre segnalare, infatti, che dalle fonti emerge come tutto ciò che si trovasse su una *res communis* fosse una *res nullius*, il che ne consentiva la libera appropriazione a chi l'avesse materialmente appresa. È appena il caso di segnalare, infatti, che i pesci in mare erano *res nullius* e così gli uccelli nell'*aer* e *gemmae* e *lapilli* sui lidi. In ciò determinante era la natura *communis omnium* del luogo in cui questi beni si trovavano. Nelle fonti, con altrettanta nettezza, in forza del principio dell'accessione, leggiamo che ove un pesce si fosse trovato in una piscina privata, sarebbe stato del proprietario della piscina e così le *gemmae* rinvenute su un fondo in proprietà privata[34].

È il momento, ora, di un *coup de théâtre* in senso stretto: infatti, il regime appena descritto viene per la prima volta enunciato in una commedia di Plauto, in un testo denso di riferimenti giuridici, che consente di osservare come lo statuto e lo schema di cui discutevano i giuristi romani, assai probabilmente, preesisteva alla loro elaborazione. Si tratta di un passaggio della *Rudens*[35], che narra di un naufragio in mare e del successi-

---

ancillis nostris nascuntur.) non già nel diritto naturale, categoria pure nota al giurista, considerato che in questo egli individua il fondamento delle *res communes omnium*.

[33]   DURSI, *Res*, p. 64.
[34]   DURSI, *Res*, p. 64.
[35]   *Rud.* 969 – 975: [Grip.]: *Dominus huic, ne frustra sis, nisi ego nemo natust, hunc qui cepi in venatu meo.*
[Trac.] *Itane vero?* [Grip.] *Ecquem esse dices in mari piscem meum? Quos cum capio, liquide cepi, mei sunt; habeo pro meis, nec manu adseruntur neque illinc partem quisquam postulat. In foro palam omnes vendo pro meis venalibus. Mare quidem commune certost omnibus.*

vo rinvenimento, tra i relitti, di uno scrigno pieno di gioielli. Quest'ultimo, per una mera casualità, viene trovato da un pescatore all'interno della sua rete.

Il proprietario della nave rivendica i gioielli affermandone la proprietà. Tuttavia, il pescatore, con argomentare capzioso, afferma come sia impensabile che si possa rivendicare un pesce pescato in mare, che appartiene a colui che lo pesca in quanto il mare è comune di tutti. Per la stessa ragione – prosegue il pescatore – nessuno potrebbe rivendicare la proprietà dello scrigno. È di tutta evidenza come il ragionamento si presenti surrettizio. Il baule, infatti, ha un preciso proprietario e si trova in maniera casuale in mare. Al di là di questi aspetti, però, quel che a noi interessa, è, da una parte, la precisione nell'impiego della terminologia giuridica da parte di Plauto (vi sono espressioni come *adserere manum, occupatio, res nullius*)[36], ma, soprattutto, l'emersione dell'argomento già nel III/II secolo a.C., che poiché il mare è comune di tutti i pesci sono appropriabili da chiunque, cioè *res nullius*, ciò che, come abbiamo visto, si coglie nei giuristi attivi tra Adriano e i Severi tra il II e il III secolo d.C.

Va osservato, peraltro, che la commedia non si rivolgeva ad un pubblico di giuristi, ma per realizzare gli scopi suoi propri e cioè suscitare comicità, doveva alludere a nozioni e concetti noti all'uditorio: diversamente, non sarebbe riuscito il gioco

---

[36] Si veda, al riguardo, da ultimo SANNA, *Plauto. Rudens*, pp. 324 ss.; con specifico riferimento al frammento, p. 336; inoltre si vedano i contributi di PELLECCHI, *Per una lettura giuridica*, pp. 103 ss.; ma già DUCOS, *Justice et droit dans le Rudens*, pp. 157 ss.; con specifico riguardo al diritto marittimo, CHARBONNEL, *Aux sources du droit maritime à Rome*, pp. 303 ss. Da ultimo DI OTTAVIO, *Riflessioni a margine di Plaut., Rud. 973*, pp. 72 ss.

dei doppi sensi e delle ambiguità[37]. Alla luce di tanto, allora, si può avanzare la fondata ipotesi per la quale, non solo la categoria delle *res communes omnium* esistesse ben prima dell'elaborazione dei giuristi dell'apogeo della giurisprudenza romana, ma che essa e le regole cui dava luogo, con buona approssimazione, erano di natura consuetudinaria e fossero, poi, state soltanto affinate dai giuristi che ne avevano approntato uno statuto assai preciso. Emerge, dunque, che sin dall'epoca arcaica la configurazione del mare come *res communis omnium* avesse l'intento di garantire la libertà di pesca e, dunque, di soddisfare questa specifica esigenza economica.

Lo schema di cui si è detto, peraltro, appare confermato dal regime delle costruzioni sul lido e sul mare. Queste, infatti, divengono di colui che le ha edificate, ma i testi dei giuristi pongono in rilievo come si tratti di una peculiare forma di occupazione, essendo questi edifici considerati alla stregua di *res nullius*. In altre parole, per i giuristi e, soprattutto per Pomponio, l'atto di edificazione costituiva al tempo stesso l'*occupatio* della struttura, a mezzo della quale il costruttore ne diveniva proprietario[38]. Ciò è tanto più rilevante in quanto la costruzione non era di derivazione naturale. Alla luce di tanto, peraltro, si coglie come tali *res* avessero lo scopo di tutelare ben precise necessità di tipo economico.

---

[37]   Bartezzaghi, *Scrittori giocatori*, p. 13; Diliberto, *Ut carmen necessarium*, pp. 141 ss., part. 157; Diliberto, *La satira e il diritto*, pp. 387 ss., part. p. 402.

[38]   Si vedano, in particolare, Pomp. 6 *ex Plaut.* D. 1.8.10: *Aristo ait, sicut id, quod in mare aedificatum sit, fieret privatum, ita quod mari occupatum sit, fieri publicum.*; Pomp. 6 *ex Plaut.* D. 41.1.50: *Quamvis quod in litore publico vel in mari exstruxerimus, nostrum fiat, tamen decretum praetoris adhibendum est, ut id facere liceat: immo etiam manu prohibendus est, si cum incommodo ceterorum id faciat: nam civilem eum actionem de faciendo nullam habere non dubito.* Per i testi di altri giuristi attivi tra Adriano e i Severi si rinvia a Dursi, *Res*, pp. 65 ss.

Il problema delle costruzioni pone anche il tema della qualificazione della situazione giuridica che sorgeva sulla struttura e sulla superficie su cui poggiava.

I diversi testi dei giuristi romani che affrontano la questione, in effetti, forniscono una serie di indizi significativi. In primo luogo, non appare mai un riferimento al *dominium ex iure Quiritium*. Vengono, invece, utilizzate espressioni come *eius fiet, meum fiat* ed altre che rinviano a una situazione di fatto, non meglio configurata[39].

Inoltre, viene più volte puntualizzato come la superfice su cui si era costruito tornava al pristino stato laddove la struttura fosse crollata[40], a differenza di quanto avvenga su un suolo su cui si sia acquistata la proprietà, la quale, ovviamente, perdura

---

[39] *Ex multis*, Ner. 5 *membr.* D. 41.1.14pr.: *Quod in litore quis aedificaverit, eius erit: nam litora publica non ita sunt, ut ea, quae in patrimonio sunt populi, sed ut ea, quae primum a natura prodita sunt et in nullius adhuc dominium pervenerunt: nec dissimilis condicio eorum est atque piscium et ferarum, quae simul atque adprehensae sunt, sine dubio eius, in cuius potestatem pervenerunt, dominii fiunt.*; Cels. 39 *dig.* D. 43.8.3.1: *Maris communem usum omnibus hominibus, ut aeris, iactasque in id pilas eius esse qui iecerit: sed id concedendum non esse, si deterior litoris marisve usus eo modo futurus sit*; Ulp. 52 *ad ed.* D. 39.1.1.18: *Quod si quis in mare vel in litore aedificet, licet in suo non aedificet, iure tamen gentium suum facit: si quis igitur velit ibi aedificantem prohibere, nullo iure prohibet, neque opus novum nuntiare nisi ex una causa potest, si forte damni infecti velit sibi caveri.*

[40] Ner. 5 *membr.* D. 41.1.14.1: *Illud videndum est, sublato aedificio, quod in litore positum erat, cuius condicionis is locus sit, hoc est utrum maneat eius cuius fuit aedificium, an rursus in pristinam causam reccidit perindeque publicus sit, ac si numquam in eo aedificatum fuisset. quod propius est, ut existimari debeat, si modo recipit pristinam litoris speciem.*; Marc. 3 *inst.* D. 1.8.6pr.: *in tantum, ut et soli domini constituantur qui ibi aedificant, sed quamdiu aedificium manet: alioquin aedificio dilapso quasi iure postliminii revertitur locus in pristinam causam, et si alius in eodem loco aedificaverit, eius fiet.*

a prescindere dall'insistenza su di esso di un edificio. Di più. Il giurista Pomponio ci informa in merito alla circostanza che a presidio di una siffatta costruzione non vi fossero azioni fondate sul *ius civile* e, dunque, la *rei vindicatio*, ma che si poteva ricorrere anche alle vie di fatto[41]. Il giurista Cervidio Scevola riguardo a una casa costruita sul lido parla di casa posseduta[42]. Ancora. Il giurista Paolo ci informa che si poteva ricorrere all'interdetto *uti possidetis*[43], strumento concesso dal pretore, a tutela, per l'appunto, del possesso.

Sembrerebbe, pertanto, profilarsi una forma possessoria dai tratti peculiari, in quanto – come pure apprendiamo da Papiniano[44] – non dava luogo alla *praescriptio longae possessionis*, un rimedio processuale che aveva le conseguenze dell'usucapione. Si trattava, cioè, di un possesso che non sfociava mai in proprietà. La ragione di tutto ciò si coglie ancora una volta, a mio modo di vedere, nella necessità di impedire che taluno potesse essere escluso in assoluto dal godimento di siffatti beni.

---

[41] Pomp. 6 *ex Plaut.* D. 41.1.50. Vedi *supra*.

[42] Scev. 5 *resp.* D. 19.1.52.3: *Ante domum mari iunctam molibus iactis ripam constituit et uti ab eo possessa domus fuit, Gaio Seio vendidit: quaero, an ripa, quae ab auctore domui coniuncta erat, ad emptorem quoque iure emptionis pertineat. respondit eodem iure fore venditam domum, quo fuisset priusquam veniret.*

[43] Paul. 30 *ex Plaut.* D. 47.10.14: *Sane si maris proprium ius ad aliquem pertineat, uti possidetis interdictum ei competit, si prohibeatur ius suum exercere, quoniam ad privatam iam causam pertinet, non ad publicam haec res, utpote cum de iure friendo agatur, quod ex privata causa contingat, non ex publica. ad privatas enim causas accommodata interdicta sunt, non ad publicas.*

[44] Pap. 3 *quaest.* D. 41.3.45pr.: *Praescriptio longae possessionis ad optinenda loca iuris gentium publica concedi non solet. quod ita procedit, si quis, aedificio funditus diruto quod in litore posuerat (forte quod aut deposuerat aut dereliquerat aedificium), alterius postea eodem loco extructo, occupantis datam exceptionem opponat, vel si quis, quod in fluminis publici deverticulo solus pluribus annis piscatus sit, alterum eodem iure prohibeat.*

Proprio sotto il profilo della costruzione, poi, emerge, come lo statuto della categoria sia stato fissato anche attraverso una progressiva differenziazione in seno alle *res publicae*. La costruzione su un luogo pubblico era impedita a meno che non fosse stata autorizzata[45], diversamente da quella sul lido, invece, in linea di principio libera[46]. Peraltro, ove consentita, la costruzione su una *res publica*, determinava l'onere in capo al costruttore di versare un *vectigal* periodico all'erario, in quanto la costruzione accedeva al suolo ed era essa stessa *res publica*[47]. Diversamente, come abbiamo osservato, l'edificio costruito sul lido era di colui che lo aveva costruito non trovando applicazione il principio dell'accessione e ciò proprio in quanto non vi era un proprietario del suolo. In sostanza si coglie come alcuni profili delle *res communes omnium* si definiscano per differenziazione da quella delle *res publicae*.

Avendo riguardo ai profili rimediali dalla prospettiva dei terzi, invece, emerge chiaramente che gli strumenti di tutela previsti per le *res publicae* venivano applicati in via analogica – a ulteriore riprova, peraltro, della diversità di natura tra le due categorie di *res* – per le *res communes omnium*: mi riferisco, in particolare, all'interdetto *ne quid in loco publico facias*[48] e all'in-

---

[45]   Ulp. 68 *ad ed.* D. 43.8.2pr.: *Praetor ait: "Ne quid in loco publico facias inve eum locum immittas, qua ex re quid illi damni detur, praeterquam quod lege senatus consulto edicto decretove principum tibi concessum est. de eo, quod factum erit, interdictum non dabo"*. Per argomentazioni più estese, si veda DURSI, *Res*, pp. 92 s.

[46]   Ulp. 52 *ad ed.* D. 39.1.1.18. Vedi *supra*

[47]   Ad esempio, ciò apprendiamo da Ulp. 44 *ad Sab.* D. 18.1.32: *Qui tabernas argentarias vel ceteras quae in solo publico sunt vendit, non solum, sed ius vendit, cum istae tabernae publicae sunt, quarum usus ad privatos pertinet.*

[48]   Ulp. 68 *ad ed.* D. 43.8.2.8: *Adversus eum, qui molem in mare proiecit, interdictum utile competit ei, cui forte haec res nocitura sit: si autem nemo damnum sentit, tuendus est is, qui in litore aedificat vel molem in mare*

terdetto concernente la navigazione dei fiumi[49], *res publicae,*
che veniva esteso alla navigazione in mare, *res communis.* In
altre parole, in presenza di una medesima *ratio* da tutelare, i
giuristi estendevano alle *res communes omnium,* i rimedi previsti
per i beni pubblici. Si trattava di strumenti volti a impedire il
deterioramento nelle condizioni di utilizzo del lido e del mare.
Avevano natura proibitoria, e, probabilmente, anche restitutoria ed erano a legittimazione popolare, benché si riconoscesse
una legittimazione privilegiata a chi avesse in concreto subito
un danno dalla costruzione sul lido o in mare. Agli interdetti
si affiancava un ulteriore strumento, l'*actio iniuriarum.* Non si
trattava, a ben vedere, di uno strumento in concorso con gli
interdetti, ma di un rimedio da esperire in presenza di una
diversa fattispecie. Emerge, cioè, che mentre si ricorreva all'interdetto in presenza di una struttura che avesse determinato
l'*incommodum,* diversamente si ricorreva all'*actio iniuriarum* a
fronte di una condotta rivolta contro la persona diretta ad impedire l'accesso al mare e al lido[50].

III. UNA CONSIDERAZIONE CONCLUSIVA

In definitiva, dalla lettura dei testi emerge, a mio modo di
vedere, che i beni naturali, *rectius,* le risorse naturali erano di
tutti, il che consentiva a ciascuno di avere il minimo indispen-
sabile per la sopravvivenza. Tuttavia, proprio questa circostanza

---

iacit. Il frammento, è appena il caso di segnalare, si trova nel titolo
dedicato al commento dell'interdetto *ne quid in loco publico facias* ed
è a questo che si fa riferimento nel testo.

[49]   Ulp. 68 *ad ed.* D. 43.12.1.17: *Si in mari aliquid fiat, Labeo competere tale
interdictum: "ne quid in mari inve litore" "quo portus, statio iterve navigio
deterius fiat".*

[50]   Su tutto ciò, ancora una volta, sia consentito rinviare a Dursi, *Res,*
113 ss.

aveva quale ulteriore conseguenza che nessuno potesse farne un uso tale da escluderne gli altri o, anche solo, da deteriorare le condizioni di utilizzabilità degli altri; in ragione di tanto, su tali beni non poteva sussistere un diritto di proprietà, ma soltanto forme di appartenenza di fatto, peraltro compatibili con l'*usus omnium hominum*.

In conclusione, dunque, mi pare, pur con le cautele del caso, di poter affermare come la categoria delle *res communes omnium* sia stata la forma giuridica creata dai romani per impedire l'abuso da parte di taluno delle risorse naturali e ha consentito, forse per un'eterogenesi dei fini, e pur in assenza, evidentemente, di una sensibilità 'ambientalista' modernamente intesa, anche la salvaguardia di una condizione di equilibrio tra uomo, donna e natura.

Bibliografia

BARTEZZAGHI S., *Scrittori giocatori*, Einaudi Torino 2010.

BASILE R., «Res communes omnium: tra Marciano e Giustiniano» in *Koinonia*, num. 44.1 (2020), pp. 119 ss.

BONFANTE P., *Corso di diritto romano. La proprietà*, I, Società Editrice del Foro Italiano, Roma 1926.

BRANCA G., *Le cose extra patrimonium humani iuris*, Edizioni Universitarie, Trieste 1941.

CHARBONNEL N., «Aux sources du droit maritime à Rome: le Rudens de Plaute et le droit d'epaves», in *Revue historique de droit français et étranger*, num. 73 (1995), pp. 303 – 320.

D'AMATI L., *Aedificatio in litore*, in GAROFALO L., (a cura di), *I beni di interesse pubblico nell'esperienza giuridica romana*, I, Jovene, Napoli, 2016, 645-691.

D'AMATI L., *Brevi riflessioni in tema di res communes omnium e litora maris*, in PIRO I., (a cura di), *Scritti per Alessandro Corbino*, II, Edizioni Libellula, Tricase (Le) 2016, 333-364.

DI OTTAVIO D., «Riflessioni a margine di Plaut., Rud. 973 nec manu adseruntur neque illinc partem quisquam postulat» in *Iura et legal system*, num. 6.4 (2019), pp. 72 – 88.

DI PORTO A., *Res in usu publico*, Giappichelli, Torino 2013.

DI PORTO A., *I beni comuni in cerca di identità e tutela* in SOMMA A., FUSARO A., CONTE G., ZENO ZENCOVICH V. (a cura di), *Dialoghi con Guido Alpa. Un volume offerto in occasione del suo LXXI compleanno*, Romatre press, Roma 2018, pp. 163-178.

DILIBERTO O., «La satira e il diritto: una nuova lettura di Horat., sat. 1,3,115-117», in *Annali del Seminario Giuridico dell'Università di Palermo*, num. 55 (2012), pp. 387 – 402.

DILIBERTO O., *Ut carmen necessarium (Cic. leg. II 59). Apprendimento e conoscenza della legge delle XII Tavole nel I sec. a C.*, in CITRONI M., (a cura di), *Letteratura e civitas. Transizioni dalla Repubblica all'Impero*, Edizioni ETS, Pisa 2012, pp. 141 – 162.

DUCOS M., *Justice et droit dans le Rudens*, in Delignon B., Lucani S., Paré – Rey P., (a cura di), *Une Journèe à Cyrène. Lecture du Rudens de Plaute*, Presses universitaires de la Méditerranée, Montpellier 2011, pp. 157 – 168.

DURSI D., *Res communes omnium. Dalle necessità economiche alla disciplina giuridica*, Jovene, Napoli 2017.

DURSI D., *Aelius Marcianus. Institutionum Libri* I- V, L'Erma di Bertschneider, Roma 2019.

FALCON M., *'Res communes omnium'. Vicende storiche e interesse attuale di una categoria romana*, in GAROFALO L., (a cura di), *I beni di interesse pubblico nell'esperienza giuridica romana*, I, Napoli, 2016, pp. 107 – 163.

FALCON M., «'Res communes omnium' e diritto dell''outer space'. Contributo al dialogo sulla 'Roman Space Law'», in *Teoria e Storia del Diritto Privato*, num.12 (2019), *online*, consultabile al link https://www.teoriaestoriadeldirittoprivato.com/wp-content/uploads/2021/12/2019_Contributi_Falcon.pdf .

FIORENTINI M., *Fiumi e mari nell'esperienza giuridica romana*, Giuffré, Milano 2003.

FIORENTINI M., «L'acqua da bene economico a «res communis» a bene collettivo», in *Analisi giuridica dell'economia*, num. 9.1 (2010), pp. 39 – 78.

FIORENTINI M., «Spunti volanti in margine al problema dei beni comuni», in *Bullettino dell'Istituto di Diritto Romano*, num. 111 (2017), pp. 75 – 103.

FIORENTINI M., «Res communes omnium e commons. Contro un equivoco», in *Bullettino dell'Istituto di Diritto Romano*, num. 113 (2019), pp. 153 – 181.

LAMBRINI P., *Alle origini dei beni comuni* in GAROFALO L., (a cura di), *I beni di interesse pubblico nell'esperienza giuridica romana*, I, Jovene, Napoli 2016, pp. 85 – 106.

LAMBRINI P., «Alle origini dei beni comuni», in *Iura*, num. 65 (2017), pp. 394 – 416.

LAMBRINI P., «Per un rinnovato studio della tradizione manoscritta del Digesto: il caso di aer nell'elencazione delle res communes omnium», in *Koinonia*, num. 44.1 (2020), pp. 817 – 827.

MASI A., «L'opera di Giuseppe Branca. In appendice: Salvatore Di Marzio, Lauro Chiazzese, Giorgio La Pira, «Relazione della Commissione giudicatrice per la promozione del professor Giuseppe Branca a ordinario di Istituzioni di diritto romano nella R. Università di Trieste»», in *Index*, num. 34 (2006), pp. 21 – 35.

MATTEI U., REVIGLIO E., RODOTÀ S., *I beni pubblici. Dal governo democratico dell'economia alla riforma del codice civile*, Accademia Nazionale dei Lincei, Roma 2010.

MOMMSEN T., «Sopra una iscrizione scoperta in Frisia», in *Bullettino dell'Istituto di diritto romano* num. 2 (1889), pp. 129 ss.

PELLECCHI L., *Per una lettura giuridica della Rudens di Plauto*, Casanova, Parma, 2012, ora in *Athenaeum*, num. 101 (2013), pp. 103 – 162.

PERNICE A., *Die sogenannten «res communes omnium*, in *Festgabe für Heinrich Dernburg*, H. W. Müller, Berlin 1900, pp. 11 – 25.

ROBBE U., *La differenza sostanziale tra 'res nullius' e 'res nullius in bonis' e la distinzione delle 'res' pseudo-maricanee "che non ha né capo né coda"*, Giuffré, Milano 1979.

RODOTÀ S., Il valore dei beni comuni», in *la Repubblica*, num. 5 gennaio 2012, p. 26

SANNA M.V., *Plauto. Rudens*, in DILIBERTO O. –SANNA M.V. (a cura di), *Le parole del diritto. L'età arcaica*, Edizioni AV, Cagliari, 2016, pp. 324 – 344.

SANTUCCI G., «'Beni comuni'. Note minime di ordine metodologico», in *Koinonia*, num. 44.2 (2020), pp. 1395 – 1406.

SCHIAVONE A., *Ius. L'invenzione del diritto in Occidente*, Einaudi, Torino 2017[2].

SEAZZU G.C., *Res communes omnium oggi. Il paradosso dominante e il ripensamento necessario*, Cacucci, Bari 2020.

SOKOLOWSKY P.E.E., *Die Philosophie im Privatrecht*, Niemeyer, Halle 1902.

SOLIDORO MARUOTTI L., *La tutela dell'ambiente nella sua evoluzione storica. L'esperienza del mondo antico*, Giappichelli, Torino 2009.

SOLIDORO MARUOTTI L., «*Il civis e le acque*», in *Index*, num. 39 (2011), pp. 236 – 273.

Capítulo 4

La excusatio en la tutela sobre las mujeres romanas

The excusatio in the guardianship of roman women

MARÍA ELISABET BARREIRO MORALES
Investigadora Postdoctoral
Universidade de Vigo

SUMARIO: I. INTRODUCCIÓN. II. ORÍGENES Y FUNCIONAMIENTO. III. JUSTIFICACIONES POSIBLES. IV. CONCLUSIONES FINALES. Referencias bibliográficas.

RESUMEN: La *excusatio tutoris* es un mecanismo que podía emplear el *tutor mulieris* para poder librarse de su cargo. Para ello, debía darse una causa justificable y así podría exonerarse de su responsabilidad como tutor.

PALABRAS CLAVE: *tutor mulieris, tutela mulierum, excusatio, auctoritas interpositio, mujer sui iuris.*

ABSTRACT: The *excusatio tutoris* is a mechanism that the tutor mulieris could use to be able to get rid of his position. For this, a justifiable cause had to be given and thus he could be exonerated from his responsibility as a guardian

KEYWORDS: *tutor mulieris, tutela mulierum, excusatio, auctoritas interpositio, mujer sui iuris.*

I. INTRODUCCIÓN

La *excusatio tutoris* era un instrumento jurídico que se empleaba para que el tutor, cuando su cargo fuese con carácter obligatorio, pudiese librarse de dicha responsabilidad[1]. Si por el contrario, la naturaleza del cargo era voluntaria, una *excusatio tutoris* carece de razón de ser[2], aceptándose así la renuncia del tutor en todo caso, sin necesidad de llevar a cabo ningún tipo de procedimiento con carácter formal.

La institución de la *excusatio* puede tener una connotación más genérica y se presenta cuando hay un deber general de la ciudadanía para desempeñar un cargo, independientemente de que sean llamados o no, porque ya previamente están sujetos a ese deber, siendo este sentido más amplio[3]. Además, también puede presentarse en una vertiente más específica que se

---

[1]   CUQ, E., *Manuel des Institutions juridiques des romains*, París, 1928, p. 208 y ss.: "Le tuteur nommé par le magistrat ne peut décliner cette fonction que s'il a une excuse à faire valoir ou s'il peut désigner une personne qui lui soit préférable (*potioris nominatio*). Une fois en charge, il peut s'excuser temporairement- : en cas d'absence pour le service de l'État, ou lorsqu'il est nommé membre du conseil impérial ou secrétaire du préfet du prétoire".

[2]   DEBBASCH, Y., "Excusatio tutoris", en *Varia. Études de Droit romain*, N°2, París, 1956, pp. 60 y ss. : "Quoi qu'il en soit, la doctrine abandonnée à elle-même a dû rechercher dans la tutela l'élément " test ", celui dont l'existence permettrait de conclure dans erreur possible à l'admission d'un système d'excuse ; et très raisonnablement elle l'a trouvé dans le caractère obligatoire de la gestion du tuteur. *Excusatio* et *obligatio* sont en effet notions nécessairement liées dès lors qu'il s'agit d'un *munus*".

[3]   GUZMÁN BRITO, A., *Dos estudios en torno a la historia de la tutela romana*, Pamplona, 1976, pp. 133 y ss.

relaciona, en la mayoría de los casos, con una obligación para desempeñar un cargo, como puede ser el de tutor[4].

II. ORÍGENES Y FUNCIONAMIENTO

El término *excusatio* debe interpretarse en su sentido más específico puesto que éste se identifica plenamente con la *excusatio tutoris* en relación con la tutela sobre las mujeres. Todo ello debido a que, en la antigua Roma, cuando se mencionaba el término *excusatio* se pensaba de inmediato en la figura del tutor y las posibles exenciones que podía emplear en el ejercicio de su cargo[5].

La figura de la *excusatio tutoris* se encuentra vinculada con la denominada *potioris nominatio*, esta suponía que la persona nombrada tutora por parte del magistrado, podría verse exonerada del cumplimiento de sus deberes tutelares, no solo si podía alegar alguna de las *excusationes* recogidas en la ley sino también si proponía a otra persona idónea para el cargo, es decir, si realizaba una *potioris nominatio*[6]. De este modo, no se producía un vacío si el tutor utilizaba la *excusatio tutoris* por cuanto dejaba en su lugar a otra persona igualmente capacitada que podía desempeñar la función de tutor y así solventar un problema que no se produciría de ningún modo.

---

[4] CRIFÒ, G. *Rapporti tutelari nelle novelle giustinianee*, Pompeya, 1965, p. 66.

[5] BIONDI, B., *Istituzioni di diritto romano*, Milán, 1956, p. 612, en donde expone que para asumir el cargo de tutor, tanto testamentario como legítimo, era necesario que el tutor tuviese capacidad para suceder y así pudiese ser tutor tanto para la mujer como para un impúber.

[6] BONFANTE, P., *Corso di diritto romano, Diritto di famiglia*, Vol. I, Roma, 1925, pp. 432 y ss.

En este sentido, y tomando como punto de partida la relación entre las *excusationes* y la *potioris nominatio*, METRO nos aporta un estudio detallado acerca de esta institución y afirma que, si una persona trataba de buscar una *excusatio* para así poder eximirse de su cargo y no la encontraba, podía hacer uso de la *potioris nominatio* pero que, si una persona pretendía hacer una *potioris nominatio* y no le era posible, podía invocar una *excusatio*[7].

Desde sus inicios, la tutela dativa se configuró como una institución de carácter obligatorio, estipulado así en la *Lex Atilia* que es la que da origen a este tipo de tutela. En dicha ley, se creó este tipo de tutela como un deber general para todo ciudadano, que debía asumir el cargo de tutor en aquellos casos en los que se les llamase a tales efectos[8]. Es probable que el carácter obligatorio de la tutela dativa viniese establecido en la propia *lex Atilia* que, a su vez, recogía que a toda aquella persona que estuviese desprovista de tutor, debía nombrarse uno, como un mecanismo de protección de los intereses de las personas tuteladas.

Para SANZ MARTÍN[9], la tutela atiliana supuso una evolución en los requisitos necesarios para poder asumir la tutela. En la antigüedad eran necesarios los de libertad, ciudadanía y condición de *paterfamilias* pero durante la época clásica, por ejemplo, la condición de *paterfamilias* ya no fue necesaria y así, por ejemplo, el *filiusfamilias* podía ser llamado por el pretor para asumir la tutela testamentaria[10].

---

[7]   METRO, A., "Brevi note sulla "potioris nominatio", en *SDHI*, 76, 2010, p. 434.

[8]   SOLAZZI, S., *Istituti Tutelari*, Nápoles, 1929, p. 22 y ss.

[9]   SANZ MARTÍN, L., *La tutela del Código Civil y su antecedente histórico la tutela romana*, Madrid, 1998, p. 108.

[10]   Vid. al respecto, LOBRANO, "Il Filius Familias Tutor in D.1.6.9", en *'Sodalitas'. Studi in onore di Antonio Guarino*, Nápoles, 1984, pp.

Cuando hablamos de la tutela dativa, es decir, aquella que nace con la promulgación de la *Lex Atilia*, debemos hacer mención a la institución que se empleaba en aquellos casos en los que no se podía aplicar ninguna *excusatio tutoris*. Esta institución se denomina *potioris nominatio*[11].

Tanto la *potioris nominatio* como la *excusatio tutoris* suponían la alegación de unos hechos para evitar o revocar, de alguna manera, el nombramiento del tutor[12]. Las alegaciones propuestas, en un caso o en otro, eran muy diferentes. Mientras que para la *potioris nominatio* se tenía en cuenta no sólo las pretensiones de la persona que pedía el nombramiento de otra persona como tutor, sino también a la persona propuesta para ello, en la *excusatio tutoris* se tenía en cuenta una serie de causas justificadas para exonerarse del cargo de tutor, una vez nombrado[13].

La doctrina mayoritaria ha considerado que la figura de la *excusatio tutoris* tiene su origen en la tutela dativa porque se trata de un tipo de tutela de carácter obligatorio, sobre todo

---

3227-3255, en donde nos expone la posibilidad de que la madre tt o la abuela pudiesen hacerse cargo de la tutela de sus descendientes.

[11] DEBBASCH, Y., *Excusatio tutoris, op. cit.*, p. 148, en donde nos habla de la institución de la *potioris nominatio*: "On doit aux F.V. de savoir que jusqu'aux Compilations Justiniennes, le droit romain offrait aux tuteurs datifs dépourvus de toute *causa excusationis* la possibilité de se démettre de leur charge par une *potioris nominatio*. Le nom de l'institution en décrit assez la nature: une désignation au magistrat d'une personne plus indiquée à remplir les fonctions de tuteur".

[12] METRO, A., "Brevi note sulla "potioris nominatio", *op. cit.*, p. 434: "Che *potioris nominatio* ed *excusatio* siano due istituti diverse (anche se, in definitiva, tendenti al medesimo risultato, cioè quello di sgravare di un peso il chiamato ad un incarico) risulta da svariate testimonianze delle fonti".

[13] CRIFÒ, G. *Rapporti tutelari nelle novelle giustinianee, op. cit.*, p. 70.

cuando esta última pasa a ser un *munus* tras la promulgación de la *Lex Atilia*[14]. Sin embargo, DEBBASCH[15], sitúa el origen de la *excusatio tutoris* en la época anterior a la *lex Atilia*, porque cuando esta ley se promulgó, tanto la tutela testamentaria como la legítima ya eran un *munus*[16].

Cuando hablamos del origen de la *excusatio tutoris*, debemos afirmar que esta figura fue introducida, por primera vez, a través de un senadoconsulto de Adriano, que permitía asignar un tutor, para impedir la tutela legítima, en lugar de aquel que había sido removido o excusado para el desempeño del cargo de tutor, por lo que no existía en la época republicana ni en parte de la época clásica. De este senadoconsulto de Adriano, nos habla Gayo 1.182:

> *Praeterea senatus censuit, ut si tutor pupilli pupillaeue suspectus a tutela remotus sit, siue ex iusta causa fuerit excusatus, in locum eius alius tutor detur; quo facto prior tutor amittit tutelam.*

Gayo no trata de la *excusatio tutoris* como tal, sino que solo se limita a recordar que se puede hacer uso de ella a través de un senadoconsulto, es decir, solo en aquellos casos en los que era necesario reemplazar al tutor que hubiese sido removido o excusado por alguna razón legal. Este senadoconsulto no tiene origen republicano, ni tampoco es de la época julio-claudia, por lo que creemos, y así también lo defiende GUZMÁN, que se trataba de un senadoconsulto producto de un derecho nuevo, que Gayo desconocía y que, por ello, solo se limitó a men-

---

14   PEROZZI, S., *Istituzioni di diritto romano*, Vol I, Florencia, 1906, p. 307.

15   DEBBASCH, Y. "*Excusatio tutoris*", *op. cit.*, p. 63.

16   GUARINO, A., *Diritto privato romano: lezioni istituzionali sul diritto romano*, Nápoles, 1963, p. 315.

cionarlo en sus *Instituta*[17]. Con todo ello, Gayo menciona el senadoconsulto cuando recoge otras reformas legales llevadas a cabo en el período imperial y solo menciona a las *excusationes*, al igual que hace con otras instituciones de las que apenas habla.

III. JUSTIFICACIONES POSIBLES

Durante la época tardo-clásica, existían una serie de justificaciones que permitían al tutor nombrado, presentar la renuncia pertinente a su cargo mediante el mecanismo de una *excusatio tutoris*. De esta forma, cuando el tutor era nombrado, podía alegar alguna de las causas que justificaran la posibilidad de poder aplicar una excusa y así poder renunciar al ejercicio de sus funciones tutelares. A continuación, expondremos algunas de esas causas que permiten la *excusatio*, al considerarlas indispensables y fundamentales para conocer mejor el funcionamiento de esa figura jurídica[18].

La primera de las causas que debemos mencionar al hablar de una *excusatio* es aquella referente a una enfermedad. Cuando una persona se encuentra enferma, en ocasiones, pierde la capacidad de poder gestionar sus propios negocios, es decir, no goza de un estado con plena capacidad para tomar decisiones y llevar a cabo determinados actos. Todo ello depende del grado de enfermedad y, por consecuencia, del grado en que se han visto afectadas sus capacidades.

---

[17] GUZMÁN BRITO, A., *Dos estudios en torno a la historia de la tutela romana, op. cit.*, pp. 146 y ss.

[18] VOLTERRA, E. *Instituciones de Derecho privado romano*, Trad. esp. DAZA MARTÍNEZ, J., Madrid, 1986, p. 127, en donde no expone las diferentes circunstancias que podían dar lugar a la aplicación de una excusa y que, en su mayoría, eran cuestiones físicas o patrimoniales:

En la antigua Roma, si una persona estaba enferma, en ocasiones, no podía desempeñar determinados cargos y uno de ellos era el de tutor. Para ello, se invocaba el mecanismo de la *excusatio*, justificando así que su estado de salud le impedía ejercer sus funciones como tutor y de esta forma se liberaba del cargo.

La enfermedad suponía una de las causas de excusa en la época tardo-clásica, todo ello a tenor de los siguientes pasajes:

> D. 27.1.40, *Paulus libro secundo sententiarum: pr. Post susceptam tutelam caecus aut surdus aut mutus aut furiosus aut valetudinarius deponere tutelam potest. 1. Paupertas, quae operi et oneri tutelae inpar est, solet tribuere vacationem.*

En este pasaje del Digesto, Paulo nos expone algunas de las causas para aplicar una excusa. No solo menciona que las personas enfermas podían alegar su estado de salud para poder aplicarla, sino también habla de que una persona ciega, sorda, muda o loca, también podían aplicar una excusa alegando sus diferentes estados y así librarse de su cargo de tutor. Además, lo que nos llama especialmente la atención es que Paulo menciona el caso de una persona pobre, cuyas circunstancias son difíciles, también podía hacer uso de una *excusatio* y renunciar así al cargo de tutor.

> D. 27.1.10.8, *Modestinus libro tertio excusationum: Si quis ita aegrotet, ut non opus sit eum omnino a tutela liberare, in locum eius curator datur et ubi convaluerit, rursus ipse titelam suscipiet. sed et si quis in furorem inciderit, illi similis est. ita etiam Ulpianus ait: adversa quoque valetudo excusat, sed ea, quae impedimento est, quo minus quis suis rebus superesse possit, ut imperator noster cum patre rescripsit.*

En este fragmento, Modestino comenta que si una persona está enferma, no es necesario que se le libere por completo de su protección y se le puede nombrar un cuidador. Es decir, si una persona está enferma, puede ser una situación pasajera y cuando se recupere, puede volver a desempeñar su cargo de tutor. Modestino nos pone de manifiesto que si se trata de una situación temporal, en cuanto el tutor se recupere, se nombra un cuidador al tutor enfermo y posteriormente recupera sus funciones como tutor pero que, si se trata de una enfermedad perpetua, es decir, irremediable, entonces sí que cabría aplicar la excusatio pertinente. Parece lógico, de acuerdo con el sentido común que era tan propio del Derecho romano, que una persona enferma no pueda llevar adelante otros cometidos al margen de su propia atención médica

> Inst. 1.25.7: *Item propter adversam valetudinem, propter quam nec suis quidem negotiis interesse potest, excusatio locum habet.*

En este pasaje, Justiniano ya contempla la posibilidad de que si un tutor cae enfermo y ni siquiera es capaz de ocuparse de sus propios asuntos, es decir, si esa enfermedad persiste y no se recupera, en ese caso, puede aplicarse una disculpa, que en este caso es una excusa por razón de enfermedad.

> CI 5.68.1: *Imperatores Severus, Antoninus: Luminibus captus aut surdus aut mutus aut furiosus aut perpetua valitudine tentus tutelae seu curationis excusationem habent. * SEV. ET ANT. AA. SABINO. *<A 204 PP. V ID. SEPT. CILONE ET LIBONE CONSS.>.*

En este texto, por disposición de los emperadores Antonino y Severo, se expone la idea de que si una persona sorda, muda, loca o que padeciese una enfermedad con carácter perpetuo, podía invocar una *excusatio* para librarse del cargo de tutor o si, en cambio se trataba de una enfermedad transitoria, podía nombrarse un curador para la persona enferma en lo que ésta se recuperase.

Sin embargo, también existen otros textos que nos indican lo contrario, es decir, que aunque se trate de una causa justificada como puede ser una enfermedad, sin embargo, no era motivo de *excusatio* y el tutor debía desempeñar igual su cargo. Esos fragmentos son los siguientes:

> D. 26.7.24. pr, *Paulus libro nono ad edictum: pr. Decreto praetoris actor constitui periculo tutoris solet, quotiensque aut diffusa negotia sint aut dignitas vel aetas aut valetudo tutoris id postulet: si tamen nondum fari pupillus potest, ut procuratorem facere possit, aut absens sit, tunc actor necessario constituendus est.*

En este fragmento, Paulo nos expone la posibilidad de que un tutor nombrado mediante decreto de un pretor, a pesar de que el tutor estaba enfermo o por cuestión de edad o bien, tuviese otro empleo, si el pretor así lo disponía, el tutor debía asumir sus responsabilidades y desempeñar el cargo de tutor.

> D. 26.1.13, *Pomponius libro secundo enchir: pr. Solet etiam curator dari aliquando tutorem habenti propter adversam tutoris valetudinem vel senium aetatis: qui magis administrator rerum, quam curator esse intellegitur. 1. Est etiam adiutor tutelae, quem solet praetor permittere tutoribus constituere, qui non possunt sufficere administrationi tutelae, ita tamen ut suo periculo eum constituant.*

En este testimonio de Pomponio se recoge la posibilidad de que el tutor fuese nombrado cuando ya estuviese enfermo o bien se tratase de una persona mayor, y que, en esos casos, no era aplicable una *excusatio*. Sin embargo, para facilitar las tareas del tutor, en lo que a administración de los bienes del tutelado se refiere, los tutores podían nombrar a una persona como su ayudante, siempre bajo su propia responsabilidad.

En los fragmentos recogidos anteriormente, es decir, en D. 26.7.24 y en D. 26.1.13 no se habla en ningún momento de la aplicación de una *excusatio* en el momento de ejercer la tutela, sin embargo, sí que podían beneficiarse de una serie de mecanismos que facilitasen el desempeño del cargo de tutor, siempre y cuando estuviesen afectados por una situación de enfermedad.

CRIFÒ en este sentido afirma que la *excusatio* podía aplicarse por razón de edad, enfermedad, incompatibilidad con
otros cargos, la carga de varios hijos, etc. y que, aunque en un
momento esas justificaciones no liberen de la tutela, esto no
impide que en una tutela posterior se puedan volver a aplicar
y que, por lo tanto, se pueda librar del cargo como tutor más
adelante[19].

Para SOLAZZI el fundamento principal para poder aplicar
una excusa, basada en una causa de enfermedad, dependía del
grado de la misma. Lo que quiere decir es que si el grado de
enfermedad era leve, entonces se nombraba un curador, pero
si, en cambio, la enfermedad era de una intensidad mayor, era
necesario nombrar un actor porque la persona enferma era
incapaz de administrar sus propios negocios[20].

---

[19]   CRIFÒ, G. *Rapporti tutelari nelle novelle giustinianee, op. cit.*, p. 83: "La
condizione di settuagenario, la malattia, il fatto di essere investiti di
una potest `temporanea, l'assenza per pubblica causa, l'onere di più
figli sono motivi di scusa che non liberano alla tutela già assunta.
ciò già dimostra, anzitutto, che la *excusatio,* in tali casi, è disposta
nell'interesse del pupillo (della tutela), giacché se fosse concepita
nell'interesse del tutore dovrebbe poter liberare anche a *suscepta
tutela.* Ma l'avere assunto la tutela senza aver esercitato l'*excusatio*
connessa con quelle condizioni, se da un lato non libera dalla tutela
stessa, non impedisce però di utilizzare gli stessi motivi di scusa in
ordine ad altra e successiva tutela".

[20]   SOLAZZI, S. *Curator impuberis*, Roma, 1917, p. 40: "Per i furiosi, i sordi, i muti, i ciechi non mi sembra che i testi allegati lascino dubbi.
Per la "valeduto" era inevitabile una certa libertà di apprezzamento
del pretor. Poiché D. 26.1.13 pr., D. 26.7.24 pr. e Inst. 1.23.6 permettono in caso di malattia avrà distinto due gradi di "valetudo": una,
più grave, che fa luogo al "excusatio", l'altra che da solo il diritto
di avere un "adiutor". Piace poi sentire che "alia causa aetatis est",
avendo imparato da D. 26.1.13 pr., che "propter senium aetatis" si
dava un curatore e da D. 46.3.14 § 7 avendo concluso che la regola,
affermata da Pomponio, vigeva ancora al tempo di Ulpiano. L'età di
70 anni compiuti scusava "a suscipienda tutela", non "a suscepta".

Por lo tanto y siguiendo una vez más la teoría de GUZMÁN, que defendemos, podemos decir que en el caso de enfermedad, en un primer momento esta podía dar lugar al nombramiento de un curador o de un tutor, dependiendo del grado de intensidad de la enfermedad, y no la liberación total del cargo mediante una *excusatio*. Posteriormente, sí que se aceptó la posibilidad de aplicar una *excusatio tutoris* en algunos casos de enfermedad que impidiesen la gestión de negocios del tutelado y así el tutor podía eximirse de desempeñar su cargo. Si bien, también consideramos importante el criterio de la edad, puesto que si una persona en edad avanzada aceptaba el cargo y no se encontraba en plenas facultades para poder ejercer las funciones de tutor, también creemos que se podía hacer uso de una *excusatio* y así poder renunciar a sus funciones tutelares.

La segunda de las causas que podía dar lugar a una excusa, mediante un rescripto de Marco Aurelio, era en aquellos casos en los que una persona era nombrada tutor en un territorio donde no tenía su domicilio. Así lo demuestra este fragmento en donde un tutor residente en África se podía excusar de la tutela nombrada por el magistrado de Roma:

> FV 203: *Item. Est et hoc genus excusationis, si quis se dicat domicilium non habere Romae delectus ad munus vel in ea prouincia, ubi domicilium non habet, idque et diuus Marcus Pertinaci et Aeliano consulibus rescripsit.*

En este fragmento se menciona la posibilidad de que si una persona era elegida para desempeñar un oficio, como el de tutor, y si no tenía domicilio en Roma o en aquella provincia donde fue nombrado tutor, podía invocarse una excusa y así que otra persona fuese nombrada para dicho cargo.

Para poder hacer uso de una *excusatio* no era suficiente que el tutor nombrado no tuviese domicilio en el lugar en el que había sido nombrado tutor, sino que también era necesario que los bienes que el tutor debía administrar estaban situados en un lugar diferente al de residencia del tutor nombrado[21]. Así lo manifestó la jurisprudencia y podemos hacer mención a los siguientes fragmentos:

> D. 27.1.19, *Ulpianus libro 35 ad edictum: Illud usitatissimum est, ut his, qui in Italia domicilium habeant, administratio rerum provincialium remittatur.*

Ulpiano, resalta la importancia del domicilio de la persona designada como tutor, puesto que afirma que en la mayoría de los casos, la administración de asuntos provinciales se otorgaba a aquellas personas que residiesen en Italia. Por ello, y como era la tónica común en aquella época, resulta correcto afirmar que la situación de los bienes a administrar era un requisito más para poder hacer uso de una excusa o no. En la práctica y puesto que se solía nombrar a un tutor de Italia para la administración de los bienes situados en las provincias[22], era recurrente que si el tutor nombrado lo estimase pertinente, recurriera a una de las excusas disponibles y así poder librarse de su cargo.

---

[21] CRIFÒ, G. *Rapporti tutelari nelle novelle giustinianee, op. cit.*, p. 83: "Infatti, la mancata liberazione dalla tutela significa solo sottoposizione alla normale responsabilità inerente alla gestione tutelare ed, eventualmente, sottoposizione al sindacato magistratuale [...]: controllo, appunto, della situazione conseguente alla mancata presentazione della *excusationis causa.* La possibilità, d'altra parte, di esercitare successivamente l'*excusatio* garantisce che in una ulteriore analoga situazione l'interesse del pupillo potrà pur sempre essere tutelato, riproducendosi anche lì l'alternativa: presentazione della *excusatio* o sindacato magistratuale, procedimento cioè di *remotio* dalla tutela stessa".

[22] YUE L. NG, E., "Mirror Reading And Guardians Of Women In The Early Roman Empire", en *The Journal of Theological Studies*, Vol. 59, N° 2, 2008, p. 682.

Más tarde, otro rescripto, pero esta vez de S. Severo y de Caracalla[23], recoge lo que ya la jurisprudencia había puesto de manifiesto, es decir, la importancia de la situación en donde se encontrasen los bienes a administrar para que un tutor pudiese hacer uso de una *excusatio* y así librarse de desempeñar sus obligaciones como tutor. Este nuevo rescripto se recoge en:

> D. 27. 1. 10.4 *Modestinus libro tertio excusationum: Etiam testamento dati tutores excusare se poterunt iure ab administratione rerum quae in alia provincia sunt, ut declarat infra scripti divi Severi constitutio.. Divi Severus et Antoninus Augusti Valerio. Testamento tutor datus ante praefinitum diem adire debuisti et postulare, ut ab administratione rerum, quae in alia provincia erant, liberareris.*

En este pasaje de Modestino, se expone la posibilidad de que los tutores testamentarios pudiesen excusarse de su cargo debido a que los bienes que debían administrar estaban situados en otra provincia. También hace mención al rescripto de Severo en el que se aclara dicha cuestión y en el que se recoge la importancia de la situación de los bienes a administrar para poder aplicar una *excusatio* o no .

Este nuevo rescripto dio lugar a una nueva modalidad de excusa, es decir, la excusa parcial. La naturaleza de este tipo de excusa era que un tutor podía liberarse de su cargo tutelar en lo que respecta a los bienes situados en una provincia diferente a la de su domicilio pero, sin embargo, debía cumplir con la tutela en lo referente a la administración de los bienes que estuviesen situados en el lugar donde residía. Esta excusa parcial también se encuentra en los siguientes fragmentos tanto del Digesto, como de los *Fragmenta Vaticana* e incluso algunos del *Codex Iustinianus* que reproducimos a continuación:

---

[23]   GUZMÁN BRITO, A., *Dos estudios en torno a la historia de la tutela romana, op. cit.,* p. 190.

FV 232: *Vlpianus de officio praetoris tutelaris. Obseruari autem oportet, ne his pupillis tutorem det, qui patrimonia in his regionibus habent, quae sunt sub iuridicis, ut Claudio Pompeiano praetori imperator noster rescripsit; multo magis, si in proUincia sit patrimonium, licet is cui petitur in urbe consistat.*

En este texto, se menciona la posibilidad de que un tutor tuviese que hacer frente a la administración del patrimonio de sus tutelados, siempre y cuando estos bienes estuviesen situados en el mismo territorio de residencia del tutor y estuviesen sujetos a la misma ley. Por el contrario, si los bienes estaban situados en provincia, debía administrarlos una persona que habitase allí y que, por consiguiente, le fuese aplicable la misma ley del territorio en el que se sitúa el patrimonio.

FV 241: *Item. Si quis autem in prouincia domicilium habet, debet excusari, sed et si quis patrimonium in ea regione, quam iuridicus administrat, habet.*

En este pasaje se recoge la posibilidad de que si algún tutor tuviese domicilio en una provincia y fuese nombrado para administrar bienes situados en otra zona, debía excusarse para ejercer de tutor. Además, incluye la posibilidad de que si el tutor tuviese una hacienda en el país donde reside y que administra judicialmente, también debía excusarse como tutor si era nombrado para administrar un patrimonio situado en otra provincia.

Por otro lado, en aquellos casos en los que el tutor no fuese suficiente o no fuese capaz él solo de administrar la tutela, como en los casos en los que los bienes estaban situados en distintas provincias, se podía llevar a cabo el nombramiento de un *adiutor tutelae periculo tutoris* o bien, el nombramiento de un *actor*.

Y, en el siguiente fragmento de Paulo, encontramos el nombramiento de un *actor*:

> D. 26.7.24.1 *Paulus libro nono ad edictum: Si duobus simul tutela gerenda permissa est vel a parente vel a contutoribus vel a magistratibus, benigne accipiendum est etiam uni agere permissum, quia duo simul agere non possunt.*

Paulo recoge la posibilidad de que si una persona es nombrada tutor, por el pretor, es posible que se nombre también a un *actor* para que actúe al mismo tiempo que el tutor, en aquellos casos en los que la edad, la salud o bien la existencia de un empleo de gran responsabilidad y extensión, así lo requieran. De esta forma la tutela podría ser ejercida por dos personas, pudiendo ser sus padres, sus tutores o bien, los magistrados.

Pomponio, nos deja testimonio de la figura del *adiutor tutelae periculo tutoris* en el siguiente fragmento:

> D. 26.1.13.1 *Pomponius libro secundo enchir: Est etiam adiutor tutelae, quem solet praetor permittere tutoribus constituere, qui non possunt sufficere administrationi tutelae, ita tamen ut suo periculo eum constituant.*

En este sentido, Pomponio recoge la posibilidad de nombrar a una persona como tutor adjunto, aún a pesar de que no fuese idónea para el cargo. Si bien esta figura no ofrece una protección por completo a las personas tuteladas, como puede ser la del tutor, significa un elemento de apoyo a la figura del tutor y así, de esta forma, podría llevar a cabo sus funciones tutelares con diligencia. El nombramiento de esta persona que asiste al tutor en la tutela se realiza bajo responsabilidad del propio tutor.

Por todo ello, cuando no se podía llevar a cabo una excusa completa, se podía nombrar un curador o un actor para que ayudasen al tutor a administrar los bienes de la persona tutelada. Se daba, sobre todo, en aquellos casos en los que los bienes estaban situados en varios sitios, incluso algunos en el domicilio del tutor pero que, al estar tan dispersos, no podía ni invocar una *excusatio* completa ni tampoco podía administrarlos satisfactoriamente y, es por eso, que este tutor podía contar con la ayuda de otras personas para ello y por eso el rescripto recoge la posibilidad de nombrar curadores para que ayudasen al tutor en la administración de los bienes situados en diferentes territorios.

El tercer motivo que podía dar lugar o bien a una *excusatio* o bien una incapacidad permanente para el desempeño del cargo de tutor, era la locura. En lo que respecta a la idea de que pudiese ser motivo de *excusatio*, podemos mencionar los siguientes fragmentos:

> D. 26.2.10.3, *Ulpianus libro 36 ad Sabinum: Si furiosus testamento tutor detur, si quidem, cum furere desierit, tutorem esse recte datum Proculus existimat: quod si datus sit pure, negat Proculus valere dationem. Sed est verius, quod et Pomponius ait, recte videri datum et tunc fore tutorem, cum sapere coeperit.*

En este texto podemos ver cómo la locura se presenta como una condición a tener en cuenta a la hora de nombrar un tutor. Ulpiano nos expone la posibilidad de que a un loco se le nombre un guardián en testamento, es decir, ya pone de manifiesto que una persona loca no es capaz de gestionar sus propios asuntos, por lo que era necesario nombrarle un curador para cuando hiciese falta. Sin embargo, también recoge la posibilidad de que a lo mejor no fuese necesario ese curador si en algún momento la persona mejorase su estado y ya no estuviese loca. Es decir, si ya para una persona loca se contempla la posibilidad de dotarla de un mecanismo de protección, en este caso con el nombramiento de un tutor, es justificable pensar que si a un loco se le impone un curador, esa persona no podría estar en condiciones para desempeñar el cargo de tutor para el que fue nombrado.

> D. 26.1.11, *Paulus libro tertio ad Vitellium: Furiosus si tutor datus fuerit, potest intellegi ita dari, cum suae mentis esse coeperit.*

Paulo nos pone de manifiesto que si un loco fue nombrado tutor, podía ejercer sus funciones como tal en el momento en que se recuperase, por lo que la locura sería una causa de excusa transitoria en lo que su estado de salud no mejoraba.

> Inst. 1.14.2: *Furiosus vel minor viginti quinque annis tutor testamento datus tutor erit, cum compos mentis aut maior viginti quinque annis fuerit factus.*

En este pasaje de las Instituciones de Justiniano, se expone la posibilidad de que una persona demente o bien un tutor mayor de veinticinco años serán nombrados mediante testamento siempre y cuando el estado de inestabilidad mental perdure o bien se haya alcanzado una edad mayor a los veinticinco años.

Y, por último, en lo que respecta a la posibilidad de que fuese motivo para aludir a una incapacidad permanente y exonerarse así de ejercer el cargo de tutor, podemos verla recogida en los siguientes textos:

> FV 238: *Vlpianus de officio praetoris tutelaris libro singulari. Proinde si mutus surdusue quis sit, sine dubio a tutela excusabitur. Hi uero quos ualetudo uel furor uel morbus perpetuus excusat, etiam eas tutelas quas ante susceperant deponunt. Alia causa aetatis est. Luminibus etiam captum Porcatio Faustino rescripsit imperator noster cum patre.*

En este paso de los *Fragmenta Vaticana* se ponen de manifiesto aquellos casos en los que se puede aplicar una excusa con carácter permanente. Entre las causas para poder aplicarla, se hace mención a la mudez, a la sordera, la locura o incluso la enfermedad. Esas personas no sólo pueden eximirse del desempeño del cargo de tutor por sus condiciones físicas, sino que también dejan de lado las garantías que habían percibido con anterioridad.

> D. 27.1.40.pr., *Paulus libro secundo sententiarum: pr. Post susceptam tutelam caecus aut surdus aut mutus aut furiosus aut valetudinarius deponere tutelam potest.*

Paulo, por su parte, también manifiesta que una vez que el tutor ha sido nombrado y si este alude algunas de las causas recogidas con anterioridad, como la ceguera, sordera, mudez, enfermedad o locura, en ese caso puede renunciar a su cargo mediante una *excusatio* ya que su condición física justifica su incapacidad para ejercer sus funciones como tutor de una forma adecuada[24].

> D. 27.1.12 pr., *Modestinus libro tertio excusationum: pr. Idem Ulpianus scribit: sed in hoc rescripto adiectum est solere vel ad tempus vel in perpetuum excusari, prout valetudo, qua adficitur. Furor autem non in totum excusat, sed efficit, ut curator interim detur.*

Modestino, además, nos indica que la locura no puede ser motivo de excusa permanente puesto que el estado de salud de la persona loca puede mejorar y mientras tanto se le nombra a un curador para que le ayude en sus funciones tutelares.

> CI 5.68.1: *Imperatores Severus, Antoninus: Luminibus captus aut surdus aut mutus aut furiosus aut perpetua valitudine tentus tutelae seu curationis excusationem habent. * SEV. ET ANT. AA. SABINO. *<A 204 PP. V ID. SEPT. CILONE ET LIBONE CONSS.>.*

En este fragmento se recogen varios motivos por los que se podría dar lugar a una excusa, figurando entre ellos la sordera, la mudez, locura y, además, una enfermedad perpetua. Mientras que anteriormente Modestino nos indicaba que en los casos que la locura, siempre que esta fuese transitoria, podría dar lugar al nombramiento de un curador para el tutor, a partir

---

[24] SANZ MARTÍN, L., *La tutela del Código Civil y su antecedente histórico la tutela romana, op. cit.*, p. 109, donde expone que en las fuentes en muchas ocasiones aluden a que los locos, los sordos, los mudos, los ciegos y los enfermos graves pueden dar lugar a una incapacidad o bien a una *excusatio*, no dejando claro cuando puede aplicarse la una o la otra.

de la época de Septimio Severo y Caracalla, la locura ya pasó a ser un motivo más de excusa porque en ocasiones la persona afectada no presentaba ninguna mejoría en su estado.

Tanto GUZMÁN como SOLAZZI afirman que la locura comenzó siendo una causa de incapacidad y que, con el paso del tiempo terminó siendo un motivo de excusa. GUZMÁN estima que primero la locura se configuró como una causa para poder incapacitar a una persona, puesto que en ese estado no tiene plena capacidad de obrar para llevar a cabo una vida normal, es decir, no está en condiciones de hacerlo. Sin embargo, y a medida que se realizaban esas incapacitaciones y se alegaban motivos de excusa, con la evolución de la sociedad romana y de todas las instituciones, como la de las *excusationes*, la locura se configuró como una excusa más, gozando de plena autonomía con el resto[25].

SOLAZZI, por su parte, criticó la postura de BONFANTE, al alegar que la locura se configuró primero como una causa de incapacidad, al igual que la minoría de edad o la milicia y que, más tarde ya se recogió en las propias leyes a la locura como una causa para invocar una *excusatio*[26].

---

[25]   GUZMÁN BRITO, A., *Dos estudios en torno a la historia de la tutela romana* , *op. cit.*, p. 166.

[26]   SOLAZZI, *Curator Impuberis, op. cit.* p.41. Nota 1: "La contraddizione esiste fra il Vat. 238 e C. 5. 68.1 da una parte e D. 26.1.1 §§ 2 e 3 e 26.4.10 § 1 dall'altra, perché quelli ammettono l'"excusatio" e questi pronunciano l'incapacità dei sordi e dei muti. [...] Di tali cause di scusa più tardi divenute ragioni d'incapacità ne conosciamo due: la minore età [...] e la milizia[...]. È probabile che altrettanto il nuovo diritto voglia stabilire per i sordi ed i muti. Anzi direi che è certo, guardando a C. 5. 35. 2, dove Valentiniano, Teodosio ed Arcadio concedono alla madre di esser tutrice, se manchi il tutore legittimo o sia scusato o sospetto o malato[...]. Scusa, rimozione e malattia grave sono equiparate".

BONFANTE, por el contrario, criticó tanto la teoría defendida por SOLAZZI como por GUZMÁN, acerca del origen de la locura como una *excusatio*. Para él, la locura comenzó configurándose como una causa de excusa para aquella persona que tuviese que desempeñar un cargo y que, posteriormente, constituyó una causa de incapacidad por sí misma.

Todo ello refuerza la teoría de SOLAZZI y GUZMÁN y que nosotros defendemos, acerca de que la locura comenzó siendo una causa de incapacidad pasando, posteriormente, a ser un motivo de *excusatio*. Contrario a esa teoría, se posiciona BONFANTE que alega que la evolución fue al revés, es decir, la locura comenzó siendo una causa de *excusatio* para, posteriormente, ser una causa de incapacidad[27].

Otro caso de *excusatio* es el de que una persona fuese muda o sorda, en un principio, éstas eran consideradas incapaces para el ejercicio de la tutela, sin embargo, ya en la época clásica, pasaron a ser un motivo de excusa para ser tutor.

Lo que en un principio constituía una causa de incapacidad para poder ejercer el cargo de tutor, ya fuese temporal o permanente, con el paso del tiempo pasó a ser una excusa. Lo que en la época clásica llegó a convertirse en una excusa propiamente dicha, como por ejemplo la enfermedad o la situación de los bienes en un territorio diferente al del domicilio del tutor, previamente solo permitían el nombramiento de un *actor* o de un *adiutor periculo tutoris* conservando el tutor su propia

---

[27]   BONFANTE, P., *Corso di diritto romano I, op. cit.* pp. 430: "I pazzi, i sordi, i muti, i ciechi e malati gravi e cronici. I testi oscillano in riguardo tra l'*excusatio* e l'incapacità, e alcune volte dichiarano meramente temporanea l'esenzione dalla tutela. Nel diritto giustinianeo tuttavia si può ritenere che in ognuno dei casi enunciati si abbia una vera incapacità e non una ragione di scusa. Tale incapacità però è contemporanea rispetto al furioso, il quale può assumere la tutela, se ritorni ad essere *compos sui*.

responsabilidad por sus acciones derivadas del desempeño del cargo de tutor. Cuando se invocaba una *excusatio,* el tutor no conservaba su responsabilidad por lo que los efectos eran diferentes. Mientras que la *excusatio* suponía que una *datio tutoris* era válida pero, posteriormente, se dejaba sin efectos, liberándose así el tutor de la responsabilidad inherente al cargo de tutor. La propia evolución de las causas que se invocaban para librarse del cargo de tutor en un período anterior a la llegada de las *excusationes* no suponían ni la liberación de responsabilidad cargo y mucho menos la ausencia de responsabilidad del mismo, mientras que con las *excusatio,* sí[28].

En un determinado momento, la tutela fue considerada no solo un *munus,* sino que era un *munus civile.* Así nos lo indica Modestino en:

> D.27.1.6.15 *Modestinus libro secundo excusationum: Tutela non est rei publicae munus nec quod ad impensam pertinet, sed civile: nec provinciale videtur tutelam administrare.*

Modestino subraya que la tutela se convierte en un deber de carácter civil, diferenciándolo así de un cargo político o de un deber provincial. El hecho de que se tratase de un *munus civile,* recalca esa idea de responsabilidad presente en los ciudadanos romanos cada vez que asumían un cargo.

CRIFÒ también nos habla acerca del origen del término tutela y su carácter de *munus*[29]: "La tutela viene qualificata dai giuristi non solo come *officium* ma anche come *munus, opus,*

---

[28]   GUZMÁN BRITO, A., Dos estudios en torno a la historia de la tutela romana, *op. cit.,* p. 172.

[29]   CERAMI, P. "Strutture costituzionali romane e irrituale assunzione di pubblici uffici", en *Annali del Seminario Giuridico della Università di Palermo,* 31, 1969, pp. 36 y ss., Notas 8-10, quien afirma que en el ámbito constitucional, en ocasiones el término "munus" o "dignitas" adquiere el significado de "cargo público".

opus et munus. Queste variabili caratterizzazioni hanno un valore preciso, anche se tendenziale e tale che ad dato momento si perde e si confonde. Al centro del nostro problema, comunque, saremo condotti dall'individualizzazione del valore attribuito a quelle caratterizzazioni dall'aggettivazione *'civile'*, e *'virile'*. La tutela è *officium* per Gaio, Papiniano, Callistrato, Ulpiano; e *munus* per Nerazio e Trifonino; *onus* per Paolo e (Ulpiano-) Modestino; *opus et onus* per Paolo. Dal relativo uso possiamo trarre un primo insegnamento: si parla infatti indifferentemente di *onus* o *munus*, sempre in rapporto con la possibilità dei tutori: con riferimento, cioè, ad un apprezzamento normativo -ma in primo luogo etico"[30].

La tutela formaba parte de los *munera civilia*[31], es decir, no solo se trataba de un deber público sino que dentro de ellos, se trataba de un deber con carácter civil[32]. Dentro de los *munera civilia*, podríamos encontrar otra subcategoría, que serían los *munera personalia*[33].

La institución tutelar sufrió una evolución con el paso del tiempo que también se vio reflejada en la naturaleza de *munus*[34]. Mientras que para juristas como Paulo, Papiniano y

---

[30] CRIFÒ, G. "Sul problema della donna tutrice in Diritto romano classico", en *Bulletino dell'Istituto di Diritto Romano "Vittorio Scialoja"*, Nº 6, 1964, p. 131.

[31] PEPPE, L., *Posizione giuridica e ruolo sociale della donna romana in età repubblicana, op. cit.*, 1984, p. 96.

[32] GRELLE, F., "Munus publicum. Terminologia e sistematica", en *LABEO*, Nº 2, 1961, p. 324.

[33] D. 50.4.6.3- 4:*Ulpianus libro quarto de officio proconsulis* : "*3. Sciendum est quaedam esse munera aut personae aut patrimoniorum, itidem quosdam esse honores. 4. Munera, quae patrimoniis iniunguntur, vel intributiones talia sunt, ut neque aetas ea excuset neque numerus liberorum nec alia praerogativa, quae solet a personalibus muneribus exuere*".

[34] QUINTANA ORIVE, E., "Officium, munus, honor...: precedentes romanos del término "funcionario" y de otras categorías jurídico

Ulpiano la tutela no tiene nada que ver con un *munus civile*, posteriormente juristas como Modestino y Hermogeniano la incluyen dentro de los *munera civile*.

Toda esa evolución es importante en lo que respecta a las *excusatio* porque dependiendo de la naturaleza que pudiese tener la tutela en un determinado momento, esta iría estrechamente relacionada con la *excusatio* que se pudiese aplicar para librarse del cargo de tutor. Esta evolución de la tutela puede ver su justificación en el siguiente fragmento:

> D.27.1.15.12 *Modestinus libro sexto excusationum: Qui accipit vel habet immunitatem civilium sive publicorum numerum, a tutela non liberabitur.*

Modestino expone que aquellas personas que tengan inmunidad para eximirse de un cargo público o civil, no conlleva que se aplicase lo mismo al cargo de tutor ya que solo se podría hacer mediante la pertinente *excusatio*.

Teniendo en cuenta el fragmento del Digesto expuesto anteriormente, el hecho de que alguien tenga inmunidad para eximirse de cargos civiles o públicos, no conllevaba la liberación del desempeño de cargo de tutor, puesto que, para que ello ocurriese, era necesario una concesión especial de *excusatio*. La tutela era un cargo privado y por eso no servía la misma *excusatio* que se empleaba tanto para los cargos civiles como públicos. Sin embargo, sí que se trataba de un *munus civile*.

---

administrativas", en *Revista Digital de Derecho Administrativo*, N° 16, 2016, pp. 270 y ss., en donde nos explica los diferentes matices que adquiría el término *munus*: "*Munus* es un vocablo que aparece también cargado de múltiples significados como regalo (*donum*), carga (*onus*) o deber (*officium*). [...] La locución "*munus publicum*" adopta también el sentido genérico de función pública, referida tanto a la actividad de magistrados y funcionarios como al *officium privati hominis* del cual resulta una utilidad pública para los ciudadanos en general".

Entonces, ¿por qué no se aplicaban las mismas *excusationes*? La tutela siguió conservando su naturaleza de *munus civile* y por ello, debido a su naturaleza privada y a que en su origen no se aplicaron las exenciones que se aplicaban para librarse de los cargos civiles o públicos, la tutela siguió sin verse favorecida por esas *excusationes*. Sin embargo, al hablar anteriormente de la evolución de la tutela, esos privilegios de los que podían gozar las personas que desempeñaban un cargo público o civil, se fueron extendiendo hacia la tutela, que ya era considerada un *munus civile* y, debido a esa evolución, pasó a ser un *munus publicum*[35].

Uno de los autores que ha estudiado a fondo la figura de las *excusationes tutoris* es DEBBASCH. Para este autor, el origen de las *excusatio tutoris* se sitúa en la época arcaica, al existir ya una tutela arcaica que posteriormente se habría visto reformulada por la *Lex Atilia* y que, además, introdujo la tutela dativa y obligatoria. El carácter de obligatoriedad se fue extendiendo posteriormente a la tutela testamentaria y legítima. Para este autor, también debió de existir una tutela con carácter obligatorio en el período anterior a la promulgación de la *Lex Atilia*, puesto que esta ley introdujo la obligatoriedad en el caso de la tutela dativa, al igual que era obligatorio el desempeño de otro tipo de cargos, como el de juez, militar, magistrado, etc. Debido a ese carácter obligatorio, y en contraposición a ello, también debió existir un sistema de *excusationes*. DEBBASCH afirma que el ejercicio de la tutela en la época arcaica era algo propio de los *mores maiorum* y no estaba reconocido por el *ius civile*. La llegada de la *Lex Atilia* no supuso, de ninguna forma, la sustitución de los *mores maiorum* como fuente de obligatoriedad de la tutela. DEBBASCH analiza el cargo del tutor en paralelo a los cargos de juez, árbitro, militar y magistrados en

---

[35] GRELLE, F., "Munus publicum. Terminologia e sistematica", *op. cit.*, pp. 326 y ss.

los que sí que existían *excusationes* siendo así, al igual que todas estas profesiones, un cargo vinculado dentro de los deberes del *officium* por lo que, podía ser sancionado por los censores[36].

Nosotros defendemos la teoría de DEBBASCH acerca del origen arcaico de las *excusatio tutoris* puesto que las pruebas encontradas son numerosas en dicha época, lo que refuerza aún más su teoría. Además, con la promulgación de la lex Atilia y la aparición de la tutela dativa en un cuerpo legal, no hizo que este tipo de tutela apareciese *ex novo* sino que lo que vino fue a regular una situación de hecho que ya se daba en una época anterior y por ello, también creemos que con las *excusationes* ya pasaba lo mismo en una época arcaica.

PEROZZI, por su parte, afirma que en la tutela dativa, se aceptaba la posibilidad de recurrir el nombramiento del tutor designado e incluso permitía proponer candidatos más idóneos para el cargo de tutor. Una vez que recurrían, el nombramiento cesaba y se procedía al nombramiento de otra persona. En cuanto a la tutela testamentaria o legítima, la *lex Atilia* no planteaba la opción de poder nombrar tutor a otra persona tras un posible recurso o *excusatio*. Para ello era necesario que las leyes lo permitiesen o que lo autorizasen con carácter expreso. PEROZZI también nos habla de la tutela legítima sobre la mujer porque a veces se podía producir una situación de desprotección en torno a ella porque el tutor nombrado no estaba en condiciones para desempeñar su cargo de una manera óptima[37].

---

[36] DEBBASCH, Y., "Excusatio tutoris", en *Varia. Études de Droit romain*, Nº2, París, 1956, pp. 60 y ss.

[37] PEROZZI, S., *Istituzioni di diritto romano*, Vol I, *op. cit.*, p.468 y ss., en donde nos habla del sistema de las *excusatio* y además, añade: "Trattandosi di tutela dativa vi provvedeva, permettendo sino dall'introduzione di essa a chi era stato nominato tutore o ad altri per lui, di appellare contro il decreto di nomina. Accolto l'appello,

La razón por la cual se podía producir esa situación de desprotección en torno a la mujer, en la tutela legítima, era que, durante la época clásica, en este tipo de tutela no estaban permitidas las *excusationes*, mientras que en la tutela dativa y testamentaria, sí. Nos pone el caso de que un incapaz fuese nombrado tutor de una mujer, por lo que considera que esa persona no era idónea para el cargo pero que, al no haber un sistema de excusas aplicable, así como que el incapaz fuese el pariente agnado más próximo de la mujer, no existía la posibilidad de invocar algún mecanismo para que la mujer se librase de esa tutela, es decir, de ese tutor no idóneo en concreto[38].

PEROZZI, además, adopta una posición contraria a la teoría expuesta anteriormente por DEBBASCH y distingue entre la *excusatio tutoris* que se aplicaría a la tutela dativa, a la que denomina "ordinaria" de las que se aplicarían tanto a la tutela testamentaria como legítima. Frente a la excusa que denomina "ordinaria", estaría la "senatoria" que nace del senadoconsulto, que solo se aplicaba a los tutores testamentarios y legítimos, de finales de la República o de inicios del Imperio que menciona Gayo en 1. 182. Para PEROZZI, las *excusationes tutoris* tienen su origen en la tutela dativa o magistratual y fueron creadas mediante el instrumento de la *appellatio*[39].

El senadoconsulto recogido por Gayo 1. 182, del que hablamos con anterioridad, permitía a los tutores tanto testamentarios como legítimos la posibilidad de librarse del cargo de tutor pero solo en aquellos casos en los que se hubiese

---

il decreto era cessato e si fa luogo alla nomina di un altro tutore. Nella pratica di questi ricorsi andarono fissandosi certe cause di esonero che prendono il nome di *excusationes*".

[38] *Ibid.* "Il tutore impubere", en *Scritti Giuridici*, Vol. 3, *op. cit.*, pp. 174 y ss.

[39] *Ibid.* "Sull *abdicatio tutela*", en *Scritti Giuridici*, Vol. 3, *op. cit.* pp. 226 y ss.

entablado contra ellos una *accusatio suspecti tutoris*. En estos casos, los tutores se habrían visto afectados por una *cessatio* y alegaban una *iusta causa* para justificar el no desempeño de su cargo y de esta forma, el magistrado nombraba un nuevo tutor. La excusa "senatoria" difería de la "ordinaria" en que las causas que la justificaban dependían del arbitrio y decisión del magistrado, es decir, no estaban previamente prefijadas y además que el tutor no debía de cesar en el cargo de forma inmediata, sino tan solo con el nombramiento del nuevo tutor. En la ordinaria, en cambio, era la extinción de la tutela era con carácter inmediato y automático y los motivos que la justificaban eran *numerus clausus* y estaban estipulados con carácter previo[40].

SOLAZZI afirma que la protección a la que se refería el Senado era a la testamentaria puesto que no era necesario la consulta senatorial para remover de su cargo a un tutor legítimo o dativo. También critica la teoría expuesta anteriormente por PEROZZI quien afirma que el senadoconsulto también se aplicaba a la tutela legítima, sin embargo, SOLAZZI opina todo lo contrario y que solo se aplicaba a la testamentaria y, además, afirma que el sistema de excusas no se aplicó a la tutela legítima porque no lo necesitaba, puesto que el tutor legítimo era libre de ejercer o no la tutela. Matiza, además, que la tutela legítima era un derecho, una potestad, y debido a esa naturaleza que excluye la obligatoriedad

---

[40]   Vid. al respecto, SOLAZZI, S., "Sul senatoconsulto di Gai 1. 182", en *Scritti di diritto* romano, Vol. 2, *op. cit.*, pp. 275 y ss., en donde critica fuertemente la teoría de Perozzi, y , a su vez, se apoya en la existencia del senadoconsulto mencionado por GAYO 1. 182 que creó la *excusatio* para exonerarse de la tutela pero solo en aquellos casos en los que se hubiese entablado contra él una *accusatio suspecti tutoris* la cual sólo se habría aplicado a los tutores testamentarios y no a los legítimos, mientras que Debbasch afirma que se aplicaba a los dos.

del cargo, no le era aplicable el sistema de excusas existente en la época clásica[41].

Al hablar del sistema de excusas, estamos hablando de un conjunto de causas que alegaban los candidatos a ser nombrados tutor, para impedir el nombramiento, es decir, esa serie de justificaciones se invocaban una vez que ya se hubiese designado a tutor. En primer lugar, suponía el nombramiento del tutor, a continuación, el designado como tal alegaba las excusas pertinentes que suponían la alegación de una serie de causas establecidas y, por último, justificaba esa excusa alegada. Es decir, para que hubiese lugar a una excusa, tenía que darse con carácter previo, el nombramiento de un tutor.

Si cuando hablábamos de la tutela dativa, mencionábamos la existencia de una institución relevante, como era la *potioris nominatio*[42], en el caso de la tutela testamentaria, debemos hacer lo mismo y referirnos ahora a la figura de la *abdicatio*

---

[41]   SOLAZZI, S., "Fantasie e riflessione sulla storia della tutela", en *Scritti di diritto* romano, Vol. 2, *op. cit.*, pp. 421 y ss., en donde nos habla de la *abdicatio tutelae* criticando, una vez más, la teoría de PEROZZI: "E' certo che in un primo tempo la vocazione testamentaria conferì al tutore romano un diritto liberamente rinunciabile e non impose un obbligo. Il punto è certo, perché l'*abdicatio tutelae* è positivamente attestata e perché questa facoltà, mentre ripugna dalla tutela obbligatoria, è naturale nella tutela potestativa. Contro questa, che è l'opinione comune, si è messo il Perozzi, sostenendo che l'*abdicatio* sia stata introdotta in un'epoca più recente. [...]".

[42]   METRO, A., "Brevi note sulla "potioris nominatio", *op. cit.*, pp. 434 y ss, en donde nos habla acerca del origen consuetudinario de la *potioris nominatio* y su origen como institución aplicable solamente a los *munera* en general que, con el tiempo, al pasar la tutela a ser un *munus* se extendió a ella también: "In assenza di altri riferimenti, la tesi più plausibile resta dunque sempre quella tradizionale, secondo cui la *potioris nominatio* ha avuto un'origine consuetudinaria".

tutelae[43]. Esta figura se aplica en los casos en los que se nombra un tutor en testamento y posteriormente, abdica en su cargo, poniendo fin a la tutela *ipso iure* y dando lugar a una tutela legítima[44].

IV. CONCLUSIONES FINALES

La tutela dativa *mulieris* era esencialmente potestativa, sin embargo, en la *tutela impuberum* dativa, se admitían *excusationes*, que podían invocar los llamados a la tutela con el fin de ser dispensados de ella, mientras que en la *tutela mulierum* no estaban permitidas.

Toda mujer *sui* iuris, sujeta a tutela, antes de solicitar tutor, analizaba la situación y a los posibles candidatos para serlo y le ofrecía a uno de ellos la posibilidad de ocupar el cargo. Al tratarse de una tutela opcional, es decir, que no tenía una naturaleza obligatoria, el tutor era nombrado con su consentimiento por lo que no podía hacer uso de esos mecanismos que le exceptuaban de ser nombrado en el cargo de tutor, es decir, las *excusationes*.

Una *excusatio tutoris* era un mecanismo que se empleaba para, en aquellos casos en los que el cargo de tutor fuese obligatorio, librarse de esa obligación. Se exponían una serie de motivos o causas que justificaban la imposibilidad para ser nombrado tutor. Por el contrario, si el cargo de tutor tenía una naturaleza voluntaria, como es en este caso la tutela da-

---

[43]   SOLAZZI, S. "Il consenso del *tutor mulieris* alla sua nomina nei papiri e nei testi romani", en *Scritti di diritto romano*, Vol. 2, op. cit., p. 421, en donde nos expone el carácter voluntario de la tutela testamentaria y que estos tutores podían hacer uso de la abdicatio tutelae debido al carácter potestativo de ese tipo de tutela.

[44]   PEROZZI, S., *Scritti Giuridici*, Vol. 3, *op. cit.*, p. 232.

tiva sobre las mujeres, las *excusationes* carecían entonces de razón de ser.

En los casos en los que el cargo de tutor era obligatorio, suponían un instrumento de liberación de semejante carga, sin embargo, los legisladores romanos al igual que se centraron en confeccionar las *excusatio* y establecer los requisitos para poder aplicarlas, también podían tener la iniciativa, aunque fuese mínima, de liberar a las mujeres de una tutela perpetua, cuya realidad social demostraba que no era útil.

De esta forma, la única vía que cabía, para librarse del cargo de tutor, al ser de naturaleza obligatoria, era alegando una serie de *excusationes*. La mayoría de ellas hacían referencia al estado físico del tutor, es decir, razones de enfermedad, sordera, mudez, etc. En los casos de enfermedad, dependían del grado de la misma. Nosotros creemos que si se alegaba una enfermedad leve y transitoria, en caso de recuperación, el tutor podía volver a desempeñar su cargo si sus condiciones físicas lo permitían. Si por el contrario, el grado de enfermedad era más grave y perpetuo, daba lugar a una incapacidad y por tanto se nombraba a un nuevo tutor.

Dado que se trataba de un cargo con carácter público y obligatorio, el tutor no podía rechazarlo. Debía, en primer lugar aceptarlo, ser nombrado y si, por la razón que fuese, no podía seguir con sus funciones, alegar la *excusatio* pertinente. Y así, de esta forma, quedaba plenamente liberado de sus obligaciones inherentes al cargo de tutor.

Bibliografía

BIONDI, B., *Istituzioni di diritto romano*, Milán, 1956.

BONFANTE, P., *Corso di diritto romano, Diritto di famiglia*, Vol. I, Roma, 1925.

CERAMI, P. "Strutture costituzionali romane e irrituale assunzione di pubblici uffici", en *Annali del Seminario Giuridico della Università di Palermo*, 31, 1969.

CRIFÒ, G.

- "Sul problema della donna tutrice in Diritto romano classico", en *Bulletino dell'Istituto di Diritto Romano "Vittorio Scialoja"*, N° 6, 1964.

- *Rapporti tutelari nelle novelle giustinianee*, Pompeya, 1965.

CUQ, E., *Manuel des Institutions juridiques des romains*, París, 1928.

DEBBASCH, Y., "Excusatio tutoris", en *Varia. Études de Droit romain*, N°2, París, 1956.

GRELLE, F., "Munus publicum. Terminologia e sistematica", en *LABEO*, N° 2, 1961.

GUARINO, A., *Diritto privato romano: lezioni istituzionali sul diritto romano*, Nápoles, 1963.

GUZMÁN BRITO, A., *Dos estudios en torno a la historia de la tutela romana*, Pamplona, 1976 .

LOBRANO, "Il Filius Familias Tutor in D.1.6.9", en *'Sodalitas'. Studi in onore di Antonio Guarino*, Nápoles, 1984.

METRO, A., "Brevi note sulla "potioris nominatio", en *SDHI*, 76, 2010.

PEPPE, L. *Posizione giuridica e ruolo sociale della donna romana in età repubblicana*, Milán, 1984.

PEROZZI, S., *Istituzioni di diritto romano*, Vol I, Florencia, 1906.

QUINTANA ORIVE, E., "Officium, mu.nus, honor...: precedentes romanos del término "funcionario" y de otras categorías jurídico administrativas", en *Revista Digital de Derecho Administrativo*, N° 16, 2016

SANZ MARTÍN, L., *La tutela del Código Civil y su antecedente histórico la tutela romana*, Madrid, 1998.

SOLAZZI, S.

- "Fantasie e riflessione sulla storia della tutela", en *Scritti di diritto romano*, Vol. 2, Nápoles, 1957.

- "Il consenso del '*tutor mulieris*' alla sua nomina", en *Scritti di diritto* romano, Vol. 2., Nápoles, 1957.

- "Il tutore impubere", en *Memorie della R. Accademia delle Scienze dell'Istituto di Bologna. Classe di Scienze morali. Sezione giuridica,* Bolonia, 1918.

- "Sul senatoconsulto di Gai 1. 182", en *Scritti di diritto romano,* Vol. 2, Nápoles, 1957.

- *Curator impuberis,* Roma, 1917

- *Istituti Tutelari,* Nápoles, 1929.

VOLTERRA, E. *Instituciones de Derecho privado romano,* Trad. esp. DAZA MARTÍNEZ, J., 1986.

YUE L. NG, E., "Mirror Reading And Guardians Of Women In The Early Roman Empire", en *The Journal of Theological Studies,* Vol. 59, N° 2, 2008.

Capítulo 5

De la cosificación del venter en la antigua Roma al impacto de la Estrategia de Atención al Parto Normal en nuestro país

CRISTINA GARCÍA FERNÁNDEZ
Universidad de Oviedo

SUMARIO: I. INTRODUCCIÓN. II. ORIGEN DEL TÉRMINO VIOLENCIA OBSTÉTRICA III. ANTECEDENTES DE ESTE ABUSO SILENCIADO. IV. IMPACTO REAL DE LA ESTRATEGIA DE ATENCIÓN AL PARTO NORMAL. V. REFLEXIONES FINALES. Bibliografía.

RESUMEN: Se presenta el análisis de una realidad prácticamente enmudecida históricamente, y que no es otra que el trato recibido por las mujeres en uno de los mayores estados de vulnerabilidad: el embarazo y posterior parto.

PALABRAS CLAVE: *venter*, cosificación, parto, violencia, obstetricia

SUMMARY: The analysis of a historical and muted practice is collected in this work, and this is the treatment received by women in one of the greatest states of vulnerability: during pregnancy and subsequent childbirth.

KEYWORDS: *venter*, objetification, childbirth, violence, obstetrics

I. INTRODUCCIÓN

En España, y al igual que ocurriría con la mayoría de los países del entorno, en lo que se refiera a la obstetricia, o ciencia de la salud que se encargar del embarazo, parto y puerperio, el desarrollo de los avances médicos, la mejora de las instalaciones hospitalarias y la extensa formación de los profesionales médicos, características todas ellas, en principio, venturosas, habrían provocado, no obstante, un altísimo y desnaturalizado intervencionismo, un incremento de técnicas invasivas no necesarias y la relegación de la voluntad de la paciente, en este caso la mujer parturienta, a un segundo plano. Es entonces cuando conceptos hasta entonces casi desconocidos, como es el caso de la violencia obstétrica, comienzan a hacerse visibles y a formar parte del debate social, ético y jurídico, al hacerse pública una realidad que hasta el momento se habría encontrado silenciada o enmudecida dentro del paritorio.

Así pues, hace una década, y basándose en la *praxis* dentro del sistema sanitario español, vería la luz un interesantísimo estudio que evaluaba el impacto real de la Estrategia de Atención al Parto Normal (AEPAN) puesta en marcha por el Ministerio de Sanidad, Servicios Sociales e Igualdad en el año 2006, para asegurar una atención de calidad al parto de modo que las mujeres pudieran recibir una correcta atención y pudieran participar y decidir de manera activa e informada en un proceso que, pese a producirse en sus propios cuerpos, parecía darse de modo pasivo en las mismas.

Una pasividad que, históricamente, encuentra su justificación en la designación de roles, recogida tanto en las fuentes histórico jurídicas, como las literarias, las epigráficas o las antropológicas, y que formaría parte de la construcción cultural y jurídica atribuida al género femenino[1]. Así, la sociedad occidental en la que vivimos habría forjado su estructura sobre los pilares de la diferenciación, la heterogeneidad y, sobre todo, la superioridad de determinados grupos frente a otros. De este modo, muchas de las conductas surgidas entre sujetos pertenecientes a estos grupos diferenciados, habrían llegado a forjar lo que hoy podríamos denominar como "inmersión conductual", una inmersión en la que una realidad violenta llega a ser tolerada e incluso normalizada, pues no se cuestiona lo que se ha venido determinando como el "natural" modo de proceder.

Así pues, habría resultado mucho más sencillo condenar aquellos actos o manifestaciones más llamativas de violencia, resultando mucho más complejo en aquellos otros como los que ahora nos conciernen. Pues, si algo hemos de tener claro es que, cuando hablamos de violencia, nos encontramos ante un término abstracto y complejo, que ni siquiera con el trabajo de las últimas décadas habría encontrado una definición ajustada a todas las realidades existentes[2]. Así las cosas, además de la violencia física o la psicológica, habrían ido surgiendo otros tipos de violencias mucho más específicos como la mediática, la económica, la sexual o la obstétrica. Y por surgir, entiéndase, no nos referimos a que las mismas no existieran con anterioridad, sino a que no eran nombradas, reconocidas o consideradas siquiera como tales. Fruto de esta preocupación, y que

---

[1]   Sobre el análisis histórico de la misma, *vid.* RUIZ BERDÚN, D., «Análisis histórico de la violencia obstétrica», en GOBERNA-TRICAS, J. y BOLADERAS, M. (coords.), *El concepto violencia obstétrica y el debate actual sobre la atención al nacimiento,* Tecnos, Madrid, 2018, pp. 31-38.

[2]   Al respecto de esta cuestión concreta, *vid.* GARCÍA FERNÁNDEZ, C., «Violencia obstétrica: los antecedentes históricos de un abuso silenciado», en *Violencia de Género: retos pendientes y nuevos desafíos,* FERNÁNDEZ TERUELO, J. G. y FONSECA FORTES-FURTADO, R. G. (dirs.), Thomson Reuters- Aranzadi, Pamplona, 2021, pp. 45-46.

como avanzábamos encuentra su justificación en la dificultad de erradicar conductas asumidas, habría surgido el movimiento activista que en 2006 lograría que viera la luz la citada Estrategia de Atención al Parto Normal, que se preocuparía de velar por que determinadas conductas abusivas, cosificadoras y violentas dejasen de ser consideradas como normales en el ideario médico y colectivo.

Así las cosas, y a la luz de lo anterior, el objetivo principal de este trabajo no es otro que analizar si, tras siglos de abuso obstétrico, finalmente nos encontramos ante un verdadero cambio en el paradigma sobre la asistencia médica a la mujer embarazada, que otorgue un verdadero protagonismo a las mujeres en sus propios partos. Porque, como afirma VALLS-LLOBET, la mejor forma de evitar la violencia -en este caso en el ámbito sanitario- es, precisamente, ponerle nombre a las prácticas que la conforman[3].

II. ORIGEN DEL TÉRMINO VIOLENCIA OBSTÉTRICA

En lo que al origen del término se refiere, y a pesar de que habría sido en los últimos años cuando el mismo habría cobrado un verdadero significado, lo cierto es que el concepto de violencia obstétrica habría sido recogido por primera vez como tal a principios del siglo XIX, en una publicación inglesa del doctor BLUNDELL, que utilizaba las palabras «*atrocious obstetric violence*» para hacer referencia a las víctimas de estos abusos, tales como laceraciones, inversiones del útero y otras prácticas "sangrientas"[4]. En el mismo, se denunciaban las horribles

---

[3]   Así, *vid.* VALLS-LLOBET, C., *Mujeres, Salud y Poder,* Ediciones Cátedra, Madrid, 2009.

[4]   El concepto aparece, concretamente en BUNDELL, J. «Theory and practise of Midwifery, delivered at Guy's Hospital», *The Lancet,* Lon-

prácticas a las que se sometía a las mujeres embarazadas, cuyos cuerpos eran considerados casi como material sobre el que tenían derecho a experimentar los obstetras, sin consecuencia alguna, generando unas secuelas físicas y psicológicas devastadoras. No obstante, el hecho de que este doctor plasmase su preocupación al respecto no significaría que la tesis mantenida por el mismo fuera compartida por el resto de la comunidad médica, que entendía que dichas prácticas eran "necesarias" pues eran llevadas a cabo por aquellos con el requerido conocimiento técnico que los acreditaría; al igual que hoy día ocurriría en relación a la problemática existente en torno a la defensa de la voluntad del paciente por encima del criterio médico -aunque ese es un debate al que no descenderemos pues excede la pretensión de este trabajo-.

En lo que respecta al concepto en nuestro país, las primeras referencias las encontramos tiempo más tarde, concretamente a finales del siglo XX. No obstante, sí que existen ejemplos de terminología similar con anterioridad como son "parto violento" o "parto forzado", y que consistiría en la rotura de las membranas y la dilatación forzada del cuello del útero para forzar un parto más rápido[5]; práctica que, aunque con otro nombre, seguiría llevándose a cabo.

En la actualidad, contamos con informes y declaraciones como la realizada por la Organización Mundial de la Salud (OMS), sobre «Prevención y erradicación de la falta de respeto

---

dres, vol. 1 (1927-28), p. 451.

[5] Esta técnica habría sido introducida por Francoise MAURICEAU, al cual se le atribuye también la introducción de posición de litotomía en el parto, con la mujer tumbada en la cama. Al respecto, *vid.* MAURICEAU, F., *The diseases of women with child, and in child-bed: as also. The best Means of helping them in Natural and Unnatural Labours, With Remedies for the several Indispositions of New-born babes*, CHAMBERLER, H. (trad.), T. Cox, Londres, 1727, p. 158.

y el maltrato durante la atención del parto en centros de salud», de 23 de septiembre de 2014, en la que se condena, aunque con terminología diversa, el maltrato físico, la humillación y la agresión verbal, los procedimientos médicos coercitivos o no consentidos, la falta de confidencialidad, la no obtención del consentimiento plenamente informado, o la falta de intimidad, entre otras prácticas. Y ello en el contexto de la vulneración de los derechos humanos y las diferentes formas de maltrato y violencia que sufren las mujeres en lo que respecta a su salud reproductiva; al respecto entrarían en juego bienes jurídicos como la salud, el derecho a la vida, a la integridad física, el derecho a vivir una vida libre, a la intimidad, a la autonomía o a la no discriminación.

En el año 2019, la Relatora Especial sobre violencia contra la mujer de las Naciones Unidas (ONU) reconocería, en la Asamblea General, durante el septuagésimo cuarto periodo de sesiones[6], la existencia y gravedad de dicha violencia, desculpabilizando a las madres, validando sus experiencias y calificando de tortura la realización de prácticas contra su voluntad, reafirmando la idea de que «*la violencia contra las mujeres en el parto está tan normalizada que (todavía) no se considera violencia contra la mujer*», cuestión que, como adelantábamos, convierte a la violencia obstétrica en un abuso históricamente silenciado, no reconocido en el plano social, y ocultado o enmudecido por los propios centros -que, en muchas ocasiones, ni siquiera llegarían a considerarlo como tal-.

De este modo, se considerará violencia la utilización de fuerza, la toma de decisiones forzadas, la falta de empatía o

---

[6]   Informe presentado de conformidad con la resolución 71/170 de la Asamblea, y que se presenta como «Enfoque basado en los derechos humanos del maltrato y la violencia contra la mujer en los servicios de salud reproductiva, con especial hincapié en la atención del parto y la violencia obstétrica», de 11 de julio de 2019.

lenguaje infantilizado, la humillación y abuso verbal, el trato infantil, despectivo, autoritario o paternalista, la despersonalización, la violación de la privacidad o confidencialidad, los tactos o inspecciones llevadas a cabo por personas ajenas, la obtención de consentimiento de forma involuntaria, el déficit de información, las intervenciones invasivas y/o dolorosas no necesarias, la obligación de dar a luz en posición impuesta, el impedimento al apego precoz o la alteración del proceso natural, entre otras.

Así pues, observamos cómo esta preocupación actual chocaría de modo evidente con la visión tradicional que se habría defendido tanto en el ámbito médico como en el social y, por ende, también el jurídico, desde tiempos pasados -aunque muy presentes-. Es por ello por lo que, antes de entrar a analizar si estas preocupaciones habrían tenido un reflejo en la práctica, debemos conocer el porqué de la mentalidad que habría llevado a necesitar de una Estrategia que garantice un parto "normal", pues, primeramente, debemos conocer qué se habría venido entendiendo por ello.

III. ANTECEDENTES DE ESTE ABUSO SILENCIADO

De este modo, y aunque lo cierto es que la terminología que habríamos venido utilizando comenzase a surgir en el siglo XIX, lo cierto es que las prácticas obstétricas abusivas llevaban ya entonces muchos siglos en ejercicio. No obstante, en este estudio tomaremos como punto de partida el Derecho romano, por ser la sociedad romana uno de los ejemplos más claros de cosificación del vientre. Así pues, debemos partir de la premisa de que la mujer embarazada sería considerada *venter,* término utilizado, de igual modo, para el contenido. Desde esta perspectiva, la misma sería contemplada en numerosísimas ocasiones como un medio o mero recipiente, que albergaría en sus entrañas la esperanza de vida que el hombre le habría depositado -*spes patris*-, pues: «*Hinc descendit maris atque feminae coniunctio, quam nos matrimonium appellamus, hinc liberorum procreatio, hinc educatio*» (D. 1, 1, 1, 3: Ulp. 1, *Inst.*)[7]. Por ende, la idea de sumisión de la esposa al marido -o de la mujer al hombre- es contemplada como natural y perteneciente a un orden preestablecido, no cuestionable; y en dicho orden natural el rol femenino era muy preciso a la par que imprescindible: ser madre, ser *venter*.

A partir de ese momento la misma se vería total y absolutamente relegada en pro de un objetivo o interés mayor que, aunque perfeccionado al momento del parto -efectivo-[8], no

---

[7] Al respecto, para comprender el razonamiento o la justificación detrás de esta cuestión debemos comprender que el tratamiento de la descendencia se encontraba enmarcado dentro de la estructuración del concepto natural de familia romana, inmensamente influenciado por el poder atribuido al *paterfamilias*. De este modo, a través del *status familiae*, los *filiifamilias* se encontraban sometidos a estos, del mismo modo que sobre las esposas se ejercía el poder de la *manus*. Así, *vid.* AMUNÁTEGUI PERELLÓ, C. F., *Origen de los poderes del paterfamilias. El «paterfamilias» y la «patria potestas»*, Dykinson, Madrid, 2009, pp. 7 y ss.

[8] En este punto, aclarar que, al menos hasta época justinianea, imperaría en Roma la idea de que el que está por nacer todavía no se encuentra *in natura hominum*, por lo que el *pater* podría ordenar que se pusiera fin al embarazo sin consecuencia jurídica. El deseo de la madre, en este caso, resultaba irrelevante. En este punto, Ulpiano llegaría realizar la afirmación -muchas veces descontextualizada- de que «*si mulier dissimularet se praegnantem, vel etiam negaret; nec immerito, partus enim, antequam edatur, mulieris portio est vel viscerum; post editum plane partum a muliere iam potest maritus iure suo filium per interdictum desiderare aut exhiberi sibi, aut ducere permitti, extra ordinem. Igitur Princeps in causa necesaria subvenit*» (D. 25, 4, 1, 1: Ulp. 24, *ad Ed.*). A este respecto, según Luchetti, este *partus* aparecería limitado o condicionado, por lo que estaría supeditado en cuanto a perfeccionamiento se refiere, al momento del nacimiento, momento en que con la separación del cuerpo de la madre se produce el *partus editus*

terminaría en el mismo, pues su misión reproductora se veía continuada por la educadora o tuitiva. La educación y el cuidado de los hijos, al menos durante los primeros años recaerían en las mismas, ello debido a su oficio de madre o *munium matris* que, pese a que otorgaba una cierta *auctoritas* moral, en ningún momento podía siquiera asemejarse a la *patria potestas* otorgada y disfrutada únicamente por el padre, pues el contenido jurídico de esta potestad sólo podía atribuirse al hombre. Así pues, y tal como manifiesta NÚÑEZ PAZ, nos encontramos con lo que podría denominarse como una clara «*usurpación de la maternidad*»[9]. La mujer será recipiente, será "vasija", pero será el padre quien tome las decisiones concernientes tanto al continente como al contenido.

De esta supeditación surge una diferenciación en el plano jurídico entre *portio mulieris* y madre, cuestión que, durante el embarazo sería imposible en el plano físico. La misma, junto con su vientre será la encargada, como medio, de producir aquello que se anhela y del modo que se anhela. Así pues, en última instancia, será contemplada como uno más de los bienes patrimoniales de los que se puede tomar posesión con expectativa de futuro. Una posesión que, en su literalidad, permitiría incluso la cesión de las esposas como continentes gestantes a los deseos de otro *pater* que quisiera acoger a un nuevo

---

o parto perfect. Al respecto, *vid.* LUCHETTI, G., «Breves consideraciones acerca de la relevancia jurídica de la concepción», *RIDROM: Revista internacional de Derecho Romano*, núm. 8 (2012), pp. 1-8. De este modo, la interpretación de que el feto habrá de ser parte de sus vísceras -de la mujer-, no puede dar pie, como se habría venido interpretando, a una concepción impersonal del feto, sino que debe aplicarse de manera contextualizada ante la posibilidad de un aborto que impidiera la marido ser padre y cumplir dicha esperanza.

[9] Sobre esta cuestión, *vid.* NÚÑEZ PAZ, M. I., «Sobre la *cessio ventris* en la Antigua Roma. Trascendencia socio jurídica del principio *mater Semper certa est*», *e-legal History Review,* núm. 28 (2018), p. 5.

miembro de la familia en su seno, bastando con divorciarse de la misma para que pudiera contraer nuevo matrimonio -naciendo así el hijo dentro de este *iustum matrimonium*-[10].

Así las cosas, es frecuente encontrarse en las fuentes con expresiones como la realizada por Gayo -ya en época postclásica-, respecto a que resultaba evidente que los hijos de hembras no están en la familias de ellas, pues siguen a la familia del padre, de modo que «*feminarum liberos in familia earum non ese, palam est, quia qui nascuntur, patris, non matris familiam sequuntur*» (D. 50, 16, 196: Gai. 16, *ad Ed.*)[11]. Por tanto, la relación entre madre e hijo se presenta como una relación de *facto*, mientras que la relación entre padre e hijo ostentará relevancia jurídica suficiente como para crear un impacto real en el derecho. Fruto de este planteamiento no resulta de extrañar que sea quien posee un interés jurídico quien vaya a decidir sobre las cuestiones de diversa índole que vayan surgiendo en torno a la situación que genera tal interés: el engendramiento, el desarrollo y el nacimiento de la futura *spes*. Pues incluso tras el nacimiento, y sin que la mujer pudiera evitarlo, si el *pater* decidía que, por el motivo que fuere, ese ser no se tuviera como hijo, podía decidir exponerlo, dejando a la mujer que acababa de parir

---

[10]   Al respecto, *vid.* GARCÍA FERNÁNDEZ, C., *op cit.* pp. 21-22; de la misma, *vid.* GARCÍA FERNÁNDEZ, C., «Edad, salud y capacidad adquisitiva en la formación de los diferentes tipos de familia en el Derecho romano. La cesión del *venter*», en NÚÑEZ PAZ, M. I. y JIMÉNEZ BLANCO, P. (eds.) y SUÁREZ LLANOS, L. (coord.), *Mujer sujeto u objeto de derechos reproductivos. Derechos de los menores y maternidad por sustitución*, Tirant lo Blanch, Valencia, 2019, pp. 67-72.

[11]   O al menos esto es lo que sucedía cuando se trataba de hijos nacidos dentro del *matrimonium iustum* o legítimo matrimonio, pues cuando no era así el nacido seguiría la condición de la madre, así véase el caso de las esclavas, ya bien por estar unidas en contubernio a otro esclavo -pues los mismos carecían de *ius connubii*-, ya bien por engendrar a un hijo frutos de relaciones con su propio amo u otro hombre.

sin la posibilidad de encontrarse con el fruto de tal doloroso proceso[12].

Tal habría venido siendo la presión social y familiar por continuar la estirpe, que las vidas de estas mujeres habrían sido puestas en riesgo en numerosísimas ocasiones, con tal de garantizar que dicho objetivo reproductivo se lograse -tanto en mujeres libres como esclavas-; nos encontramos, al respecto, información en relación a aquella que siempre pare criaturas muertas, pues ante la pregunta de si "es tenida por enferma" -en este caso es una esclava-, la respuesta dada por Sabino sería afirmativa si entiende que existe defecto en la vulva, así «*si vulvae vitio hoc contingit, morbosam esse*» (D. 21, 1, 14: Ulp. 1, *ad Ed.*), o que consta que no es considerada sana la que es tan estrecha que "no puede hacerse mujer" pues «*mulierem ita arctam, ut mulier fieri non possit sanam non videri constat*» (D. 21, 1, 14, 7: Ulp. 1, *ad Ed.*). Así pues, se entenderá que para poder "hacerse mujer" debe toda fémina ser madre -intentándolo muchas hasta incluso perecer en el intento-, o al menos, si este era el deseo del *pater* en ese momento; y si no puede serlo, habrá de tomarse el vientre mismo de otra que pueda llevar a cabo tan loable tarea. Por tanto, lo que queda patente es que, al menos durante la época republicana y clásica, y con anterioridad a la influencia del cristianismo y los principios garantistas en torno a la figura del concebido no nacido, el interés a proteger era el de padre, y no el de la gestante, ni incluso el del *nasciturus*.

Así pues, para evitar que las mismas abortasen o llevasen a cabo cualquier engaño -*crimen de partu supposititu*-, llegaban a darse prácticas de control sumamente férreas, desde la designación de un curador del vientre, pasando por la inspección de sus cuerpos -*inspecto corporis ventris nomine*-, y el desarrollo

---

[12] Sobre la *expositio* de los *infans* vid. PUGLIESE, G., «Note sull'expositio in diritto romano», en *Studi in onore di C. Sanfilippo*, vol. 6, Giuffrè, Milán, 1985, pp. 629-645.

de normas o pautas sobre cuestiones tales como el lugar, el modo o la supervisión de los alumbramientos -en tiempos del gobierno de Marco Aurelio y Lucio Severo-. Sobre esta cuestión, obtenemos información gracias a una serie de casos que nos son narrados por Ulpiano; en uno de ellos, un hombre afirmaba que su esposa se encontraba embarazada, siendo este hecho negado por la misma, por lo que el pretor ordenaría que se le pusiera guarda y, si continuaba negándolo, se eligiera casa de una mujer honesta para que tres parteras probadas la inspeccionasen -dos al menos debían coincidir en su veredicto- (D. 25, 4, 1: Ulp. 24, *ad Ed.*). En otro de los casos, la información ofrecida se centra en mayor medida en la vigilancia y control del parto, para el que se dictaban una serie de pautas, así: debía producirse en una habitación sin ventanas, con una sola puerta y frente a cinco mujeres ingenuas que hicieran de testigos, todo ello en una casa respetable y cuya entrada estaría siendo vigilada por seis personas. Además, se establecía que la iluminación debía ser la correcta y que era necesario revisar a todo aquel que por uno u otro motivo debiera entrar o salir de la habitación, de modo que resultase imposible sustraer o introducir a ningún ser (D. 25, 4, 1, 10: Ulp. 24, *ad Ed.*). Sin embargo, y pese a lo detallado de la información que en dichos fragmentos se recoge, debemos, cuanto menos, hacer constar que esta vigilancia extrema únicamente se produciría en aquellos casos que por su relevancia o por su sospecha, debían ser controlados para acreditar que la descendencia era legítima[13].

Estas circunstancias, que a ojos de la concepción actual se presentarían, a todas luces, violentas y coactivas, hacían que

---

[13]   Coincidimos pues con la visión de González Gutiérrez al entender que se trata de disposiciones exageradas que no se llevarían a cabo frecuentemente, pero que se habrían recogido debido a su existencia. Así, *vid.* GONZÁLEZ GUTIÉRREZ, P., «La concepción del feto en la legislación romana: entre la esperanza y la herencia», *Gerión, Revista de Historia Antigua,* núm. 35/1 (2017), p. 107.

el índice de mortalidad durante el embarazo y el parto fuera altísimo, ya que la preocupación principal era la de conseguir dicho *partus editus,* pasando el bienestar de la propia parturienta a un segundo plano. No obstante, y debido al alto índice de casos, la muerte en el parto era idealizada de modo que se glorificaba a aquellas que hubieran perdido la vida llevando a cabo tal honrosa tarea. Así, epitafios como el de Veturia Grata nos dan fe de ello al recoger que «ella, para los suyos fue un dechado de bondades. Irreprochable, sencilla, jamás se propuso engañar. Vivió veiuntiún años y siete meses, y engendró de mí tres hijos, que ha dejado pequeños; murió con el cuarto en el vientre en su octavo mes de embarazo (…) te pido que, de buen grado, leas hasta el final del epitafio de quien se lo merece (…)»[14].

Ellas, las que «merecían» ser nombradas y tomadas como ejemplo, aquellas que «no engañaban» y que cumplían con su labor–ya desde una prontísima edad–: conseguir parir. Pero, aun así, la tasa de mortalidad neonatal era tan elevada, que prácticamente la mitad de los bebés morían durante el primer año de vida -el estudio de esta cuestión ha sido posible gracias a las inhumaciones llevadas a cabo-. Con la intención de suplir estas pérdidas, las mujeres romanas llegaban a parir unas cinco o seis veces de media a lo largo de su vida, teniendo en cuenta siempre que esta media se sitúa en torno a los treinta años[15]

---

[14]   Texto recogido de MIRÓ VINAIXA, M., *Perennia. Poesía epigráfica latina,* Ed. bilingüe latín-español, Barcelona, Godall Edicions, Alcaduz, 2016, pp. 32-33. De modo parecido, se nos presenta también a Cándida, en este caso una esclava que, tras ponerse de parto, muere junto a su hijo: «*tumba de aquella que se atormentó durante cuatro días para parir, y no parió*», y así puede verse en el epitafio situado en su honor en la ciudad croata de Solin, antigua Salona, Dalmacia.

[15]   Al respecto, *vid.* PARKIN, T. "Life Circle", en HARLOW, M. y LAURENCE, R. (eds.), *Cultural History of Childhood and the Family,* vol. 1: Antiquity, Bloomsbury Academic, Oxford, 2014, pp. 97-114.

-aunque, obviamente, podían alcanzar los cuarenta, cincuenta o incluso más; lo relevante, en este punto, es que esa media descendía enormemente debido al riesgo que suponían los partos en la antigüedad, factor que no influía en el caso de los hombres-.

Y para poder asistir a estos partos, muchas veces bajo importantes presiones y grandes complejidades, al no contar con los medios, herramientas y tecnologías con las que contamos hoy día, se utilizaban otros/as mucho más rudimentarios e invasivos, empleados por las propias *obstetrices*, o comadronas, que eran aquellas que tenían los conocimientos necesarios para ayudar en el alumbramiento -los médicos únicamente acudían en contadas ocasiones-. Véase, a los efectos, la "silla de parir", que poseía un respaldo, brazos y se caracterizaba por la forma entrante a la altura del canal del parto, que posibilitaba la salida del nacido; a su vez contaba con unos tableros en los laterales, pero que dejaban vía libre por delante y por detrás a las comadronas para que pudieran realizar las maniobras que considerasen oportunas. La función de esta silla, cuando no se tenía a disposición, era suplida por la mera fuerza humana de quien pudiera sostener en el regazo a la parturienta, de modo que pudiera tener las piernas abiertas. Sobre la labor de estas profesionales encontramos información en el primer tratado de ginecología, que data del siglo II d. C., y redactado por el médico Sorano de Éfeso, bajo el título de «*Libro de enfermedades de las mujeres -Gynaikeia*». La traducción al latín llegaría dos siglos después, en el IV d. C., y es en el tomo tres de cuatro donde encontramos la información relativa al parto[16].

---

[16]   Sobre esta cuestión, *vid*. GARCÍA FERNÁNDEZ, C., *op cit*. p. 10. Al respecto también se recoge que otras intervenciones invasivas eran llevadas a cabo cuando se observaban complicaciones, no obstante, prácticas como la cesárea no se realizaban en vida; la *Lex Caesarea* recogía que, cuando una mujer moría en las últimas semanas de embarazo, la misma se realizaría para intentar salvar la vida del *nasciturus*.

La labor de estas comadronas terminaría por vincularse con el saber femenino, pues se trataría de "asuntos de mujeres", hasta que, en un determinado momento, los médicos, que hasta entonces únicamente aparecían cuando se daban determinadas circunstancias, comenzaron a manifestar interés por la ginecología, como rama específica de la ciencia médica. Así, mientras que en la Edad Media se alcanzaron altas cotas de reconocimiento -véase las Ordenanzas de Madrigal de 1448 en las que se contemplaba que tal *praxis* les era permitida por demostrar conocimiento y experiencia-, llegado el siglo XVI estos ginecólogos comenzarían a elaborar sus propios Tratados, relegando a las comadronas al papel de meras sanadoras; y el uso de herramientas como el fórceps, les quedarían totalmente prohibidos. Por tanto, quienes durante siglos habrían trabajado para ayudar en la labor del parto, y quienes eran conocedoras de qué remedios y técnicas usar para aliviar el dolor de la parturienta, serían relegadas en favor de aquellos que veían el parto como un mecanismo o medio para la consecución de un fin: traer al mundo a un hijo. Esta idea no cambiaría durante los siglos siguientes, en los que el cuerpo femenino seguiría siendo tratado como un instrumento de reproducción a los servicios de intereses ajenos (*pater* y *patria*) y en los que se perdería el conocimiento de las parteras en cuanto a métodos para aliviar el dolor o técnicas salvavidas como la de hacer expulsar la placenta a través de un masaje en el vientre, introducido por la comadrona Luisa ROSADO y que habría salvado la vida de miles de mujeres. Pero la palabra de los médicos -hombres- había sepultado todo aquello[17]; y las prioridades, si

---

[17] Al respecto, *vid.* SUÁREZ ÁLVAREZ, P., "El arte de partear: parteras y parturientas a lo largo de la Edad Moderna", en GARCÍA GALÁN, S., MEDINA QUINTANA, S. y SUÁREZ SUÁREZ, C. (eds.), *Nacimientos bajo control. El parto en las edades Moderna y Contemporánea*, Trea, Gijón, 2014, pp. 39-47.

es que en algún momento habían estado en favor de salvar la vida de quien paría, habrían cambiado.

Por otro lado, la preocupación por dar veracidad de que el ser que se presentaba era quien verdaderamente había nacido fruto de dicho parto, seguiría preocupando al legislador, de modo que se conservarían las precauciones sobre el lugar y los asistentes al parto que ya en la antigüedad imperaban, así como se contemplaban las penas para quien trataba de falsear (Partida VII, 7, 3 y Partida VII, 6, 6, respectivamente).

En el siglo XIX comenzaría a darse un fenómeno que afectaría al tratamiento de los partos de manera indiscutible, y que no es otro que el traslado a los hospitales. Ya no se daba a luz en casa, o al menos no como norma general, siempre que los medios lo permitiesen. En este punto, el parto pasa a ser una cuestión meramente técnica, pues terminaría de perder todo vínculo que descansase en la privacidad del hogar y en la confianza en las comadronas, que seguían ejerciendo en núcleos menos poblados, así como en los casos de familias con pocos recursos. Con la llegada de las Guerras Mundiales, y concretamente, en nuestro país, con la Guerra Civil, por motivos evidentes, las comadronas -llamadas ahora matronas- recuperarían mayor libertad de movimiento, lo cual, también provocó que determinados sectores -del bando golpista- las acusasen de ser sospechosas de provocar abortos y de difundir métodos anticonceptivos a mujeres que no podían mantener a más hijos. Así, muchas serían perseguidas por su labor durante la guerra, pero también por su trabajo activista anterior, durante la II República, tal es el caso del Seguro de Maternidad, que tras la guerra se vio mermado debido a que el Instituto Nacional de Previsión sufriría una enorme reorganización, y también a la falta de ajuar sanitario. Sin embargo, la figura no llegaría a desaparecer, pues en los años siguientes a la guerra los estudios para obtener el título de matrona continuaron, con la puntualización de que los que se hubieran expedido durante la guerra quedarían anulados[18]. Finalmente, en 1953, las carreras de matrona, practicante y enfermera se unificarían bajo el título de Ayudante Técnico Sanitario y ser matrona pasaría a ser una especialidad. A este respecto, debemos tener en cuenta que, para entonces, poco quedaba ya del sistema anterior a la guerra, pues todos los manuales serían los que ofertaban un contenido acorde a las ideas del régimen franquista; un régimen que trataba, a toda cosa, de aumentar los índices de natalidad.

El control de la natalidad incluía, además, medidas legislativas tales como la prohibición de la interrupción voluntaria del embarazo -pues en 1937, como muestra de una de las últimas decisiones, y ya iniciado el conflicto bélico, se había regulado por el gobierno republicano-. La preocupación por evitar estas interrupciones caracterizaría el exhaustivo control de las prácticas obstétricas durante el franquismo – así véase la Ley de Represión del Aborto de 1941-, que inició lo que se conoce como "turismo abortivo" y que consistía en viajar a países donde esta práctica era legal, opción que únicamente podían permitirse las familias adineras; para el resto, el aborto clandestino siguió siendo una vía que, supuso, sobra decirlo, la pérdida de muchas vidas, vidas en femenino. Pero esta persecución no sería la única manera de fomentar la natalidad: la prensa, la televisión, la radio, las revistas y hasta los manuales escolares servirían de herramienta para convencer de que el cuerpo de la mujer era un medio predispuesto para dar hijos al marido. De ello nos da fe la Ley de 24 de abril de 1958, por la que se modificaron determinados artículos del Código Civil, donde se establecía que, dentro del matrimonio se exigía *"una potestad de dirección*

---

[18]   Sobre el trabajo de estas mujeres durante este periodo concreto, *vid.* RUIZ-BERDÚN, D. y GOMIS BLANCO, A., *Compromiso social y género: La historia de las matronas en España en la Segunda República, la Guerra y la Autarquía (1931-1955),* Ayuntamiento de Alcalá de Henares, Madrid, 2017, pp. 15 y ss. Concretamente sobre el seguro de Maternidad en la postguerra, pp. 173 y ss.

que la Naturaleza, la Religión y la Historia atribuían al marido". Y si el marido quería hijos, hijos tendría, y ese sería el objetivo número uno de quien atendiese el parto; las técnicas a emplear, las que fueran necesarias, pues la mujer que no se dejaba hacer era tildada de egoísta, llegando a proporcionársele sustancias sin su consentimiento, así como la utilización de determinados instrumentos como el fórceps o, directamente, la fuerza bruta -técnicas que, por otro lado, habrían sido heredadas del siglo pasado-[19].

IV. IMPACTO REAL DE LA ESTRATEGIA DE ATENCIÓN AL PARTO NORMAL

Tras la llegada de la democracia, y concretamente ya en la década de los ochenta y noventa, los cambios a nivel internacional comenzaron a forzar el reconocimiento de nuevas formas de violencia. En el marco de la Conferencia Mundial de los Derechos Humanos celebrada en 1993, la Asamblea General de las Naciones Unidas aprobaría la Declaración sobre la Eliminación de la Violencia contra la Mujer, de modo que se recogía específicamente que, a los efectos de la misma, se entendería por violencia contra la mujer: *«todo acto de violencia basado en la pertenencia al sexo femenino que tenga o pueda tener como resultado un daño o sufrimiento físico, sexual o psicológico para la mujer, así como las amenazas de tales actos, la coacción o la privación arbitraria de la libertad, tanto si se producen en la vida pública como en la privada».* Además, en el artículo segundo se afirmaba que lo sería, de manera específica, *«la violación por el marido, la mutilación genital femenina y otras prácticas tradicionales nocivas para la mujer»,* que fuese permitida por las instituciones y los propios

---

[19]   Sobre esta cuestión, *vid.* VALLE RACERO, J. I. y GARCÍA MARTÍNEZ, M. J., «Las matronas en la Historia. Un estudio del siglo XIX», *ROL de enfermería,* núm. 187 (1994), pp. 61-71.

Estados, pues eran estos quienes debían condenar este tipo de violencias y trabajar por erradicar las costumbres o consideraciones que existieran al respecto y que dañasen en modo alguno la integridad de las mujeres. Sin embargo, nuevamente la subjetividad a la hora de interpretar esta cuestión ha resultado en un amplio y heterogéneo cajón de sastre.

En el caso de nuestro país, lo que hoy denominamos violencia obstétrica habría quedado relegada, dándose prioridad a la regulación contra otras más genéricas y "visibles". Sobre esta cuestión, relativa a la violencia física y psíquica ejercida sobre la mujer embarazada, el enfoque principal habría recaído previamente sobre el cese del control total del vientre a través de la Ley Orgánica 9/1985, de 5 de julio de 1985, en la que se recogería, por primera vez desde la II República, que el aborto estaba permitido, aunque en tres únicos supuestos. A este respecto, sí que se ha avanzado, pues de una ley basada en casos muy concretos, que forzaba a la mujer a alegar una patología (como es la inestabilidad psicológica), hemos pasado a contar con una ley como es la Ley Orgánica 2/2010, de 3 de marzo, de salud sexual y reproductiva y de la interrupción voluntaria del embarazo, en la que se reconoce, ya en su introducción cómo «*el desarrollo de la sexualidad y la capacidad de procreación están directamente vinculados a la dignidad de la persona y al libre desarrollo de la personalidad y son objeto de protección a través de distintos derechos fundamentales, señaladamente, de aquellos que garantizan la integridad física y moral y la intimidad personal y familiar*». Del mismo modo, se habrían condenado conductas como las tipificadas por el Código Penal en relación a los abusos sexuales o las agresiones físicas y psíquicas, así como la conocida como violencia doméstica. Así, véase la Ley Orgánica 1/2004, de 28 de diciembre, de Medidas de Protección Integral contra la violencia de Género, que definiría la misma como la «*manifestación de la discriminación, la situación de desigualdad y las relaciones de poder de los hombres sobre las mujeres*», pero añadiendo «*de quienes sean o hayan sido sus cónyuges o (...) ligados a ellas por relaciones similares*».

No obstante, nada se dice del procedimiento que se llevaría a cabo por el profesional encargado de velar y mediar durante el embarazo y el parto, en lo que respecta a la que en la actualidad denominamos violencia obstétrica. Así, no existiría ley o precepto penal alguno que se pronunciase de manera específica, por lo que este tipo de prácticas violentas serían incluidas de modo general en preceptos como el artículo 43 de la Constitución Española, que hace referencia al reconocimiento del derecho a la protección de la salud, o en la Ley 14/1986, de 25 de abril, General de Sanidad, donde se recoge el derecho a la confidencialidad, la Ley 44/2003, de 21 de noviembre, de Ordenación de las Profesiones Sanitarias. Para subsanar este defecto, y como ocurre con otras cuestiones, algunas Comunidades Autónomas habrían aprobado regulaciones específicas para la protección de casos de extrema vulnerabilidad en el sistema sanitario, incluyendo aspectos relativos a la violencia obstétrica.

Sin embargo, a nivel nacional, nos encontramos lejos de las iniciativas de otros países como Venezuela, México o Argentina, que habrían venido aprobando leyes sobre el derecho de la mujer a una vida libre de violencia en donde se ha comenzado a reconocer y regular esta problemática de manera explícita, pues se consideraría acto constitutivo de violencia obstétrica todo el que, llevado a cabo por el personal sanitario, menoscabe la integridad de la mujer, incluyéndose casuísticas muy específicas como la de obstaculizar el apego precoz del niño o niña con su madre sin causa médica que lo justificase, bajo penas de carácter económico y disciplinario.

En nuestro país, y a excepción de las normativas que hemos enunciado, el único pronunciamiento al respecto que hemos encontrado es la Estrategia de Atención al Parto Normal, que no es más que una serie de medidas a llevar a cabo para tratar de aumentar los casos de parto "normal" en las embarazadas, con el objetivo de que los centros médicos mejoren la calidad de su atención y asistencia durante el mismo, que habría sido puesto en marcha por el Ministerio de Sanidad, Servicios Sociales e Igualdad en 2006. Pero, el primer problema que nos plantea esta "Estrategia", radica, precisamente en su terminología, pues ¿qué es un parto normal? Quizás, sí sea más sencillo entender qué es un parto natural, o no medicado, o un parto respetado... pero, ¿normal? El segundo es si, pese a sus buenas intenciones, se estaría teniendo en cuenta en los protocolos sanitarios.

Así, en el año 2012, se lanzó un Informe sobre la Atención al Parto y Nacimiento en el Sistema Nacional de Salud[20], en el que se recogía que «*En la atención al parto existen una gran variabilidad en las prácticas clínicas que se realizan y un considerable debate público desde los distintos enfoques que llevaron a iniciar el proceso de elaboración de la EAPN con la participación de todos los agentes implicados: Sociedades científicas y profesionales, Organizaciones sociales y de mujeres, Comunidades Autónomas y personas expertas; coordinado por el Observatorio de la Salud de las Mujeres (...)*». De igual modo se recogía que un elemento clave habría sido que el proceso de elaboración se basaba en la escucha de diferentes opiniones y demandas de los sectores implicados. De ello, se contemplaba como objeto del estudio, y así se hace constar en la introducción, recoger los resultados de la primera evaluación de la EAPN -a nivel estatal-. Para cada práctica, se llevaría a cabo un estudio; así, rasurado del periné; enema; acompañamiento durante el proceso; periodo de dilatación; manejo del dolor durante el parto; posición materna durante el periodo expulsivo; episiotomía; alumbramiento; partos instrumentales; cesáreas; contacto precoz madre-criatura recién nacida; atención postnatal inmediata y lactancia.

---

[20]   El mismo (última revisión el 28 de enero de 2023), se encuentra disponible en: https://www.sanidad.gob.es/organizacion/sns/planCalidadSNS/pdf/InformeFinalEAPN_revision8marzo2015.pdf

Además, destacables nos resultan las que se presentaron como «líneas estratégicas» y que se recogerían como distintas "líneas", así: 1. Abordaje de prácticas clínicas basadas en el mejor conocimiento posible. 2. Participación de las mujeres usuarias en la toma de decisiones. 3. Formación de profesionales de la medicina y de la enfermería, especialmente de las áreas de obstetricia-ginecología. 4. Investigación e innovación, y difusión de buenas prácticas.

En cuanto al rasurado del periné se analizaba la recomendación de «*evitar la práctica rutinaria del rasurado perineal a las mujeres de parto. Opcionalmente, si se considerara necesario en caso se sutura, se podrá rasurar parcialmente la zona*», recogiendo un resultado del 84% de inclusión de la recomendación, pero apuntando que existían todavía protocolos que no lo incluían.

En lo que respecta al uso de enema, se analizaba el impacto de la recomendación basada en «*desaconsejar la administración rutinaria de enema en la gestante. Aplicar opcionalmente previa información, si la mujer lo desea*», recogiendo un resultado del 78,6% de inclusión en los protocolos analizados; también con un amplio margen de mejora.

En cuanto al acompañamiento y la recomendación de «*Permitir y alentar a todas las mujeres si lo desean, a que cuenten con personas de apoyo durante todo el proceso de modo ininterrumpido y desde las etapas más tempranas. También se recomienda promover una política institucional que permita a la gestante elegir libremente la persona que la acompañe de forma continuada durante todo el proceso*», se recoge que habría sido respetado en un 84,5%, cifra elevada pero mejorable.

Sobre el periodo de dilatación, las recomendaciones serían diversas y se basarían en «*instruir a la embarazada en el reconocimiento de los signos de un verdadero trabajo de parto. Facilitar que la gestante pueda deambular y elegir adoptar la posición a sus necesidades y preferencias. Permitir la ingesta de líquidos y alimentos según las necesidades de las gestantes. Potenciar entornos amigables que ayu-*

den a una actitud y vivencia en las mejores condiciones. Utilizar el partograma. Realizar una monitorización y control del bienestar fetal. No realizar amniotomía de rutina. No colocar vía venosa periférica de rutina. El empleo de oxitocina se limitará a los casos de necesidad. Limitar el número de tactos vaginales a los mínimos imprescindibles», lo cual arrojaría datos diversos, que irían desde un 72,8% en cuanto a la recomendación dejar deambular a la gestante, hasta un escasísimo 31,1% en relación a la inclusión de la indicación de no colocar la vía venosa profiláctica de rutina, siendo esta la cifra más baja y alejada del estándar. Por otro lado, en cuanto a la revisión de historias clínicas, la realidad arrojada fue que un 53,3% de los partos de inicio espontáneo terminarían con aplicación de oxitocina durante la dilatación y un 19.9% resultarían provocados, siendo estos datos muy alejados de lo deseable.

En lo que respecta al estudio sobre el manejo del dolor durante el parto, se recomendaría *«no realizar analgesia de rutina. Informar previamente a las mujeres sobre los diferentes métodos alternativos para el alivio del dolor, sus beneficios y potenciales riesgos y la posibilidad de elegir uno o varios si lo desean. Informar a las mujeres de la capacidad cerebral de producir sustancias analgésicas (endorfinas) en un parto fisiológico en condiciones de intimidad. Informar sobre los riesgos y consecuencias de la analgesia epidural para la madre y la criatura. Considerar la aplicación de la anestesia epidural sin bloqueo motor»,* lo cual arrojaría como datos objetivos que sólo un 67% de los protocolos contemplaban la mención de alternativas no farmacológicas, y que, del análisis de las revisiones clínicas, se obtendría que en un 72.2% de los partos se habrían utilizado analgesia locorregional – 49% con analgesia epidural-. Se evidenciaba pues, que desde atención primaria *«no se hace el énfasis suficiente en la información a las usuarias»,* y como dato se contemplaba que el porcentaje en 1997 era de un escaso 1,3%, cifra muy alejada.

En relación a la posición materna durante el periodo expulsivo se recomiendaría *«permitir que las mujeres adopten libremente la postura que espontáneamente prefieran durante todo el proceso, incluido el expulsivo. Capacitar a las y los profesionales a la atención al parto en las diferentes posiciones. Investigar las percepciones de las mujeres y los factores que influyen en la elección de las posiciones que adoptan»,* sobre lo cual, bajo encuesta realizada, arrojaba un resultado bastante desalentador: en un 87,4% de los partos vaginales se mantendría posición de litotomía , y en un 26, 1% de los partos vaginales se realizaría la maniobra de Kristeller, que supuestamente debiera estar en desuso, pues consiste en agilizar la salida del bebé con mayor rapidez y empujando con los puños o el antebrazo la parte superior del útero de la mujer.

En cuanto a la realización de episiotomía, la recomendación se basa en *«promover una política de episiotomía selectiva y no sistemática; de ser necesaria, realizar episiotomía medio-lateral con sutura continua y material reabsorbible. No suturar desgarros leves o cortes menores. Mejorar la formación sobre la protección del periné».* Al respecto, tras el análisis de las historias clínicas, se revelaría que en un 41.9% de los partos eutócitos se realizaría episiotomía, cifra muy alejada de lo aconsejable, lo cual provocaba un mayor número de desgarros a la mujer. No obstante, lo cierto es que ese porcentaje se encontraba muy alejado del 77.7% recogido en 1997.

Sobre el alumbramiento se recogen las recomendaciones de *«no pinzar el cordón con latido como práctica habitual. Al no existir uniformidad respecto al alumbramiento expectante o activo en el SNS, se recomienda realizar investigación que permita comparar el riesgo de sangrado en la tercera fase de partos seguidos en condiciones fisiológicas (no intervenidos), y de aquellos con manejo activo, que aporte conocimiento útil para orientar las recomendaciones. Hasta entonces, la Guía de Práctica Clínica sobre la Atención al Parto Normal, recomienda el manejo activo. Informar a las mujeres, considerando el alumbramiento espontáneo o fisiológico una opción si la mujer lo solicita».* Sin embargo, en la práctica, el alumbramiento de la placenta con manejo activo sólo se realizaba en un 21.4% de los casos, máxime si se tenía en cuenta que en el 53, 3% de los partos se habría administrado oxitocina. El pinzamiento del cordón después de cesar el latido sería aconsejado sólo en un 63.1% de los protocolos. Los resultados entonces arrojaban, además, que únicamente un 15.5% de los Protocolos incluían todas las recomendaciones de atención al parto normal, un resultado extremadamente bajo.

En cuanto a los partos instrumentales, las recomendaciones se basarían en «*evitar realizar partos instrumentales salvo indicación por patología y respetar los tiempos de duración del periodo expulsivo. En caso de estar indicado, se recomienda el uso de ventosa como primera opción, antes que la espátula o fórceps. Se deberán desarrollar programas de entrenamiento de profesionales*». Así, el indicador de resultados derivados de las historias clínicas mostraría cómo un 19. 5% de los partos resultarían instrumentales, un 10,2% con uso de ventosa, un 6,1% con fórceps, o un 3.2% con espátula.

En lo que respecta a las cesáreas, las recomendaciones se basarían en «*implementar programas para la racionalización de las tasas de cesáreas y la disminución de variabilidad no justificada. Facilitar, salvo excepciones, la posibilidad de un parto vaginal después de cesárea. Facilitar en la medida de los posible el acceso de la persona acompañante. Cuidar las condiciones ambientales de silencio e intimidad para que el primer contacto visual, táctil, olfativo y microbiológico del recién nacido sea con su madre. Investigar las causas del incremento de las tasas de cesárea y su variabilidad*». En la práctica, los resultados mostrarían que se superarían los niveles aconsejables, pues la tasa se encontraba en un 22.02%, mientras que en 1997 era de un 17%.

En relación al contacto precoz madre-criatura recién nacida, se recomendaría que «*inmediatamente tras el parto vaginal o por cesárea, la/el recién nacido se colocará piel con piel en el pecho o abdomen de la madre al menos durante 70 minutos, permaneciendo juntos y posponiendo los procedimientos excepto la identificación y el test de Apgar, siempre que el estado de salud de ambos lo permita. Posponer las prácticas profilácticas y realizar en presencia de las madres y padres. No realizar maniobras rutinarias. Informar a las madres de las ventajas del contacto piel con piel. Favorecer la erradicación de las salas nido. Estimular el método madre-canguro. Trabajar con grupos de apoyo»*. Los resultados arrojados, distarían nuevamente de los aconsejables, siendo el más respetado el de informar a las madres sobre las ventajas del contacto piel con piel, con un 74.8%, y el menos, el de realizar contacto precoz madre-rn también en casos de cesáreas con un 47.3%. Llama la atención, además, que sólo un 67% de los protocolos incluían la recomendación de colocar al recién nacido sobre el abdomen de la madre durante setenta minutos y únicamente un 13.6% incluirían todas las recomendaciones. Además, a la pregunta realizada a las usuarias de si finalmente ese contacto se produjo, sólo un 50.2% contestarían afirmativamente.

Finalmente, en cuanto a la atención postnatal inmediata y la lactancia, las recomendaciones versarían sobre «*abandonar los procedimientos injustificados (aspiraciones y paso de sondas). Retrasar la realización de pruebas y cribados que supongan separar al recién nacido/a de la madre. Promover prácticas eficientes de apoyo a la lactancia materna. Fomentar la puesta en marcha de bancos de leche de madre y la donación. Respetar la decisión informada de las mujeres que opten por la lactancia artificial. Trabajar con grupos de apoyo que faciliten buenas prácticas en lactancia*». Como resultado se obtendría que la tasa más alta recogida, con un 88.3%, sería la de iniciar la lactancia materna durante las dos primeras horas, y el resto se moverían entre el 65-75%, siendo el más bajo el de recomendar los grupos de apoyo. Por otro lado, únicamente el 50.5% de los protocolos incluirían todas las recomendaciones citadas.

Pero no todo lo analizado en el informe de 2012 resultaría negativo, pues en el mismo se recoge cómo se observaba un gran esfuerzo por parte de las Comunidades Autónomas por formar a sus profesionales y actualizar sus conocimientos para que abandonasen las prácticas que se habían adquirido como rutinarias, lo cual no restaba la preocupación por el hecho de que casi un 6% de las maternidades siguieran sin contar con un protocolo de atención al parto y el nacimiento y otros se encontraban desactualizados. El margen de mejora, no obstante, se presentaba como amplio.

Así pues, una década después de la realización de dicho informe debemos preguntarnos si los avances han sido suficientes, cuestión difícil ya que, los estudios realizados al respecto, o bien se llevan a cabo por la propia Comunidad Autónoma o se centran en determinadas prácticas. Quizás, y aún con dicha limitación, podríamos decir que, en base a las cuestiones que más impacto habrían tenido, la respuesta sería negativa; así, estas cuestiones serían las relativas a la Evaluación del impacto de la Estrategia de Atención al Parto Normal sobre las tasas de cesáreas y mortalidad perinatal realizada en 2020[21], y la promulgación de la Resolución de 21 de agosto de 2022, de la Secretaría de Estado de Sanidad, por la que se publica el Convenio entre la Dirección General de Salud Pública e iniciativa para la Humanización de la Asistencia al Nacimiento y la Lactancia, para la promoción, protección y apoyo a la lactancia materna y potenciación de la humanización de la asistencia al nacimiento[22].

De la primera obtenemos datos como la reducción de un 2% de tasas de cesáreas en los hospitales públicos del Sistema Nacional de Salud en comparación con los hospitales privados; o que la Estrategia de Atención al Parto Normal habría reducido la mortalidad perinatal en un 0.08%. Además, se llega a conclusiones como la de que el efecto de la Estrategia puesta

---

[21]   La misma (última revisión el 28 de enero de 2023), se encuentra disponible en: https://www.ief.es/docs/destacados/publicaciones/papeles_trabajo/2020_08.pdf

[22]   El mismo (última revisión el 28 de enero de 2023) se encuentra disponible en: https://www.boe.es/boe/dias/2022/08/29/pdfs/BOE-A-2022-14210.pdf

en marcha en 2007 estaría lejos de situar a nuestro país en el rango marcado por la Organización Mundial de la Salud; la necesidad, por tanto, de extenderlo al ámbito del sector privado; la necesidad de que las Comunidades Autónomas se comprometan a implementarlo en pro de una armonización de los datos -muy dispares en función de la región-; o la necesidad de seguir las recomendaciones de la OMS en cuanto a la necesidad de incrementar el número de matronas para atender cada parto, incrementando, además, su autonomía.

Del segundo, obtenemos meras propuestas e intenciones, como la de cumplir con los estándares y recomendaciones de calidad que incluyen aspectos relacionados con el facilitar y fomentar la permanencia del padre y la madre junto a sus hijos e hijas, la formación de la familia, la participación en los cuidados , el método canguro o contacto piel con piel y otros aspectos relacionados con la protección, promoción y apoyo a la lactancia; "recomendando" para su implementación la elaboración de normativas, la capacitación de los profesionales sanitarios y la coordinación entre niveles asistenciales -disponiendo de protocolos actualizados-, todo ello promovido por los resultados del Informe de Evaluación de la Estrategia de Atención al Parto Normal realizado en 2011 y publicado en 2012 y que hemos desglosado con anterioridad; los cuales presentan como necesaria la labor de colaboración e implementación, sensibilización social, alfabetización sanitaria, formación y sensibilización a profesionales de la salud, protección de la lactancia materna, monitorización, investigación y seguimiento

No obstante, en el propio Convenio se recoge su carácter administrativo, en virtud de lo previsto en el artículo 47.2.c) de la Ley 40/2015, de 1 de octubre, de Régimen Jurídico del Sector Público, por lo que las consecuencias del incumplimiento de las obligaciones en el mismo recogidas llevarían únicamente a su extinción.

V. REFLEXIONES FINALES

A lo largo de este trabajo, y tal y como se desprende ya de la propia introducción, hemos venido analizando, a través del estudio de una serie de conceptos arraigados y de una importante cantidad de datos a modo de porcentaje, si verdaderamente se ha dejado atrás aquella afianzada conceptualización de la mujer como herramienta o medio reproductivo al servicio de dicha función, así como el trato impersonal recibido por la misma durante el embarazo y, sobre todo, el parto, por parte de los diferentes profesionales considerados como aptos en cada momento.

Así, lo cierto es que, si nos centramos en la primera de las cuestiones, podemos observar cómo sí que se han dado importantes avances al respecto, forzados por los movimientos sociales y jurídicos, a nivel nacional e internacional. Hemos visto pues, cómo en las últimas décadas se habría ido trabajando en la erradicación de las violencias -o al menos, las más evidentes- y del binomio de género por excelencia: producción *versus* reproducción. No obstante, es en la segunda de las cuestiones en la que parece que se ha tenido menor éxito; pues, aunque a día de hoy lo cierto es que la propia mujer puede tomar las decisiones que considere oportunas sobre su sexualidad y capacidad reproductiva, siguen existiendo aspectos, dentro del trato a la mujer embarazada y a la que da a luz, que presentan un importante margen de mejora. Hablamos pues de la puesta en práctica de los protocolos sanitarios elaborados para ajustarse a las recomendaciones de la Estrategia de Atención al Parto Normal, y que muchas veces siguen siendo vulnerados por los profesionales. De este modo, y aunque lo cierto es que largo trecho se ha recorrido en favor de un trato dignificado hacia la mujer que da a luz -de arrebatar al hijo no deseado por el *pater* de sus brazos sin tener en cuenta sus deseos, a aconsejarse, protocolo mediante, el contacto directo piel con piel entre quien acaba de dar a luz y su hijo-, los datos arrojados por el último estudio sobre dicha puesta en práctica revelan que todavía queda mucho que mejorar.

Así pues, y aunque las intenciones del reciente Convenio entre la Dirección General de Salud Pública e iniciativa para la Humanización de la Asistencia al Nacimiento y la Lactancia, para la promoción, protección y apoyo a la lactancia materna y potenciación de la humanización de la asistencia al nacimiento son buenas, lo cierto es que, sin la redacción de un marco jurídico específico que regule las consecuencias de estos incumplimientos a nivel nacional, dicha mejora no parece que vaya a materializarse; al igual que no lo habría hecho desde que el Informe sobre la Atención al Parto y Nacimiento en el Sistema Nacional de Salud vio la luz hace ya más de una década.

Bibliografía

AMUNÁTEGUI PERELLÓ, C. F., *Origen de los poderes del paterfamilias. El «paterfamilias» y la «patria potestas»,* Dykinson, Madrid, 2009.

BUNDELL, J. «Theory and practise of Midwifery, delivered at Guy's Hospital», *The Lancet,* Londres, vol. 1 (1927-28).

GARCÍA FERNÁNDEZ, C., «Violencia obstétrica: los antecedentes históricos de un abuso silenciado», en *Violencia de Género: retos pendientes y nuevos desafíos,* FERNÁNDEZ TERUELO, J. G. y FONSECA FORTES-FURTADO, R. G. (dirs.), Thomson Reuters- Aranzadi, Pamplona, 2021.

- «Edad, salud y capacidad adquisitiva en la formación de los diferentes tipos de familia en el Derecho romano. La cesión del *venter*», en NÚÑEZ PAZ, M. I. y JIMÉNEZ BLANCO, P. (eds.) y SUÁREZ LLANOS, L. (coord.), *Mujer sujeto u objeto de derechos reproductivos. Derechos de los menores y maternidad por sustitución,* Tirant lo Blanch, Valencia, 2019.

GONZÁLEZ GUTIÉRREZ, P., «La concepción del feto en la legislación romana: entre la esperanza y la herencia», *Gerión, Revista de Historia Antigua,* núm. 35/1 (2017).

LUCHETTI, G., «Breves consideraciones acerca de la relevancia jurídica de la concepción», *RIDROM: Revista internacional de Derecho Romano,* núm. 8 (2012).

MAURICEAU, F., *The diseases of women with child, and in child-bed: as also. The best Means of helping them in Natural and Unnatural Labours, With Remedies for the several Indispositions of New-born babes,* CHAMBERLER, H. (trad.), T. Cox, Londres, 1727.

MIRÓ VINAIXA, M., *Perennia. Poesía epigráfica latina,* Ed. bilingüe latín-español, Barcelona, Godall Edicions, Alcaduz, 2016.

NÚÑEZ PAZ, M. I., «Sobre la *cessio ventris* en la Antigua Roma. Trascendencia socio jurídica del principio *mater Semper certa est», e-legal History Review,* núm. 28 (2018).

PARKIN, T. "Life Circle", en HARLOW, M. y LAURENCE, R. (eds.), *Cultural History of Childhood and the Family,* vol. 1: Antiquity, Bloomsbury Academic, Oxford, 2014.

PUGLIESE, G., «Note sull'expositio in diritto romano», en *Studi in onore di C. Sanfilippo,* vol. 6, Giuffrè, Milán, 1985.

RUIZ BERDÚN, D., «Análisis histórico de la violencia obstétrica», en GOBERNA-TRICAS, J. y BOLADERAS, M. (coords.), *El concepto violencia obstétrica y el debate actual sobre la atención al nacimiento,* Tecnos, Madrid, 2018.

RUIZ-BERDÚN, D. y GOMIS BLANCO, A., *Compromiso social y género: La historia de las matronas en España en la Segunda República, la Guerra y la Autarquía (1931-1955),* Ayuntamiento de Alcalá de Henares, Madrid, 2017.

SUÁREZ ÁLVAREZ, P., "El arte de partear: parteras y parturientas a lo largo de la Edad Moderna", en GARCÍA GALÁN, S., MEDINA QUINTANA, S. y SUÁREZ SUÁREZ, C. (eds.), *Nacimientos bajo control. El parto en las edades Moderna y Contemporánea,* Trea, Gijón, 2014.

VALLE RACERO, J. I. y GARCÍA MARTÍNEZ, M. J., «Las matronas en la Historia. Un estudio del siglo XIX», *ROL de enfermería,* núm. 187 (1994).

VALLS-LLOBET, C., *Mujeres, Salud y Poder,* Ediciones Cátedra, Madrid, 2009.

Capítulo 6

Apate, una "notaria graeca" a Roma

LAVINIA LANTIERI
PhD Student in Roman Law
Alma Mater Studiorum – Bologna

RESUMEN: La contribución se ocupa de profundizar sobre la figura de Apate (II – III sec. d. C.) que es identificada por las fuentes como notaria.

PALABRAS CLAVES: Apate, notaria, escritura, mujeres.

ABSTRACT: The paper delves into the position of Apate (II – III century AD) who is identified by sources as notaria.

KEYWORDS: Apate, notaria, writing, women.

Nel mondo della Roma antica è fatto ben noto che le donne non potessero vantare una posizione di "parità" rispetto agli uomini e che fossero ad essi "subordinate"[1]: ciò non riguarda-

---

[1]   PEPPE L., *Civis Romana: forme giuridiche e modelli sociali dell'appartenenza e dell'identità femminili in Roma antica*, Grifo, Como, 2016; BRAVO BOSCH M. J., «Una *mater familias* ejemplar», *Donne: libertà, diritti e tutele*, ESI, Napoli, 2019, pp. 167-169: l'autrice, in particolare, contrappone la figura di Cornelia "[...] ilustre mater familias, que fue sin duda alguna un modelo para todas las matronas romanas. Su independencia, sustentada en su riqueza y su inteligencia, así como la influencia política innegable ejercida sobre sus vástagos y la sociedad romana republicana, y la condición de univira , casada tan sólo una vez en la vida y permaneciendo fiel a la memoria de su marido,

va solo i loro diritti, ma anche gli incarichi che venivano loro
assegnati o le mansioni da esse svolte [2], anche se la condizione
femminile di Roma poteva ritenersi in qualche modo migliore
di quella delle donne delle civiltà coeve[3]. Esistevano poi delle
eccezioni alla "condizione d'inferiorità"[4]: esempio tipico di ciò
erano senza dubbio le vestali le quali, a differenza della tipica
donna romana "adibita" alla cura della casa, della famiglia e
alla riproduzione, erano sacerdotesse vergini, custodi del "focolare sacro" posto sul colle Palatino[5]. Si ha poi notizia, con

---

la convirtieron en un ejemplo virtuoso de comportamiento y conocimiento tan singular que incluso fue merecedora de una estatua
erigida en su memoria en el foro romano, reconocimiento público
excepcional, y más tratándose de una mujer […]" alla tipica condizione della donna romana.

[2]   SANNA M. V., «Paternità, maternità, nascita e dinamiche parentali nel diritto romano arcaico», *Donne*, cit., pp. 199-201: citando
Gai 1,55, l'autrice afferma che il compito principale delle donne a
Roma fosse quello della procreazione "per il marito e per la *civitas*",
senza poter essere titolari del *ius vitae et necis* che spettava invece al
solo *pater familias*.

[3]   CANTARELLA E., *Le donne e la città. Per una storia della condizione
femminile*, New Press, Como, 2019, *passim*; CANTARELLA E., GA-
GLIARDI L., MELOTTI M., *Diritto e sessualità in Grecia e a Roma*,
CUEM, Milano, 2014, *passim*.

[4]   Oltre alle vestali, sacerdotesse sulle quali brevemente nelle battute
successive, si precisa che rappresentarono una eccezione ai costu-
mi dell'epoca anche alcune influenti donne a Roma, tra le quali
Claudia (III sec. a.C.), Cornelia (II sec. a. C.) della quale si è detto
anche sopra, Fulvia (I sec. a.C.), Licoride, pseudonimo di Volumnia
Cytheris (I sec. a.C.), Livia (I sec. a.C.), Perpetua (II-III sec. d.C.),
Elena (III-IV sec. d.C.), Ipazia (IV-V sec. d.C.), sulle quali si veda,
per un quadro biografico generale FRASCHETTI A. a cura di, *Roma
al femminile*, Laterza, Bari, 1994.

[5]   GIANNELLI G., v. «Vestale», *Enciclopedia Italiana di scienze, lettere e
arti*, Treccani, 1937, consultabile al seguente link: https://www.trec-
cani.it/enciclopedia/vestale_%28Enciclopedia-Italiana%29/ : dove
le donne comuni vigilavano il "focolare familiare", le sacerdotesse

l'avvento del cristianesimo, di alcune donne che ricoprirono posizioni di rilievo nelle comunità cristiane, delle quali si conoscono anche i nomi[6].

In questo contesto, particolare interesse assume una suggestiva iscrizione tombale che consente di interrogarsi intorno alla possibilità che la funzione di redattore di documenti o copista, meglio conosciuto a Roma con il nome di *notarius*[7], potesse essere accessibile anche alle donne. Prima dell'analisi del frammento in questione, appare utile una introduzione sulla figura sovra menzionata.

---

di Vesta (inizialmente il culto era della dea Caca), sorvegliavano invece il "focolare della *res publica*": "[...] il posto medesimo che, nella religione domestica, ha la moglie allato del marito: esse adempiono insomma, presso il focolare dello stato, quella funzione che, presso il focolare domestico adempie la *mater familias*; e la *mater familias* che le vestali rappresentavano, non può essere che la moglie dell'antico rex, la quale un tempo dovette custodire, nella sua casa, il focolare domestico, che era, al tempo stesso, il focolare dello stato [...]"; per un'approfondita analisi sul ruolo e sugli aspetti giuridici di questo sacerdozio si veda GUIZZI F., *Aspetti giuridici del sacerdozio romano: il sacerdozio di Vesta*, Jovene, Napoli, 1968, *passim*: sin dalle prime pagine l'autore fa emergere una contrapposizione tra i privilegi delle vestali e la vita delle altre donne.

[6]   CAMERON A., «Neither male nor female», *Women in Antiquity*, Oxford University Press, Oxford, 1996, pp. 26-27, il quale riporta in particolare i nomi di alcune donne presenti negli Atti degli apostoli, asserendo "St. Paul's 'patroness', are famous. Priscilla, Lydia, Phoebe, Mary to name some among others. Some of these women have positions of leadership in their Christian communities [...]. Women are frequently mentioned by name [...] These women, then, seem to be people of some position – cf. 'chief women' (17:4, Thessalonika), 'honourable women' (17:2, Beroea). Some of them have 'households' which they are able to influence e.g., Lydia, baptized with her household (16:15). [...]".

[7]   *CIL* VI 33892.

Per quando riguarda la diffusione della scrittura in maniera generale, abbiamo delle testimonianze papiracee[8], databili tra l'VIII ed il VI sec. a.C.[9], così da desumersi un uso della scrittura sin dall'età arcaica[10], anche se "circoscritto al corpo sacerdotale e ai gruppi gentilizi, depositari dei più antichi saperi della città"[11]. Viceversa, nell'ambito delle attività giuridicamente rilevanti, è dimostrabile che esse in età arcaica avvenissero principalmente in forma orale, per poi approdare successivamente alla scrittura solo qualche secolo più tardi[12] per garantire, attraverso la stessa, la veridicità e l'efficacia di un atto avente rilievo giuridico[13].

---

[8] Ci si riferisce ai cd. "Libri di Numa", rinvenuti nel 181 a.C. come riporta l'annalista Cassio Emina, sui quali si veda SANTINI C., *I frammenti di L. Cassio Emina : introduzione, testo, traduzione e commento*, ETS, Pisa, 1995.

[9] CAVALLO G., *Scrivere e leggere nella città antica*, Carocci editore, Roma, 2019, pp. 83-120: l'autore, nel discorrere delle prime testimonianze di scrittura a Roma in età arcaica, analizzando vari autori tra i quali Cassio Emina, Cicerone, Quintiliano, Dionigi di Alicarnasso e Varrone, discorre della tipologia del materiale dei primi libri, dichiarando che si trattasse sia di supporti lignei ed in particolare di *tabulae ceratae*, sia di papiri, sia di "tele di lino".

[10] LAMBERTI F. "Elementi giuridici nell'educazione femminile in Africa proconsolare fra II e III sec. d. C. Gli esempi di Pudentilla e Perpetua", Il Diritto Romano e le cultura straniere a cura di F. Lamberti Peter Groeschler F. Milazzo, Edizioni Grifo, Lecce, 2015.

[11] CAVALLO, *Scrivere*, cit., 88.

[12] AMELOTTI M., «Genesi del documento e prassi negoziale», F. MILAZZO a cura di, *Contractus e pactum – tipicità e libertà negoziale nell'esperienza tardo-repubblicana, atti del convegno di diritto romano e della presentazione della nuova riproduzione della littera Florentina (Copanello 1-4 giugno 1988)*, ESI Napoli, 1990, pp. 310- 313.

[13] Esempio classico di questo passaggio dall'oralità alla scrittura è certamente il *testamentum per aes et libram*, affrontato da numerosi autori, tra i quali ARANGIO-RUIZ V., «Intorno alla forma scritta nel *testamentum per aes et libram*», *Atti del Congresso Internazionale del Diritto*

Sono ora indispensabili alcune considerazioni concernenti l'attività dei *notarii*, da ricercarsi sia nell'assai diffuso analfabetismo[14], sia nell'incapacità di moltissimi di stilare alcuni documenti tecnici. Principalmente per quest'ultima ragione ci si rivolgeva a soggetti sia in grado di scrivere sia in possesso di qualche "conoscenza giuridica"[15], denominati appunto *notarii*[16] dal sostantivo *nota*[17] , segno grafico da intendersi come scrittura in senso lato[18].

---

romano e di Storia del diritto 27-28-29 settembre 1948, Giuffrè, Milano, 1951, *passim,* VOCI P., *Diritto ereditario romano,* num. II, Giuffrè, Milano, 1963, 65-67, TALAMANCA M., v. «Documentazione e documento (dir. rom.)», *Enciclopedia del diritto,* num. XIII, Giuffrè, Milano, 1964, 548; BOVE L., «Documentazione privata e prova. Le tabulae certae», *Atti del XVII Congresso internazionale di Papirologia,* num. III, Centro Internazionale per lo Studio dei Papiri Ercolanesi, Napoli, 1984, 1190 ss. .

[14] Si veda AMELOTTI M., *Notariat und Urkundenwesen zur Zeit des Prinzipats, ANRW II/13,* Walter de Gruyter, Berlino–New York, 1980, pp. 386 ss., in cui l'autore spiega perché fosse divenuta necessaria la figura del redattore in quanto esperto di diritto.

[15] AMELOTTI M., COSTAMAGNA G., *Alle origini del notariato italiano,* Giuffré, Milano, 1995, p. 10: *"Ma per lo più gli scribi a cui si ricorre sono soltanto dei pratici, le cui conoscenze giuridiche sono forse fin troppo accentuate nelle denominazioni loro attribuite di iuris studiosi, iuris periti, o, in greco, νομικοί."*.

[16] v. «*Notarius*», *Lexicon totius latinitatis,* num. IV, Prato, 1875, p. 294; LÉCRIVAIN CH., v. «*Notarius*», *Dictionnaire des antiquités grecques et romaines,* num. IV, Akademische Druck – U. Verlagsanstalt, Graz, 1877 rist. 1969, pp. 105-106; v. «*Notarii*», *Glossarium mediae et infimae latinitatis,* num. V, Akademische Druck – U. Verlagsanstalt, Graz, 1883-1887 rist. 1954, p. 611; ROGER M. v. «*Notarius*», *Lexique des antiquités Romaines,* Librairie Thorin & Fils, Parigi, 1896, p. 195; v. «*Notarius*», *Vocabularium Iurisprudentiae Romanae,* num. IV, Berolini Typis et impensis Walter de Gruyter & CO., Berlino, 1914, p. 283.

[17] v. «*Nota*», *Glossarium,* cit., p. 610; v. «*Nota*», *Lexicon,* cit., pp. 292-293.

[18] Si precisa che ci si riferisce non solo alle parole di senso compiuto ma anche a segni grafici di tipologia "stenografica": coloro che

Le fonti che attestano le funzioni dei *notarii* sono molteplici e da esse è possibile tracciare l'evoluzione nel corso dei secoli di questa figura.

Analizzando *in primis* quelle letterarie, tutte databili tra il I ed il II sec. d.C., emerge la mansione di meri estensori documentali.

Procedendo in ordine cronologico, muovendo dal primo passo, tratto dall'Ἀποκολοκύντωσις di Seneca[19], ricaviamo non solo una ulteriore conferma del ruolo, già ribadito, della categoria qui in esame, ma anche l'interessante dato concernente i soggetti che erano soliti ricorrere ai *notarii*: figure di pubblico rilievo[20].

---

prendevano nota dei discorsi di politici o oratori avevano bisogno di annotare velocemente le parole, in modo da tale da poterle scrivere per intero. Pertanto si avvalevano di un metodo di annotazione rapido. Una traccia di questo fenomeno è data dalle cd. "*notae tironianae*", segni tachigrafici che prendono il nome da Tirone, lo schiavo di Cicerone, il quale era solito annotare tutte le orazioni e le opere che il letterato dettava. Sulle *notae tironianae* si vedano COSTAMAGNA G., BARONI M. F., ZAGNI L., *Notae Tironianae quae in lexicis et in chartis reperiuntur novo discrimine ordinatae*, Il centro di ricerca, Roma, 1983 e WINSBURY R., *The Roman Book: books, publishing and performance in classical Rome*, Bristol Classical Press, Londra – New York, 2009, p. 175.

[19]   Sen., *DIVI CLAUDII* Ἀποκ., 9, 2.

[20]   Il pubblico rilievo di coloro che ricorrevano ai *notarii* è rinvenibile anche nelle fonti successivamente analizzata. In particolare, nel passo dell'Ἀποκολοκύντωσις citato nella nota 9, il cui testo è: "*Is multa diserte, quod in foro vivat, dixit, quae notarius persequi non potuit et ideo non refero [...]*", si narra della divinizzazione di Claudio: Giano, uno dei protagonisti di questo passo, si avvale di un *notarius*, che annota con difficoltà il suo lungo discorso. Seneca utilizza l'appellativo "*consul designatus*" per indicare Giano, ma in maniera indiretta: in verità chiama "*consul* designatus" *Diespiter*, altro giudice del processo per la divinizzazione di Claudio, ma scrive "*et ipse designatus consul*",

Volgendo poi l'attenzione al secondo passaggio estratto dal settimo libro dell'*Institutio oratoria* di Quintiliano[21], possiamo cogliere un ulteriore elemento (oltre a quello sempre presente circa la funzione dei *notarii* di redattori). Quest'ultimo attiene non già ad una caratteristica oggettiva, bensì ad una personale considerazione che l'autore elabora: egli, sostenendo che le sue orazioni fossero state pubblicate per meri fini di lucro, con negligenza, senza il suo consenso e con difformità rispetto alle parole da lui pronunciate, dichiara

> Quint., Inst. Or., 7, 2, 24 : [...] *Nam ceterae quae sub nomine meo feruntur neglegentia excipientium in quaestum notariorum corruptae minimam partem mei habent.*

Da questo passo potrebbe pertanto cogliersi un suggestivo spunto presente poi, anche se con un'accezione differente, nei due epigrammi di Marziale successivamente indicati: i *notarii* da una parte non sembrano essere attenti e precisi nello svolgere le proprie mansioni, dall'altra appaiono venali. Una parziale conferma di questa qualificazione negativa, comunque da valutare tenendo in considerazione lo spirito satirico di Marziale, sarebbe appunto presente in due suoi epigrammi[22]. Il primo recita

> Marz., Ep. 5, 51 : *Hic, qui libellis praegravem gerit laevam,*
> *notariorum quem premit chorus levis*
> *qui codicillis hinc et inde prolatis*
> *epistolisque commodat gravem voltum*
> *similis Catoni Tullioque Brutoque,*

---

facendo intendere che anche il soggetto di cui si parlava prima, ossia Giano, fosse tale. La carica di *consul designatus*, perifrasi con la quale si indicava un console già eletto dai comizi centuriati ma non ancora in carica, porrebbe Giano sullo stesso piano di una figura di pubblico rilievo, un magistrato, e proprio per tale ragione si giustificherebbe la presenza di un *notarius*.

[21]   Quint., *Inst. Or.*, 7, 2, 24.

[22]   Marz., *Ep.* 5, 51 e Marz., *Ep.* 14, 208.

> exprimere, Rufe, fidiculae licet cogant,
> have Latinum, chaire non potest Graecum.

I *notarii* sono dunque, per Marziale, dei giovincelli che si muovono in gruppo. Da queste due informazioni si trarrebbero due considerazioni: in primo luogo il rimarcare che fossero molto giovani può forse essere inteso come sinonimo di impreparazione, magari dettata anche dall'inesperienza dovuta alla giovane età. In secondo luogo il fatto che si spostassero in gruppo ed insieme ad una figura in un certo senso nota come Canio Rufo, poeta di Cadice, fa supporre invece una sorta di "ricerca di protezione".

Nel secondo epigramma, leggendo

> Marz., Ep. 14, 208 : *"Currant verba licet, manus est velocior illis: nondum lingua suum, dextra peregit opus."*

torna invece il concetto già espresso da Quintiliano circa la negligenza dei *notarii* in fase di redazione, ritrovando sostanzialmente anche l'accusa di falso già lanciata dall'oratore ispanico. Infine il sostantivo *notarius è* ulteriormente presente in tre epistole di Plinio il giovane[23]. Non si è però ritenuto utile

---

[23]   Plin., *Ep.* 3, 5, 15: "*[…] Ad latus notarius cum libro et pugillaribus, cuius manus hieme manicis muniebantur, ut ne caeli quidem asperita ullum studii tempus eriperet; qua ex causa Romae quoque sella vehebatur […]*";
Plin., *Ep.*, 9, 20, 2: "*Tua vero epistula tanto mihi iucundior fuit, quanto longior erat, praesertim cum de libellis meis tota loqueretur; quos tibi voluptati esse non miror, cum omnia nostra perinde ac nos ames. Ipse cum maxime vindemias, graciles quidem, uberiores tamen, quam exspectaveram, colligo: si colligere est non numquam decerpere uvam, torculum invisere, gustare de lacu mustum, obrepere urbanis, qui nunc rusticis praesunt meque notariis et lectoribus reliquerunt. Vale.*";
Plin., *Ep.*, 9, 36, 2: "*[…] Cogito, si quid in manibus, cogito ad verbum scribenti emendamtique similis, nunc pauciora, nunc plura, ut vel difficile vel facile componi tenerive potuerunt. Notarium voco et die admisso quae formaveram dicto; abit rursusque revocatur rursusque dimittitur.[…]*".

esaminarle visto che in esse viene ribadita solo l'esistenza dei *notarii* e la loro attività di redattori.

Alla luce dei testi analizzati sin ora, si desume che i *notarii* del I – II sec. d.C. fossero sostanzialmente dei redattori. Non si ricava tuttavia una definizione precisa di questi soggetti, dei quali invero non si può dichiarare con certezza neppure la condizione sociale: potrebbe infatti da una parte affermarsi che fossero schiavi, vista la loro presenza, come si è detto poco sopra, al fianco di personaggi influenti, dall'altra che si trattasse di una sorta di *clientes*, in cerca di protezione e favori, come invece emerge dagli epigrammi di Marziale. Può forse venire in aiuto alla ricerca di una definizione meno sfocata, quella riportata dal *Forcellinus* nel XIX secolo, il quale asserisce:

> "*Notarius est qui notis quibusdam brevibus citissime excipit, et exscribit quae quis dictaverit. [...] Erant servi aut liberti, qui studiis heri aderant, excipientes, quae ille meditatus exscribi vellet: item, qui actiones oratorum in foro, dum agerent, excipiebant: item, qui causidicis inserviebant, perscribendis actis forensibus. Horum ars nunc omnino periit [...]*".

Il secondo aspetto relativo ai *notarii* è quello attinente alla carica di funzionario imperiale. Grazie alle prove rinvenute nelle costituzioni del Codice Teodosiano qui di seguito riportate, la parola *notarius* appare spesso accompagnata da *praetorianorum*[24], *scriniorum*[25] oppure ci si imbatte in un *magister notarius*[26].

Tra la fine del IV e l'inizio del V sec. d. C., abbiamo cenno della presenza dei *notari* nel Palazzo imperiale[27] ed anche di

---

[24] *Extracod.* 448 Th. 2 e *extracod.* 449 Th. 2.

[25] *C.* 12, 7, *C.* 12, 40, 10, 5 e *C.* Th. 11, 18, 1.

[26] D. 50, 13, 1, 6 (*Ulp.* 8 *de omn. trib.*): In particolare da quest'ultimo frammento si evince la distinzione tra *litterarii magistri* e *notarii*, i quali vengono assimilati a *librari, calculatores* e *tabulari*.

[27] *Extracod.* 421- 423 *Honorius – Theodosius (2) – Constantius*: riferendosi a *Petronio Maximo [...] nobilitas paribus titulorum insignibus ornatur qui*

alcune *scholae notariorum* ubicate presso lo stesso, considerate
tra le più importanti del palazzo del Pretorio; di queste scuole
si ha conoscenza sia tramite una costituzione[28] sia grazie ad un
titolo del Codice Teodosiano[29]. Dai *commentarii* di quelle del

---

primaevus in consistorio sacro tribunus et notarius meruit nono decimo aeta-
tis anno sacrarum remunerationum per triennium comes post praefectus urbi
annno et sex mensibus hasque omnes dignitates intra vicesimum quintum
adsecutus aetatis annum publicum in se testimonium et aeternorum princi-
pum iudicum provocavit.

[28] C. Th. 6, 2, 26: *(428 Ian. 31). Idem AA. Proculo pu. Post alia: Praeter*
eos, qui notariorum nostrorum scholae praeclaro sunt sacrati collegio vel
...rum praerogativa nostrorum aut etiam sacri consistorii decurionum mi-
litia muniuntur, item qui e schola agentum in rebus expletis stipendiis ad
principatum ducenae pervenerunt, togati quoque praetorianae atque etiam
urbicariae praefecturae ceterique omnes, qui delatis sibi senatoriis dignitati-
bus fruuntur, pro suis viribus glebales tantum functiones agnoscant: pala-
tinis sacrarum et privatarum largitionum, quoniam renuntiandum sena-
toriae dignitati adita nostra clementia crediderunt, senatoriis functionibus
eximendis et, quamvis a senatorum consortio segregentur, in omni securitate
mansuris, nec non etiam filiis eorum atque nepotibus, secundum divi Cons-
tantini atque Constantii constitutiones: ita ut omne beneficium omnisque
adnotatio specialis super immunitate contra huius sanctionis formam a quo-
cumque officio persona schola vel professione elicita nullam habeat firmita-
tem, sed allegata quoque et ab amplissimo, si ita contigerit, suscepta ordine
denuo, cum libuerit, retractetur: totius temporis, quod interea fluxerit, ab
eo, qui hoc impetrare studuerit, descriptionibus extorquendis, etsi hoc idem
praeiudicium adnotationis tenore elicitae remittatur. Dat. prid. Kalend. Feb.
Constantinopoli Felice et Tauro conss.

[29] La prima è C. Th. 6, 2, 15: (393 Aug. 31). *Valentin./Theodos./Arcad.*
AAA. ad Aurelianum pu. Quod ad eorum querimonias, qui se glebalia non
posse ferre onera testabuntur, amplissimorum virorum consilio definitum est,
scilicet ut septenos quotannis solidos pro sua portione conferret, qui praebitio-
nem implere follium non valeret, eatenus .... confirmamus, ut omnes, quibus
est census angustia, contemplatis patrimonii sui viribus liberam habeant
optionem, quatenus, si collatio ista non displicet, a consortio amplissimi
ordinis non retendant. Sin vero grave, id est damnosum videtur, dignitatem
senatoriam non requirant. Dat. prid. kal. Sept. Constantinopoli Theodosio
Aug. III et Abundantio vr CL conss.;

decimo titolo del suddetto Codice si evince che la categoria dei *notarii* godesse ormai nel IV sec. d.C. di autorevolezza e prestigio, visti gli appellativi con cui essi vengono indicati; in quello a C. Th. 6, 2, 15 leggiamo "*Notariorum praeclarum Collegium*"[30]. Nella *interpretatio* alla prima costituzione del C. Th. 6, 10, invece, si tratta dei "*privilegia notariorum*" ottenuti per diversi meriti[31] e la scuola dei *notari* viene denominata "*Notariurim Schola seu ordo Collegii alios inter magnae dignitatis*" oppure "*Praeclarum Collegium*".

Anche nella *interpretatio* alla seconda costituzione emerge l'appartenenza dei *notari* al Primicerio[32], prova corroborante del crescente prestigio di cui si è detto sopra. Infine, altra traccia dell'avanzante credito di questi individui, giunge da una

---

[30] *[...] quod eas dignitataes quae hac fententia comprehenduntur, Theodosius cum elogio memoret, quod utique ottendit, tribui eis singular aliquid: ecce enim Notariorum praeclarum Collegium vocat, eique collegio Notarios Sacrari [...].*

[31] *Commentarius* C. Th. 6, 10, 1: *[...] etiam ex Notariis, id est, iis qui vel ultro eam militiam post laborem relinquerunt, vel depofuerunt, vel alia dignitate cumularunt, seu commutarunt [...].*;

[32] Detta appartenenza emerge da diversi passi del *Commentarius* C. Th. 6, 10, 2: *Ubi observandum, in ordine vel schola Notariorum eminentiorum seu primos quosdam fuisse, qui hac l. nominantur. Erat scilicet Primicerius Notariorum: erat Primicerium sequens Tribunus et Notarius; [...] Primicerius Notariorum ab Ammiano Marcellino vocatur primus omnium Notariorum [...] Eundem Primicerium Notariorum reperio constitutiones Principum in Senatu quandoque recitasse l. 14 supr. De Senatoribus. Primicerium sequebatur qui hac lege vocatur, sequens Primicerium Tribunus et Notarius, qui eadem ratione Secundicerius Notariorum vocabatur in l. 21. inf. de petitionib. [...] Tandem obseferuetur, Primicerios Notariorum de Consistorio disdicere dici, non quasi Consistoriani Comites fuerint, quod hinc colligebat Vir doctus: verum quia Notariorum munus in Consistorio Principis erat. [...].;*

novella teodosiana[33], nella quale si fa riferimento ai migliori
tra i *notarii* del Primicerio.

Nella *interpretatio* alla terza costituzione del decimo titolo
del libro VI del Codice teodosiano è menzionato un tribuno
dei pretoriani e dei *notarii* scelto tra i notai del prefetto del
pretorio:

> *Commentarius* C. Th. 6, 10, 3: *[...] Caeterum Tribunus Praeto-*
> *rianorum Notariorum hoc ipsum erat inter Notarios Praefecti*
> *Praetorio, quod Primicerius inter Notarios Principis: igitur hic*
> *etsi finitima esset Praefecti praetorio dignitas imperatoriae, et*
> *in officio Praetoriano constituti magnis pariter privilegis evecti*
> *fuerint. [...].*

Dalla lettura del passo emerge che questo tribuno fosse anche primicerio tra i notai del principe e che godesse di una
posizione simile a quella del prefetto del pretorio imperiale,
beneficiando anche di pari privilegi.

Vanno infine richiamate le fonti[34] che testimoniano, attraverso l'utilizzo ricorrente del sostantivo *dignitas* in relazione ai
notarii [35], la rilevante posizione di quest'ultimi.

---

[33] Nov. Theodos. 25, 5: *Hoc iuris in his etiam praecipimus observari, quos*
ipsa quidem administrationis condicio spectabiles novit, honor tamen addi-
tus a nostra liberalitate reddit illustres: excepto videlicet viro spectabili primi-
cerio notariorum, cui volumus in excusandis aedibus illustrium magistra-
tuum privilegium convenire.

[34] C. Th. 10, 10, 21; C. Th. 11, 16, 15; Extracod. 419 Honorius; Extracod 449 Theodusius 2; *C.* 2, 7, 23, 2; C. 10, 32, 61; *C.* 10, 48, 12; C.
12, 7, 1; C. 12, 7, 2; C. 12, 40, 10, 5; Nov. Iust. 13 *caput* III; Nov. Iust.
123 *caput* III.

[35] Desumibile in ultimo anche da C. 1, 15, 1, in cui i *notarii* sono citati
come detentori di dignità: "*Impp. Grat. Valentin. et Theodos. AAA. ad*
Eusignium pp.Si quis adserat cum mandatis nostris se venisse secretis, om-
nes sciant nemini quicquam, nisi quod scriptis probaverit, esse credendum
nec ullius dignitate terreri, sive ille tribuni sive notarii sive comitis praeferat

Al termine di questa breve disamina, differentemente da quanto emerso dalle fonti letterarie del Principato, si deduce che, a partire dal III–IV sec. d.C. in poi, i *notarii* possano essere inseriti nel novero dei funzionari imperiali[36]. Nonostante ciò, non si può per affermare che con la presenza dei *notarii* "burocrati" cessassero di esistere i semplici *notarii* "estensori", vista la presenza in particolare della Costituzione C. 7, 7, 1, 5.

Dedichiamoci ora all'epigrafe da cui trae origine questa riflessione. Essa è una *tabula* marmorea rinvenuta nel campo Verano, precisamente presso il terreno contiguo dal lato est all'antica Vigna Caracciolo, suolo espropriato al fine di ampliare il cimitero Verano[37]. In quel luogo, tra la fine del 1889 e l'inizio del 1890, fra gli avanzi di un colombario costruito in opera reticolata e situato sul margine destro dell'antica via Tiburtina, veniva rinvenuta la suddetta lastra. Su di essa si legge

CIL VI 33892: D(IS) M(ANIBUS) S(ACRUM) / HAPATENI, / NOTARIAE / GR(A)EC(A)E, QU(A)E / VIX(IT) ANN(OS) XXV / PIT(UANIUS) TOSUS FE/CIT CONIUGI / DULCISSIM(A)E

---

dignitatem, sed sacras nostras litteras esse quaerendas. a. 383 D. XVI k. Iul. Veronae. accepta prid. k. Aug. Merobaude II et Saturnino conss.".

[36] v. «Notarii», *Glossarium*, cit., p. 611 : "*Notarii dignitas varia ac diversa fuit in Palatiis Imperatorum. Alii enim et in iis praecipui erant, qui Notarii et Tribuni, seu Tribuni Notariorum dicebantur, de quibus in voce Tribunus. Alii erant Tribuni et Notarii Praetoriani, qui ex Corniculariis et Primiscriniis offici Praefecturae Praet. ad eum locum pervenerunt, ut docet Senator lib.6 Ep. 3 lib. 11 Epist. 20 Tertii denique erant Notarii et Domesticiut est in leg. 2 et 3 Cod. Th. de Primicerio et Notariis. (6, 16) [...]*".

[37] GATTI G., *Notizie degli scavi di antichità comunicate alla R. Accademia dei Lincei per ordine di S. E. il ministro della pubb. Istruzione – Gennaio 1890*, Tip. della R. Accademia dei Lincei, Roma, 1890, p. 14.

Si tratta di Apate[38], una giovane *notaria graeca* che visse per venticinque anni, e la cui lapide, databile tra il II-III secolo sec. d.C.[39], pose per la sua dolcissima moglie[40] il coniuge *Pit-*

---

[38]   MÜLLER D. H., v. «Apate», *PWRE*, J. B. Metzlersche Verlagsbu-chhandlung, Stoccarda, 1894, p. 2670: l'autore precisa che si tratta di una città in Arabia (da *Plin. Nat. Hist.* VI, 155 si evince che essa sia la città di Sibi, chiamata Apate dai greci "*[…] Atramitis in me-diterraneo iunguntur Minaei mare accolunt et Aelamitae oppido eiusdem nominis, iis iuncti Chaculatae, oppidum Sibi, quod Graeci Apaten vocant [...]*"). WERNICKE K., *ibid.*, pp. 2670-2671: l'autore espone la pre-senza della dea Apate nella mitologia greca: essa era la personifica-zione dell'inganno, generata, secondo la Teogonia di Esiodo, dalla sola dea Nyx. Ella è inoltre la proprietaria della famosa cinta, simi-le a quella di Afrodite, in grado di far sembrar vere le menzogne di chi la indossa e che compare nel mito della nascita di Dioniso. Secondo BERMOND MONTANARI G., v. «Apate», *Enciclopedia dell'arte antica*, Treccani, 1958 consultabile al seguente link: https://www.treccani.it/enciclopedia/apate_%28Enciclopedia-dell%27-Arte-Antica%29/ : "Personificazione dell'illusione e dell'inganno. Nell'arte figurata appare come una figura femminile con gli attribu-ti delle Erinni: serpenti nei capelli, pelle di pantera, tunica fin sotto il ginocchio, fiaccole nelle mani. È sicuramente identificabile, per l'iscrizione, nel vaso di Dario e nel vaso di Tereo, entrambi nel Mu-seo Naz. di Napoli. Molte figure su vasi in cui si è voluta identificare A. restano incerte; incerta anche la sua identificazione sul fregio del tempietto di Atena Nike ad Atene.".
        Ad ogni modo l'origine del nome è di matrice greca, derivante dall'unione dell'α privativo e della radice παθ- del verbo πάσχω, cioè "provare sentimento", "soffrire", "subire", quindi ἀπαθής ossia "colei che non soffre, l'immutabile, l'impassibile".

[39]   CALDELLI M. L., «Women in the Roman world», *The Oxford Hand-book of Roman Epigraphy*, Christer Bruun and Jonathan Edmondson, Oxford, 2014, p. 595.

[40]   Il fatto che le donne nelle iscrizioni tombali venissero sempre esal-tate per le loro qualità e virtù è cosa comune nel mondo romano, come sostiene anche la Caldelli in CALDELLI, «Women», cit., p. 583: "[…]but because they are usually funerary inscriptions, they tend to represent women as virtuous in an abstract way, as the function of an

tosus[41]. Poiché è indicata solo con un nome è ipotizzabile o che fosse una schiava o che avesse abbandonato, insieme al marito, il proprio *nomen gentilicium*[42]. Le parole *"notariae gr(a) ec(a)e"* sembrerebbero suggerire un'origine greca: allo stesso tempo, però, si potrebbe altresì evincere sia che ella conoscesse la lingua greca, sia che fosse in grado non solo di scriverla per esteso, ma anche in forma abbreviata[43], come erano infatti soliti procedere i *notarii* per riuscire ad annotare velocemente le parole[44].

Il Gatti[45] afferma che si tratterebbe della prima attestazione "nell'epigrafia e nella letteratura" dell'"ufficio di *notaria graeca*". Effettivamente non abbiamo notizie di altri soggetti

---

epitaph normally is to present the deceased in a highly positive and idealized light.".

[41]   Avanza ipotesi sulla condizione sociale di *Pittosus* CUSHING A., *The Economic Relationship between Patron and Freedman in Italy in the Early Roman Empire* (tesi di dottorato), Università di Toronto, 2020, p. 62, consultabile online al seguente link: https://tspace.library.utoronto.ca/bitstream/1807/106107/1/Cushing _Alex_ 202006_PhD_ thesis.pdf , il quale scrive, in riferimento ad Apate: "Her husband seems to have been free or freed, though the status of neither is affirmed by the epitaph.".

[42]   CALDELLI, «Women», cit., p. 595: "Her owner is not mentioned, and it is unclear whether she worked only for him/her or also for others. (The fact that Hapate has only a single name (*cognomen*) is the basis for considering her a slave. In theory, she and her spouse may have been free, but left out their *gentilicium*.).". Inoltre conoscenza della scrittura, anche soprattutto di una lingua "straniera" era poi riconducibile in alcuni casi ad una sorta di "progressione sociale", come la stessa Caldelli asserisce: "[…] In some cases such educated activities could provide the means for social advancement.".

[43]   I*bid.*

[44]   Cfr. pp. 3-5 e nt. 6.

[45]   GATTI G., *Trovamenti riguardanti la topografia e la epigrafia urbana*, Tip. della R. Accademia dei Lincei, Roma, 1891, p. 13.

di sesso femminile svolgenti la suddetta professione. In verità
due–tre secoli più tardi, con una costituzione del *Codex*[46], è ac-
certabile l'esistenza di *notariae* nel mondo romano del VI sec.
d.C.. Il passo in questione è in ambito di determinazione del
prezzo delle cd. *quantitates servilis*:

> C. 7, 7, 1, 5: *1Ne autem quantitas servilis pretii sit incerta, sed
> manifesta, sancimus servi pretium sive ancillae, si nulla arte
> sunt imbuti, viginti solidis taxari, his videlicet, qui usque ad de-
> cimum annum suae venerunt aetatis, in decem tantummodo
> solidis ponendis: sin autem aliqua arte praediti sunt exceptis
> notariis et medicis, usque ad triginta solidos pretium eorum re-
> digi sive in masculis sive in feminis.*

Nell'affrontare il tema della definizione del costo degli
schiavi, si legge chiaramente che il valore dei *notarii* sia che
essi fossero uomini, sia che essi fossero donne, dovesse essere
individuato in una cifra corrispondente fino ad un massimo di
trenta soldi. Questa precisazione, presente nel periodo riguardante sia i medici sia i *notarii*, non sembra essere equivocabile:
da essa, volendo effettuare un'ulteriore valutazione, potremmo desumere che la puntualizzazione fosse dovuta non già alla
necessità di specificare l'esistenza sia uomini sia donne medici
o copisti ma piuttosto al fine di sottolineare l'equanime valutazione delle prestazioni che potevano essere offerte da questi
specialisti a prescindere dal sesso di ciascuno. Da ciò sarebbe
pertanto ragionevole dedurre la motivazione del medesimo
prezzo attribuito a schiavi *medici* e *notarii* di entrambi i sessi[47].

Visto il riferimento alle *notariae* in una costituzione imperiale si potrebbe avanzare l'ipotesi di una concreta presenza

---

[46]   C. 7, 7, 1, 5.

[47]   L'interessante dato che si ottiene dalla lettura di questa costituzione
       è la coesistenza, all'epoca di Giustiniano, di *servii notarii* e di *notarii*
       funzionari imperiali: infatti, già come specificato nelle pagine 6 – 8
       quest'ultimi erano molto frequenti.

di esse a Roma. Pertanto, pur se cronologicamente la lastra marmorea contenente l'epitaffio per Apate è precedente alla costituzione sovra riportata[48], già nel 1890[49].

Il fatto che una donna potesse svolgere lo stessa mansione di un uomo non era di certo un evento frequente a Roma, come già ricordato nelle prime righe di questo contributo. Più in generale il genere femminile, specialmente quello appartenente alle più infimi classi sociali, raramente poteva esercitare attività di responsabilità economico-legale[50]. In questo caso la professione di *notarius* non può annoverarsi, almeno fino al III – IV sec. d.C., tra gli impieghi di tale importanza, pur trattandosi comunque di un ufficio caratterizzato da precisione e diligenza. Né dalla lettura della nostra iscrizione tombale si può provare che Apate fosse una funzionaria imperiale, anzi sarebbe insolito pensare ad una donna con un incarico del genere nel mondo romano; inoltre non sono neppure presenti elementi per una simile congettura, non essendo presente sulla lapide alcuna menzione di ciò. Non abbiamo alcun elemento.

Il dato rilevante è pertanto la notizia di una donna romana di età severiana in grado di scrivere (anche ricorrendo a segni stenografici), di leggere e la cui professione consisteva proprio nel redigere testi sotto commissione.

In conclusione può sostenersi con fondata convinzione soltanto che Apate fosse una compilatrice di documenti e copista, una *notaria* greca, esperta di lingua greca, di incerta estrazione sociale, sposata con *Pittosus* e scomparsa a Roma in giovane età, precisamente a venticinque anni, tra il II ed III secolo d.C..

---

[48] La costituzione precedentemente esaminata relativamente alle *quantitates servilis,* di Giustiniano indirizzata al prefetto del pretorio Giuliano, è del 530 d.C. .

[49] Data di rinvenimento della suddetta lastra funeraria.

[50] CALDELLI, «Women», cit., p. 589.

Bibliografia

AMELOTTI M., «Genesi del documento e prassi negoziale», F. MILAZZO a cura di, *Contractus e pactum – tipicità e libertà negoziale nell'esperienza tardo-repubblicana, atti del convegno di diritto romano e della presentazione della nuova riproduzione della littera Florentina (Copanello 1-4 giugno 1988)*, ESI, Napoli, 1990.

AMELOTTI M., *Notariat und Urkundenwesen zur Zeit des Prinzipats, ANRW II/13*, Walter de Gruyter, Berlino-New York, 1980.

AMELOTTI M., COSTAMAGNA G., *Alle origini del notariato italiano*, Giuffré, Milano, 1995.

ARANGIO-RUIZ V., «Intorno alla forma scritta nel *testamentum per aes et libram*», *Atti del Congresso Internazionale del Diritto romano e di Storia del diritto 27-28-29 settembre 1948*, Giuffrè, Milano, 1951.

BERMOND MONTANARI G., v. «Apate», *Enciclopedia dell'arte antica*, Treccani, 1958, consultabile al seguente link: https://www.treccani.it/enciclopedia/apate_%28 Enciclopedia -dell%27-Arte-Antica%29/.

BOVE L., «Documentazione privata e prova. Le *tabulae certae*», *Atti del XVII Congresso internazionale di Papirologia*, num. 3, Centro Internazionale per lo Studio dei Papiri Ercolanesi, Napoli, 1984.

BRAVO BOSCH M. J., «Una *mater familias* ejemplar», *Donne: libertà, diritti e tutele*, ESI, Napoli, 2019.

CALDELLI M. L., «Women in the Roman world», *The Oxford Handbook of Roman Epigraphy*, Christer Bruun and Jonathan Edmondson, Oxford, 2014.

CAMERON A., «Neither male nor female», *Women in Antiquity*, Oxford, 1996.

CANTARELLA E., *Le donne e la città. Per una storia della condizione femminile*, New Press, Como, 2019.

CANTARELLA E., GAGLIARDI L., MELOTTI M., *Diritto e sessualità in Grecia e a Roma*, CUEM, Milano, 2014.

CANTARELLA E., MAFFI A. e GAGLIARDI L. a cura di, *Diritto e società in Grecia e a Roma. Scritti scelti*, Giuffrè, Milano, 2011.

CAVALLO G., *Scrivere e leggere nella città antica*, Carocci Editore, Roma, 2019.

COSTAMAGNA G., BARONI M. F., ZAGNI L., *Notae Tironianae quae in lexicis et in chartis reperiuntur novo discrimine ordinatae*, Il centro di ricerca, Roma, 1983.

CUSHING A., *The Economic Relationship between Patron and Freedman in Italy in the Early Roman Empire* (tesi di dottorato), Università di Toronto, 2020, consultabile al seguente link https://tspace.library.utoronto.ca/bitstream/1807/106107/1/Cushing_Alex_202006_PhD_thesis.pdf .

FRASCHETTI A. a cura di, *Roma al femminile*, Laterza, Bari, 1994.

GATTI G., *Notizie degli scavi di antichità comunicate alla R. Accademia dei Lincei per ordine di S. E. il ministro della pubb. Istruzione – Gennaio 1890*, Tip. della R. Accademia dei Lincei, Roma, 1890.

GATTI G., *Trovamenti riguardanti la topografia e la epigrafia urbana*, Tip. della R. Accademia dei Lincei, Roma, 1891.

GIANNELLI G., v. «Vestale», *Enciclopedia Italiana di scienze, lettere e arti*, Treccani, 1937, consultabile al seguente link: https://www.treccani.it/enciclopedia/vestale_%28 Enciclopedia-Italiana%29/ .

GUIZZI F., *Aspetti giuridici del sacerdozio romano: il sacerdozio di Vesta*, Jovene, Napoli, 1968.

LÉCRIVAIN CH., v. *«Notarius»*, *Dictionnaire des antiquités grecques et romaines*, num. IV, Akademische Druck – U. Verlagsanstalt, Graz, 1877.

MÜLLER D. H., v. «Apate», *PWRE*, J. B. Metzlersche Verlagsbuchhandlung, Stoccarda, 1894.

PEPPE L., *Civis Romana: forme giuridiche e modelli sociali dell'appartenenza e dell'identità femminili in Roma antica*, Grifo, Como, 2016.

ROGER M. v. *«Notarius»*, *Lexique des antiquités Romaines*, Librairie Thorin & Fils, Parigi, 1896.

SANNA M. V., «Paternità, maternità, nascita e dinamiche parentali nel diritto romano arcaico», *Donne: libertà, diritti e tutele*, ESI, Napoli, 2019.

SANTINI C., *I frammenti di L. Cassio Emina : introduzione, testo, traduzione e commento*, ETS, Pisa, 1995.

TALAMANCA M., v. «Documentazione e documento (dir. rom.)», *Enciclopedia del diritto*, num. XIII, Giuffrè, Milano, 1964.

VOCI P., *Diritto ereditario romano*, num. II, Giuffrè, Milano, 1963.

WERNICKE K., v. «Apate», *PWRE*, J. B. Metzlersche Verlagsbuchhandlung, Stoccarda, 1894.

WINSBURY R., *The Roman Book: books, publishing and performance in classical Rome*, Bristol Classical Press, Londra – New York, 2009.

Capítulo 7

Las esclavas en Roma desde una perspectiva de género

ANA VÁZQUEZ LEMOS
Doctora en Derecho por la Universidad de Vigo
Abogada en Balms Abogados S.L.P.

SUMARIO: I. INTRODUCCIÓN. II. DESARROLLO. 2.1. Orígenes de la esclavitud romana: la jerarquía social. 2.2. Causas de esclavitud. 2.3. La esclavitud femenina a través de las fuentes. 2.4. La maternidad y la fertilidad para las esclavas. III. CONCLUSIONES. Bibliografía.

RESUMEN: Los esclavos son los grandes olvidados de la historia a pesar de su gran relevancia tanto desde el punto de vista de la vida cotidiana como desde el punto de vista jurídico.

Como veremos a lo largo del presente trabajo, el origen de la masa esclava era tan diverso como diversa era la sociedad romana, y por supuesto, incluía también a las mujeres.

Los esclavos no solo provenían de las guerras sino que también provenían de la reproducción entre ellos o de la venta y el abandono si no podían demostrar su condición de hombres o mujeres libres.

La necesidad se alimentaba de la esclavitud, pero también de la ambición, de hecho, en cierta época los esclavos griegos gozaron de cierto prestigio social.

Así, habría que discernir entre los que se vendían para contar con la protección de un amo y un techo de los que se vendían para acceder a una buena posición como, por ejemplo, administradores de un noble.

El eje que vertebra esta investigación se centrará en los aspectos jurídicos y prácticos de la vida de los esclavos, causas de esclavitud, con una mención especial a las mujeres analizando las peculiaridades de esta institución para ellas desde una perspectiva de género.

PALABRAS CLAVE: Roma, género, esclavas, *dominus, Ius Gentium, Ius Civile.*

I. INTRODUCCIÓN

La esclavitud, esa institución que pervivió hasta hace apenas un par de siglos en lugares tan distantes como EEUU o La India, capaz de provocar guerras y de derrocar gobiernos ha constituido la base de la pirámide social de múltiples civilizaciones.

También era el sostén económico de familias enteras, fuente de prestigio social y en épocas pretéritas una sentencia intimidatoria para los adversarios caídos en desgracia tras una campaña de guerra.

En la Antigua Roma, los esclavos tenían una relevancia fundamental para la vida doméstica e incluso para determinar el *status* del *dominus,* cuantos más esclavos, mejor.

Para la sociedad romana la esclavitud constituyó uno de los pilares de su modelo económico, pero no sólo eso, con el paso del tiempo terminó por convertirse en una institución social que se basaba en la relación entre el *servus* y el *dominus.* Los esclavos constituían no solo la fuerza bruta de trabajo para sus dueños, sino también un símbolo de su poder.

Jurídicamente las personas que terminaban en esta situación, o que ya habían nacido en ella, tenían para el Derecho Romano, la condición de cosa o *res,* al punto que se llegaron a establecer indemnizaciones para el propietario que perdiese un esclavo como consecuencia de la negligencia o de la mala fe de otro ciudadano o de otro esclavo.

Como se verá en páginas posteriores, la irrupción del cristianismo y su influencia en la nueva moral romana provocarían un cambio fundamental en la forma de entender la esclavitud y de ver a los esclavos, que a pesar de seguir siendo cosas para el Derecho, podían y debían protegerse frente a los abusos de los *domini* que sobrepasaran los límites de lo estrictamente razonable.

La esclavitud es un fenómeno complejo y la vida del esclavo podía ser más o menos penosa en función de la *pietas* de su dueño, pudiendo dar incluso un giro radical tras su muerte, si éste decidía manumitirlo en su testamento.

Sea como fuere, lo cierto es que tal y como expresa Ulpiano en el D.50.16.40.1[1] *servi appelatio etiam ad ancillam refertur*

Determinar los orígenes de la esclavitud, sus causas y cuál fue el papel de la mujer dentro de esta institución constituyen los principales objetivos del presente escrito.

II. DESARROLLO

2.1. Orígenes de la esclavitud romana: la jerarquía social

La sociedad romana era una sociedad fuertemente jerarquizada compuesta por distintas clases sociales. Simplificando la situación, se puede afirmar que en la cúspide de la pirámide social se encontraban los patricios o terratenientes, propietarios de grandes latifundios y extensiones de tierra dedicados al cultivo, con abundante mano de obra esclava.

En el siguiente estrato se encontraban los plebeyos o la plebe que tenían sus propios negocios en los que también podían

---

[1]   *"La palabra esclavo se extiende también a la esclava".*

trabajar esclavos, tenían sus propios oficios e incluso formaban gremios[2].

Y finalmente estarían los esclavos, carentes de todo *status civitatis* y que no tenían posición alguna dentro del Derecho Romano. Socialmente, formaban la base de la pirámide social, jurídicamente no eran sujetos de Derecho, sino objetos, estaban sometidos al poder absoluto del propietario y eran susceptibles de derechos reales y obligaciones.

Mención especial, merecen los libertos, que eran antiguos esclavos que habían sido liberados de su condición y se habían convertido en ciudadanos libres. Si bien es cierto, no tenían el mismo *status* ni los mismos derechos que un *ingenui*, alguien que nunca había caído en esclavitud.

En este sentido, señalan Daza Martínez y Rodríguez Ennes[3] que en el mundo antiguo los seres humanos se dividían en dos

---

[2]   En este sentido GÓNZALEZ COBOS DÁVILA A.; en las "Clases sociales hispano-romanas y sus relaciones dentro de la sociedad visigótica*", en Memorias de historia antigua,* Universidad de Oviedo, Servicio de publicaciones,, Oviedo, 1989, pág. 172, señala que la sociedad con la que se encuentran los visigodos está dividida en clases. El grado más bajo lo ocupan los esclavos, y después de ellos los libertos. De ambos grupos unos pertenecen a los gremios artesanos y similares de la ciudad. Otros, bastante numerosos, están adscritos al mundo agrícola. Un grupo muy importante del círculo social estaba formado por empleados municipales que recibían la denominación de curiales

[3]   Dicen DAZA MARTÍNEZ, J.; RODRÍGUEZ ENNES, L.; en *Instituciones de Derecho Romano Privado,* Tirant, Valencia, 2009, págs.-47-48 que Platón y Aristóteles al describir la sociedad organizada como Estado, partían del presupuesto de que los hombres debían ser divididos en dos categorías los libres y los esclavos. Desde el punto de vista de los estoicos, autores tan relevantes como Séneca señalaban que la esclavitud no podía considerarse como fundamentada en la naturaleza humana. En cualquier caso, se negaban a concebir una sociedad que reconociera personalidad jurídica a todos los seres humanos.

categorías: los individuos libres, miembros de la comunidad política de Roma o de otra comunidad jurídicamente organizada y los esclavos o *servi*, a los que el ordenamiento jurídico no reconocía personalidad jurídica alguna.

Así, según Florentino, en el D.1.5.4.1, la esclavitud es *constitutio iuris gentium qua quis domino alieno contra naturam subiicitur*, o lo que es lo mismo la esclavitud es una institución del Derecho de gentes, por la cual alguien es sometido, contra naturaleza, al dominio del otro.

Pero hay que tener en cuenta una matización muy importante que introdujo Justiniano en sus Novelas, en concreto en la Nov.22, para ser esclavo no es *conditio sine qua non* tener dueño, es decir, existían los esclavos sin dueño o lo que es lo mismo *servi sine domino*, de tal forma que lo que determina la condición de esclavitud no es hallarse bajo la potestad de alguien, sino su destino a servir.

Finalmente, y como se ha dicho en páginas precedentes, la moral cristiana si bien mitigó la dureza la esclavitud no llegó a suprimirla. Los emperadores cristianos, como Constantino partieron de la idea de la igualdad de todos los hombres ante Dios, pero no sería hasta las *Novellae* cuando se afianzó el principio de que los hombres nacen naturalmente libres y que la condición de esclavos no es inherente a la persona.

2.2. Causas de esclavitud

Se podía llegar a ser esclavo de distintas maneras:

- Por nacimiento (ser hijo de esclavos)
- Por ser prisionero de guerra (*Iure gentium*)
- Por exposición (abandono de un niño)
- Por condena judicial

- Por venta.

Las causas de esclavitud se podían clasificar como de nacimiento o posteriores al nacimiento y como causas de esclavitud del *ius Gentium* y del *ius Civile*[4].

A continuación pasamos a analizar cada una de ellas.

Por lo que respecta al nacimiento, en materia de esclavitud, rige el principio romano de que el hijo habido dentro de matrimonio legítimo sigue la condición del padre. Relevante es señalar que los matrimonios de los esclavos no tenían ningún tipo de validez (no eran *iustae nuptiae*) de modo que aunque el padre fuese libre, si la madre era esclava, el resultado sería el mismo, el hijo sería esclavo.

Por lo que respecta a las madres, el hijo puede nacer esclavo si la madre es esclava. El principio del *favor libertatis* permitió que el hijo naciera libre si la madre lo había sido en algún momento durante la gestación[5]. El motivo lo explica Gayo 1,4 *quia non debet calamitas matris ei nocere qui in utero*.

---

[4]   Sobre la distinción entre *Iure Gentium* y *Iure Civile* en Gayo 1,1 : *Omnes populi qui legibus et moribus reguntur, partim suo proprio, partim communi ómnium hominum iure utuntur, nam quod quisque populus ipse sibit ius constituit, id ipsius proprium est vocaturque ius civile, quasi ius proprium civitatis, quod vero naturalis ratio inter omnes homines constituit, id apud omnes gentes utuntur. Populus itaque Romanus partim suo proprio, partim communi ómnium hominum utitur.* "Todos los pueblos que se rigen por leyes y costumbres utilizan en parte su propio Derecho y en parte el que es común a todos los hombres, de esta manera, el Derecho que un pueblo cualquiera establece para sí resulta propio del mismo y es llamado Derecho Civil, como si dijéramos el Derecho propio de aquella ciudadanía; en cambio el que la razón natural establece entre todos los hombres, ése se observa con carácter general por todos los pueblos y es llamado Derecho de gentes, es decir, como si fuera el Derecho que utiliza todo el mundo. Y así el pueblo romano utiliza en parte su propio Derecho y el que es común a todos los hombres".

[5]   Esta práctica se inició en el siglo II d.C como parte del *Ius Gentium* y posteriormente formaría parte del *Ius Civile*.

La cautividad por guerra constituye una de las principales causas de esclavitud posteriores al nacimiento. La *captivitas* era considerada por los romanos como una de las fuentes más antigua de la esclavitud.

En el mundo antiguo el prisionero de guerra se convertía en esclavo del enemigo. No solo adquirían la condición de esclavos los combatientes que habían sobrevivido a la guerra, sino también la población enemiga que no se había entregado al vencedor. La sumisión por las armas conllevaba la sumisión personal si lograban sobrevivir a la confrontación bélica.

Así Lucio Anneo Floro *"es más difícil contener una provincia que crear una nueva. De ese modo los generales fueron enviados por toda Hispania, de aquí a allá. Con más cansancio que sangre, enseñaron a la mayoría de la población salvaje (sic…) a ser esclavos[6]"*

En este sentido, alguno de estos cautivos podían ser destinados a trabajos públicos, mientras que otros podían ser subastados a particulares.

Por otra parte, se pueden establecer distintas subdivisiones o categorías de esclavos, una de las más importantes es la distinción entre esclavos públicos y privados.

Los esclavos públicos eran aquellos que pertenecían al Estado y desarrollaban trabajos públicos, como por ejemplo, el trabajo en las minas. En cambio los esclavos privados pertenecían a particulares y trabajaban en el servicio doméstico (fundamentalmente mujeres) o en el campo.

Era poco frecuente, que los cautivos que lo habían sido por caer en combate, fueran integrados en el ejército romano, a pesar de sus conocimientos bélicos.

---

[6]   LAVAN, M.; *Slaves to Rome. Paradigms of Emp1ire in Roman Culture,* Cambridge University Press, 2013, pág. 103.

En cualquier caso, la situación también podía darse a la inversa, es decir, la *captivitas* también podía aplicarse en contra de los ciudadanos romanos, de suerte que si un soldado romano caía en manos enemigas eran considerados *capite deminuti* y por lo tanto, esclavos.

Esta cautividad derivada del combate era considerada como una *servitus iniusta*, no conforme al *Ius civile*.

La conversión de un ciudadano romano en esclavo solo era admitido por el *Ius Gentium*, esto conllevaba que no se considerara como una situación permanente, de suerte que si el *cives romanus* conseguía escapar o decidía volver voluntariamente a territorio sujeto a la soberanía de Roma, recuperaba de pleno derecho su libertad. Pasaba a ser un libre *ingenuus* y un ciudadano romano, recuperando todos los derechos que le habían sido arrebatados con anterioridad[7].

La situación la describe Gayo en 1,52-53[8] *In potestate itaque sunt servi dominorum. Quae quidem potestas iuris gentium est; nam apud omnes paraeque gentes animadvertere possumus domini in servos vitae necisque potestatem esse; et quodcumque per servum adquiritur, id domino adquiritur. Sed hoc tempore neque civibus Romanis nec ullis aliis hominibus qui sub imperio populi Romani sunt, licet supra modum et si ne causa in servos suos saevire*

---

[7]   Según DAZA MARTÍNEZ, J.; RODRÍGUEZ ENNES, L.; en "Instituciones (…)", *op.cit.;* 52 este instituto se llama *postliminium* o *ius postliminii*.

[8]   G.1,52-53: "*Están bajo la potestas los esclavos respecto de sus dueños. Y este poder es de Derecho de gentes, pues en todos los pueblos podemos advertir que los dueños tienen derecho de vida y muerte sobre los esclavos y todo lo que se adquiera por el esclavo es adquirido por el dueño. Pero hoy en día ni a los ciudadanos romanos ni a las demás personas que se encuentran bajo el imperio del pueblo romano se les permite maltratar a sus esclavos de forma inmoderada y sin causa*".

Si bien es cierto, que no tardaron en surgir los problemas testamentarios relacionados con la validez de los testamentos otorgados por los romanos en situación de cautiverio. Se decidió considerar que los ciudadanos romanos que habían sido capturados por el enemigo serían considerados automáticamente como muertos[9].

Estas dos causas de esclavitud serían las propias del *Ius Gentium*, pero también existían causas de esclavitud posteriores al nacimiento del *Ius Civile*.

En cuanto a estas últimas, podían darse distintas hipótesis como la venta *Trans Tiberim* de una persona por deudas,el hijo por el padre o el deudor por el acreedor. Tras la Ley *Poetelia Pairia*, aquellos que se endeudaban podían ser vendidos por sus acreedores, en virtud de la facultad que le otorgaba la *manus iniectio*.

Por otro lado, los condenados a la pena capital o a los trabajos forzados en las minas (*ad metallum*) pasaban a ser considerados esclavos sin dueño (*sine domino, servus poenae*). Eran siervos de la pena que se les había impuesto.

También, según lo dispuesto en la *Lex Claudia* del año 52 d.C., la mujer libre y ciudadana romana que vivía en una relación de concubinato con un esclavo ajeno y en contra de la voluntad de su dueño se convertía en esclava de ese mismo dueño después de haber sido advertida tres veces para que cesase esa relación (*invito et denunciante domino*)

---

[9]   Ídem nota 6. En el año 81 a.C se publicó la *Lex Cornelia*, que estableció que la sucesión testamentaria en caso de cautividad se produciría como si la muerte hubiese acontecido en el momento de su caída en manos del enemigo. Posteriormente el *beneficium legis Corneliae* se extendió a todas las sucesiones. Se trataría de una suerte de *fictio legis Corneliae*, al suponer la existencia de la muerte del causante al tiempo de caer prisionero, aunque en realidad ésta no hubiera tenido lugar de inmediato.

Otro supuestos de caída en desgracia o esclavitud de un hombre inicialmente libre comprendían la negativa a registrarse en el censo, tal y como se establece en las Instituciones de Gayo (I.160) o aquellos que desertaban del servicio militar o no respondían al llamamiento de la leva pues se consideraban traidores.

En este sentido, todavía debemos mencionar la *noxae deditio* o la entrega de un ciudadano romano hecha por el *pater*, a un pueblo extranjero que lo acepta para resarcir una responsabilidad internacional.

Sobre la *noxae deditio*[10] señala Fernández Prieto que si un esclavo cometía un delito, la parte lesionada podía ejercitar la acción contra el *dominus* que tuviera bajo su potestad al esclavo en el momento de los hechos.

También afirma esta autora[11] que la situación de un esclavo autor de un ilícito penal con daño a tercero implicaba necesariamente el reconocimiento de cierta personalidad al siervo.

En tiempos pretéritos, probablemente la sanción era de carácter personal e infligida por la propia persona afectada, aunque es posible que ya antes de las XII Tablas existiera la institución de la *noxae deditio,* que como se ha dicho en párrafos precedentes también se podía aplicar a ilícitos cometidos por personas libres que se encontraban sometidas a la autoridad del *pater familias* y al caso de *pauperies*[12] daños provocados por

---

[10] FERNÁNDEZ PRIETO, M.; en *Fundamentos Romanísticos del Derecho contemporáneo*, "El esclavo en el delito de *inuriae*", vol. II, Derecho de personas, p. 171 y 172. https://www.boe.es/biblioteca_juridica/ anuarios_derecho/abrir_pdf.php?id=ANU-R-2021-20016500178.

[11] Ídem nota 9.

[12] La acción noxal solo se aplicaba para animales cuadrúpedos y no cuadrúpedos, para los daños ocasionados por las *ferae bestiae* los ediles curulules concedían una acción no noxal a través del *Edictum de Feris*, en este sentido vid. RODRÍGUEZ ENNES, L.; *Estudio sobre*

el comportamiento de algunos animales propiedad de una tercera persona.

El delito de *iniuria* estaba estrechamente ligado a esta institución de la *noxae deditio,* de tal forma que en el ámbito del
procedimiento formulario, la fórmula de las acciones noxales,
indicaba en la *demonstratio,* como autor del hecho, al sometido
a la potestad, y en la *intentio,* como obligado, al que tiene la potestad, en tanto que la *codemnatio* se interpretaba como *tantan
pecuniam aut noxae dedere,* permitiendo al demandado liberarse
mediante la *noxae deditio.*

En etapa justinianea, estas causas individuales de esclavitud
fueron derogadas y se mantuvieron dos, el fraude cometido
por un adulto mayor de veinte años, de suerte que, éste, po-
niéndose de acuerdo con otra persona se deja vender como
esclavo para engañar el comprador y reclamar después su libertad, participando de las ganancias obtenidas con su venta.

El otro supuesto era el de la ingratitud del manumitido (*re-
vocatio in servitutem propter ingratitudinem*) para con el dueño
que lo liberó, después de comunicarlo a un magistrado, o lo
que es lo mismo, el liberto podía ser reducido de nuevo por su
patrón a la esclavitud si era condenado por ingrato.

2.3. La esclavitud femenina a través de las fuentes

Debemos comenzar afirmando que, el estudio de la esclavitud femenina a través de las fuentes es harto difícil. La palabra
esclavo o esclavos se utiliza de forma indiferente en algunos
pasajes aludiendo tanto a hombres como a mujeres.

---

el *Edictum de Feris,* Facultad de Derecho, Servicio de Publicaciones,
Madrid, 1992.

Señala Rubiera Cancelas[13], que hablar de un sistema de género dentro de la esclavitud podría resultar extraño, toda vez que los esclavos son catalogados como *res corporae* (cosas corporales).

En definitiva, donde existía plena igualdad entre hombres y mujeres esclavos era en la afirmación de que tanto hombres como mujeres constituían un activo económico importante para sus dueños.

No obstante, bien es cierto que del estudio de las fuentes podemos extrapolar algunas conclusiones que nos llevarían a pensar que determinados aspectos de la esclavitud solo se aplicarían a las mujeres.

Las limitaciones de las fuentes quedan patentes en el uso de terminología esencialmente neutra, es decir, en el Digesto, el esclavo o los esclavos eran mencionados de tal manera que podían desempeñar trabajos de establero, pintor, naviero, tabernero, trabajador de campo y un largo etcétera, pero ¿qué nos impide pensar que alguno de estos oficios no podían ser desempeñados por mujeres?

El uso de las palabras es crucial tanto desde el punto de vista histórico como desde el punto de vista jurídico. El Digesto señala que lo dicho para el esclavo vale también para la esclava, del mismo modo que lo mencionado para el hombre, servirá de manera general para la mujer.

En cualquier caso, si la vida del esclavo era ya de por sí dura, la vida de la *mulier* esclava era doblemente dura y estaba plagada de discriminación y desventajas, tanto desde el punto de vista social, como desde el punto de vista del género.

---

[13]   RUBIERA CANCELAS, C.; "Las esclavas en la regulación jurídica. Algunas notas desde el Digesto" en el *Futuro del Pasado*, n°2, Oviedo, 2011, pág. 441

Pongamos por ejemplo dos pasajes, uno de Ulpiano que dice en D.2,13,4,3[14] *sed si servus argentariam faciat- potest enim- siquidem voluntate domini fecerit, comèlendum dominum edere ec pe- rinde in eum dandum esse iudicium, ac si ipse fecisset; sed si inscio domino fecit, satis esse dominum iurare eas se rationes non habere.* Y en otro dice Calístrato en D. 2, 13, 12 (Call. 1 ed. Monit)[15] *fe- minae remotae videntur ab officio argentarii, quum ea opera virilis sit.*

De estos pasajes se puede inferir, que las mujeres esclavas quedaban excluidas del oficio de banquero, no por una cues- tión social, no importaba su pertenencia a la clase social más baja de la sociedad romana, lo determinante era su sexo.

Las esclavas aparecerán sobre todo en el ámbito estricta- mente doméstico, aunque esto no quiere decir que no traba- jasen en otras tareas. Simplemente, las fuentes no permiten deducir que llevasen a cabo otros oficios pero tampoco las ex- cluyen de forma terminante.

Nos encontramos ante un problema de visibilidad, tanto las mujeres como los hombres esclavos eran al fin y al cabo fuerza bruta, mano de obra, si las necesidades de la producción lo re- querían no hay razones para pensar que una mujer esclava no pudiera trabajar en otros oficios más duros con la finalidad de obtener el máximo beneficio económico[16].

---

[14] *"Pero cuando un esclavo actúa como banquero, cosa posible, supuesto de que lo hiciese con la voluntad de su dueño, ha de ser obligado éste a comunicar la cuenta y ha de darse la acción contra él como si él mismo fuera el banquero"*

[15] *"Las mujeres se considera que quedan excluidas del oficio de banquero, pues es cosa de hombres"*

[16] MARTÍNEZ LÓPEZ, C.; "Las relaciones de género en las unidades campesinas domésticas de la Roma Antigua en *Vivir en femenino. Es- tudio de las mujeres en la antigüedad,* Universitat de Barcelona, Barce- lona, 2002, págs. 66.97.

En este sentido, señala Rubiera Cancelas[17] que a través del Digesto sólo es posible afirmar tajantemente que las mujeres realizaban aquellas tareas que en los textos latinos aparecen descritas en femenino, pero se puede intuir que también realizaban otras de distinta índole aunque no aparezca mencionado explícitamente.

Así las cosas, creemos que no resulta descabellado pensar que la razón por la cual algunas tareas aparecen mencionadas en femenino, no puede ser otra que el hecho de que tradicionalmente éstas estuvieran reservadas para las mujeres, que eran las que las realizaban con carácter general, quedando los varones excluidos o relegados a un segundo plano.

En el Digesto D 33.7.5 en "el legado del fundo dotado con sus pertenencias y el legado de las pertenencias encontramos una mención explícita a la mujer esclava. Aquí tras leer sobre esclavos que desempeñan labores agrícolas, de capataces, porteros, mayorales, barberos o panaderos, encontramos a la esclava que cuece el pan, a las que sirven en la casa, a las que trabajan en la lana y cuidan el fuego.

Trebatius amplius etiam pistorem, et tonsorem, qui familiae rusticae causa parati sunt putat contineri; ítem fabrum, qui villae reficiendae causa paratus sit.; et mulieres, quae panem coquant, quaeque villam servent; ítem molitores, si ad usum rusticum parati sunt; iteem focaríam, et villicam , si modo aliquo officio virum adiuvent, ítem lanificas, quae familiam rusticam vestiunt, et quae pulmentaria rusticus coquant[18].

---

17   RUBIERA CANCELAS, C.; "Las esclavas (…)", *op.cit.;* 445
18   *Además opina Trebacio, que también se comprenden el panadero, y el barbero que están destinados para el servicio de los esclavos campesinos, asimismo el operario que está destinado para reparar la casa de campo y las mujeres que cuezan el pan, y las que presten servicios en la casa de campo, también los molineros, si están destinados al servicio del campo, igualmente la que cuida del fuego, y la mujer del granjero, si en algún servicio le ayuda al marido, y*

La labor femenina por excelencia parece que debía ser el trabajo de la lana, porque aparece mencionado explícitamente a lo largo de varios pasajes del Digesto. Se ocupaban por lo tanto, del vestuario y de las ropas que debían llevar el resto de los esclavos que trabajaban en el fundo y que se entendía, por lo tanto, que era una labor, la de la ropa, propia del género femenino, con independencia de la clase social a la que pertenecían.

Así Columela en su libro 12, III en *De re rustica* *"En los días lluviosos o cuando los fríos o las heladas no dejaren a las mujeres emplearse al raso en los trabajos rústicos, las lanas estarán empleadas y cardadas prestas a ser trabajadas y así pueda ella dedicarse con más facilidad a esa tarea y no echársela a otras. Pues nada perjudicará que su ropa, la de los aperadores y la de los otros esclavos que tengan alguna comisión particular se haya hecho en casa, y con esto tendrá menos gravamen el padre de familia[19] ".*

Por otro lado, al margen de las tareas del trabajo de la lana o el cuidado del fuego, otras labores propiamente femeninas eran la confección de adornos y las labores de camareras y acompañantes.

Es realmente difícil determinar que hacían exactamente las mujeres esclavas que trabajaban en el ámbito doméstico, eran más bien esclavas que no tenían asignada una labor especifica.

En las fuentes del Derecho Romano, nos encontramos con esclavas que desarrollaban sus labores en una propiedad agraria, por lo tanto, y todo ello en base a suposiciones y a raíz

---

también las trabajadoras de lana que visten a los esclavos campesinos, y las que cuecen la comida para los campesinos.

[19]   Vid. ÁLVAREZ DE SOTOMAYOR Y RUBIO, J.M; *Los doce libros de agricultura que escribió en Latín Lucio Junio Moderato Columela, Los Doce Libros Compilados*, Tomos I y II, Imprenta, D. Miguel de Burgos, Madrid, 1824 Libro duodécimo, III.

de otras lecturas, no queda otra que llegar a la conclusión de que estas mujeres quizás se dedicaron, entre otras labores, a las transformación de alimentos, al mantenimiento y a trabajos de agricultura y ganadería.

En cualquier caso, y a pesar de la igualdad en la calificación jurídica entre hombres y mujeres esclavos, podemos inferir, que en tanto los hombres tenían asignadas tareas específicas y de fuerza bruta, las mujeres a menudo parecían ocupadas en labores distintas sin llegar a concretar alguna en particular. Es decir, los hombres podían dedicarse a una sola cosa, las mujeres a muchas.

En definitiva, tal y como sucede a día de hoy, aunque cada vez menos, existía en la Antigua Roma, una división sexual del trabajo en la que las mujeres esclavas se dedicaban a las tareas del hogar, como podía dedicarse también una mujer libre, aunque con *status* jurídicos distintos.

2.4. La maternidad y la fertilidad para las esclavas

En páginas precedentes, hemos hecho referencia a las causas de esclavitud, siendo una de ellas el nacimiento. Se podía nacer esclavo.

Resulta evidente que la maternidad está íntimamente ligada al tema que nos ocupa, por cuanto estamos hablando de mujeres, mujeres que no eran libres y que, tal y como señala Rubiera Cancelas[20], podía considerarse que llevaban a cabo una doble labor en la sociedad romana, una labor eminentemente productiva, y otra reproductiva, el célebre *partus ancillae*.

Partiendo de la base de que los esclavos eran cosas para el Derecho, el valor del cuerpo de un esclavo era un activo eco-

---

[20]   RUBIERA CANCELAS, C.; "Las esclavas (...)", *op.cit.;*447

nómico en sí mismo, directamente ligado a su capacidad para el trabajo y a su estado de salud.

En el caso de las mujeres, esta cuestión cobraba una importancia esencial para determinar su valor económico, su capacidad reproductiva estaba íntimamente relacionada con su valía desde el punto de vista del dueño.

Como ya se ha dicho, una de las principales fuentes de esclavitud era la procreación, los hijos de los esclavos. Desde la perspectiva de los roles de género, la mayor parte de las menciones a las mujeres en las fuentes del Derecho están relacionadas con su descendencia.

Teniendo en cuenta que el nacimiento de niños en el seno de una familia esclava incrementaba el patrimonio del dueño, consecuencia lógica fue el fomento del *contuberium* que no era otra cosa que la única forma de unión válida admitida para los esclavos, puesto que estos no tenían derecho a contraer matrimonio.

La fecundidad era un valor añadido a la hora de concertar la compraventa de una mujer, así se refleja en el Digesto, en concreto en pasajes como D.19.1.21[21] *si sterilis ancilla sit, cuius partis venit, vel maior quinquaginta, quum id emtor ignoraverit, ex empto tenetur venditor*

Se establece aquí, una compensación económica para el comprador que hubiese adquirido una esclava que por su infertilidad o su madurez había sido incapaz de perpetuar el sistema esclavo.

---

[21] *"Si resulta estéril aquella esclava de la que se vende el parto, o mayor de cincuenta años, y el comprador lo hubiese ignorado, el vendedor queda obligado por la acción de compra".*

En esta línea también D.21,1,14 (Ulp., 1 ed, *Aed. Curul*)[22] *quaeritur de ea muliere, quae semper mortuos parit, an morbosa sit; et sit Sabinus si vulvae vitio hoc, contigiunt, morbossam esse. Puerperam quoque sanam esse, si modo nihil extrinsecus accidit, quod corpus eius in aliquam valetudinem immitteret. De sterilii Caelins distinguere Trebatium dicit, ut, si natura sterilis sit, sana sit, si vitio corporis, contra*

En este pasaje, en relación con el anterior, se condiciona el valor de la mujer a su fertilidad y a su estado de salud general, al tiempo que se señala que la principal función de la mujer es preservar la concepción. Función esta, que podemos entender que era compartida tanto por mujeres esclavas como por mujeres libres.

Por otro lado, en D. 21.1.15 (Paul. 11. Sab)[23] *Quae bis in mense purgatur, sana non est;* ítem *quae non purgatur, nisi per aetatem accidit.* Aquí se hace referencia a la menstruación como síntoma de salud, de nuevo, la capacidad reproductiva de la mujer esclava era fundamental.

Y por último también según D. 21.14.7 (Ulp. 1 ed, *Aed Curul)*[24] *mulierem itam arctam, ut mulier fieri non possit, sanam non videri constant,* la mujer tiene que ser apta para ser madre.

---

[22]　*"Se pregunta si es enferma la esclava que siempre da a luz a criaturas muertas, y Sabino dice que si es por defecto de la vulva, es enferma. Si se vendiese una esclava embarazada, admiten todos que está sana, pues la primera y principal función de la mujer es aceptar y preservar la concepción. Asimismo en el puerperio se considera sana a la mujer, siempre que nada extraño le acontezca, que le provoque una enfermedad corporal. Respecto a la esclava estéril dice Celio que Trebacio distingue si es estéril por naturaleza y entónces es sana y si lo es por defecto del cuerpo, entonces no"*

[23]　*"La que menstrúa dos veces al mes no es sana, como tampoco la que no menstrúa, salvo que esto se deba a la edad"*

[24]　*"Tampoco se considera sana a la mujer tan estrecha de pelvis que no puede ser madre".*

Se están protegiendo, con estos pasajes, los intereses económicos del poseedor de la esclava, surgen así cuestiones entre los juristas clásicos acerca de si es libre el hijo de una mujer esclava, que en algún momento de su vida fue libre o el de la mujer que habiendo sido esclava da a luz a un hijo como mujer libre o que pasa con la mujer que antes de ser manumitida tiene un hijo.

La posesión de la descendencia de las mujeres en situación de esclavitud fue un tema altamente controvertido y debatido en el Digesto, al punto de que fue celebérrimo el debate de si el hijo era o no un "fruto", discusión que se dio por terminada cuando los juristas estipularon que una mujer esclava no era una cosa fructífera y por lo tanto, el *partus ancillae* era propiedad del *dominus*.

Realmente lo que importaba era el hijo de la esclava, no la mujer en sí, volvemos a la consideración de los esclavos como cosas o *res* para el Derecho y a la distinción entre sexos, de suerte que los hombres esclavos tenían determinada su valía o beneficio económico en función de su capacidad para el trabajo, en cambio para las mujeres, era fundamental ser fértiles para poder perpetuar el sistema esclavista e incrementar el patrimonio de su señor.

III. CONCLUSIONES

De todo lo expuesto en páginas precedentes, podemos, concluir que la estructura piramidal situaba en la cúspide a los patricios y en la base a los esclavos. Estas personas que no eran consideradas como tal para el Derecho, tenían la consideración a efectos legales de "cosa", no eran sujetos de Derecho, ni siquiera de los más elementales.

No podían contraer matrimonio civil válido y sus hijos pasaban a integrar el patrimonio de su señor, tampoco podían ejercer el comercio.

Por otro lado, existía un sesgo de género dentro de la masa esclava, toda vez que determinados oficios eran realizados por los hombres, en tanto que determinadas tareas estaban reservadas para las mujeres.

La capacidad de trabajo y la especialización en determinados oficios de un hombre esclavo determinaba su valía desde el punto de vista económico, en cambio para las mujeres esclavas lo fundamental era la fertilidad y la maternidad.

Como se ha dicho en párrafos precedentes, el fruto del parto de una esclava quedaba integrado dentro del patrimonio de su dueño, al punto que para los juristas romanos tenían más importancia los hijos de las esclavas como activo económico, que las propias mujeres.

En cualquier caso, no se pueden extraer grandes revelaciones acerca del trabajo de las mujeres esclavas más allá de que se dedicaban a labores domésticas.

Las fuentes relegan el trabajo de estas mujeres a un segundo plano y no pocas veces utilizan el masculino neutro para referirse a ellas, más teniendo en cuenta que lo que se aplicaba al hombre esclavo, era aplicable también a la mujer, salvo las evidentes diferencias por razón de sexo que existían entre unos y otros y que los hacían objeto de un trato distinto desde el punto de vista subjetivo.

La decadencia de esta institución se produjo paulatinamente a partir de la crisis romana del siglo III d.C. Los esclavos habían surgido en Derecho romano porque este originariamente era un derecho personalista, esto es, que se aplicaba al ciudadano romano. Y el que no era ciudadano romano podía ser o bien esclavo, o bien extranjero (*peregrinus*). Pero una vez que el Derecho romano se aplicó como derecho territorial, esto es, como un ordenamiento jurídico que se aplicaba a todo el territorio que abarcaba el imperio romano, y esto sucedió a partir de la *Constitutio Antoniana* de Caracalla del año 212 d. C., la esclavitud perdió su significado.

Bibliografía

ÁLVAREZ DE SOTOMAYOR Y RUBIO, J.M; *Los doce libros de agricultura que escribió en Latín Lucio Junio Moderato Columela, Los Doce Libros Compilados*, Tomos I y II, Imprenta, D. Miguel de Burgos, Madrid, 1824.

BETANCOURT, F.; *Derecho Romano Clásico*, Publicaciones de la Universidad de Sevilla, Sevilla, 2007.

BRADLEY, K.; *Esclavitud y Sociedad en Roma*, Península, Barcelona, 1998.

CARBÓ GARCÍA, J.R.; *Esclavitud y Diplomacia en la Carta LXXIV de Plinio el Joven ¿Sumisión o resistencia?*. Estudios de Historia Antigua, Universidad de Salamanca, Salamanca, 2007.

DAZA MARTÍNEZ, J.; RODRÍGUEZ ENNES, L.; en *Instituciones de Derecho Romano Privado*, Tirant, Valencia, 2009.

D´ORS, A.; HERNÁNDEZ DE TEJERO, F.; FUENTESECA, P.; GARCÍA-GARRIDO, BURILLO, J.; *Digestum: el Digesto de Justiniano*, Aranzadi, Pamplona, 1975.

FERNÁNDEZ DE BUJÁN; A.; *Derecho Privado Romano*, Iustel , Madrid, 2009.

FERNÁNDEZ PRIETO, M.; en *Fundamentos Romanísticos del Derecho contemporáneo*, "El esclavo en el delito de *inuriae*", Anuario de Derecho, León, 1997.

GARCÍA DEL CORRAL, I.; Cuerpo de Derecho Civil Romano, Jaime Molinas Editor, Barcelona, 1889.

GÓNZALEZ COBOS DÁVILA A.; en las "Clases sociales hispano-romanas y sus relaciones dentro de la sociedad visigótica*", en Memorias de historia antigua*, Universidad de Oviedo, Servicio de publicaciones,, Oviedo, 1989.

HERNÁNDEZ-TEJERO, F.; (Coord.). Trad. ABELLÁN VELASCO, ARIAS BONET, J.A.; IGLESIAS REDONDO, J.; ROSET ESTEVE, J.; *Instituciones de Gayo*, Marcial Pons, Madrid, 1990.

LAVAN, M.; *Slaves to Rome. Paradigms of Empire in Roman Culture*, Cambridge University Press, 2013.

LÓPEZ BARJA DE QUIROGA, L.; *Historia de la manumisión en Roma: de los orígenes a los Severos,* Universidad Complutense de Madrid, Madrid, 2007.

MARTÍNEZ LÓPEZ, C.; "Las relaciones de género en las unidades campesinas domésticas de la Roma Antigua en *Vivir en femenino. Estudio de las mujeres en la antigüedad,* Universitat de Barcelona, Barcelona, 2002

MIQUEL, J.; *Derecho Privado Romano,* Marcial Pons, Madrid, 1992.

MONTAÑANA CASANÍ, A.; *Situación Jurídica de los hijos de los cautivos de guerra, Universitat Jaume* I, Castellón, 1994.

RABINOWITZ, J.; *Manumission of Slaves in Roman Law and Oriental Law, Journal of Near Eastern Studies,* Vol.19, nº1, *University of Chicago,* 1960.

RODRÍGUEZ ENNES, L.; *Estudio sobre el Edictum de Feris,* Facultad de Derecho, Servicio de Publicaciones, Madrid, 1992.

RUBIERA CANCELAS,C.; *La esclavitud en la sociedad romana antigua,* Guillermo Escolar Editor, Madrid, 2019.

RUBIERA CANCELAS, C.; *La esclavitud femenina en la Roma Antigua. Famulae, ancillae et servae,* Grupo Deméter, Editorial Trabe, Oviedo, 2014.

RUBIERA CANCELAS, C.; "Las esclavas en la regulación jurídica. Algunas notas desde el Digesto" en el *Futuro del Pasado,* nº2, Oviedo, 2011.

Capítulo 8

Circunstancias determinantes y antecedentes históricos del principio de igualdad en perspectiva de género

JOSÉ AGUSTÍN GONZÁLEZ-ARES FERNÁNDEZ
Universidad de Vigo

SUMARIO: I. INTRODUCCIÓN. II. LA MUJER EN LAS ANTIGUAS CIVILIZACIONES. III. LA IGUALDAD DESDE EL CONTRACTUALISMO CLÁSICO. IV. LAS PRIMERAS REIVINDICACIONES FEMINISTAS. V. LA ILUSTRACIÓN Y EL NACIMIENTO DEL FEMINISMO. VI. LA REVOLUCIÓN FRANCESA Y EL CONSTITUCIONALISMO LIBERAL. VII. EL PRINCIPIO DE IGUALDAD EN ESPAÑA HASTA EL PERÍODO PRECONSTITUCIONAL. Bibliografía.

RESUMEN: Para poder desentrañar los vacíos actuales del principio de igualdad resulta fundamental comprender el origen de la exclusión de la mujer en la historia de la humanidad y principalmente la exclusión de los derechos políticos de la misma en el momento justamente en que se proclaman para los hombres. Durante siglos el sexo femenino ha estado fuera del ámbito de lo público y su presencia, salvo en algunos teóricos, se reduce a un contrato privado de sometimiento.

El universalismo ilustrado y el principio abstracto de la igualdad de los primeros liberalismos estuvieron lejos de incluir a las mujeres y, de hecho, ambos se materializaron en doctrinas y prácticas excluyentes de colectivos sociales en las que el género trazó una línea divisoria insalvable. La Revolución francesa resultó ser una amarga derrota para las mujeres a las que no solo no se les otorga las legítimas aspiraciones de igualdad, sino que el Código napoleónico, cuya extraordinaria influencia ha llegado prácticamente a nuestros días, las relega, con más fuerza, a la situación de subordinación como madres y esposas, vetando sus derechos civiles que, sin embargo, reconoce para los hombres, durante el periodo revolucionario. Fue justamente entonces cuando el feminismo dio sus primeros pasos como movimiento social y corriente teórica. En el constitucionalismo liberal-burgués la mujer no existe en calidad de ciudadana. En nuestro país, el liberalismo decimonónico destaca por la negación de derechos a las mujeres, expresada en los textos constitucionales de todo el siglo y perpetuada en sus rasgos esenciales hasta 1931. A su vez, las primeras democracias occidentales se fundaron en la discriminación de las mujeres, prohibiéndoles participar en la vida pública.

PALABRAS CLAVE: Mujer, igualdad, género, historia constitucional, Ilustración, liberalismo, cultura patriarcal, feminismo.

ABSTRACT: In order to unravel the current gaps in the principle of equality, it is essential to understand the origin of the exclusion of women in the history of mankind and mainly the exclusion of women's political rights at the very moment when they are proclaimed for men. For centuries the female sex has been excluded from the public sphere and its presence, except in some theorists, is reduced to a private contract of subjection.

Enlightened universalism and the abstract principle of equality of the first liberalisms were far from including women and, in fact, both materialized in doctrines and practices that excluded social collectives in which gender drew an unbridgeable dividing line. The French Revolution turned out to be a bitter defeat for women who not only were not granted the legitimate aspirations of equality, but the Napoleonic Code, whose extraordinary influence has practically reached our days, relegates them, with more force, to the situation of subordination as mothers and wives, vetoing their civil rights which, however, it recognizes for men, during the revolutionary period. It was precisely then that feminism took its first steps as a social movement and theoretical current. In liberal-bourgeois constitutionalism, women do not exist as citizens. In our country, nineteenth-century liberalism stands out for the denial of rights to women, expressed in the constitutional texts of the whole century and perpetuated in its essential features until 1931. In turn, the first western democracies were founded excluding women, forbidding them to participate in public life.

KEY WORDS: Woman, equality, gender, constitutional history, Enlightenment, liberalism, patriarchal culture, feminism.

I. INTRODUCCIÓN

El principio de igualdad ante la ley es una antigua aspiración del ser humano que fue recogida con entusiasmo por el movimiento constitucional del siglo XVIII que puso fin al Antiguo Régimen. La consagración en las Constituciones de este principio en sus distintas manifestaciones y la no discriminación por razón de sexo, así como su desarrollo normativo, no ha erradicado, sin embargo, la desigualdad entre mujeres y hombres. La transformación de los valores de la sociedad, realizados por el constitucionalismo a lo largo de más de dos siglos, apenas ha recogido las reivindicaciones en clave de género.

Históricamente, los fundamentos de la exclusión de las mujeres como sujetos individuales y libres se halla en la propia naturaleza y en la razón (los varones son más fuertes y están dotados de la misma) y las mujeres deben plegarse a ellos. El pacto de la sociedad civil solo se realizó entre varones iguales y libres y las mujeres solo participaban en el contrato sexual, presente en el previo estado de naturaleza[1].

Las ideologías con las cuales se ha justificado la subordinación de las mujeres, en función de los "roles naturales" que a ellas se les han atribuido, conformaron el estereotipo de la mujer como un ser inferior, sumiso, dependiente, sin una entidad genérica propia, jugando un papel secundario y limitado al ámbito doméstico, el cual ha permeado en la sociedad ideas,

---

[1]   ESQUEMBRE VALDÉS, M.: "Género y ciudadanía, mujeres y Constitución", en *Mujeres y Derecho*, Alicante, 2006, pág. 35 y ss.

valores, costumbres y hábitos[2]. Las mujeres disponían únicamente de un *status* de hijas, madres o esposas, negándoseles
todo atisbo de capacidad jurídica. Se hace, pues, imprescindible conocer y comprender la exclusión de la mujer del contrato social y de los derechos políticos de la misma en el momento
en que se proclamaron para el sexo contrario con el fin de
desentrañar los vicios constitucionales en el concepto actual
de la desigualdad. A ello dedicaremos gran parte de nuestro
estudio.

II. LA MUJER EN LAS ANTIGUAS CIVILIZACIONES

Al realizar un breve recorrido histórico, Catón, en la antigua
Roma, y en defensa de la *Lex Oppia*, que limitaba los ornamentos y el vestuario que podían mostrar en público las matronas,
conjuró sus temores alarmado sobre el peligro de la igualdad
entre hombres y mujeres. "Tan pronto como sean iguales –ad-
virtió- serán superiores", debiendo para soslayar este problema
prohibir esa igualdad a través de las leyes. Como subraya con
acierto CASTELLS, "la visión de las leyes como un mecanismo
necesario para la estabilidad de la jerarquía sexual y como una
garantía frente a la amenaza de la igualdad, perturbadora del
orden de género, ha sido común en la historia y ha perdurado
en las sociedades contemporáneas"[3].

Cabe recordar que en Roma no todo ser humano era considerado como persona ya que para ser considerado como
tal era necesario reunir tres *status*: el *status libertatis*, es decir,
ser libre y no esclavo, el *status civitatis*, que significaba ser

---

[2]   OLSEN, F.: "El sexo del Derecho", en *Identidad femenina y discurso
        jurídico*, Buenos Aires, 2000, págs. 25-43.
[3]   CASTELLS, I.: *Mujeres y constitucionalismo histórico español. Seis estu-
        dios*, Oviedo, 2014, pág. 13.

ciudadano y no peregrino, y el *status familiae*, que se traducía en ser jefe de familia y no estar bajo ninguna potestad. Todos estos elementos estaban reflejados en rol asignado a la mujer, que era el de convertirse en esposa y matrona y educar a sus hijos, bajo unos principios hechos por y para los hombres[4].

En Grecia, la médula de todo el pensamiento y de la cultura helénica era el *ávθpwTTos*, término que abarcaba tanto al varón como a la mujer, por lo que ambos tenían, teóricamente, idéntico protagonismo, si bien ésta poseía distintas funciones, mucho más limitadas en la sociedad[5], y, aunque la ley era igual para todos (*isonomia*), pudiendo intervenir la ciudadanía en los debates públicos y participar en la dirección de la *polis*, el régimen democrático de Pericles confería únicamente a una mínima parte de la población privilegios, siendo, por el contrario, exagerados los otorgados a los *poliatai* en relación con los demás habitantes excluidos metecos y esclavos, entre otros), todo ello fruto de que tanto el Derecho como las instituciones de él dimanadas solo contemplaba a un tipo de sujeto, que era el varón propietario y al que se le presumía capaz[6].

En los escritos de Platón se produce una ruptura entre las dos esferas del pensamiento: de una parte, el *logos* que se relaciona con la palabra, la inteligencia, la cultura, la razón y el espacio abierto, características que se corresponden con la ocupación del hombre, y de otra, el *eros*, que simboliza los sentimientos, la naturaleza, la irracionalidad, el corazón y el

---

4 ÁLVAREZ, M. e IGLESIAS, R. M.: "La mujer en Roma", en *Sobre la mujer*, Murcia, 1998, pág. 65.

5 MORALES OTAL, C.: "La mujer en Grecia", en *Sobre la mujer*, Murcia, 1998, pág. 21.

6 PÉREZ PORTILLA, K.: *Principio de igualdad. Alcances y perspectivas*, México, 2005, pág. 23.

espacio doméstico, y que están destinadas a las mujeres[7]. Ello lleva a muchos autores a afirmar que el estudio analítico sobre la igualdad comience con el seguidor de Sócrates, pese a que en su obra "La República" no menciona a la mujer como constructora de un gobierno ideal al confirmar que la función de ésta se encuentra en el espacio doméstico, reflejo de la invisibilidad de la misma. Con todo, Platón aportó elementos ventajosos para el logro de la igualdad entre sexos y, así, en "Las Leyes," reconocía que las mujeres podían desempeñar cargos públicos siempre que recibiesen una educación apropiada. Sin embargo, como es sabido, la visión platónica no perduró en el tiempo.

Con Aristóteles comienza la justificación de la marginación femenina, y, lo que es más grave, como recuerda ALBERDI, su pensamiento ha permanecido incontestado durante muchos siglos[8]. En su discurso filosófico sostuvo que "la justicia consiste en igualdad, y es así, pero no para todos, sino para los iguales, y la desigualdad parece ser justa, y lo es, en efecto, pero no para todos, sino para los desiguales". Si bien debemos reconocer que realizó una gran aportación sobre la igualdad que ha dominado el pensamiento occidental hasta nuestros días al afirmar, en primer lugar, que las cosas que son iguales deben tratarse igual y las que son desiguales deben tratarse de manera desigual, en proporción a su desigualdad, y, en segundo lugar, que igualdad y justicia son sinónimas, toda vez que ser justo es ser igual y ser injusto es ser desigual, en relación con la igualdad de los sexos su visión es completamente machista, dado

---

[7] MARTÍNEZ FERNÁNDEZ, P.: "Masculinidades: ¿nuevas construcciones o más de los mismo?, en *Revista Venezolana de Economía y Ciencias Sociales*, núm. 2, vol. 7, 2001, págs. 4 y 5.

[8] ALBERDI, I.: *Tolerancia cero. Cómo reconocer y cómo erradicar la violencia contra las mujeres–Semillas y antídotos de la violencia en la intimidad*, Barcelona, 2005, pág. 31.

que dividía a los seres humanos en un sexo fuerte y en un sexo débil e inferior en los planos fisiológicos, intelectual, sexual y ético; a su parecer la mujer era inadecuada e incompleta[9].

Sin rubor alguno, el estagirita llegó a escribir que "las hembras son por naturaleza más débiles y más frías, y hay que considerar su naturaleza como defecto natural (...), la mujer, en tanto que hembra, es un elemento pasivo, y el macho un elemento activo". Aristóteles sostiene que el macho está mejor dotado que la hembra para el mando, salvo casos antinaturales, lo que conlleva como consecuencia necesaria que el varón esté siempre en relación de superioridad respecto de la mujer. Estas afirmaciones dejan en claro que a una superioridad natural debe seguirle una superioridad funcional (político-social)[10].

III. LA IGUALDAD DESDE EL CONTRACTUALISMO CLÁSICO

Thomas Hobbes fue quizás el primer filósofo que desde las tesis naturalistas planteó de manera formal el carácter conven-

---

[9]   Cfr. MARTÍNEZ FERNÁNDEZ, P.: "Masculinidades: ¿nuevas construcciones o más de los mismo?, op. cit., pág. 7.

[10]   Como conocemos, Aristóteles adoptó metodológicamente una serie de principios relacionales asimétricos. Nos referimos a duplas del tipo griego-bárbaro, amo-esclavo, hombre-mujer, mujer-niño entre otras, que pueden resolverse en la relación dominador-dominado. En términos del propio filósofo se trata de una relación de gobernante-gobernado, en la que se benefician mutuamente ambos, aunque entre ellos no pueda haber "ni justicia en el plano jurídico, ni amistad en el plano ético" en tanto miembros de la relación en cuestión. Cfr. GUARIGLIA, O.: "Jerarquía natural, ser social y valores en la filosofía práctica de Aristóteles" *Diálogos*, IX. 25. 1973, págs. 77-102.

cional de la dominación del hombre sobre la mujer. Así, cuando este autor en el siglo XVII formula su teoría del pacto o contrato social concibe a todos los seres humanos como iguales, sin distinción de sexo, estableciendo las posibles diferencias en la propia ley civil.

En su obra "Elementos de Derecho Natural y Político", publicada en plena madurez en el año 1640, Hobbes vino a establecer que la supremacía del varón sobre la mujer no era más que el resultado del acuerdo de las partes, partiendo de una igualdad primigenia entre los seres humanos con independencia de su condición biológica. Explicaba que, por Derecho Natural, el poder originario sobra las niñas y niños, sobre las hijas e hijos, lo tiene la madre y que si ese poder pasa al padre es únicamente por propio acuerdo entre ambos. La desigualdad sería, por ello, creada y no originaria, y la causa de esa creación dependería de otra serie de circunstancias alejadas de la propia naturaleza[11].

Por su parte, John Locke sustentó la subordinación política e individual de la mujer argumentando que, en el caso de éstas, a diferencia de lo que sucede con el hombre, el Derecho Positivo coincide con el Derecho Natural, porque los derechos naturales de las hembras se identifican con las costumbres y tradiciones culturales, religiosas y jurídicas[12]. En su obra "Segundo tratado sobre el gobierno civil", publicada en 1660, el conocido como "padre del liberalismo clásico", argumentaría que la desaparición de las mujeres en la sociedad civil obedece

---

[11]   ÁVILA, A., CASTELLANOS, N. y TRIANA, A.: "La teoría política de Thomas Hobbes y su influencia en la construcción del principio de legalidad en el Estado moderno", en *Via Iuris*, núm. 20, 2016, págs. 149-162.

[12]   GÓMEZ FERNÁNDEZ, I.: *Una Constitución feminista. ¿Cómo reformar la Constitución con perspectiva de género?*, Madrid, 2017, pág. 31.

al hecho de que la sociedad conyugal tiene una única voz exterior y esa voz es la de los hombres.

La feliz expresión "paradoja de la igualdad"[13], acuñada por FROSINI, fue en cierto modo vislumbrada por Jean-Jacques Rousseau. En su obra "El contrato social" (publicada en 1762) aborda el tema de la libertad e igualdad del ser humano, dentro de un Estado que se construye a partir de un contrato, de un pacto, fruto de la voluntad general, a fin de asegurar las libertades básicas y la convivencia pacífica.

Con Rousseau se asienta la idea errónea de universalidad entendida desde un punto de vista democrático, principio base de los Estados constitucionales, cuando en realidad está más cargada de exclusiones que de una verdadera vocación cosmopolita. Así, la mujer quedaba fuera del concepto de ciudadano, acogido entonces como varón, propietario y padre de familia, estableciendo por primera vez la diferencia entre el espacio público y el espacio privado, ubicando al hombre en el primero y a la mujer en el segundo[14]. Con ello, el género marca un punto de partida y traza una línea divisoria infranqueable entre quienes pueden participar de la igualdad y ser encuadra-

---

[13]   FROSINI, V.: "Paradosso dell´ eguaglianza", en *Rivista Internazionale di Filosofia del Diritto*, L III, 1976, pág. 542.

[14]   Sánchez Muñoz define el concepto de espacio público como el espacio de los "iguales", de los que se reconocen como tales por su "naturaleza" o "capacidades" como ciudadanos u "hombres públicos", mientras que las mujeres son la alteridad, lo "diferente", lo "otro", supuestamente opuesto pero complementario y subordinado; no pudiendo haber igualdad entre quienes no son "iguales", bien por voluntad divina, bien por voluntad de la naturaleza o la razón. Cfr. SÁNCHEZ MUÑOZ, C.: "La difícil alianza entre ciudadanía y género", en *También somos ciudadanas*, Madrid, 2000, págs. 3-25.

dos o no en la ciudadanía y por tanto participar del principio democrático[15].

El derecho a la ciudadanía, en palabras de GARCÉS y POR-TAL, se otorgaría en función, no de una competencia o capacidad, sino en función de una determinada categoría de la que se excluye a las mujeres[16]. Éstas no fueron consideradas como integrantes del pacto social, ya que este implicaba la participación de sujetos libres e iguales, que pactan a fin de autorizar la relación de autoridad del Estado, de la ley y del gobierno civil.

De la misma forma, Kant, en su obra "Los principios metafísicos de la doctrina del Derecho", escrita en 1797, efectuó una distinción entre los que denominaba ciudadanos "pasivos"[17], incluyendo los no propietarios, y aquellos que consideraba carentes de cualidad social para ser ciudadanos activos, así como a las mujeres y los niños, al considerarlos seres desprovistos de la condición natural para serlo, por lo que la división entre los espacios públicos, destinados a los varones, y los privados reservados a las mujeres, cobró carta de naturaleza en esa época.

De acuerdo con los planteamientos de este autor, las mujeres, por sus determinaciones biológicas y psíquicas, están encerradas en su interés sensible como mero cuerpo biológico, sin posibilidad de una voluntad y de un lenguaje propio, sin conexión con ninguna forma posible de propiedad; no existen racional y socialmente. Las mujeres, como los siervos y los niños, tienen un reconocimiento formal en la sociedad civil como

---

[15] AGUADO, A.: "Ciudadanía, mujeres y democracia", en *Revista Electrónica de Derecho Constitucional*, núm. 6, 2005, pág. 15.

[16] GARCÉS PERALTA, P.C. y PORTAL FARFÁN, D. C.:" La protección de los derechos de las mujeres en la jurisprudencia del Tribunal Constitucional: ¿Más limitaciones que avances?", en *Pensamiento Constitucional*, núm. 21, 2016, pág. 115.

[17] Como tales eran consideradas las personas no autosuficientes e incapaces de desarrollar alguna función en el Estado.

sujetos de deberes y derechos privados. Por otro lado, Kant construyó y reconoció las formas civiles de los "derechos personales de naturaleza real" que se dan dentro del "derecho de la sociedad doméstica", es decir, el derecho conyugal, el derecho de los padres y el derecho del dueño de la casa. El derecho conyugal se materializa a partir del contrato de matrimonio que establece la autonomía de la voluntad de las mujeres para venderse como personas -condición personal del contrato- y ser tratadas como objetos -condición real del contrato-. A su entender, la mujer no tiene capacidad de reconocer lo bueno o lo malo, por lo tanto, debe tener un tutor que la controle y le diga lo que debe hacer. Sobre la virtud del entendimiento dice que "las mujeres tienen comprensión rápida, pero infundada. Lo propio de la mujer no es saber, sino estar <<enterada>> de lo que el varón <<sabe>>". La mujer quedaba reducida a su aspecto físico, y a su capacidad para soportar el mal del que fuera objeto; subordinada al gobierno de la casa, su supremacía en este lugar se debía a una serie de propiedades que le son atribuidas como naturales, junto con la complacencia del varón, que le conviene ceder y ser gobernado[18].

Según FONTÁN DEL JUNCO, Kant y Rousseau coinciden en que hombres y mujeres son distintos: "la natural y esencial diferencia de los sexos"[19]. También expone que Kant "[…] no cree que la diversidad sea un producto sociocultural, fruto de la socialización, sino que más bien la considera fundamentada en la naturaleza de cada sexo, no es la cultura la que introduce estas cualidades femeninas sino que la cultura se limita a desarrollarse y hacer notar las circunstancias favorables"[20].

---

[18]   KANT, I.: *La metafísica de las costumbres*, Madrid, 1994, págs. 97-101.

[19]   FONTÁN DEL JUNCO, M.: *La Mujer de Kant. Sobre la imagen de la mujer en la antropología kantiana.* Cádiz, 1994, pág. 53.

[20]   Ibídem, pág. 55.

IV. LAS PRIMERAS REIVINDICACIONES FEMINISTAS

La conciencia feminista ha existido siempre; constantemente ha habido mujeres que han cuestionado el rol y la situación en la que viven; mujeres que expresan en sus obras y sus actos su rebeldía, voluntad de transformación e inconformismo. El feminismo ha estado presente, a través de la historia, en cada crítica, en las revueltas y denuncias de las mujeres ante los estados de servidumbre o cuando han manifestado su deseo de cambio. Pero estas críticas iban encauzadas hacia las consecuencias de la jerarquía que padecían las mujeres, no hacia el origen de la subordinación femenina. A partir del Renacimiento, el debate se centrará en la naturaleza y los deberes de los sexos.

Si bien fueron los movimientos feministas surgidos tras la Revolución francesa de 1789 las que transformaron la vida de las mujeres europeas, no podemos dejar de recordar y reivindicar las aportaciones de grandes pensadoras como Christine de Pizan, que fue la primera mujer de quien se conoce su participación en los llamados *querelles des femmes,* debates literarios y políticos sobre las mujeres.

Erigida como la defensora de las mujeres ante los ataques misóginos, escribió, a finales de 1404 y principios de 1405, *La Cité des dames*[21]. Pizan adquirió la conciencia de ser mujer en

---

[21] La importancia de la obra se encuentra en el capítulo en el que la Dama Razón la insta a que no se crea todo lo que habían dicho filósofos, religiosos, médicos, sobre las mujeres, y que fuera capaz de pensar por sí misma, dando "la vuelta a los escritos […] para sacarles partido en provecho tuyo…". Se trataba así de que una mujer, Christine, pusiera en cuestión la autoridad de aquellos hombres, de que llevara a cabo un proceso de deconstrucción del discurso natural, haciendo que las mujeres pasaran a ser sujetos plenos de la historia y, a partir de su propia experiencia como mujer que era, elaborara un pensamiento propio, el cual estaba cargado de poder

un mundo dominado por los hombres. Unas mujeres que estaban indefensas y que necesitan protegerse.

Consideraba que, por lo general, las mujeres eran más delicadas, débiles (físicamente), incluso más miedosas, que los hombres, pero también que la inteligencia era algo general en las mujeres. Sobre la capacidad intelectual de éstas decía que "si la costumbre fuera mandar a las niñas a la escuela y enseñarles las ciencias con método como se hace con los niños, aprenderían y entenderían (...) tan bien como ellos".

Para FUENTES PÉREZ la autora se ajustaba perfectamente al papel de aquellas "feministas tempranas", pues si bien introdujeron toda una amalgama de pensamientos innovadores y rupturistas en favor de las mujeres, hasta que su actividad intelectual no adquirió un carácter combativo en el marco de la lucha social, tal y como ocurrió a partir de la Revolución Francesa, ellas tuvieron que aceptar el orden patriarcal en el que vivían, pero creando, no obstante, un orden simbólico nuevo a partir de la palabra femenina[22].

Años después Louise Labé en una de sus epístolas que dedicó en 1525-1526 a una aristócrata, hizo una defensa del acceso de las mujeres a las ciencias y a las artes como forma de que las mujeres adquirieran una buena reputación. Habló del placer por el estudio, que era más duradero que cualquier otro e hizo

---

en tanto que la voz femenina se hacía independiente y se autorizaba por sí misma. Cfr. RIVERA GARRETAS, M. M.: *Textos y espacios de mujeres (Europa siglos IV-XV)*, Barcelona, 1990, pág. 121.

[22] FUENTE PÉREZ, M. J.: "Voces pro femeninas en las querellas de las mujeres: Álvaro de Luna y El libro de las claras y virtuosas mujeres", en *La Querella de las Mujeres I. Análisis de Textos*, Madrid, 2009, págs. 105-129

una crítica el adorno femenino, contraponiéndolo con el gusto por el saber[23].

Otro gran precursor de la teoría feminista es un varón, Poulain de la Barre, un pensador adelantado a su tiempo, heterodoxo y pre-ilustrado, quien rompe con los discursos de excelencia o inferioridad al basar su análisis sobre el concepto de la igualdad. Publica en 1673, un libro polémico y radicalmente moderno titulado "La igualdad de los sexos", que se centra en fundamentar la igualdad natural entre varones y mujeres, por encima de las costumbres y los prejuicios vigentes en la sociedad. Frente al tradicional postulado de inferioridad femenina, defiende la capacidad intelectual de las mujeres para participar en el mundo de las letras e incluso en los asuntos de política. Apela a la igualdad natural entre hombres y mujeres y propone que la educación sea el instrumento más significativo para conseguir la emancipación de las mujeres[24].

Otra de las eruditas más adelantadas a su tiempo fue la filósofa británica Mary Stell, quien, en su intento de lograr la igualdad de ambos sexos, afirmaba en 1695 que "si todos los hombres nacen libres, ¿por qué todas las mujeres nacen esclavas?" cuando "Dios había dado a las mujeres lo mismo que a los hombres: almas inteligentes". Su obra significó un antes y un después para las mujeres de todo el mundo, que por aquella época tan solo podían esperar una vida alojadas en un monasterio o bien relegadas a las tareas del hogar de un hombre de provecho.

---

[23]   BALLESTEROS GARCÍA, M.D.: "De Christine de Pisan (1364-1430) y la <<Querelle des femmes>> a Louise Labé (1524- 1566) y su <<Epístola dedicatoria>>: por una genealogía del feminismo en el Renacimiento francés", en *Álabe*, núm.12, 2015.

[24]   COBO, R.: "El discurso de la igualdad en el pensamiento de Poulain de la Barre", *en Historia de la teoría feminista*, Madrid, 1994, pág. 12.

En parecidos términos, Catherine Macaulay, escritora e historiadora inglesa, poco antes de la Revolución francesa, señalaba que "la aparente debilidad de las mujeres se debía a su mala educación" y que, a su vez, "el orgullo de uno de los sexos y la ignorancia y variedad de otro, han contribuido a que se mantenga una opinión que una observación detenida de la naturaleza y una forma de razonar más rigurosa demostrarían ser errónea"[25].

No quiero terminar este apartado sin citar a Judith Sargent Murray (1751-1820), una de las primeras defensoras estadounidenses de la idea de la igualdad de los sexos. Con lógica, método científico e ingenio, Murray apuntó a construcciones sociales que asumieron e impusieron a las mujeres su "inferioridad", afectando negativamente su bienestar espiritual y mental. La escritora abogó por la igualdad de educación como un medio importante para corregir estos errores. En su opinión tanto las mujeres, como los hombres, tenían la capacidad de realización intelectual y deberían poder lograr la independencia económica. Entre muchas otras piezas influyentes, su ensayo histórico " Sobre la igualdad de los sexos", publicado en 1790, allanó el camino para nuevos pensamientos e ideas propuestas por otras escritoras feministas del siglo[26].

---

[25] ANDERSEN, B. y ZINSSER, J. P.: "La afirmación de la humanidad de las mujeres: las primeras feministas europeas", en *Historia de las mujeres, una historia propia*, vol. 2, Barcelona, 1991, págs. 383-396.

[26] CALDERÓN LÓPEZ, M. I.: "Judith Sargent Murray Triumphant. The medium as Rational Entertaiment", en *Old stories, new readings the transforming power of American drama*, 2015, págs. 1-18.

V. LA ILUSTRACIÓN Y EL NACIMIENTO
DEL FEMINISMO

El siglo XVIII es conocido como el "siglo de las luces" y del asentamiento de la fe en el progreso. La Ilustración fue un movimiento intelectual que se desarrolló en Europa durante esta centuria y que influyó en la política, la economía, las ciencias, el arte, la religión y otros aspectos de la cultura occidental. Según los pensadores ilustrados, todo conocimiento podía ser alcanzado por medio de la razón, lo que entraba en conflicto con los dogmas religiosos y con los fundamentos hereditarios del Antiguo Régimen. En su contexto podemos situar asimismo el nacimiento del feminismo.

Los pensadores de la Edad Moderna rechazaron la tesis que sostenía que la revelación procedente de Dios era la única fuente de conocimiento. Afirmaban que la verdad solamente se podía hallar mediante una investigación libre y razonada, y que había que eliminar todo obstáculo al descubrimiento de la verdad, incluida la censura. El triunfo de la razón era seguro, puesto que todo ser humano era fundamentalmente una criatura racional, y una vez instruido, percibiría las verdades reveladas por la investigación racional, y naturalmente procedería a ponerlas en práctica[27].

Por influencia de la Ilustración se promulgaron documentos tan importantes como la Declaración del Buen Pueblo de Virginia (1776), la Declaración de Independencia de los Estados Unidos (1776) que incluye los derechos de defensa de las libertades civiles y políticas del individuo[28] y la Declara-

---

[27]   NASH, M.: *Mujeres en el mundo. Historia, retos y movimientos.* Madrid, 2005, pág. 79 y ss.

[28]   En la Declaración de Independencia se recogía lo siguiente: "Sostenemos como evidentes estas verdades: que los hombres son creados iguales; que son dotados por el Creador de ciertos derechos inalie-

ción de los Derechos del Hombre y del Ciudadano, que surge en la Revolución francesa, en la que, entre otros aspectos, se afirmaba que "los hombres nacen y permanecen libres e iguales en derechos" y se reconocía el derecho a la vida y a la integridad física, a la libertad de pensamiento y de expresión, a la propiedad, a la igualdad ante la ley y a la participación política. Sin restar importancia al gran avance que supuso esta proclamación respecto al reconocimiento de derechos y en concreto de la igualdad, dicha formulación se antoja escasa desde el momento en el que estaba pensada única y exclusivamente para los hombres, blancos y propietarios o burgueses[29]. Y es en este escenario, cuando las mujeres comienzan a preguntarse por qué ellas se quedan fuera del proyecto de igualdad y se le veta el acceso a la ciudadanía y a todo lo que ésta representa: desde el derecho a la educación hasta el derecho a la propiedad.

La razón ilustrada consagraba la universalidad de derechos para todos, pero, al mismo tiempo excluía a la mitad de la humanidad. Se consideraba normal hablar de ciudadanía, de igualdad, de leyes o de delegación de poder, pero sin que ello afectara a una distinción fundamental: la que existe entre hombres y mujeres[30]. Sublevándose contra una lógica que les niega la categoría de ciudadanas, las mujeres se articulan, tanto en la teoría como en la práctica, como un grupo social oprimido con características e intereses propios, es decir como

---

nables; que entre estos están la vida, la libertad y la búsqueda de la felicidad".

[29] La Declaración de 1789 situaba al "sujeto-varón" como el fin de la organización política, al considerar que la aspiración de toda asociación política es la consecución de los derechos naturales e imprescriptibles de los hombres.

[30] VALCÁRCEL, A.: *La política de las mujeres. Feminismos*, 3ª ed., Madrid, 2004, pág. 57.

un movimiento social que se rebela contra una situación de subordinación y exclusión[31].

Los artífices de la Ilustración, aunque admitieron de buen grado la participación de las mujeres en los procesos revolucionarios, no estaban dispuestos a tolerar su presencia en los espacios de poder: políticos, educativos o laborales. Ante esta situación, las mujeres aprovecharon para entrar por la puerta que se les entreabría con la razón ilustrada y se negaron tanto a capitular de sus reivindicaciones, como a modificar sus actitudes. Tal y como afirma con acierto VALCÁRCEL, el feminismo es heredero directo de los conceptos ilustrados, y es, él mismo, un movimiento ilustrado, pero es, también, un hijo no querido de la Ilustración[32].

Históricamente el feminismo producto de la Ilustración, que marcó distancias con la misoginia del Antiguo Régimen, aplicó de forma precoz el tratamiento de cura homeopática, cuyo enunciado expresó Madame de Stäel: "las luces sólo se curan con más luces"[33].

La herencia que la Ilustración dejará a la modernidad amplió las posibilidades de educación y además contribuyó a transformar las actitudes hacia el sujeto masculino y femeni-

---

[31]   AMORÓS, C. y DE MIGUEL, A. (eds.): *Teoría feminista de la Ilustración a la globalización. De la Ilustración al segundo sexo,* vol. I, Madrid, 2005, pág. 66.

[32]   VALCÁRCEL, A.: *La política de las mujeres. Feminismos,* op, cit., pág, 57.

[33]   Anne-Louise Germaine Necker (1766- 1817), Baronesa de Staël Holstein, conocida como Madame de Staël, fue una escritora, filósofa y francesa de origen ginebrino. Creía en una inteligencia femenina tan potente como la masculina y dotada de una sensibilidad superior, exigió que la mujer fuese educada igual que los hombres y que la relación marido-mujer se desarrollara en un plano de igualdad y detestaba las convenciones.

no. La razón ilustrada, además de ser un programa inacabado, tiene una deuda histórica con las mujeres que aún no se ha saldado. Pero será la razón como instrumento, y la igualdad como principio, las que le brindarán a las luchas feministas los principales soportes discursivos de sus demandas, para la inclusión a la ciudadanía y el ejercicio equitativo del poder social[34].

La teoría feminista, al reivindicar los derechos de las mujeres, desveló la ideología sobre la que estaba construido el discurso de la desigualdad, y cuestionó de forma radical los planteamientos filosóficos que colocaban a las mujeres como seres inferiores. En el contexto de una crítica más amplia del liberalismo, la teoría feminista ha sido el análisis más profundo y coherente del sistema de conceptos heredados de la tradición occidental, al realizar una contribución decisiva en la depuración del pensamiento y de los prejuicios, que repercuten tanto en la objetividad del conocimiento y de las ciencias, como en el universalismo ético y político de las democracias[35].

VI. LA REVOLUCIÓN FRANCESA Y EL CONSTITUCIONALISMO LIBERAL

Aunque, como hemos visto, el principio de igualdad ante la ley y la prohibición de discriminación es una vieja aspiración del ser humano, ésta fue demandada con mayor entusiasmo por el movimiento constitucional del siglo XVIII que marcó el fin del *Ancien Régime,* convirtiéndose en una de las principales peticiones de los revolucionarios liberales, siendo común señalar la Revolución francesa de 1789 como el inicio de las luchas

---

[34] BONILLA VÉLEZ, G. E.: "Teoría feminista, ilustración y modernidad. Notas para un debate", en *Cuadernos de Literatura del Caribe e Hispanoamérica*, núm. 11, 2010, pág. 192.

[35] Ibídem, pág. 211.

reivindicativas de ideologías igualitarias, hasta el punto de que su proclamación forma parte de la divisa de Francia.

En los albores de la Revolución las mujeres participaron muy activamente. Un ejemplo de su activismo ideológico, lo encontramos en la creación de los salones literarios y políticos, donde se engendraba buena parte de la cultura y la política del momento[36]. No menos importante fue el fuerte protagonismo que tuvieron en la sublevación. La participación de las mujeres en las capas populares, en las barricadas y en las jornadas revolucionarias, constituye la expresión de la participación de la práctica femenina de la ciudadanía y de la soberanía popular de género[37].

El 14 de enero de 1789, Luis XIV convoca los Estados Generales, que no habían sido reunidos desde 1614, en lo que constituiría el inicio de la Revolución. Los tres estados -nobleza, clero y pueblo- se congregan para redactar sus quejas y presentarlas ante el Monarca. Y es en este momento cuando toda Francia se pone a redactar *"Cuadernos de Quejas"*, cuando las mujeres toman conciencia, de forma colectiva, de que su particular situación queda excluida de las demandas generales y

---

[36]   En 1761, Madame de Beaumer, en un artículo publicado por la revista *Journal des Dames*, señalaba lo siguiente: "Nosotras, las mujeres, pensamos bajo nuestro peinado igual que vosotros lo hacéis bajo vuestras pelucas. Somos capaces de razonar igual que vosotros. Somos tan capaces como vosotros. De hecho, por nosotras, vosotros perdéis la razón cada día".

[37]   Los historiadores han reconocido el papel detonante que tuvo la iniciativa de las mujeres de París, cuando, tres meses después de la toma de la Bastilla, el 5 y 6 de octubre de 1789, alrededor de seis mil mujeres parisinas se movilizan en protesta por las penurias, la escasez de pan, la crisis de subsistencia y los altos precios, protagonizando la decisiva marcha de Versalles.

de que disponen de oportunidades muy limitadas para dar a conocer sus propias peticiones[38].

A pesar de ello, pronto se comprobó que una cosa era que el nuevo régimen agradeciera a las mujeres sus servicios y su actuación en los sucesos revolucionarios y otra, muy diferente, reconocerlas y considerarlas de otra manera que no fuera en su papel de madres y esposas[39]. De esta forma, las mujeres quedan excluidas de la convocatoria general a los Estados Generales y deciden empezar a redactar sus propios *Cuadernos de Quejas*, enviando sus peticiones al Rey el 1 de enero de 1789. En los *Cuadernos*, las mujeres solicitaban fundamentalmente el acceso a las escuelas, el derecho a una educación que les permitiera obtener mejores puestos de trabajo, el derecho al trabajo y la exclusión de los varones de los oficios de mujeres. Otro aspecto fundamental de sus vindicaciones era el referido a la vida

---

[38] Cabe destacar el *Cuaderno de Quejas y Reclamaciones*, de la anónima Madame B.B. du Pays de Caux, en defensa de las mujeres en clave política, en el que se recoge una amplia relación de reflexiones de signo feminista, reivindicando el derecho de las mujeres a una representación política propia: "Se podría responder que estando demostrado, y con razón, que un noble no puede representar a un plebeyo, ni éste a un noble, del mismo modo un hombre no podría con mayor equidad, representar a una mujer, puesto que los representantes deben tener absolutamente los mismos intereses que los representados: las mujeres no podrían, pues, estar representadas más que por mujeres". Vid. NASH, M.: *Mujeres en el mundo. Historia, retos y movimientos*, op. cit., pág. 75.

[39] Emmanuel Joseph Sieyès enterraría cualquier asomo de igualdad que pudiera plasmarse en el pacto originario al excluir a las mujeres de la soberanía nacional y por tanto del pacto constituyente, no pudiendo entonces la mujer dar su consentimiento a la formalización de lo que en nuestros días conocemos como Estado constitucional. Cfr. ASTOLA MADARIAGA, J.: "Las mujeres y el Estado constitucional; un repaso al contenido de los grandes conceptos del Derecho Constitucional", en *Mujeres y Derecho: Pasado y presente*, Bizkaia, 2008, pág. 233.

matrimonial: derechos matrimoniales y respecto a los hijos, así como una mayor protección de los intereses personales y económicos en el matrimonio y en la familia. Pero también reclamaban justicia en cuanto a malos tratos, violencia de género y el abuso en el matrimonio. Y pidieron algo más: el derecho al voto que garantizara su representación pública.

Sin embargo, los *Cuadernos de Quejas* de las mujeres no fueron tenidos en cuenta. En agosto de 1789, la Asamblea Nacional proclama la *Declaración de los Derechos del Hombre y el Ciudadano* sin incluir a las mujeres. Dicho documento en su artículo 1º señalaba de forma expresa "que todos los seres humanos nacen libres e iguales de dignidad y derechos y, dotados como están de razón y conciencia, deben comportarse fraternalmente los unos con los otros", siendo reafirmados estos principios en el precepto siguiente, al señalar las circunstancias concretas que con mayor frecuencia eran motivo de discriminaciones[40]. No obstante, como recuerda SUAY RINCÓN, "la burguesía, una vez conquistado el poder, no tuvo entre sus prioridades la realización de la igualdad y así colmar una de las aspiraciones del pueblo francés, sino que su principal intencionalidad fue incrementar las áreas de libertad individual, articulando y dotando de efectividad los derechos fundamentales contenidos en la Declaración"[41].

La Revolución de 1789, piedra de toque del modernismo político y de la aspiración del progreso material y moral constante de la humanidad, fue también, en palabras de BONILLA

---

[40] "Toda persona –prescribía el artículo 2º- tiene los derechos y libertades proclamados en esta declaración, sin distinción alguna de raza, color, sexo, idioma, religión, opinión política o de cualquier otra índole, origen nacional o social, posición económica, nacimiento o cualquier otra condición".

[41] SUAY RINCÓN, J.: *El principio de igualdad en la justicia constitucional*, Madrid, 1985, pág. 24.

VÉLEZ," la inauguración de un nuevo orden político andro-céntrico y misógino"[42]. La libertad, la fraternidad y la igualdad, solo eran nuevos bienes ético-políticos para el disfrute de los varones. Ante ello fueron numerosas las críticas vertidas, entre las que cabe destacar las de Marie Gouze y Nicolás de Condorcet, quien en 1790 escribió un opúsculo titulado "Sobre la admisión de las mujeres en la ciudadanía", planteando por primera vez la exclusión de las mujeres a la misma y reconociendo que la negativa a obtener el *status* de ciudadanas de pleno derecho era un sangrante factor de desigualdad. A diferencia del planteamiento roussoniano, que excluye a las mujeres de la ciudadanía, apoyándose en su concepto de naturaleza, para Condorcet la naturaleza diferenciada es un producto de una educación deficiente. Por ello, la educación será el camino a la emancipación individual y colectiva. Para lograr este objetivo, el autor propone no excluir a las mujeres de ningún tipo de enseñanza, y alienta a fomentar la coeducación entre los dos sexos[43].

En el terreno de la teoría cabe destacar igualmente la aportación de algunos filósofos que participaron activamente con sus escritos, a favor de la aplicación de los principios igualitarios ilustrados en las mujeres. Uno de ellos fue el alemán Theodor Gottlieb Von Hippel. En su obra *Sobre el mejoramiento de la mujer*, publicada en Berlín en 1792, sostenía que el talento de la mujer era igual al del hombre, y que no es solamente descuidado, sino deliberadamente reprimido. Este ensayista plantea

---

[42]   BONILLA VÉLEZ, G. E.: "Teoría feminista, ilustración y modernidad. Notas para un debate", op. cit., pág. 198.

[43]   Condorcet, en su obra *Bosquejo de un cuadro histórico de los progresos del espíritu humano*, se alineó con entusiasmo al feminismo. Según él, los principios democráticos requieren de la extensión de los derechos políticos, como el derecho al voto y el derecho de las mujeres a elegir, y a ser elegidas. Su pensamiento es coherente con la Ilustración: a igual naturaleza, iguales derechos.

la participación plena de las mujeres en la vida política. Considera, que, si bien es cierto que la naturaleza jugó un papel al comienzo de la civilización para mantener a la mujer en la casa, dedicada al hogar y a los niños, ya no tiene sentido, y no hay ninguna razón para justificar la opresión; hace "falta una dosis de demencia para ser indiferente y estar satisfecho con el estado de humillación al que se ven sometidas las mujeres"[44]. De la misma manera, fue crítico con la Revolución francesa por no haber aportado nada a la igualdad jurídica de las mujeres; en su opinión, la Constitución de este país ignoraba y excluía a la mitad de la nación: a la mitad femenina. Todos los seres humanos tienen según él, los mismos derechos, y tanto varones como mujeres tienen que ser libres y ciudadanos[45]. Otros como Montesquieu, Diderot y D´Alembert, se sumarían a la causa de las mujeres.

En el período revolucionario de 1789-1793, en Francia, fueron las mujeres quienes comenzaron a organizarse para luchar por sus derechos; lo mismo ocurrió en otros países. Entre las figuras principales de este movimiento están: Etta Palm, Anne Tervagne Theroigne de Mericort, Olympe De Gouges, y Mary Wollstonecraft, quienes reivindicaron la inclusión de las mujeres en los principios de la Ilustración: universalidad de la razón, aplicación de la igualdad y la idea de progreso.

Dos años más tarde de la proclamación por la Asamblea Nacional de la *Declaración de los Derechos del Hombre y del Ciudadano*, Olympe de Gouges, más conocida como Marie Gouze, publica la réplica feminista *Declaración de los Derechos de la Mujer y de la Ciudadana*, que la llevó a su encarcelamiento por el gobierno

---

[44]   PÉREZ, M.: *Historia del feminismo y vindicación de los derechos de las mujeres*. Sevilla, 2007, pág. 100.

[45]   CAVANA, M. L.: "<<Sobre el mejoramiento civil de las mujeres>>: Theodor Gottlieb Von Hippel o las contradicciones de la Ilustración", en *Ágora*, núm. 10, pág. 62.

de Robespierre por entender éste que su autora "había olvidado las virtudes de su sexo para mezclarse en los asuntos de la República" y a su posterior ejecución durante la dictadura jacobina. En contraposición con la Declaración de 1789, el intento de Olympe de Gouges al entender que la universalidad del término "hombre" no incluía a ambos sexos determinó que en la Declaración de 1791 se recogiese que "las madres, las hijas, las hermanas, representantes de la Nación, piden ser constituidas en Asamblea Nacional. Considerando que la ignorancia, el olvido o el desprecio de los derechos de la mujer son las únicas causas de las desgracias públicas y de la corrupción de los gobiernos, han resuelto exponer en una solemne declaración los derechos naturales, inalienables y sagrados de la mujer (…) Mujer, despiértate; el arrebato de la razón se deja oír en todo el universo. Reconoce tus derechos..."[46].

La *Declaración de los Derechos de la Mujer y de la Ciudadana* era un calco del *Contrato Social* de Rousseau y de la Declaración de los Derechos del Hombre de 1789 con la diferencia de que, en ella, planteaba un contrato social entre hombres y mujeres que rechazara la doble moral y la desigualdad sexual[47]. Todo el texto es una reiteración de los principios de la constitución de una sociedad política. En el artículo sexto señala que: "la ley debe ser la expresión de la voluntad general, todas las ciudadanas y ciudadanos deben contribuir personalmente o por medio de sus representantes a su formación, que debe ser la

---

[46] En el primer artículo de la *Declaración de los Derechos de la Mujer y de la Ciudadana*, dice que la mujer nace libre y permanece libre, e igual al hombre en derechos. En el segundo afirma que toda sociedad política tiene como finalidad "(…) la conservación de los derechos naturales e imprescindibles de la mujer y del hombre. Estos derechos son: la libertad, la propiedad, la seguridad y sobre todo la resistencia a la opresión".

[47] NASH, M. y TAVERA. S.: *Experiencias desiguales. Conflictos sociales y respuestas colectivas (siglo XIX)*. 5ª ed., Madrid, 1994, pág. 61.

misma para todos: siendo todas las ciudadanas y ciudadanos iguales ante sus ojos, deben ser igualmente admisibles en todas las dignidades, lugares y empleos, según sus capacidades y sin otras distinciones que las de su talento y sus virtudes" [48].

De Gouges hizo hincapié en que, si la mujer tenía derecho de subir al cadalso, de igual forma debería concedérsele el derecho a la representación en la elaboración de las leyes y en la soberanía nacional. Pidió el derecho a la libertad, a la propiedad, al acceso a los cargos públicos, al voto y a la propiedad privada. No obstante, su propuesta fue mucho más allá al incluir los derechos en el ámbito doméstico, como el rechazo a la doble moral sexual, y la equiparación legal de los cónyuges y de los hijos legítimos e ilegítimos[49].

Otro de los hitos más importantes de esta etapa fue la publicación, en 1792, de la obra *Vindicación de los Derechos de la Mujer*, de la inglesa Mary Wollstonecraft. En la misma, la escritora rebate la idea de que la subordinación de la mujer sea natural o inevitable, afirmando, por el contrario, que es histórica y cultural; las mujeres, añade, nacen como seres humanos, pero las hacen "femeninas" y por tanto inferiores a los hombres por medio de una educación deficiente, para lo cual apeló al Estado para que reformase la educación en la juventud, para de esta forma hacer más factible el acceso educativo y el logro de la igualdad por razón de género[50].

---

[48]　DE GOUGES, O.: *Escritos políticos*, Valencia, 2005, pág. 33.

[49]　Ibídem, pág. 37.

[50]　Aunque era inaceptable la presencia de mujeres en los debates políticos, Wollstonecraft frecuentó los círculos radicales y expresó abiertamente su opinión política. Rechazó la postura misógina de Rousseau, los privilegios que gozaban los hombres, la exclusión de las mujeres del sector educativo, la negativa a que ellas participaran de actividades relacionadas con el conocimiento, y que su objetivo en la vida era el de complacer a los hombres. Cfr. BONILLA VÉLEZ,

Este tratado, junto con otros escritos suyos, comprende un compendio de argumentos feministas y una aplicación de los principios ilustrados al discurso liberal, que reivindicaba los derechos de las mujeres. Al regirse por los principios supuestamente democráticos, no hizo más que dar por hecho que las mujeres también podían ser miembros activos del funcionamiento político de la sociedad. Estaba convencida de que, si las mujeres hacían uso de la razón, el éxito podría llegar, y si por el contrario no la utilizaban, la Revolución solo sería un fraude.

Wollstonecraft sostenía con apasionamiento que las mujeres están dotadas de razón, de manera que el predominio del hombre es arbitrario, y a medida que la civilización progresa, la razón avanza, siendo ésta un atributo de todas las personas que componen la sociedad. La difusión de la razón, y la reforma de la enseñanza, llevaría a las mujeres a la realización de su racionalidad innata. Su pretensión era de que por medio de la educación "las mujeres tuvieran poder sobre ellas mismas no sobre los hombres"[51]. Este punto es fundamental como principio del liberalismo político. De ahí el reconocimiento a la capacidad de elección racional de los seres humanos, que se aplica actualmente a las mujeres como sujetos racionales y autónomos.

Las reivindicaciones de Wollstonecraft traspasaron el tiempo teniendo repercusión en el feminismo de las siguientes décadas. Sus obras son las primeras en que se aboga por el pleno igualitarismo entre los sexos, siendo enormes sus repercusiones en esferas como la política, la economía o la familia y están

---

G. E.: "Teoría feminista, ilustración y modernidad. Notas para un debate", op. cit., pág. 201.

[51] COBO BEDIA, R.: "A construcción social do feminismo en Mary Wollstonecraft", en *Andaina. Revista do Movemento Feminista Galego*, núm. 8, 1994, págs. 36-40.

catalogadas como textos sumamente avanzados y progresistas para el momento en que fueron escritos[52].

La Revolución francesa resultó ser una triste derrota para las mujeres a las que se les denegaron las legítimas aspiraciones de igualdad. Tanto ésta como la posterior política bonapartista, endurecieron las normas contra las mujeres al definir el espacio doméstico de la casa, como único ambiente de la actuación femenina. Negaron a las mujeres la posibilidad de convertirse en ciudadanas, dejándolas excluidas del nuevo mundo público. El Código civil napoleónico de 1804, cuya extraordinaria influencia ha llegado prácticamente hasta hoy, pese a recoger los principales avances sociales del período revolucionario, privó a las mujeres de los derechos civiles reconocidos para los hombres durante este período, definiéndolas como menores de edad que necesitaban estar bajo la tutela del marido o del padre.

A pesar de la difusión de la Declaración de 1789 en las sucesivas revoluciones liberales y democráticas a lo largo del siglo XIX, y de la gradual apertura de los derechos políticos a los varones, los derechos de las mujeres seguirán sin reconocerse hasta bien entrado el siglo XX.

El universalismo ilustrado y el principio abstracto de la igualdad de los primeros liberalismos, estuvieron lejos de incluir a las mujeres y, de hecho, ambos se materializaron en doctrinas y prácticas excluyentes de colectivos sociales en los que el género trazó una línea divisoria infranqueable[53]. En resumidas cuentas, la ciudadanía que nace con el Estado liberal de Derecho es un concepto excluyente. La titularidad de la

---

[52]   WOLLSTONECRAFT, M.: *Vindicación de los derechos de la mujer*, Madrid, 2000, pág.25.

[53]   GONZÁLEZ-ARES, J. A.: "Nacimiento y evolución de la conciencia femenina en la sociedad española (1810-1936)", *en Mujer, política e igualdad. De las palabras a los hechos*, Valencia, 2017, pág. 162.

misma en sus albores es muy restringida y, aunque se amplía con los movimientos revolucionarios del siglo XIX, a todos los varones, sin distinción de capacidad económica y de raza, las mujeres quedan postergadas por mucho tiempo.

Por su parte, en el constitucionalismo liberal-burgués que se desarrolla desde comienzos del constitucionalismo burgués hasta su crisis manifiesta en la primera guerra mundial, el concepto de género está -como ya expusimos- sólo referido al de humanidad y es un elemento diferenciador de la raza humana en general sin distinciones internas. En esta etapa, el sexo femenino no tiene ninguna presencia en el ámbito constitucional, pues forma parte de lo privado, del οἶκος, y su presencia, salvo en algunos teóricos, se reduce a un contrato privado de sometimiento. La mujer no existe en calidad de ciudadana y en lo privado o civil está coaccionada y obligada a un vivir mutilada y alienadamente dual; ser biológico sin reconocimiento y ser anulado con reconocimiento[54].

Los textos constitucionales liberales, es cierto, trabajan con el principio de igualdad ante la ley, pero basado en la generalidad y la mujer nunca formó parte de la generalidad, pues era lo privado excluido de los integrantes de esa generalidad.

VII. EL PRINCIPIO DE IGUALDAD EN ESPAÑA HASTA EL PERÍODO PRECONSTITUCIONAL

La poca incidencia que tuvieron en nuestro país las ideas de la Revolución francesa, la práctica ausencia de la Revolución industrial y la enorme influencia de la Iglesia católica, defensora del papel exclusivo de la mujer en la familia frenaron, sin

---

[54]   BERGARECHE GROS, A.: "Constitución y género", en *Mujer, política e igualdad. De las palabras a los hechos*, Valencia, 2017, pág. 47.

duda, la absorción de las ideas emancipadoras que se extendían por los países europeos y por Estados Unidos.

Durante el siglo XIX en España son escasas las voces tanto de hombres como de mujeres que hacen referencia a la situación de éstas. De entre ellas, las de Concepción Arenal, Emilia Pardo Bazán[55] y Adolfo Posada destacan merecidamente por sus planteamientos innovadores y reivindicativos. En un primer momento, sus propuestas se referían principalmente a la educación y al trabajo de la mujer, eludiendo o posponiendo las relativas tanto a los derechos civiles como a los políticos.

El liberalismo decimonónico destaca por la negación de derechos a las mujeres, expresada en los textos constitucionales de todo el siglo y perpetuada en sus rasgos esenciales hasta 1931. La Constitución de Cádiz, siguiendo la tradición instaurada por la Declaración de los Derechos del Hombre y del Ciudadano de 1789 o la Declaración de Independencia de los Estados Unidos de 1776, guardó un mutismo cómplice sobre la mujer como sujeto político de derechos. En este sentido, el diputado Muñoz Torrero, que tuvo un destacado papel en la elaboración del texto doceañista, llegó a sostener en 1811 que el reconocimiento de los derechos políticos de las mujeres habría significado llevar "demasiado lejos" el principio de la igualdad, un exceso irreconciliable con la pervivencia de los privilegios masculinos[56].

---

[55] Como consejera de Instrucción Pública, Pardo Bazán propuso en 1892 en el Congreso Pedagógico la coeducación para mujeres y hombres haciendo referencia en uno de sus artículos periodísticos a las deficiencias en un sistema educativo en el que "se limita a la mujer, la estrecha y reduce haciéndola más pequeña y manteniéndola en una perpetua infancia (…) es cuando más una educación de cascarilla, y si puede infundir pretensiones y conatos de conocimiento no alcanza a estimular debidamente la actividad cerebral"

[56] *Diario de Sesiones de las Cortes Constituyentes y Extraordinarias* de 6 de septiembre de 1811, tomo núm. 339, pág. 1790.

Unos meses antes, el Reglamento interno de las Cortes de 27 de noviembre de 1810 prohibía a las mujeres la entrada a las tribunas de las salas de sesiones para asistir, como invitadas, a los debates parlamentarios[57]. La discusión sobre esta polémica se reactivó de nuevo en 1821. A favor de la presencia de las mujeres en las mismas se esgrimieron razones de justicia e igualdad y, sobre todo, en frase de ROMERO ALPUENTE, de "perfectibilidad humana"[58]. A la hora de manifestar el rechazo, predominarán las razones prácticas de convivencia, el dictado de la costumbre y la necesidad de prevenir los efectos perniciosos de la influencia femenina en el propio ejercicio político. Junto a estas justificaciones, los detractores de la presencia de las mujeres en las tribunas parlamentarias hicieron hincapié en las obligaciones propias del sexo femenino como incompatibles con el ejercicio o el simple interés por la política. Eran únicamente los varones los que debían entender en los negocios públicos y, por tanto, debería evitarse que las mujeres descuidasen "sus ocupaciones domésticas y sus obligaciones más sagradas"[59].

Las referencias al principio de igualdad se pueden encontrar, con uno u otro alcance, en el artículo 248 del texto de 1812 que se centraba en su aspecto procesal al indicar que "en los negocios comunes, civiles y criminales no habrá más que un solo fuero para toda clase de personas". La Carta gaditana no recogió un catálogo específico de derechos respecto a la

---

[57] *Reglamento para el gobierno interior de las Cortes* de 27 de noviembre de 1810, reproducido en *La Constitución de 1812*, vol. II, Madrid, 2008, pág. 304.

[58] *Diario de sesiones de Cortes*, 1821, pág. 500.

[59] Ibídem.

mujer y sí, en cambio, quedaron reflejadas diversas muestras de desigualdad[60].

La inexistencia de la mujer en el campo jurídico continuó latente durante muchos años, si bien en la etapa codificadora (1823-1845) destaca la promulgación, en 1829, del Código de comercio del jurista Sainz de Andino, que introducía la licencia marital para el ejercicio mercantil de la mujer casada[61]. Más tarde, durante la regencia de María Cristina y el reinado de su hija Isabel II fueron igualmente irrelevantes los avances, pese a que en 1830 se obligó a todos los españoles a aprender a leer y escribir, y en 1845 se aprobó el Plan General de Estudios del Ministro de la Gobernación Pedro José Pidal, redactado por los oficiales de la sección de Instrucción Pública a cuyo frente estaría Gil de Zárate, que introducía el modelo educativo francés, orientado a las clases medias[62]. En los años de la Monarquía isabelina, con base a Constituciones, Códigos y la función profesional supuestamente apolítica de los juristas, la burguesía creó y consolidó el nuevo tipo de organización social en el que el papel de la mujer apenas experimentó cambio alguno en cuanto a su presencia, siendo la visión que se proyectaba de ella la de una criatura desvalida, influenciable y altamente

---

[60] PALOMAR OLMEDA, A.: "El principio de igualdad y la interdicción", en *El tratamiento del género en el ordenamiento español*, Valencia, 2005, pág. 28.

[61] Cfr. PETIT CALVO, C.: "El Código de Comercio de Sainz de Andino (1829). Algunos antecedentes y bastantes críticas", en *Revista de Derecho Mercantil*, núm. 289, 2013, págs.109-151.

[62] Según la justificación del preámbulo de esta Ley, la enseñanza no era una "mercancía", ni debía "equipararse a las demás industrias en que dominaba sólo interés privado". Había en ella un "interés social", cuya guarda y vigilancia correspondía al Gobierno. Cfr. SÁNCHEZ VIDAL, M. S.: "La educación de la mujer en el contexto sociopolítico y educativo contemporáneo español", en *Historia Digital*, XVI, núm. 28, 2016, pág. 62.

reducible, pero, a su vez, depositaria del honor familiar; de hecho, el alcance penal de la protección de la mujer velaba más por la lesión de los intereses masculinos que por la conducta de ésta.

En los inicios del bienio progresista, la prensa diaria publicó artículos y programas políticos donde se reivindicaba el voto (restrictivo) para las mujeres. El 15 de septiembre de 1854 en el tabloide madrileño *La Unión Liberal* se publicó un programa con nueve puntos, del que se desconoce su autoría, y en el primero de ellos solicitaba el "sufragio universal comprensivo de todas las mujeres de probidad", es decir, las mujeres activas profesionalmente. Junto a estas demandas, se reclamaba también, la reforma del Código civil, la reducción del gasto público o el libre comercio, demandas que conectaban con los intereses de algunos núcleos liberales[63].

A pesar de los aires de libertad democrática que trajo la revolución septembrina de 1868, la obra legislativa del sexenio, incluido el efímero periodo republicano, apenas aportó novedad alguna con la posición legal de las mujeres, y de hecho el tema recibió muy escasa atención en el trabajo parlamentario[64]. En los debates constituyentes de 1869, Castelar llegó a plantear el voto de la mujer, aduciendo que tenía capacidad para ello, pero seguidamente se preguntaba si se debía conceder este derecho a quien no pagaba impuestos, con lo cual en última instancia su decisión fue desfavorable.

Ese mismo año, la polifacética Faustina Sáez de Melgar creó y dirigió el Ateneo Artístico y Literario de Señoras donde se

---

[63] GARCÍA-MERCADAL, F.: *La presencia de la mujer en la vida pública y parlamentaria española: de la conquista del voto femenino a la democracia paritaria*, Almería, 2001, pág. 29.

[64] Cfr. GONZÁLEZ-ARES, J. A.: *Introducción al estudio del constitucionalismo español (1808-1975)*, 4ª ed., rev. y amp., Santiago de Compostela, 2003, pág. 127 y ss.

formaba a alumnas en historia universal, francés, geografía, dibujo, pintura y aritmética, y, a la vista del éxito obtenido, en 1870, los discípulos del krausista Sanz del Río fundaron la Asociación para la Enseñanza de la Mujer, que impulsaba la creación de escuelas profesionales como la de Comercio, la de Correos y Telégrafos, la de Idiomas, de Dibujo y Música, todas ellas dirigidas a las mujeres. Gracias a los Congresos Pedagógicos se comenzó a demandar con fuerza el derecho de la mujer a ejercer una amplia gama de profesiones y el apoyo a la educación mixta[65]. En este campo de la educación, mediante la Real Orden de 2 de septiembre de 1871, se autorizó a las mujeres a que cursasen estudios oficiales de segunda enseñanza y, posteriormente, el Proyecto de Constitución Federal de 1873 recogía en su articulado el principio de igualdad de oportuni-

---

[65] El primer Congreso, celebrado en Madrid en 1882, congregó a 2182 delegados, de los que 431 eran mujeres. Diez años después se celebraría el segundo, que reviste especial importancia para las mujeres porque es ahí donde, por primera vez, se dedica una ponencia específica a los conceptos y límites de la educación de la mujer y de la aptitud profesional de ésta. La polémica suscitada y las discusiones a que dieron lugar permite descubrir varias corrientes en torno al concepto y al tipo de educación que se pretendía ofrecer a las mujeres; la más tradicional sigue insistiendo en una educación de segunda categoría para éstas, en consonancia con su inferioridad biológica, lo que resultaría una educación diferente según el sexo; la moderada estaría de acuerdo en impartir ciertos estudios a las mujeres, siempre que no se alterara la jerarquización intelectual existente (a favor de los hombres); la más radical, defendida por Emilia Pardo Bazán, propugnaba la igualdad absoluta de hombres y mujeres tanto en la educación como en el consiguiente ejercicio profesional. En 1883, la celebración del I Congreso Nacional Femenino de las Baleares, auspiciado por republicanos y masones, supuso el intento de coordinar todos los grupos existentes en nuestro país.

dades[66]. Esta consideración del principio de igualdad es la que llevó a TOMÁS Y VALIENTE a apuntar que "la burguesía predicó la igualdad ante el Derecho como una censura contra los privilegios estamentales de la sociedad del Antiguo Régimen", y en ese marco el término "igualdad" entrañaba igualación jurídica con la nobleza o supresión de los privilegios por medio de la creación de una condición jurídica igualitaria de todos los ciudadanos[67]

En la etapa de la Restauración monárquica (1874-1931) podemos destacar algunos pequeños avances en materia de igualdad. En relación con los derechos civiles se produjeron numerosas muestras de disconformidad frente al tratamiento que se le otorgaba a las mujeres casadas y a las solteras, que, aunque gozaban de una mayor autonomía en la materia y de una dependencia relativa, no tenían los mismos derechos que los hombres. En este ámbito, algunas mujeres ejercieron presión con el fin de que se hiciesen reformas en los Códigos penal de 1870, civil de 1889 y de comercio de 1885. Como ha puesto de manifiesto SCANLON, el estudio de estos textos "revela que el sexo determina toda una serie de consecuencias legales y que la posición política, civil, social, comercial y penal de la mujer se modificaba con arreglo a las deprimentes opiniones prevalentes acerca de la naturaleza de la mujer", casi siempre "se les negaba a ellas los puestos de autoridad o responsabilidad en

---

[66] Al igual que hiciera el artículo 27 del texto constitucional de 1869, el Proyecto republicano afirmaba en su artículo 5º que "todos los españoles son admisibles a los empleos y cargos públicos, según su mérito y capacidad. La obtención y el desempeño de estos empleos y cargos, así como el ejercicio de los derechos civiles y políticos son independientes de la religión que profesen los españoles".

[67] TOMÁS Y VALIENTE, F.: *Manual de historia del Derecho español*, Madrid, 1981, pág. 424.

los que estuvieran implicadas otras personas", así como se establecían ciertas limitaciones en el ejercicio de la tutela[68].

En la esfera laboral, la Real Orden de 23 de octubre de 1880, contempló el acceso de la mujer a puestos administrativos, si bien, solamente permitió el de auxiliar de telégrafos. Con posterioridad, la Real Orden de 2 de septiembre de 1910, estableció que "la posesión de los diversos títulos académicos habilitará a la mujer para el ejercicio de cuantas profesiones tengan relación con el Ministerio de Instrucción Pública", ampliándose esta autorización por la Ley de Bases de la Condición de los Funcionarios de la Administración Civil del Estado, de 22 de julio de 1918[69].

En virtud de la Real Orden de 11 de junio de 1888 se permite el acceso de las mujeres a los estudios universitarios, pero como alumnas de enseñanza privada, y requiere previa autorización para la matrícula oficial. Este impedimento desaparece con la Real Orden de 8 de marzo de 1910. Sin embargo, este avance en el acceso de la mujer a la Universidad, como paso previo al ejercicio de la profesión, no tendría sustantividad sino a partir de la Real Orden de 2 de septiembre de 1910, por la que se faculta a las mujeres que hubieran obtenido su título académico a ejercer la profesión a que aquel habilita[70].

A su vez, el Código civil de 1889 tiene como modelo a una familia reducida, nuclear, de corte burgués. Se seguía conside-

---

[68] SCALON, G.: *La polémica feminista en la España contemporánea (1868-1974)*, Madrid, 1986, págs. 122-158.

[69] *Gaceta de Madrid*, núm. 205, de 24 de julio de 1918, págs. 222 a 225.

[70] En este nuevo contexto, protagonizado por las Real Orden de 1910, se incorpora la primera mujer a un colegio de abogados, María Asunción Chirivella, en Valencia en el año 1922. Sin embargo, de mayor relevancia pública gozaron sus coetáneas, las abogadas Clara Campoamor y Victoria Kent, especialmente conocidas por el papel desarrollado en las Cortes Constituyentes de 1931.

rando a la mujer, en especial a la mujer casada, como si fuera una persona incapacitada, por lo que necesitaba asistencia[71]. Por incidir solamente en algunos aspectos, la mujer estaba subordinada al marido, tanto en el ámbito personal como en el patrimonial; él era quien podía fijar el domicilio conyugal; únicamente él estaba acreditado para ser el administrador de los bienes matrimoniales; el padre era quien ejercía la patria potestad y, solo en su defecto, se le atribuía a la madre[72]. A mayor abundamiento, si cabe, el adulterio de la mujer le hace perder a ésta todos los derechos en relación al patrimonio de la unión marital, siendo causa de separación matrimonial. El del hombre no estaba penado. La línea del legislador no ofrece duda alguna.

Todas estas durísimas consecuencias de índole social y jurídica tienen su fundamento, de facto, en el discurso que tanto la jerarquía católica como moralistas, filósofos e incluso médicos mantienen en torno a la figura de la mujer y su función en la sociedad. El discurso católico, en especial, subraya la resignación y la sumisión de la mujer como normas de vida, y, como virtud, la función social a la que se supone destinada; la virginidad es considerada "mérito religioso" y el destino de la mujer se reduce a ser esposa y madre[73].

En 1927, en la convocatoria de la Asamblea Nacional Consultiva de la dictadura de Primo de Rivera, aprobada en septiembre por Real Decreto, se establece en su artículo 15, que

---

[71] RUIZ CARBONELL, R.: "Aspectos jurídicos de la violencia, recorrido histórico y situación actual", en *Mujer y servicios sociales*, Murcia, 1998, pág. 103.

[72] El padre fuera del matrimonio podía no reconocer al hijo y si lo hacía quitar la custodia a la madre al cumplir los tres años.

[73] IMAZ ZUBIAZUR, L.: "Superación de la incapacidad de la mujer casada para gestionar su propio patrimonio", en *Mujeres; pasado y presente*, Bizkaia, 2008, pág. 71.

pueden formar parte de ella: "varones y hembras, solteras, viudas o casadas, éstas debidamente autorizadas por sus maridos".
El 11 de octubre de ese año, se formaba la Asamblea Nacional
con trece escaños femeninos[74]. La mayoría de esas mujeres fueron nombradas por destacar dentro de sus profesiones, casi
todas relacionadas con el mundo de la educación, la cultura
o la beneficencia. Fueron las primeras mujeres que ocuparon
un escaño en el Parlamento español, y aunque la situación no
era de normalidad democrática, todas ellas trataron de llevar
a debate, de forma seria y estudiada aquellos problemas que
consideraban más importantes para la mujer de su momento.

El régimen primorriverista, carente de ideología, se apoyó
sobre los principios doctrinales del catolicismo social y político, porque era el que mayor grado de coherencia y elaboración
ofrecía. En cuanto a las mujeres, el programa electoral que asu-
mió la dictadura, a través de la Unión Patriótica, se identificaba
completamente con el de la Acción Católica de la Mujer. Ambas defendían la idea de que las mujeres compaginaran hogar y participación en tareas laborales y sociales, así como su
intervención en cuestiones de educación, salud, higiene, etc.
Estas opiniones descansaban sobre una noción concreta de las
identidades femenina, nacional y religiosa, basada en el patrio-
tismo nacionalista y en una identidad femenina fundamentada
en la diferencia de género entendida como capacidad de proyección de las cualidades de la mujer al espacio público.

---

[74]   Estas mujeres fueron Blanca de los Ríos, Isidra Quesada, Micaela
Díaz, María de Maeztu, María de Echarri, María López de Sagredo,
Concepción Loring, Carmen Cuesta del Muro, Teresa Luzzati, Jose-
fina Oloriz, María López Moleón, María Natividad Domínguez de
Roger y Trinidad Von Scholtzhermensdorff, duquesa de Parcent.
Hubo otras dos mujeres elegidas para ser asambleístas, Dolores Ce-
brián, esposa de Julián Besteiro y Esperanza García de Torre, esposa
de Torcuato Luca de Tena, si bien ambas renunciaron.

A la altura de 1931 la sociedad española estaba todavía inmersa en los modelos de género y diferenciación de espacios tradicionales en función del sexo. Esta consideración iba a cambiar tenuemente en el breve período republicano, experimentando el asociacionismo femenino un gran empuje tanto en la izquierda como en la derecha[75].

Si bien los partidos republicanos demostraban poco interés en las demandas femeninas, éstas obtenían un mayor respaldo entre las organizaciones de izquierda y de derecha, aunque con planteamientos y diferencias sustanciales. Las mujeres afiliadas en asociaciones progresistas aprovecharon el ambiente favorable del nuevo contexto para difundir y defender sus planteamientos[76]. Los movimientos anarquistas, por su parte, consideraban a la mujer en igualdad de condiciones que el hombre, con los mismos derechos y deberes, animándola continuamente a la participación activa en la lucha por el reconocimiento del amor libre, el desarrollo de los métodos anticonceptivos, la "liberación de la esclavitud del hogar... ". Se trabajó en favor de la integración femenina en los sindicatos e incluso creando ramas casi femeninas, como

---

[75] En el entorno conservador podemos citar la Asociación Femenina de Acción Nacional fundada en octubre de 1931, que poco después cambiará el nombre por Asociación Femenina de Acción Popular, cuyo objetivo era "integrar a la mujer en la lucha política" bajo los principios de religión, patria, familia, orden y trabajo, la Asociación Femenina de Renovación Española, creada en mayo de 1933, la España Femenina, la Asociación Feminista Tradicionalista y la Sección Femenina de Falange. En la izquierda cabe destacar la Unión Republicana Femenina, creada a comienzos de octubre de 1931 por Clara Campoamor para incentivar el voto femenino republicano, la Asociación de Mujeres Republicanas (1933) y la Comisión Femenina del Frente Popular de Izquierdas (1936), entre otras.

[76] NASH, M.: "La problemática de la mujer y el movimiento obrero", en *Teoría y práctica del movimiento obrero en España. 1900-1936*, Valencia, 1979, págs. 242-279.

el servicio doméstico. Paralelamente, la propaganda actuaba sobre el hombre para que abandonara sus ideas tradicionales sobre la mujer y los sólidos y ofensivos convencionalismos existentes[77].

Las organizaciones políticas conservadoras, especialmente la extrema derecha, en estrecha colaboración con la jerarquía católica, mantenían y defendían planteamientos distintos para la mujer, oponiéndose al programa reformista de la República y denunciando sistemáticamente lo que denominaban "peligros de la ideología revolucionaria". Consideraban que la mujer debía estar protegida por el hombre y rechazaban el feminismo que, en su opinión, masculinizaba a la mujer y la alejaba de su "misión familiar" y de la participación en la vida pública, todo ello en el contexto de la defensa y/o recuperación de los valores tradicionales del catolicismo frente a la legislación laica republicana[78].

La proclamación de la República, el 14 de abril de 1931, supuso para la mujer su entrada en la esfera pública, promoviendo su acceso a la política y su independencia económica y

---

[77] GONZÁLEZ-ARES, J. A.: "Nacimiento y evolución de la conciencia femenina en la sociedad española (1810-1936)", op. cit., pág. 172.

[78] Para ello, se revitaliza Acción Católica, se ponen en práctica los principios del socialismo cristiano católico y se fundan diversas entidades para intentar transformar el "ambiente pagano, paganizador, sectario y anticristiano" existente: la Juventud Católica Femenina y la Juventud Agrícola Católica Femenina. En Madrid se crea el Centro de Cultura Superior Femenina como avanzadilla de una serie de futuras instituciones que debían preparar y "formar" a la élite para posteriormente preservar el alma de la mujer íntegra y limpia de contaminación. Pretendía ser una especie de universidad femenina para corregir la "deformación" de la mujer, atribuida a la coeducación y la desaparición de la formación religiosa y doméstica en las escuelas.

social[79]. Sin pérdida de tiempo, el Gobierno Provisional, mediante un Decreto de 8 de mayo, rebajó de 25 a 23 años la edad mínima para votar y declaró que las mujeres y los curas podían ser parlamentarios. En las elecciones celebradas aquel año fueron elegidas dos mujeres diputadas, Victoria Kent, por Izquierda Republicana, y Clara Campoamor, por el Partido Radical. A finales de ese mismo año ingresa otra diputada, Margarita Nelken, por el Partido Socialista Obrero Español. La abogada y diputada radical, fue la más ardua defensora de los derechos de las mujeres y desempeñó un papel importante en el debate acerca del sufragio femenino[80].

---

[79] A comienzos de los años treinta del siglo XX, la mujer española tenía, con respecto a otros países de su entorno, cotas muy bajas en su formación cultural y participación en el mundo laboral. Además, el movimiento feminista carecía de la fuerza y potencia numérica que habían alcanzado en otras naciones industrializadas.

[80] Aunque el Proyecto de Constitución incluía el derecho al voto de todas las mujeres mayores de 23 años, la tramitación parlamentaria no fue fácil. El momento crucial se produjo en el debate parlamentario del 1 de octubre de 1931 donde tuvo un enfrentamiento dialéctico con Victoria Kent. Ésta era defensora del derecho al voto, pero como otros diputados, veía la necesidad de postergarlo. Frente a ella, Campoamor mantuvo la necesidad de reconocer el derecho al voto sin restricciones y rebatió los argumentos que desde izquierda y derecha se oponían.

El reconocimiento del sufragio fue recibido por la Cámara entre aplausos, gritos y protestas. Se escucharon frases despreciativas como "¡viva la República de las mujeres!". En los pasillos Indalecio Prieto calificó la concesión del voto femenino como "puñalada trapera a la República". Azaña llegó a traslucir su menosprecio hacia las diputadas con frases injuriosas ("la Campoamor es más lista y elocuente que la Kent, pero también más antipática", "la Kent habla para su canesú, y acciona con la diestra sacudiendo el aire con giros violentos y cerrando el puño como si cazara moscas al vuelo", entre otras lindezas), calificando jocosamente el debate como "muy divertido". Cfr. CAMPOAMOR, C.: *Mi pecado mortal. El voto femenino y yo*, Sevilla, 2001, pág. 147.

La aprobación del sufragio activo femenino preparó el camino para que la Constitución republicana, aprobada el 9 de diciembre de 1931, sentara el principio de la igualdad de género. Así, el artículo 25 señalaba que "no podrían ser objeto de privilegio jurídico la naturaleza, la filiación, el sexo, la clase social, la riqueza, , las ideas políticas, ni las creencias religiosas", el artículo 36 reconocía que " los ciudadanos de uno y otro sexo, mayores de 23 años, tendrán los mismos derechos electorales conforme determinen las leyes" y el artículo 40 establecía que "todos los españoles, sin distinción de sexo, son admisibles a los empleos y cargos públicos según mérito y capacidad, salvo las incompatibilidades que las leyes señalen". Este texto fue la primera norma legal, que consagró el principio de la igualdad entre el hombre y la mujer frente a la ley[81].

Tras las consiguientes modificaciones en las leyes civiles y penales, el principio de igualdad inspiró varias leyes importantes, entre ellas las relativas al divorcio (2 de marzo de 1932) y al matrimonio civil (28 de junio de 1932).

La Ley de Divorcio fue considerada de las más avanzadas de su tiempo. Permitía la disolución del matrimonio por mutuo acuerdo. Tanto el marido como la esposa adquirían la libre disposición y administración de sus propios bienes y de los que,

---

[81] Las primeras elecciones en las que participaron las mujeres fueron las de noviembre de 1933 que dieron una mayoría parlamentaria a los partidos de centro-derecha y de derechas, dándose inicio al denominado bienio radical-cedista, e inevitablemente se les echó la culpa de la victoria a la derecha.
El voto femenino se convirtió, según Clara Campoamor, en el "chivo cargado con todos los pecados de los hombres, y ellos respiraban tranquilos y satisfechos de sí mismos cuando encontraron esta inocente víctima, criatura a cuenta de la cual salvar sus culpas". El voto femenino, como recuerda Scanlon, fue, a partir de 1933, la lejía de mejor marca para lavar las torpezas políticas varoniles. SCANLON, G.: *La polémica feminista en la España contemporánea*, op. cit., pág. 281.

por la liquidación de la sociedad conyugal, se les asignase. La parte inocente podía pedir el divorcio basándose en varias causas: adulterio, bigamia, abandono, malos tratos, enfermedad venérea, etc. No había distinción entre los cónyuges respecto a las pensiones alimenticias, lo cual presuponía que ambos podían tener independencia y recursos económicos, no consagrando *a priori* la inferioridad económica de la mujer respecto al marido como ocurría en otras legislaciones extranjeras[82].

Con la Ley de 28 de junio de 1932 se implantaba un nuevo sistema matrimonial, que solo reconocía efectos jurídicos al matrimonio celebrado en forma civil[83]. Elemento revolucionario para la emancipación de la mujer fue, sin duda, la eliminación de una de las formalidades de la celebración del matrimonio. La nueva disposición legislativa señalaba que la forma de celebración del matrimonio continuaría rigiéndose por lo establecido en el artículo 100 del Código civil, pero se omitiría el contenido del artículo 57 que establecía que "el marido debe proteger a la mujer y ésta obedecer al marido". A partir de la vigencia de esta Ley, sería exclusivamente el juez de primera instancia al que le correspondía dispensar cualquier clase de impedimento para contraer matrimonio como podían ser los de consanguinidad o afinidad. Por otro lado, cualquier controversia relativa a la validez o nulidad de los matrimonios ya celebrados pasaban a ser competencia exclusiva de la jurisdicción civil.

A su vez, el texto constitucional garantizaría a las mujeres su derecho a ocupar cargos públicos y puestos de trabajo (art.

---

[82] GONZALEZ-ARES, J. A.: "Nacimiento y evolución de la conciencia femenina en la sociedad española (1810-1936)", op. cit., pág. 188.

[83] El primer artículo de esta norma disponía que "a partir de la vigencia de la ley solo se reconoce una forma de matrimonio, el civil, que deberá contraerse con arreglo a lo dispuesto en las secciones primera y segunda del capítulo 4º del libro 1º del Código civil".

40), y reconoció la protección de la maternidad (art. 46). Además, se extendió la coeducación, o sea que las personas de ambos sexos estudiaban juntos y las mismas materias, lo que provocó una numantina resistencia católica, sobre todo en lo referente a la formación de maestras y maestros en las Escuelas Normales.

La Ley de Asociaciones Profesionales de Patronos y Obreros de 8 de abril de 1933 permitió a la esposa formar parte de las asociaciones obreras sin necesidad de licencia de su marido. En la misma línea, el gobierno republicano promulgó una serie de normas para conseguir un trato igualatorio entre sexos. Ahora las mujeres podían formar parte de los jurados populares (Decreto Ley de 27 de abril de 1931), y se estableció con carácter obligatorio el seguro de maternidad (Decreto de 26 de mayo de 1931).

Las reformas del Código civil y del Código penal, suprimiendo parte de las discriminaciones entre los dos sexos, contribuyeron también a mejorar la condición femenina. En el Código Civil se recogieron cuestiones como la libertad de elegir la nacionalidad cuando la del marido era diferente, o como la equiparación de la mayoría de edad entre varones y hembras, que se fijó en los veintitrés años. Por su parte, la modificación del Código punitivo de octubre de 1932 suprimió el delito de adulterio en la mujer y de amancebamiento en el varón. Desaparecieron los preceptos que versaban sobre el parricidio "por honor", y que castigaban al hombre a una pena de seis meses a seis años de destierro, mientras que la mujer en el mismo caso era condenada a cadena perpetua. Asimismo, la orden ministerial de 4 de octubre de 1933 dispuso que las viudas no perdían la patria potestad sobre los hijos, aunque contrajesen nuevas nupcias, al igual que las divorciadas, quedando así derogado el artículo 168 del Código civil[84].

A pesar de la nunca disimulada hostilidad de ciertos sectores, el régimen republicano fue generoso con los derechos de la mujer. Como pone de manifiesto NASH, "aunque las estructuras de género no se cuestionaron abiertamente, la modernización del Estado, el desarrollo de la democracia política, la secularización de la educación y la creciente participación de las mujeres en el movimiento obrero organizado condujeron al aumento de la conciencia femenina y a una valoración de su condición social"[85].

Pero los avances conseguidos en los diferentes espacios de la vida cotidiana, al igual que los logros en materia legislativa se vieron mediatizados tras la sublevación del 18 de julio de 1936[86]. El fracaso de la misma llevó al inicio de una guerra fratricida que duraría casi tres años. Durante el conflicto España quedó dividida en dos bandos, que desarrollarían todos los medios que tenían a su alcance para hacerse con la victoria. El tema de la mujer jugó un papel fundamental a la hora de mar-

---

[84]   Con todo, el Código civil siguió contemplando la "autoridad" del marido como representante legal de la esposa para administrar bienes, contratar y cualquier otra actuación económica.

[85]   NASH, M.: *Rojas. Las mujeres republicanas en la guerra civil*, Madrid, 1999, pág. 83.

[86]   La Ley de 12 de marzo de 1938 señalaba en su exposición de motivos que la Ley de Matrimonio Civil de 1932 suponía una "agresión alevosa de la República contra los sentimientos católicos de los españoles" y decretaba la derogación de esta norma, junto con las disposiciones dictadas para su aplicación (art. 1). Además, declaraba la plenitud de efectos civiles de los matrimonios canónicos celebrados durante la vigencia de la Ley de 1932 desde su celebración, con independencia de que hubieran sido precedidos o seguidos de matrimonio civil, y exigía que fueran inscritos en el Registro Civil de oficio o a instancia de parte.

car diferencias entre ambos. Mientras en el lado republicano los avances continuaban siguiendo la línea de reformas de los años anteriores, en el nacional se imponía el modelo de mujer tradicional que alentaba a la recuperación de los "baluartes más preciados de la Patria, familia y religión"[87].

A partir de 1939, una vez finalizada la contienda, el régimen franquista radicalizó los modelos de feminidad doméstica, produciéndose una recuperación de la familia patriarcal y una subordinación social. La mujer pierde de nuevo todos sus derechos y es reducida al papel tradicional de madre abnegada, complaciente esposa y, sobre todo, muy piadosa. De la mujer emancipada en plena igualdad de derechos con el hombre se pasó a una mujer menor de edad dependiente de éste, negándosele la libertad, la igualdad y la ciudadanía.

El nuevo Estado antidemocrático, represivo y confesional católico, dinamitó toda la legislación republicana ligada a las libertades, al progreso, a la igualdad y a la justicia social. La Iglesia católica, una vez recobrado su poder, será la responsable de la dominación espiritual de la sociedad española durante prácticamente todo el periodo de la dictadura.

Pilar Primo de Rivera, fundadora y dirigente de la Sección Femenina, tenía claro el papel secundario de la mujer en la sociedad, así reservaba las misiones directoras para los hombres y reconocía que el único puesto para ellas era dentro del seno familiar[88]. Partiendo de esta premisa, la organización fue desarrollando una serie de actuaciones en diversos ámbitos que tenían como fin la "reconquista del hogar". La educación, la

---

[87] CEBREIROS IGLESIAS, A.: "De lo político a lo social. Actividades de la Falange Femenina durante el franquismo", en *Mujer, política e igualdad. De las palabras a los hechos*, Valencia, 2017, pág. 128.

[88] Cfr. *Discurso inaugural de Pilar Primo de Rivera en el III Consejo Nacional de SF en AGA, Cultura, Sección Femenina*, IDD 51.047, caja núm. 1, Información sobre los Consejos Nacionales de Sección Femenina.

sanidad, el campo, la música o el deporte formaron parte del conglomerado de actividades que desarrolló esta organización y que se fueron transformando durante sus años de vida. El Servicio Social de la Mujer, creado en el seno de Auxilio Social en octubre de 1937, fue otro vehículo de propagación del adoctrinamiento de la mujer, "inspirado -como decía el Decreto de constitución- en el propósito de que todas nuestras energías y voluntades nacionales se pongan en realización para el rápido resurgimiento del Estado Español".

El "servicio social" era obligatorio para las mujeres entre 17 y 35 años. Tenía una duración mínima de 6 meses, dividido en una parte teórica y otra práctica. A partir de su entrada en vigor era obligatorio para poder optar a la expedición de títulos que habilitasen para el ejercicio de cualquier carrera o profesión; la inclusión en oposiciones y ejercicios para cubrir plazas vacantes en la Administración del Estado, provincia o municipio; el desempeño de empleo retribuido en las empresas concesionarias de servicios públicos; o el ejercicio de todo cargo de función pública y responsabilidad política[89].

El régimen de Franco retomó las pautas culturales y mentales fundamentadas en el constructo sexo-género. Como expone ARENAS, la Ley de Educación Primaria de 1945 comienza una nueva etapa de la escuela segregada que se desarrollará durante los próximos treinta años con un objetivo claro; hacer de las niñas unas perfectas amas de casa, esposas fieles, madres amantísimas de sus hijas, castas y pudorosas, que deleguen la gestión social y política a los hombres y que, a la vez, cultiven los valores propios de la feminidad[90]. El ideal femenino que con tanto empeño rescató y difundió el franquismo mostraba un prototipo de mujer de clase media cuya única carrera

---

[89] *Rumbo*, 12 de octubre de 1937, pág. 3.

[90] Cfr. ARENAS FERNÁNDEZ, M. G.: *Triunfantes perdedoras. Investigación sobre la vida de las niñas en la escuela*, Málaga, 1996.

era el matrimonio y para la que la actividad laboral constituía una deshonra. Solo a partir de los años cincuenta se observa una tímida incorporación de la mujer al mercado laboral. Para Pilar Primo de Rivera el trabajo de la mujer se contemplaba únicamente para quienes no tuvieran recursos económicos, tratándose, por tanto, de una decisión de subsistencia familiar y nunca de una consideración personal que contemplara su independencia o realización personal.

Hasta la aprobación de la ley 31/1972, de 22 de julio, las mujeres menores de 25 años necesitaban contar con el permiso paterno si deseaban independizarse e irse a vivir fuera del hogar familiar. Solo había dos excepciones para los que esta autorización no era imprescindible: ingresar en una orden religiosa o casarse.

La llegada de la "transición" llevó a un giro en torno a las políticas de género, defendiendo una igualdad real entre ambos sexos y desechando el ideario de una organización que en muchos sentidos había quedado obsoleto.

Bibliografía

AGUADO, A.: "Ciudadanía, mujeres y democracia", en *Revista Electrónica de Derecho Constitucional*, núm. 6, 2005.

ALBERDI, I.: *Tolerancia cero. Cómo reconocer y cómo erradicar la violencia contra las mujeres–Semillas y antídotos de la violencia en la intimidad*, Barcelona, 2005.

ÁLVAREZ, M. e IGLESIAS, R. M.: "La mujer en Roma", en *Sobre la mujer*, Murcia, 1998.

AMORÓS, C. y DE MIGUEL, A. (eds.): *Teoría feminista de la Ilustración a la globalización. De la Ilustración al segundo sexo*, vol. I, Madrid, 2005.

ANDERSEN, B. y ZINSSER, J. P.: "La afirmación de la humanidad de las mujeres: las primeras feministas europeas", en *Historia de las mujeres, una historia propia*, vol. 2, Barcelona, 1991.

ARENAS FERNÁNDEZ, M. G.: *Triunfantes perdedoras. Investigación sobre la vida de las niñas en la escuela*, Málaga, 1996.

ASTOLA MADARIAGA, J.: "Las mujeres y el Estado constitucional; un repaso al contenido de los grandes conceptos del Derecho Constitucional", en *Mujeres y Derecho: Pasado y presente*, Bizkaia, 2008.

ÁVILA, A., CASTELLANOS, N. y TRIANA, A.: "La teoría política de Thomas Hobbes y su influencia en la construcción del principio de legalidad en el Estado moderno", en *Via Iuris*, núm. 20, 2016.

BALLESTEROS GARCÍA, M. D.: "De Christine de Pisan (1364-1430) y la <<Querelle des femmes>> a Louise Labé (1524- 1566) y su <<Epístola dedicatoria>>: por una genealogía del feminismo en el Renacimiento francés", en *Álabe*, núm. 12, 2015.

BERGARECHE GROS, A.: "Constitución y género", en *Mujer, política e igualdad. De las palabras a los hechos*, Valencia, 2017.

BONILLA VÉLEZ, G. E.: "Teoría feminista, ilustración y modernidad. Notas para un debate", en *Cuadernos de Literatura del Caribe e Hispanoamérica*, núm. 11, 2010.

CALDERÓN LÓPEZ, M. I.: "Judith Sargent Murray Triumphant.The medium as Rational Entertaiment", en *Old stories, new readings the transforming power of American drama*, 2015.

CAMPOAMOR, C.: *Mi pecado mortal. El voto femenino y yo*, Sevilla, 2001.

CASTELLS, I.: *Mujeres y constitucionalismo histórico español. Seis estudios*, Oviedo, 2014.

CAVANA, M. L.: "<<Sobre el mejoramiento civil de las mujeres>>: Theodor Gottlieb Von Hippel o las contradicciones de la Ilustración", en *Ágora*, núm. 10.

CEBREIROS IGLESIAS, A.: "De lo político a lo social. Actividades de la Falange Femenina durante el franquismo", en *Mujer, política e igualdad. De las palabras a los hechos*, Valencia, 2017.

COBO BEDÍA, R.: "El discurso de la igualdad en el pensamiento de Poulain de la Barre", *en Historia de la teoría feminista*, Madrid, 1994.

-: "A construcción social do feminismo en Mary Wollstonecraft", en *Andaina. Revista do Movemento Feminista Galego*, núm. 8, 1994,

DE GOUGES, O.: *Escritos políticos*, Valencia, 2005.

ESQUEMBRE VALDÉS, M.: "Género y ciudadanía, mujeres y Constitución", en *Mujeres y Derecho*, Alicante, 2006.

FONTÁN DEL JUNCO, M.: *La Mujer de Kant. Sobre la imagen de la mujer en la antropología kantiana*, Cádiz, 1994.

FROSINI, V.: "Paradosso dell´ eguaglianza", en *Rivista Internazionale di Filosofia del Diritto,* L III, 1976.

FUENTE PÉREZ, M. J.: "Voces pro femeninas en las querellas de las mujeres: Álvaro de Luna y El libro delas claras y virtuosas mujeres", en *La Querella de las Mujeres I. Análisis de Textos,* Madrid, 2009.

GARCÍA-MERCADAL, F.: *La presencia de la mujer en la vida pública y parlamentaria española: de la conquista del voto femenino a la democracia paritaria,* Almería, 2001.

GARCÉS PERALTA, P. C. y PORTAL FARFÁN, D. C.:" La protección de los derechos de las mujeres en la jurisprudencia de Tribunal Constitucional: ¿Más limitaciones que avances?", en *Pensamiento Constitucional,* núm. 21.

GÓMEZ FERNÁNDEZ, I.: *Una Constitución feminista. ¿Cómo reformar la Constitución con perspectiva de género?,* Madrid, 2017.

GONZÁLEZ-ARES, J. A.: *Introducción al estudio del constitucionalismo español (1808-1975),* 4ª ed., rev. y amp., Santiago de Compostela, 2003.

-: "Nacimiento y evolución de la conciencia femenina en la sociedad española (1810-1936)", *en Mujer, política e igualdad. De las palabras a los hechos,* Valencia, 2017.

GUARIGLIA, O.: "Jerarquía natural, ser social y valores en la filosofía práctica de Aristóteles". *Diálogos,* IX. 25, 1973.

IMAZ ZUBIAZUR, L.: "Superación de la incapacidad de la mujer casada para gestionar su propio patrimonio", en *Mujeres; pasado y presente,* Bizkaia, 2008.

KANT, I.; *La metafísica de las costumbres,* Madrid, 1994.

MARTÍNEZ FERNÁNDEZ, P.: "Masculinidades: ¿nuevas construcciones o más de los mismo?, en *Revista Venezolana de Economía y Ciencias Sociales,* núm. 2, vol. 7, 2001, págs. 4 y 5.

MORALES OTAL, C.: "La mujer en Grecia", en *Sobre la mujer,* Murcia, 1998.

NASH, M.: "La problemática de la mujer y el movimiento obrero", en *Teoría y práctica del movimiento obrero en España. 1900-1936,* Valencia, 1979.

-: *Rojas. Las mujeres republicanas en la guerra civil,* Madrid, 1999.

-: *Mujeres en el mundo. Historia, retos y movimientos,* Madrid, 2005.

NASH, M. y TAVERA. S.: *Experiencias desiguales. Conflictos sociales y respuestas colectivas (siglo XIX).* 5ª edición, Madrid, 1994.

OLSEN, F.: "El sexo del Derecho", en *Identidad femenina y discurso jurídico*, Buenos Aires, 2000.

PALOMAR OLMEDA, A.: "El principio de igualdad y la interdicción", en *El tratamiento del género en el ordenamiento español*, Valencia, 2005.

PÉREZ, M.: *Historia del feminismo y vindicación de los derechos de las mujeres*, Sevilla, 2007.

PÉREZ PORTILLA, K.: *Principio de igualdad. Alcances y perspectivas*, México, 2005.

PETIT CALVO, C.: "El Código de Comercio de Sainz de Andino (1829). Algunos antecedentes y bastantes críticas", en *Revista de Derecho Mercantil*, núm. 289, 2013.

RIVERA GARRETAS, M. M.: *Textos y espacios de mujeres (Europa siglos IV-XV)*, Barcelona, 1990.

RUIZ CARBONELL, R.: "Aspectos jurídicos de la violencia, recorrido histórico y situación actual", en *Mujer y servicios sociales,* Murcia, 1998.

SÁNCHEZ MUÑOZ, C.: "La difícil alianza entre ciudadanía y género", en *También somos ciudadanas*, Madrid, 2000.

SÁNCHEZ VIDAL, M. S.: "La educación de la mujer en el contexto sociopolítico y educativo contemporáneo español", en *Historia Digital,* XVI, núm-28, 2016.

SCALON, G.: *La polémica feminista en la España contemporánea (1868-1974)*, Madrid, 1986.

TOMÁS Y VALIENTE, F.: *Manual de historia del Derecho español*, Madrid, 1981.

SUAY RINCÓN, J.: *El principio de igualdad en la justicia constitucional*, Madrid, 1985.

VALCÁRCEL, A.: *La política de las mujeres. Feminismos*, 3ª ed., Madrid, 2004.

WOLLSTONECRAFT, M.: *Vindicación de los derechos de la mujer*, Madrid, 2000.

SEGUNDA PARTE
ESTEREOTIPOS DE GÉNERO EN EL DERECHO ACTUAL

Capítulo 9

Cómo hacer visible lo invisible: Los estereotipos de género en la argumentación probatoria[1]

PABLO BONORINO
Catedrático de Filosofía del Derecho
Universidad de Vigo

RESUMEN: En este trabajo nos planteamos la pregunta: ¿cómo se pueden utilizar las reglas de la sana crítica para neutralizar los efectos negativos de los estereotipos de género cuando no son expresamente formulados en el texto de las sentencias judiciales? Las reglas de la sana crítica constituyen un conjunto heterogéneo de reglas. Las leyes de la lógica son verdades formales que sirven para evaluar las inferencias, pero también para identificar las premisas tácitas en las argumentaciones probatorias. Las leyes de la experiencia y de la psicología común se integran como premisas (por lo general tácitas) que expresan supuestas verdades empíricas generales. Sostendremos que es a través este segundo tipo de reglas por donde ingresan los estereotipos de género y que son las leyes de la lógica las que pueden servir de guía para su

[1] Esta publicación es parte del proyecto de I+D+i PID2019-105841RB-C22 financiado por MCIN/ AEI /10.13039/501100011033.

detección y explicitación. Una comprensión adecuada de la diversidad de reglas y de sus distintas funciones es el paso previo para poder identificar y eliminar los estereotipos de género en las argumentaciones probatorias, sobre todo cuando no resultan visibles en el texto.

PALABRAS CLAVE: Argumentos probatorios, estereotipos de géneros, entimemas, lógica, derrotabilidad.

ABSTRACT: In this chapter, we pose the question: how can the "rules of sound criticism" be used to neutralize the harmful effects of gender stereotypes when they are not expressly formulated in a court ruling? The "rules of sound criticism" constitute a heterogeneous set of rules. The laws of logic are formal truths that evaluate inferences and identify tacit premises in evidentiary arguments. The laws of experience and common psychology appear as (usually tacit) premises expressing supposed general empirical truths. We will argue that it is through this second type of rule that gender stereotypes enter and that the laws of logic can serve as a guide for their detection and explicitation. An adequate understanding of rules' diversity and functions is the first step to identifying and eliminating gender stereotypes in evidentiary arguments, especially when they are not visible in the text.

KEYWORDS: Evidentiary arguments, gender stereotypes, enthymemes, logic, defeasibility.

I. INTRODUCCIÓN

Los prejuicios suelen ser invisibles cuando son ampliamente compartidos en un grupo social. Luchar contra ellos requiere volverlos visibles para quienes actúan asumiéndolos como verdades de sentido común, para luego mostrar las consecuencias negativas que se derivan de ellos. Los estereotipos son generalizaciones sin base empírica que condensan la manera de pensar de un grupo sobre algunos de sus miembros. Por lo general permiten legitimar desigualdades injustificadas y comportamientos discriminatorios hacia esos sujetos. En sociedades en las que las mujeres han sido históricamente discriminadas se llaman estereotipos de género a las creencias infundadas que circulan como verdades naturales sobre el comportamiento y las características de las mujeres que legitiman esas prácticas e instituciones desigualitarias.

Los estereotipos de género pueden influir de forma negativa en las decisiones judiciales, pero mucho más si lo hacen sin ser vistos. Una de las dimensiones en las que más efectos negativos pueden generar es en la argumentación probatoria. Es relativamente sencillo cambiar los textos normativos para eliminar de ellos cualquier rastro de discriminación. O para introducir definiciones que aclaren el uso de los términos técnicos para disipar posibles dudas interpretativas al aplicar las leyes que los emplean. Pero con ello no se pueden evitar los problemas que surgen cuando se debe probar un enunciado fáctico o dirimir si ciertas acciones poseen las propiedades que permiten subsumirlas en esas categorías jurídicas perfectamente delimitadas en el plano general. Los argumentos probatorios son aquellos con los que se justifica la verdad de afirmaciones sobre hechos particulares relevantes para determinar las consecuencias jurídicas que se derivan del sistema normativo en un caso particular. Los aplicadores del derecho actúan con un alto grado de discrecionalidad al evaluar su solidez.

La adopción del sistema de la "sana crítica racional" para la valoración de la prueba en el proceso penal busca reducir ese espacio de discrecionalidad judicial. Pero las normas procesales que lo acogen se limitan a prescribir al juez el uso de las reglas de la sana crítica para llevar a cabo esa labor, a las que suelen definir como las "leyes de la lógica, de la experiencia y de la psicología común", sin especificar cuáles son esas leyes y ni cómo deben ser aplicadas. Una sentencia se considera debidamente fundada si explicita los razonamientos que conducen de las evidencias a la verdad de las premisas fácticas que emplea en su justificación. Son las reglas de la sana crítica las que permiten a las partes controlar racionalmente esas argumentaciones probatorias –y recurrir la decisión si consideran que no se han aplicado correctamente–. En este trabajo nos planteamos la pregunta: ¿cómo se pueden utilizar esas reglas para neutralizar los efectos negativos de los estereotipos de género cuando no son expresamente formulados en el texto de las sentencias judiciales?

La expresión "reglas de la sana crítica" alude a un conjunto heterogéneo de reglas que es necesario diferenciar antes de examinar la función que pueden cumplir en la detección de estereotipos de género en la argumentación probatoria. Partiremos de la explicación tradicional que las identifica con las leyes de la lógica, de la experiencia y de la psicología común, pero sostendremos que es necesario distinguir la naturaleza y función de cada una de ellas. Las leyes de la lógica son verdades formales que sirven para evaluar las inferencias que se construyen para justificar –a partir de las evidencias– la verdad de los enunciados sobre ciertos hechos, pero que también permiten identificar de manera rigurosa las premisas tácitas en las argumentaciones probatorias. Mientras que las leyes de la experiencia y de la psicología común se integran como premisas en los argumentos probatorios, premisas que expresan supuestas verdades empíricas generales, en muchas ocasiones tácitas, que deben ser evaluadas teniendo en cuenta tanto su carácter de condicionales derrotables como la posibilidad de que reflejen prejuicios y estereotipos discriminatorios socialmente arraigados. Mostraremos que es a través de la adopción tácita de este segundo tipo de reglas por donde suelen ingresar los estereotipos de género en la actividad de valoración judicial de la prueba, y que son las leyes de la lógica las que pueden servir de guía para su detección y explicitación. Una comprensión adecuada de la diversidad de reglas y de sus distintas funciones es el paso previo para poder identificar y eliminar los estereotipos de género en las argumentaciones probatorias, sobre todo cuando no resultan visibles en el texto.

II. LO VISIBLE EN LA ARGUMENTACIÓN PROBATORIA

Tomaremos como punto de partida el siguiente ejemplo simplificado de argumentación probatoria:

> "LUCIO tenía sustancias estupefacientes con la intención de comerciar, pues según ha dicho el testigo Z durante la audiencia –sin mostrar signo alguno de nerviosismo y sin incurrir en contradicciones– tenía en la mesa junto a la droga secuestrada una balanza de precisión con restos de la misma sustancia."

El primer paso para evaluar una argumentación es reconstruirla, para poner en evidencia los distintos argumentos que la forman. Un argumento es un conjunto de afirmaciones en las que se pretende probar la verdad de una de ellas (la conclusión) a partir de la verdad de las restantes (sus premisas). En una argumentación los argumentos se presentan formando cadenas, en las que las conclusiones de unos sirven a su vez como premisas en los siguientes. Veamos estas características en nuestro ejemplo simplificado:

PRIMER ARGUMENTO

Premisa: El testigo Z ha dicho, sin mostrar signo alguno de nerviosismo y sin incurrir en contradicciones, que sobre la mesa de LUCIO y junto a la droga secuestrada había una balanza de precisión con restos de estupefacientes.

Conclusión: LUCIO tenía sobre su mesa y junto a la droga secuestrada una balanza de precisión con restos de estupefacientes.

SEGUNDO ARGUMENTO

Premisa: LUCIO tenía sobre su mesa y junto a la droga secuestrada una balanza de precisión con restos de estupefacientes.

Conclusión: LUCIO tenía sustancias estupefacientes con la intención de comerciar.

El conjunto formado por estos dos argumentos se considera una argumentación porque la conclusión del primero (subargumento) es a su vez una de las premisas del segundo (argumento central). Este encadenamiento hace necesario evaluar los dos argumentos por separado antes de poder emitir un juicio de valor sobre toda la argumentación probatoria. Es aquí donde se deberían utilizar las llamadas "reglas de la sana crítica", pero para poder analizar su funcionamiento en la práctica debemos comenzar por distinguir los dos tipos de reglas que se suelen mencionar en un mismo plano a pesar de no poseer la misma naturaleza: las leyes de la lógica, por un lado, y las leyes de la experiencia y de la psicología común, por otro. Si no lo hiciéramos podríamos caer en una grave confusión, ya que para colocar a las leyes de la lógica en el mismo nivel epistémico que las leyes de la psicología y la experiencia deberíamos adoptar una concepción psicológista de la lógica. En ella se justifican las leyes lógicas a partir del análisis de los razonamientos mentales que realizan las personas a diario. Pero esta concepción fue abandonada en el campo de la lógica (no en el de la psicología) hace más de un siglo (Alchourrón 1995).

En esta sección debemos responder dos preguntas: ¿Qué son las leyes de la lógica? y ¿Cómo se pueden utilizar para valorar las inferencias probatorias? Pero para responderlas debemos aclarar en primer lugar que entendemos por "lógica". La lógica es una disciplina que históricamente se ha ocupado de la corrección de los razonamientos y de las reglas que los gobiernan. La lógica moderna aborda la cuestión desde un punto de vista formal: los argumentos son deductivos (o válidos) por su estructura o forma, con independencia del contenido. Existen distintas presentaciones de los sistemas de lógica deductiva, pero todas ellas contienen las mismas "leyes o reglas de la lógica".

Si tomamos como referencia para este análisis la lógica de conectores (o proposicional) –una parte importante de la lógica deductiva pero que no agota su contenido–, encontraremos que las "leyes de la lógica" no son tantas: con ocho reglas se puede demostrar la validez de cualquier argumento. Las reglas se organizan en torno a las distintas conectivas lógicas: conjunción (equivalente a la "y" del lenguaje natural), disyunción (equiparable a la "o"), condicional ("Si... entonces...") y negación. Se establecen dos tipos de reglas para cada conectiva: una que autoriza a introducir una fórmula que contenga dicha conectiva en el contexto de la deducción y otra que autoriza a eliminarla. Por eso son ocho las reglas de la lógica de primer orden. La ley de eliminación del condicional (*Modus Ponens*), por ejemplo, autoriza a pasar de expresiones que contienen enunciados condicionales (el conjunto de premisas) a otra expresión que no es un enunciado condicional (conclusión).

> LEY DE ELIMINACIÓN DEL CONDICIONAL O *MODUS PONENS*: Si en el conjunto de premisas hay un enunciado hipotético o condicional (Si P entonces Q) y también la afirmación de su antecedente (P), esta permitido deducir su consecuente (Q)[2].

Esto significa que todo argumento que tenga dos premisas (una de ellas hipotética o condicional, y la otra la afirmación del antecedente de ese condicional) y que como conclusión defienda la afirmación que ocupa la posición del consecuente del enunciado condicional utilizado como premisa, es un argumento deductivo o válido. La expresión que afirma que si sus premisas son verdaderas entonces su conclusión es verdadera es una verdad lógica –no depende del contenido de las premisas–. Por ejemplo,

(Premisa 1) Si hace frío [P], entonces el invierno ha llegado [Q].

---

[2]   Para una presentación más detallada de estas reglas y de cómo se utilizan en un contexto de deducción natural ver Bonorino 2021: 170-71.

(Premisa 2) Hace frío [P].

(Conclusión) El invierno ha llegado [Q].

En este caso podemos afirmar que el enunciado "El invierno ha llegado" se deduce de las premisas, porque el paso de las premisas a la conclusión está autorizado por la ley lógica del *Modus Ponens*.

Todas las leyes de la lógica forman parte de las reglas de la sana crítica y sirven para controlar los aspectos formales de los argumentos probatorios: para determinar si el juez ha deducido correctamente ciertas afirmaciones a partir de los enunciados probados durante el proceso. Pero cuando nos enfrentamos a la tarea de evaluar argumentaciones formuladas en lenguaje natural la función de las reglas de la lógica no se reduce a esto. También resultan fundamentales para la identificación de las premisas tácitas, comunes en las argumentaciones probatorias, cuya reconstrucción es un paso previo indispensable para poder evaluar su solidez. Un argumento es sólido si, además de ser lógicamente correcto, todas sus premisas son verdaderas. Incluyendo aquellas que no han sido formuladas en el texto. Nos valdremos de la ley del *Modus Ponens* para mostrar como la lógica nos permite hacer visibles esos elementos invisibles en la argumentación probatoria.

III. LO INVISIBLE EN LA ARGUMENTACIÓN PROBATORIA

Es muy común que los textos argumentativos no contengan todos los enunciados relevantes para la solidez de sus argumentos, que haya enunciados no formulados pero que resulten imprescindibles para su correcta comprensión, que expresen –en definitiva– lo que se suele conocer como "entimemas". En esos casos el intérprete debe completar la argumentación formulando los enunciados tácitos e incorporándolos como premisas o conclusión (según el caso). Pero esta tarea está guiada por una noción previa de "argumento". El intérprete trata de aproximar el resultado de su labor interpretativa a esa idea normativa y para lograrlo también debe apelar a las leyes de la lógica.

Para que el receptor del argumento pueda justificar la explicitación de esos enunciados tácitos debe mostrar que sin esos elementos el argumento resultaría lógicamente incorrecto. En consecuencia, la forma de identificar e introducir estos elementos implícitos es aplicando las leyes de la lógica: se introducen aquellas afirmaciones necesarias para que el argumento se pueda considerar deductivo[3].

Tomemos nuestro ejemplo inicial de argumentación probatoria. Comenzaremos formalizándolo utilizando las siguientes convenciones: letras mayúsculas para las afirmaciones simples, y las expresiones lógicas "Si... entonces...", "y", "o", y "No" para dar cuenta de los enunciados compuestos. El resultado sería el siguiente:

PRIMER ARGUMENTO

Premisa: A y B y C[4].

Conclusión: D[5].

---

[3] El desarrollo histórico del debate sobre la forma de abordar los entimemas se puede ver en (Gerritsen 1999). En este trabajo asumo un enfoque lógico por las razones expuestas en (Bonorino 2014), aunque en ese artículo termino defiendo la necesidad de trascenderlo para evitar algunos problemas teóricos.

[4] A = "El testigo Z ha dicho que sobre la mesa de LUCIO y junto a la droga secuestrada había una balanza de precisión con restos de estupefacientes", B = "El testigo no mostro signo alguno de nerviosismo al declarar", y C= "El testigo no incurrió en contradicciones al declarar".

[5] D= "LUICIO tenía sobre su mesa y junto a la droga secuestrada una balanza de precisión con restos de estupefacientes".

SEGUNDO ARGUMENTO

Premisa: D.

Conclusión: E^6.

Si utilizamos las reglas de la lógica sólo para evaluar la corrección de estos argumentos así reconstruidos –como si no se tratara de entimemas– deberíamos concluir que esta argumentación carece de solidez, porque no es posible en ninguno de los argumentos deducir la conclusión de sus premisas. Pero si asumimos que el problema no está en los argumentos en sí mismos, sino en la interpretación que estamos haciendo del texto, podemos preguntarnos por la posibilidad de que el argumentador haya dejado algunas premisas implícitas o tácitas –depositando en sus receptores la tarea de explicitarlas antes de proceder a valorar su argumentación–. La pregunta que cabe formular es: ¿Qué enunciados deberíamos suponer como premisas para que estos argumentos puedan considerarse deductivos? Tomemos la ley del *Modus Ponens* como guía en la labor de interpretación. ¿Qué premisas tácitas transformarían estas estructuras inválidas en formas válidas del tipo *Modus Ponens*? En ambos casos vemos que lo que faltan son las premisas condicionales, formadas con la premisa formulada como antecedente y la conclusión que se pretende deducir como consecuente:

PRIMER ARGUMENTO

Premisa: A y B y C.

Premisa tácita: Si (A y B y C) entonces D

Conclusión: D.

SEGUNDO ARGUMENTO

---

6   E= "LUCIO tenía sustancias estupefacientes con la intención de comerciar".

Premisa: D.

Premisa tácita: Si D entonces E

Conclusión: E.

Si traducimos las premias tácitas al lenguaje natural nos encontramos con los siguientes enunciados:

> Si un testigo no muestra signos de nerviosismo ni incurre en contradicciones al declarar y hacer una afirmación, entonces dicha afirmación se puede aceptar como verdadera.
> Si un sujeto tiene sobre su mesa y junto a la droga secuestrada una balanza de precisión con restos de estupefacientes, entonces tiene la droga secuestrada con la intención de comerciar.

Al explicitar las premisas tácitas aparecen otro tipo de "leyes": las llamadas leyes de la experiencia y de la psicología común. De esta manera vemos que las leyes de la lógica sirven para evaluar la forma lógica del argumento y también como guía para detectar y explicitar las premisas tácitas en los entimemas. Y que las leyes de la experiencia y de la psicología común son en realidad premisas –por lo general tácitas– que aluden al conocimiento empírico o de sentido común del argumentador y de los destinatarios de su argumentación.

Para evaluar un argumento probatorio se necesitan los dos tipos de reglas, pero eso no significa que las reglas operen al mismo nivel, ni que sirvan para lo mismo, ni que se apliquen de la misma manera. Las leyes de la lógica tienen detrás una ciencia formal que las avala, y por lo tanto no son discutibles a partir de datos empíricos –expresan verdades lógicas–. Pero las leyes de la experiencia y de la psicología común son enunciados cuya verdad o falsedad deberá ser valorada en cada caso. Un argumento probatorio para ser sólido necesita que su estructura lógica sea correcta (leyes de la lógica) y que todas sus premisas sean verdaderas: algunas de ellas dependen de las evidencias aportadas durante el proceso (premisas explícitas) y otras son enunciados condicionales generales que aluden a las relaciones entre distintos tipos de fenómenos (las llamadas leyes de la experiencia y de la psicología común). En el sistema de la sana crítica se debe detectar el uso que hace el juez de estos dos tipos de reglas y valorar dicha utilización por separado antes de poder emitir un juicio fundado sobre la justificación de sus decisiones en materia probatoria.

Todas las reglas de la sana crítica que hemos analizado hasta ahora poseen una estructura lógica condicional: "Si A entonces B". Pero los enunciados condicionales que se utilizan comúnmente en el lenguaje natural pueden ser utilizados para afirmar distintos tipos de relaciones entre el primer enunciado (antecedente) y el segundo (consecuente). En la lógica tradicional se suele simbolizar dicha relación con la conectiva denominada "condicional material", definida como aquella conectiva que, al enlazar dos enunciados, genera una expresión que sólo es falsa en caso de que el antecedente sea verdadero y el consecuente falso. Esta caracterización refleja un núcleo de significado común a la mayoría de las expresiones condicionales que se formulan en lenguaje natural, pero hay muchos enunciados condicionales que no se comportan de esa manera.

Para el problema que nos ocupa resultan de crucial importancia los llamados "condicionales derrotables". El concepto de "derrotabilidad" lo introdujo por primera vez Hart en un trabajo sobre responsabilidad al referirse a ciertas características de los conceptos jurídicos (1949)[7]. Según su concepción un condicional derrotable tiene la siguiente estructura general: "Si A entonces B a menos que C"[8]. En su enfoque la cla-

---

[7]   "This characteristic of legal concepts is one for which no word exists in ordinary English… The law has a word which with some hesitation I borrow and extend: this is the word "defeasible"". (Hart 1949: 175).

[8]   No todos los usos del concepto de "derrotabilidad" en filosofía adoptan este esquema. Ver Blöser y otros 2013.

ve está en la cláusula "a menos que" que cierra las estructuras condicionales y que indica que si se cumplen ciertas condiciones excepcionales el condicional resulta derrotado, pero que si dichas excepciones contingentes no se verifican entonces se comporta como un condicional material.

Tomemos el siguiente ejemplo de enunciado condicional: "si esto es un automóvil, entonces puedes trasladarte de un lugar a otro en él". Si lo interpretamos como un condicional material nos dice que el hecho de estar en presencia de un automóvil es una condición suficiente para trasladarse en él de un lugar a otro. Pero esto no es así, pues para que uno se pueda trasladar de un lado a otro en un automóvil se requieren otras condiciones no mencionadas: que tenga combustible, que su motor funcione, que se posean las llaves de arranque, que no tenga las gomas desinfladas, etc. La ausencia de alguna de estas condiciones derrota al enunciado condicional. Utilizando el esquema de Hart nuestro ejemplo se podría presentar de la siguiente manera: "SI esto es un automóvil, ENTONCES puedes trasladarte de un lugar a otro en él, A MENOS que no tenga combustible, que su motor no funcione, que se hayan perdido las lleves de arranque, tenga las gomas desinfladas, etc." Los condicionales derrotables suelen aparecer en el lenguaje ordinario expresados como si fueran condicionales materiales, porque las excepciones implícitas son tantas que no se pueden enumerar de forma completa sin hacer inmanejable el enunciado y porque, en circunstancias normales, sus condiciones antecedentes son suficientes para aceptar la verdad de las consecuencias.

En estos condicionales, que tienen la forma "Si A entonces B a menos que C", es importante diferenciar con claridad las condiciones que conducen a cierto estado de cosas de las condiciones que llevan a su derrota. El primer conjunto de condiciones ("A" en nuestra fórmula) son las llamadas *condiciones iniciales* a partir de las cuales se puede obtener el estado de cosas derrotable (B) –y que normalmente son condiciones suficientes para conseguirlo–. El segundo conjunto de condiciones ("C") son las llamadas *condiciones derrotadoras*: basta con que esté presente una sola de ellas para que el estado de cosas no se produzca –aún cuando se satisfagan todas las condiciones iniciales–.

Regresemos a las leyes de la experiencia y de la psicología común que identificamos como premisas tácitas en nuestro ejemplo. A pesar de su formulación como condicionales materiales ahora sabemos que en realidad su estructura lógica es la de un condicional derrotable, así que deberíamos reformularlas mentalmente de la siguiente manera:

> Si un testigo no muestra signos de nerviosismo ni incurre en contradicciones al declarar y hacer una afirmación, entonces dicha afirmación se puede aceptar como verdadera, A MENOS QUE... este acostumbrado a mentir, o sea un actor contratado para declarar de cierta manera, o ...
> Si un sujeto tiene sobre su mesa y junto a la droga secuestrada una balanza de precisión con restos de estupefacientes, entonces tiene la droga secuestrada con la intención de comerciar, A MENOS QUE... usara la balanza para pesar las dosis que consume, o que la balanza no funcionara, o que usara la droga para cocinar algún plato especial, o...

Si alguna de las condiciones derrotadoras fuera verdadera –según las evidencias aportadas en el proceso– derrotaría la aplicación de la regla de la experiencia (o de la psicología común) en ese caso concreto. Esto permitiría refutar el argumento probatorio que la hubiera utilizado como premisa. Lo que no significa que esas leyes sean falsas, porque su efecto sería sólo para el caso particular. En casos futuros la regla volvería a poder ser utilizada en otros argumentos probatorios.

Este tipo de reglas presentan una asimetría entre el caso normal (B) y el caso excepcional de su derrota (C). En el caso normal (o privilegiado), la satisfacción de las condiciones iniciales es suficiente para derivar el consecuente (B). Normalmente se puede creer en la verdad de lo que ha dicho un testigo si no se ha mostrado nervioso y no ha incurrido en contradicciones al declarar. Que no sea así, porque estuviera presente alguna condición derrotadora, se considera un caso excepcional. El carácter excepcional de la derrota del condicional se ve reflejada en un proceso judicial en la posición asimétrica en la que se encuentran quien utiliza la regla como premisa para argumentar y quién pretende cuestionar su argumentación. Quién formula un argumento probatorio en el que algunas de sus premisas tácitas es una ley de la experiencia (o de la psicología común) sólo tiene la carga de probar que se cumplen las condiciones iniciales para su aplicación en el caso concreto. No tiene la obligación de poner en evidencia su carácter derrotable ni de probar que no se cumple ninguna de las excepciones implícitas. Es la parte que pretende cuestionar la solidez del argumento la que tiene la carga de probar que hay evidencias legítimamente introducidas en el proceso que permiten afirmar la verdad de algunas de las condiciones derrotadoras en ese caso en particular.

No se puede cuestionar el uso de una regla de la sana crítica sin justificación racional para hacerlo. Para refutar un argumento en el que se utiliza una de estas reglas como premisa tácita no basta con poner de manifiesto que por su estructura lógica "podrían existir excepciones a su aplicación que no han sido consideradas". La mera posibilidad de que podamos estar en presencia del caso excepcional, la que no se puede descartar nunca de antemano, no constituye una razón suficiente para cuestionar la justificación. Todo intento de refutación que no tenga como fundamento la prueba de que en el caso particular se cumplen algunas de las condiciones derrotadoras resulta ineficaz desde el punto de vista argumentativo. Constituye lo que se suele llamar un simple "desafío gratuito" o "desafío desnudo"[9].

---

[9]   Cf. Böser y otros 2013: 5.

Teniendo en cuenta lo dicho hasta el momento sobre la estructura lógica y el funcionamiento de las llamadas "leyes de la experiencia y de la psicología común", podemos distinguir dos maneras en las que se podría refutar un argumento probatorio que empleara máximas derrotables como premisas. La primera consiste en mostrar que no se cumplen algunas de las condiciones iniciales de aplicación de la regla, en nuestros ejemplos habría que probar respectivamente que en realidad no había una balanza de precisión con restos de estupefacientes entre las pertenencias del imputado o que el testigo en realidad se mostro nervioso o contradictorio en sus dichos.

La segunda vía para intentar refutar un argumento de este tipo consiste en aceptar que se cumplen las condiciones iniciales, pero negar que el estado de cosas derrotable se siga de su mera satisfacción en virtud de la regla adoptada, porque se puede probar que en el caso particular concurren algunas de las condiciones derrotadoras. Como esas posibles excepciones son tantas y tan variadas las reglas derrotables no las incluyen en su formulación. Es por ello que el argumentador que pretenda refutar un argumento en el que son utilizadas tiene la carga de probar dos afirmaciones para tener éxito en su desafío: (1) que la regla incluye entre sus potenciales condiciones derrotadoras aquella que pretende hacer valer en su cuestionamiento, y (2) que en el proceso existen evidencias que permiten afirmar que en ese caso en particular se cumple alguna de ellas.

Retomemos nuestro ejemplo inicial. La argumentación probatoria en el caso de LUCIO, una vez detectadas la presencia de ciertas reglas de la experiencia y de la psicología común como premisas tácitas merced al uso de las reglas de la lógica, podría ser reconstruida de la siguiente forma:

PRIMER ARGUMENTO

Premisa: El testigo Z ha dicho, sin mostrar signo alguno de nerviosismo y sin incurrir en contradicciones, que sobre la mesa de LUCIO y junto a la droga secuestrada había una balanza de precisión con restos de estupefacientes.

Premisa tácita (ley de la psicología común): Si un testigo no muestra signos de nerviosismo ni incurre en contradicciones al declarar y hacer una afirmación, entonces dicha afirmación se puede aceptar como verdadera.

Conclusión: LUCIO tenía sobre su mesa y junto a la droga secuestrada una balanza de precisión con restos de estupefacientes.

SEGUNDO ARGUMENTO

Premisa: LUCIO tenía sobre su mesa y junto a la droga secuestrada una balanza de precisión con restos de estupefacientes.

Premisa tacita (ley de la experiencia): Si un sujeto tiene sobre su mesa y junto a la droga secuestrada una balanza de precisión con restos de estupefacientes, entonces tiene la droga secuestrada con la intención de comerciar.

Conclusión: LUCIO tenía sustancias estupefacientes con la intención de comerciar.

Para evaluar esta argumentación es necesario determinar la solidez de cada uno de los argumentos que la componen. Dada la dependencia que tiene el segundo argumento respecto del primero, cualquier falla que se pudiera detectar en este tendría un efecto cascada, afectando de la misma manera al argumento principal. El uso de las reglas de la sana crítica comienza mucho antes de contar con una reconstrucción de este tipo. Hemos visto cómo las leyes de la lógica sirven para identificar premisas tácitas en las argumentaciones formuladas en lenguaje natural –en este caso las leyes de la experiencia y de la psicología común que figuran como premisas en la reconstrucción debieron ser identificadas previamente de esa manera– durante la etapa interpretativa. Una vez que se ha logrado

una reconstrucción completa de la argumentación probatoria
se la debe someter a dos pruebas (1) una prueba lógica, en la
que se aplican las leyes de la lógica para determinar la validez
del argumento, y (2) una prueba de veracidad, en la que se
debe poner a prueba la verdad y plausibilidad de las premisas
utilizadas, lo que incluye valorar las reglas de la experiencia y
de la psicología común que se pudieran haber empleado, para
lo que resulta de fundamental importancia el conocimiento de
su estructura lógica –tarea a la que hemos dedicado gran parte
de esta sección–. El carácter derrotable de estas reglas o leyes
no alcanza para justificar el cuestionamiento de los argumentos que las emplean como premisas. Quién utiliza las reglas
sólo debe probar que las condiciones iniciales de aplicación
se cumplen en el caso particular sobre el que se argumenta. Si
prestamos atención a la argumentación probatoria precedente, veremos que la función del primer argumento es demostrar
que en el caso LUCIO se cumplen dichas condiciones iniciales.
Si no se utilizan algunas de las dos vías de refutación posibles
en estos casos –probar que no se cumplen las condiciones iniciales o apelar al carácter derrotable de esas reglas mostrando
que ciertas condiciones operan como derrotadoras potenciales y que se puede probar la existencia de alguna de ellas en
la causa–, entonces se debería aceptar que la argumentación
probatoria es sólida, y que el esfuerzo argumentativo para justificar la verdad de su conclusión ha sido exitoso. Pero estas
generalizaciones pueden ser cuestionables también por otras
razones. Tras su apariencia de verdades empíricas de sentido
común pueden ocultar los prejuicios ideológicos más arraigados de la comunidad, aquellos que legitiman sus estructuras
desigualitarias. En esos casos la refutación de los argumentos
probatorios requiere demostrar la falsedad de esas generalizaciones, pero para poder hacerlo primero deben ser expuestas
a la mirada crítica de todos los interesados en saber si constituyen buenas razones para aceptar la verdad de las conclusiones

a las apoyan. Hay que hacer visible lo invisible en la argumentación probatoria.

IV. LOS ESTEREOTIPOS DE GÉNERO EN LA ARGUMENTACIÓN PROBATORIA

El uso de reglas probabilísticas y estereotipos es un rasgo extendido en el razonamiento ordinario, y no siempre da lugar a argumentos falaces o carentes de solidez (Schauer 2006). En la argumentación jurídica ocurre lo mismo. Pero el trato desigual injustificado a la mujer se encuentra ampliamente difundido en nuestras comunidades, legitimado por las diversas formas que puede asumir el "sexismo" (la creencia en la superioridad de uno de los sexos). El sexismo se manifiesta a través de ciertos comportamientos, presunciones y estereotipos de género, los cuales dan cobertura a un conjunto de prácticas discriminatorias hacia los miembros del supuesto sexo inferior (Ghidoni 2022). En nuestras sociedades se manifiesta en una serie de mitos y estereotipos sobre la superioridad del hombre sobre la mujer, justificando una serie de privilegios masculinos en el plano social, cultural, político, religioso, lingüístico, jurídico, económico, familiar... Por ejemplo, considerar que los hombres son violentos por naturaleza no es necesariamente una creencia sexista, pero sí lo es justificar con ella instituciones que los castigan cuando ejercen la violencia contra otros hombres y no cuando lo hacen con las mujeres que son sus parejas sentimentales. Por ello es necesario detectar y neutralizar su influencia cuando se introducen los procesos de creación y aplicación del derecho (Parolari 2006). Todos los actores de la práctica jurídica pueden reflejar en sus argumentos algunos de esos estereotipos discriminadores, que pueden afectar tanto a la interpretación de las normas (Arenas 2022), como a los criterios con los que se valoran las pruebas aportadas (Ruiz-Resa 2013). Pero el problema es mayor cuando esos estereotipos no se formulan expresamente pero forman parte de un argumento. Cuando son las premisas invisibles de ciertos entimemas. En esta sección analizaremos cómo los estereotipos de género alimentados por el sexismo cultural pueden afectar a la solidez de la argumentación probatoria en casos de violencia sexual contra las mujeres sin ser vistos, y cómo el uso de la lógica puede ayudar a los juristas a hacerlos visibles para poder frenar su diseminación y eliminar sus consecuencias discriminatorias.

Sobre la violación existen estereotipos sexistas que se movilizan cada vez que un hombre agrede sexualmente a una mujer y pretende excusar su conducta, y con los que toda mujer víctima de este tipo de agresión es juzgada cuando pretende denunciarla ante las autoridades. Se trata de un conjunto de creencias falsas que se difunden como si fueran verdades innegables, por eso se las suele llamar "mitos sobre la violación". Los más habituales son (1) que es imposible violar a una mujer que se resiste (lo que implica que toda violación es en realidad un acto sexual consentido), (2) que las mujeres acusan falsamente a los hombres de violación para obtener con ello algún provecho, (3) que hay actos sexuales forzados que no se pueden considerar una violación, (4) que cuando una mujer le dice que "no" a un hombre que pretende mantener relaciones sexuales con ella en realidad le está diciendo "sí", (5) que el principal peligro para las mujeres lo constituyen personas desconocidas (en ocasiones psicópatas sexuales) que pueden atacarlas en lugares o circunstancias donde no deberían estar solas, y (6) que las mujeres desean ser violadas y manifiestan ese deseo vistiendo de manera provocadora, comportándose de forma insinuante o consintiendo ciertos escarceos amorosos. Estas creencias se pueden considerar "mitos" no sólo porque son falsas, sino porque se adquieren de forma irracional en el seno de una cultura. Se transmiten de forma fragmentaria y adquieren el estatus de verdades objetivas de sentido común (Bourke 2009).

Los mitos sobre la violación son tan frecuentes que mucha gente considera que reflejan la verdad de los hechos. Por ello afectan la comprensión individual, social e institucional de la violación y también la manera en la que se responde ante ella. Incluso desde el derecho. Es por eso que disiparlos (poniendo en evidencia el sexismo que les sirve de fundamento) constituye un imperativo si se pretende enfrentar con seriedad el problema de la violencia sexual contra las mujeres.

Tomaremos como ejemplo un fragmento de una hipotética argumentación en sede judicial por parte de la defensa de un sujeto denunciado por la comisión de un delito de agresión sexual. En el texto se reflejan muchos argumentos comunes en este tipo de causas. Todos ellos descansan en la verdad de ciertas afirmaciones tácitas que expresan estereotipos de géneros anclados culturalmente en nuestras sociedades.

Ejemplo

"Ha quedado probado más allá de toda duda razonable que el denunciado CAYO y la denunciante LIVIA mantuvieron relaciones sexuales en las circunstancias de tiempo y lugar consignadas en la denuncia. ¿Pero fueron sin su consentimiento como señala la joven? ¿Constituyen un acto de agresión sexual como señala en la denuncia? Para ello la ley nos obliga a prestar atención a todos los actos que libremente ha realizado la denunciante para expresar de manera clara su voluntad de mantener relaciones sexuales con el denunciado, todo ello atendiendo a las circunstancias del caso (de esta relación sentimental en particular, llevada a cabo por estas personas y sus peculiares formas habituales de actuar y de expresarse). Los hechos ocurrieron en el marco de las salidas regulares que efectuaban juntos los jóvenes. Hacía varias semanas que –según han afirmado los vecinos que testificaron en la causa– los jóvenes salían regularmente al cine, a comer, a tomar copas. Sus amigos y conocidos los consideran novios –tal como han manifestado al ser llamados a testificar–. Es normal que las relaciones sentimentales terminen confluyendo en contactos sexuales consentidos de mayor o menor envergadura. La joven ha mencionado que tuvo relaciones sexuales previamente con otros novios, incluso anales como las que ha denunciado. LIVIA ha reconocido que en algunas ocasiones accedió a masturbar con la mano a CAYO en su coche. Las relaciones sexuales, además, se mantuvieron en la casa de CAYO a las tres de la madrugada del sábado 26 de enero de 2023, sitio al que LIVIA accedió a ir voluntariamente, tal como ha reconocido en su testimonio. Las mujeres gozan de la misma libertad sexual que los hombres y deben asumir las mismas responsabilidades por los actos que llevan a cabo en ejercicio de dicha libertad. El Derecho Penal no es la herramienta apropiada para resolver los conflictos sentimentales entre jóvenes. Por último, cabe mencionar la suma de dinero que solicita como indemnización por los daños causados por la supuesta agresión. Conociendo la buena posición económica de CAYO resulta sospechoso este intento de obtener una ganancia dineraria a partir de un hecho que debería ser traumático. LIVIA ha continuado con su vida normal, siguió asistiendo a sus clases en la universidad e incluso a fiestas con sus amigas. Ninguno de esos comportamientos resulta consistente con haber sufrido una supuesta agresión sexual como la que narra en su denuncia. Por ello considero que existen razones suficientes para considerar acreditados los actos sexuales, pero también para considerarlos consentidos más allá de toda duda razonable. La conducta que se atribuye a CAYO no se puede considerar un acto de agresión sexual, por lo que debe ser absuelto de todos los cargos en su contra".

Se debe comenzar reconstruyendo la argumentación a partir de las afirmaciones que han sido formuladas en el texto, teniendo en cuenta sus distintos niveles, paso previo para poder indagar sobre los elementos invisibles (tácitos) sobre los que se sostienen algunos de sus argumentos.

Reconstrucción de la argumentación
Argumento central

P1: CAYO y LIVIA mantuvieron relaciones sexuales en la casa del primero a las tres de la madrugada el día 26 de enero de 2023.
P2: Las relaciones sexuales fueron consentidas.
C: CAYO debe ser absuelto del delito de agresión sexual.

Argumento en apoyo de P2

PS2-1: La ley establece que «sólo se entenderá que hay consentimiento cuando se haya manifestado libremente, mediante actos que, en atención a las circunstancias del caso, expresen de manera clara la voluntad de la persona».

PS2-2: LIVIA manifestó libremente su consentimiento a mantener relaciones sexuales con CAYO en su casa a las tres de la madrugada del día 26 de enero de 2026 mediante actos con los que (en atención a las circunstancias del caso) expresó de manera clara su voluntad.

Argumento en apoyo de PS2-2

PS2-1-1: Las relaciones sexuales se llevaron a cabo en el marco de una relación sentimental pública de varias semanas entre CAYO y LIVIA.

PS2-1-2: Las relaciones sexuales se mantuvieron en el domicilio de CAYO a las tres de la madrugada, sitio al que LIVIA acudió voluntariamente.

PS2-1-3: LIVIA mantuvo relaciones sexuales del mismo tipo a las descritas en la denuncia con otras parejas en relaciones similares previas.

PS2-1-4: LIVIA masturbó voluntariamente a CAYO en su coche en encuentros previos.

PS2-1-5: LIVIA reclama una suma importante de dinero como indemnización.

PS2-1-6: LIVIA no ha visto alterada su vida profesional y social después de mantener las relaciones sexuales objeto de la denuncia.

Es en este último nivel de la argumentación donde se puede constatar la presencia de entimemas. La conclusión no se deduce de las premisas expresamente formuladas en el texto a menos que supongamos la presencia de otras que resultan invisibles, pero son lógicamente necesarias para comprender el apoyo que se pretende dar a su verdad. Si aplicamos el análisis presentado en la sección anterior a este ejemplo, reconstruyendo la argumentación probatoria y explicitando sus premisas tácitas con auxilio de las reglas lógicas de la sana crítica, encontraremos una serie de "máximas de la experiencia (sexista)" con las que se pretende probar el consentimiento de la mujer a mantener las relaciones sexuales que ella misma denuncia como un acto de agresión sexual.

PS2-1-1: Las relaciones sexuales se llevaron a cabo en el marco de una relación sentimental pública de varias semanas entre CAYO y LIVIA.

PT-1: Si una mujer mantiene una relación sentimental pública con un hombre durante varias semanas entonces está expresando de manera clara su voluntad de mantener relaciones sexuales con él en cualquier momento en el que él se lo requiera.

PS2-1-2: Las relaciones sexuales se mantuvieron en el domicilio de CAYO a las tres de la madrugada, sitio al que LIVIA acudió voluntariamente.

PT-2: Si una mujer acude voluntariamente al domicilio de un hombre a las tres de la madrugada entonces está expresando de manera clara su voluntad de mantener relaciones sexuales con él.

PS2-1-3: LIVIA mantuvo relaciones sexuales del mismo tipo a las descritas en la denuncia con otras parejas en relaciones similares previas.

PT-3: Si una mujer ha mantenido cierto tipo de relaciones sexuales con un hombre entonces está expresando de manera clara su voluntad de mantener relaciones sexuales con cualquier otro hombre que se lo requiera en circunstancias similares.

PS2-1-4: LIVIA masturbó voluntariamente al denunciado en su coche en encuentros previos.

PT-4: Si una mujer mantiene una relación sexual consentida con un hombre entonces está expresando de manera clara su voluntad de mantener relaciones sexuales con él en cualquier otro momento en el que él se lo requiera.

PS2-1-5: LIVIA reclama una suma importante de dinero como indemnización.

PT-5: Si una mujer reclama una suma importante de dinero como indemnización por los daños provocados por una agre-

sión sexual entonces es muy probable que las relaciones sexuales que denuncia como agresión sexual hayan sido en realidad consentidas.

PS2-1-6: LIVIA no ha visto alterada su vida profesional y social después de mantener las relaciones sexuales objeto de la denuncia.

PT-6: Si una mujer no ve alterada su vida profesional y social después de haber sufrido una agresión sexual entonces es muy probable que las relaciones sexuales que denuncia como agresión sexual hayan sido en realidad consentidas.

Conclusión: LIVIA manifestó libremente su consentimiento a mantener relaciones sexuales con CAYO en su casa a las tres de la madrugada del día 26 de enero de 2026 mediante actos con los que (en atención a las circunstancias del caso) expresó de manera clara su voluntad.

Aunque todas las premisas expresamente formuladas fueran verdaderas (y hubieran sido debidamente probadas durante el proceso), el argumento no es sólido porque todas sus premisas tácitas son generalizaciones que son: fácilmente derrotables (PT-2), manifiestamente falsas (PT-3) o expresan abiertamente ciertos "mitos sobre la violación" (PT-5). Pero para que esta debilidad pueda ser percibida es necesario hacer visible esa parte invisible sobre la que descansa la argumentación con auxilio de las reglas de la lógica. Una vez que se formulan en lenguaje natural esas máximas de la experiencia presupuestas en el argumento su falta de solidez resulta casi escandalosa. ¿Cómo es posible que este tipo de argumentos todavía se utilicen con éxito en ciertas causas judiciales?[10]

---

[10] El día en el que revisaba la última versión de este trabajo se discutían argumentos similares en la prensa por su uso reciente en casos de violación. Ver Ramírez, N., "Todavía hay violadas de segunda", y

Todas las afirmaciones tácitas que hemos detectado en el ejemplo expresan estereotipos de género que resultan discriminatorios para las mujeres y constituyen el reflejo de lo que algunas feministas llaman una "cultura de la violación" (Di Corleto 2022). En una "cultura de la violación" estas creencias inarticuladas, estos mitos, dan sostén ideológico a las agresiones sexuales de los hombres contra las mujeres. Los mitos en torno a la violación elevan ciertas especificidades históricas y geográficas al status de eslóganes claros y autoevidentes, que resultan muy perjudiciales para quienes sufren ataques sexuales reales. Según Bourke, "hacen posible que algunos individuos (como los perpetradores) sitúen sus acciones en un marco que es reconocible por otros (como las víctimas potenciales) mientras que despojan de legitimidad a las personas (las víctimas reales, por ejemplo) que desean refutarlos." (Bourke 2009: 35). La consecuencia más nefasta de estas construcciones sociales es la culpabilización a la que se ve sometida la víctima de un ataque sexual.

La actividad de valoración de la prueba es una de las tareas fundamentales en la fundamentación de gran parte de las decisiones judiciales. La argumentación sobre los hechos también puede utilizar premisas que deban ser evaluadas a la luz del principio de igualdad, y el juez o la jueza debe tener encendida la "alerta de género" al tratar esas cuestiones. Dichas alertas deben llevarlos a evaluar con detenimiento la argumentación que le proponen las partes, apelando al principio constitucional de igualdad y a los tratados internacionales que forman parte del bloque de constitucionalidad si fuera necesario[11].

Valdés, I., "El precio de ser una 'buena' víctima de una violación", ambos publicados en *El País* el sábado 28 de enero en las páginas13 y 26 respectivamente.

[11]   Un análisis detallo de estos problemas con muchos ejemplos tomados de decisiones judiciales reales se puede ver en Gimeno Presa (2020).

La cultura de la violación se transmite a través de programas de televisión, periódicos, novelas, canciones, chistes, dichos, museos y, como no podía ser de otra manera, del cine (Bonorino 2011). Si miramos con ojos críticos muchas de las manifestaciones culturales que nos rodean podremos apreciar como en ocasiones refuerzan los mitos en torno a la violación. Contribuyen a generar prácticas discursivas en las que hombres y mujeres se forman en los esquemas desde los que darán sentido a sus experiencias sexuales futuras (¿Cuántos de ellos serán agresores?, ¿cuántas de ellas serán víctimas?). Todos estos mitos han servido también como presupuestos en los interrogatorios realizados a las víctimas de agresiones sexuales. Por eso es tan importante detectarlos y eliminarlos de las prácticas argumentativas en los procesos judiciales (Cf. Taslitz 1999). El problema no se suele encontrar en el nivel de las normas generales sino en el de las prácticas probatorias que se siguen admitiendo en la vida ordinaria de los juzgados. Por ello es importante que jueces y juezas sean sensibles a las desigualdades que sufren las mujeres en los procesos judiciales y tomen las medidas, amparadas por el derecho vigente, que sean necesarias para contrarrestarlas.

V. CONCLUSIONES

En este capítulo abordamos el problema de cómo identificar y eliminar los estereotipos de género discriminatorios cuando se utilizan como premisas tácitas en las argumentaciones probatorias en un proceso judicial. Para ello fue necesario precisar el alcance que se da a las "reglas de la sana crítica", cuya caracterización como las leyes de la lógica, la experiencia y la psicología común resulta insuficiente para abordar esa tarea. Con una adecuada comprensión de qué son y cómo se utilizan las leyes de la lógica no sólo se puede evaluar la corrección formal de los argumentos probatorios, sino también su solidez. Con ellas se pueden identificar las afirmaciones que no son formuladas en los textos argumentativos pero que resultan necesarias para comprender los argumentos que contienen. Esas premisas tácitas en muchos casos constituyen las leyes de la experiencia y de la psicología común a las que se alude en la definición inicial. Su estructura derrotable y la facilidad con la que pueden expresar los prejuicios arraigados en una comunidad hacen que sean el canal más común por el que se introducen los estereotipos de género discriminatorios en un proceso judicial. Las leyes de la lógica ofrecen un criterio objetivo para hacerlas visibles, paso previo para mostrar su incorrección. Un ejemplo hipotético (pero que refleja argumentos utilizados en nuestra práctica jurídica) nos permitió apoyar nuestra propuesta. Las reglas de la sana crítica, entendidas de manera rigurosa, permiten combatir las desigualdades de género que todavía subsisten en nuestra práctica jurídica.

Referencias bibliográficas

ALCHOURRÓN, C. 1995. "Concepciones de la lógica", en C. Alchourrón, J. M. Méndez y R. Orayen (eds.), *Lógica*, Madrid: Trotta-C.S.I.C., pp. 11-48.

ARENA, FEDERICO JOSÉ. 2022. "Estereotipos y hechos en el proceso", en F. J. Arena (coord.), *Manual sobre los efectos de los estereotipos en la impartición de justicia*, México, SCJN, pp. 217-247.

BLÖSER, C., M. JANVID, H. MATTHIESSEN, Y M. WILLASCHEK. 2013. *Defeasibility in Philosophy. Knowledge, Agency, Responsibility, and the Law.* Amsterdam–New York: Rodopi.

BONORINO RAMÍREZ, PABLO RAÚL. 2009. "Argumentos probatorios", en S. Ortega (ed.), *Proceso, Prueba y Estándar*, Lima: ARA, pp. 119-141.

————————. 2011. *La violación en el cine.* Valencia: Tirant lo Blanch.

————————. 2015. "Entimemas probatorios", *Doxa*, 38, pp. 41-71.

————————. 2021. "Reglas de la sana crítica y prejuicios de género", en Valcárcel y otros (dirs.), *Nuevas normatividades: Inteligencia artificial, derecho y género*, Cizur Menor, Thompson Reuters-Aranzadi, pp. 165-191.

BOURKE, JOANNA. 2009. *Los violadores. Historia del estupro de 1860 a nuestros días*. Barcelona: Crítica.

DI CORLETO, JULIETA. 2022. "«Cultura de la violación» y razonamiento judicial. Los estereotipos sexuales en la jurisprudencia de las altas cortes de la región", en F. J. Arena (coord.), *Manual sobre los efectos de los estereotipos en la impartición de justicia*, México, SCJN, pp. 327-363.

ENNIS, R. H. 1982. "Identifying implicit assumptions." *Synthese*, 51, pp. 61-68.

GERRITSEN, S. 1999. "The History of the Enthymeme", en Eemeren, F. H. Van, Grootendorst, R., Blair, J. A. y Willard, C. A. (eds.), *Proceedings of the Fourth International Conference of the International Society for the Study of Argumentation*, Amsterdam: Sic Sat, pp. 225-240.

GHIDONI, ELENA. 2022. "Aproximación a los estereotipos como elementos del razonamiento judicial a través de las presunciones", en F. J. Arena (coord.), *Manual sobre los efectos de los estereotipos en la impartición de justicia*, México, SCJN, pp. 287-325.

GIMENO PRESA, MARÍA CONCEPCIÓN. *¿Qué es juzgar con perspectiva de género?*, Valencia, Tirant lo Blanch, 2020.

HART, H. L. A. 1949. "The Ascription of Responsibility and Rights", *Proceedings of the Aristotelian Society*, Vol. 49 (1948-49), pp. 171-194.

PAROLARI, PAOLA, 2020. "Estereotipos, género yderecho. Apuntes para introducir una discusión", *Discusiones*, 28, pp. 21-35.

RUÍZ-RESA, JOSEFINA DOLORES. 2013. "Racionalidad y sentido común en el proceso: Los estereotipos en la determinación de los hechos", Criterio y Conducta, No. 13, pp. 107-

RUSSELL, DIANA H. 1990. *Rape in Marriage*. Bloomington-Indianapolis: Indiana University Press.

SCHAUER, FREDERIK. 2006. *Profiles, Probabilities and Stereotypes*, The Belknap Press, Cambridge, Mass.-London.

SMITH, MERRIL D., (ed.). 2004. *Encyclopedia of Rape*. Westport-London: Green Wood.

TASLITZ, ANDREW E. 1999. *Rape and the Culture of the Courtroom*. New York-London: New York University Press.

Capítulo 10

Prejuicios, libre valoración probatoria y género en el proceso

INÉS CELIA IGLESIAS CANLE

Catedrática de Derecho Procesal
Universidade de Vigo

SUMARIO: I. INTRODUCCIÓN. II. LIBRE VALORACIÓN PROBATORIA Y ARBITRARIEDAD JUDICIAL. 2.1. Concepto y clases de prueba: libre valoración probatoria y prueba de valoración legal. 2.2. Motivación suficiente de la decisión judicial. 2.3. Valoración prueba psicosocial en el proceso de guarda y custodia de hijos menores y sobre alimentos reclamados por un progenitor contra el otro a favor de los hijos menores. 2.4. Estereotipos de género en los delitos contra la libertad sexual. III. A MODO DE CONCLUSIÓN: ¿QUÉ ES JUZGAR CON PERSPECTIVA DE GÉNERO? Bibliografía.

RESUMEN: El objeto principal del presente estudio, esto es, ¿hasta qué punto interfieren en la valoración de la prueba realizada por el Juez o el Tribunal del jurado al tomar sus decisiones los denominados sesgos cognitivos? Y si esto es así, ¿qué recursos o mecanismos existen actualmente en el sistema procesal español para poder corregir las disfunciones que ocasionan los sesgos o estereotipos de género?

A partir del análisis legal y jurisprudencial trataremos de dar respuesta a estos interrogantes prestando especial atención a aquellos ámbitos del ordenamiento jurídico en los que pueden actuar de forma inconsciente los sesgos de género.

PALABRAS CLAVE: prueba, proceso, estereotipos de género, valoración probatoria, arbitrariedad judicial.

ABSTRACT: The main object of this study, that is, to what extent do the so-called cognitive biases interfere in the evaluation of the evidence made by the Judge or the Jury Tribunal when making their decisions? And if so, what remedies or mechanisms currently exist in the Spanish procedural system to correct the dysfunctions that cause gender biases or stereotypes?

From the legal and jurisprudential analysis we will try to answer these questions paying special attention to those areas of the legal system in which gender biases may act unconsciously.

KEYWORDS: evidence, process, gender stereotypes, probative assessment, judicial arbitrariness.

I. INTRODUCCIÓN

Tal como advierte MUÑOZ ARANGUREN, *"una de las vertientes más importantes de la denominada «Behavioral Law»* (cuya traducción habitual en los países de habla hispana es «psicología jurídica» o «análisis conductual del Derecho») tiene por objeto analizar la racionalidad en la toma de decisiones por parte de los jueces y jurados, en la medida en que, especialmente el campo de la microeconomía, se ha acreditado por medio de numerosos estudios empíricos —desde hace décadas— que toda persona, antes de tomar una decisión en situación de incertidumbre (y el proceso judicial lo es por definición), se ve obligada a simplificar la compleja información de la que dispone.

"Estos atajos cognitivos son extraordinariamente útiles y suelen, con carácter general, conducir a decisiones acertadas; pero también provocan con frecuencia los denominados sesgos o errores cognitivos que apartan al sujeto que los sufre del discurso lógico-racional. Los estudios realizados sobre la toma de decisiones humanas han acreditado que los jueces y jurados —como el resto de ciudadanos— sucumben con relativa frecuencia en alguno de estos sesgos, y que los seres humanos nos vemos afectados en esencia por las mismas disfunciones cognitivas de forma recurrente; esto es, se puede hablar de la existen-

cia de errores sistemáticos que, en buena medida, ya han sido identificados y clasificados.

Estos patrones de desviación con respecto a los criterios de racionalidad esperada son los denominados «sesgos cognitivos». Porque uno de los descubrimientos más relevantes de la psicología económica —y jurídica— fue que los seres humanos no nos equivocamos de forma aleatoria y, por así decirlo, cada uno a nuestra manera, sino que las disfunciones cognitivas en las que incurrimos en la toma de decisiones presentan un patrón común, lo que permite acotar un elenco de sesgos cognitivos concreto"[1].

De lo dicho se desprende el objeto principal del presente estudio, esto es, ¿hasta qué punto interfieren en la valoración de la prueba realizada por el Juez o el Tribunal del jurado al tomar sus decisiones los denominados sesgos cognitivos? Y si esto es así, ¿qué recursos o mecanismos existen actualmente en el sistema procesal español para poder corregir las disfunciones que ocasionan los sesgos o estereotipos de género?

A partir del análisis legal y jurisprudencial trataremos de dar respuesta a estos interrogantes prestando especial atención a aquellos ámbitos del ordenamiento jurídico en los que pueden actuar de forma inconsciente los sesgos de género, esto es, en el proceso civil en los procesos de guarda y custodia y en el proceso penal, en los delitos contra la libertad sexual.

---

[1]   MUÑOZ ARANGUREN, A. (2020), "El peso de los estereotipos de género en las decisiones judiciales. Una aproximación desde la psicología jurídica", *Cuadernos penales José María Lidón*, núm. 16, págs. 37-79

II. LIBRE VALORACIÓN PROBATORIA
Y ARBITRARIEDAD JUDICIAL

2.1. Concepto y clases de prueba: libre valoración probatoria y prueba de valoración legal

En el orden jurisdiccional civil la Ley de Enjuiciamiento Civil, de aplicación supletoria a los restantes órdenes jurisdiccionales, establece una clara relación de los medios de prueba y su valoración en los arts. 299 y ss. LEC.

En este sentido, la regla general es la libre valoración de la prueba, excepto en lo que se refiere a la prueba documental y de interrogatorio de parte. Ambos medios de prueba son por tanto medios de valoración legal de la prueba, por lo que la regla de la sana crítica o del sano juicio se sustituye por la máxima de experiencia impuesta legalmente[2]. La jurisprudencia es clara al establecer, en relación a la valoración de la prueba conforme a las reglas de la sana crítica, que es necesaria la mención al art. 218.2 LEC (Valoración libre de la prueba): "2. *Las sentencias se motivarán expresando los razonamientos fácticos y jurídicos que conducen a la apreciación y valoración de las pruebas, así como a la aplicación e interpretación del derecho. La motivación deberá incidir en los distintos elementos fácticos y jurídicos del pleito, considerados individualmente y en conjunto, ajustándose siempre a las reglas de la lógica y de la razón*"[3].

---

[2]   Vallespín Pérez, D. (2022), "Inteligenza Artificiale e valutatione delle prove nel processo civile spagnolo e italiano", Revista General de Derecho Procesal, nº 57.

[3]   En este sentido, véase, STS 21 de noviembre de 2017 (TOL 6441312) y de 26 de mayo de 2021 (TOL 8463474); STS de 20 de noviembre de 2007 (TOL 1229924) y STC 28/2008, de 11 de febrero.

La prueba documental se regula concretamente en los arts. 317 y ss. LEC. Los documentos públicos son aquellos "*a efectos de prueba en el proceso, se consideran documentos públicos: 1.º Las resoluciones y diligencias de actuaciones judiciales de toda especie y los testimonios que de las mismas expidan los Letrados de la Administración de Justicia; 2.º Los autorizados por notario con arreglo a derecho; 3.º Los intervenidos por Corredores de Comercio Colegiados y las certificaciones de las operaciones en que hubiesen intervenido, expedidas por ellos con referencia al Libro Registro que deben llevar conforme a derecho; 4.º Las certificaciones que expidan los Registradores de la Propiedad y Mercantiles de los asientos registrales; 5.º Los expedidos por funcionarios públicos legalmente facultados para dar fe en lo que se refiere al ejercicio de sus funciones; 6.º Los que, con referencia a archivos y registros de órganos del Estado, de las Administraciones públicas o de otras entidades de Derecho público, sean expedidos por funcionarios facultados para dar fe de disposiciones y actuaciones de aquellos órganos, Administraciones o entidades*". Los documentos privados, por el contrario, de acuerdo con el art. 324 LEC, "*se consideran documentos privados, a efectos de prueba en el proceso, aquellos que no se hallen en ninguno de los casos del artículo 317*".

La valoración legal implica que tanto los documentos públicos como los privados reconocidos en cuanto a la fecha, hecho e intervinientes hacen prueba plena, sin que el juez pueda alterar tales datos, por ser medios de prueba de valoración legal. No tienen la misma valoración las declaraciones por ejemplo del notario en relación a la capacidad de los otorgantes[4], con

---

[4]   Entre otras, SAP Madrid, sec. 8ª, S 19-12-2017, nº 543/2017, rec. 905/2017, que en relación con una escritura notarial pone de manifiesto esta circunstancia: "*redactando aquellos conforme a la voluntad de los otorgantes que deberá indagar, interpretar y adecuar al ordenamiento jurídico, previa comprobación y asesoramiento, para cuya actividad necesita especial preparación como jurista, dedicación y colaboración imparcial y cuya función se realiza bajo el principio de libre elección y concurrencia, basado en la confianza que se deriva de la equidad y calidad del servicio*".

lo que no gozan de la misma valoración y se admite prueba en contrario. En relación a los restantes extremos, la valoración judicial es sustituida por la regla legal, salvo que se impugne el documento público, por considerar que no es auténtico[5], o incluso porque se acuse de falsedad al fedatario público, mediante una cuestión prejudicial penal.

Por su parte, el interrogatorio de parte se regula en los arts. 301 y ss. LEC y participa, dicho sumariamente, de las mismas características que la prueba legal, si bien, su valoración puede resultar contradicha por la valoración de otros medios de prueba y, únicamente, en relación a los hechos perjudiciales para el declarante y en los que intervino personalmente (art. 316 LEC).

Los restantes medios de prueba son todos ellos de libre valoración, lo que implica que la regla de la misma es la sana crítica, sano juicio o máximas de experiencia que pertenecen al

---

SAP Málaga, Sección 4ª, nº 526/2019, de 19 de julio de 2019, Rec. 896/2018: *"La diligencia que les es exigible no es la normal u ordinaria, comprensiva de las prevenciones que imponga la mediana prudencia de un buen padre de familia para evitar la producción de un daño, sino la más exquisita que le exige la reglamentación de su profesión pública por su alta preparación, especial cualificación y credibilidad social"*. En el mismo sentido, STS 2123/2016, de 7 de julio de 2016, rec. 836/2014.

[5]   Artículo 326. Fuerza probatoria de los documentos privados. *"1. Los documentos privados harán prueba plena en el proceso, en los términos del artículo 319, cuando su autenticidad no sea impugnada por la parte a quien perjudiquen.*
2. Cuando se impugnare la autenticidad de un documento privado, el que lo haya presentado podrá pedir el cotejo pericial de letras o proponer cualquier otro medio de prueba que resulte útil y pertinente al efecto.
Si del cotejo o de otro medio de prueba se desprendiere la autenticidad del documento, se procederá conforme a lo previsto en el apartado tercero del artículo 320. Cuando no se pudiere deducir su autenticidad o no se hubiere propuesto prueba alguna, el tribunal lo valorará conforme a las reglas de la sana crítica".

acervo del juez y no son propios de saberes especializados. Las máximas de experiencia que son de esta índole se le proporcionan por medio de la prueba pericial (arts. 335 y ss. LEC)[6]. En relación a esta prueba se critica que la falta de conocimientos del juez hace que sea difícil apartarse del criterio del perito, por ello más que de un medio de prueba, algún autor habla de un auxiliar del juez, lo que es particularmente claro en relación a los informes en materias periciales muy técnicas, como pueden ser la psicológicas o de naturaleza médico legal.

En lo relativo a la valoración del dictamen pericial el art. 348 LEC establece que: "*El tribunal valorará los dictámenes periciales según las reglas de la sana crítica*". Ahora bien, de conformidad con lo dispuesto en el art. 347 LEC, que prevé la actuación de los peritos en el acto de juicio o vista, determina que "*Los peritos tendrán en el juicio o en la vista la intervención solicitada por las partes, que el tribunal admita. El tribunal sólo denegará las solicitudes de intervención que, por su finalidad y contenido, hayan de estimarse impertinentes o inútiles, o cuando existiera un deber de confidencialidad derivado de la intervención del perito en un procedimiento de mediación anterior entre las partes. En especial, las partes y sus defensores podrán pedir:*

> 1.° *Exposición completa del dictamen, cuando esa exposición requiera la realización de otras operaciones, complementarias del escrito aportado, mediante el empleo de los documentos, materiales y otros elementos a que se refiere el apartado 2 del artículo 336.*

> 2.° *Explicación del dictamen o de alguno o algunos de sus puntos, cuyo significado no se considerase suficientemente expresivo a los efectos de la prueba.*

---

6   Artículo 348. Valoración del dictamen pericial. "*El tribunal valorará los dictámenes periciales según las reglas de la sana crítica*".

3.º Respuestas a preguntas y objeciones, sobre método, premisas, conclusiones y otros aspectos del dictamen.

4.º Respuestas a solicitudes de ampliación del dictamen a otros puntos conexos, por si pudiera llevarse a cabo en el mismo acto y a efectos, en cualquier caso, de conocer la opinión del perito sobre la posibilidad y utilidad de la ampliación, así como del plazo necesario para llevarla a cabo.

5.º Crítica del dictamen de que se trate por el perito de la parte contraria;

6.º Formulación de las tachas que pudieren afectar al perito".

El Juez para apreciar la prueba pericial ha de valorar la autoridad científica del perito, la aceptabilidad conforme al método común de los métodos científicos del perito y la coherencia lógica de la apreciación del perito en su informe[7], todo ello implica que cuanto más técnica sea la cuestión menos posibilidades tiene el Juez de hacer una libre valoración de la prueba pues más difícil le será apreciar datos como la metodología apreciada por el perito y la coherencia interna de los razonamientos incursos en el dictamen.

La ley añade otros criterios de valoración, concretamente el art. 347.2 LEC, permite al Juez *"formular preguntas a los peritos y requerir de ellos explicaciones sobre lo que sea objeto del dictamen aportado, pero sin poder acordar, de oficio, que se amplíe, salvo que se trate de peritos designados de oficio conforme a lo dispuesto en el apartado 5 del artículo 339",* de lo que se desprende que con esta actuación el órgano judicial tendrá la posibilidad de valorar más convenientemente los resultados y conclusiones del dictamen pericial en relación al objeto de la prueba.

---

[7]   STC 228/1997, de 16 de diciembre -TOL 268083- y SSTS de 15 de diciembre de 2015 y 6 de julio de 2017 -TOL 6202449.

De ahí la importancia de contradecir en sede judicial el informe y darle la posibilidad al juez de preguntar al perito las razones de su decisión, de forma que pueda motivar y fundamentar la misma. Resulta también crucial otorgar la posibilidad de aportar otras pruebas periciales a la otra parte lo que permitirá conocer suficientemente el asunto al juez desde el punto de vista técnico, sobre todo a partir de la configuración de la prueba pericial en la LEC actual en la que es un medio de prueba en el que, a no ser que sea de designación judicial, el perito lo designa la parte, por lo que ello puede restarle objetividad, aun cuando deba cumplir su encargo con objetividad y veracidad.

Este panorama normativo del proceso civil se diferencia natamente de la valoración probatoria en el proceso penal en el que el principio o regla general de la valoración es la libre valoración de todos los medios de prueba, como establece el artículo 741 LECrim al reconocer expresamente que *"el Tribunal, apreciando según su conciencia las pruebas practicadas en el juicio, las razones expuestas por la acusación y la defensa y lo manifestado por los mismos procesados, dictará sentencia"*, lo que implica una valoración o apreciación lógica de la prueba, que veta en palabras del Tribunal Supremo, "un cerrado e inabordable criterio personal e íntimo del Juzgador" (STS de 29 de enero de 1988).

Es decir, podemos concluir que, en cualquier orden jurisdiccional, la libre valoración probatoria no debe confundirse con la arbitrariedad de la decisión judicial, de modo que las resoluciones deben expresar motivadamente la valoración de cada medio de prueba, de forma individual, y conforme a las máximas de experiencia o reglas de la sana crítica del juzgador, las cuales deben ser referidas como garantía de la integridad de la decisión judicial ya que permiten detectar cualquier error que pueda ser corregido en vía de impugnación.

Los recursos, por tanto, se fundamentan en la falibilidad humana, que muchas veces se traduce en una interpretación incorrecta por parte del juzgador de la norma jurídica, esto es, de los hechos a los que resulta de aplicación. En otras ocasiones, tendrá lugar por la vía de la inaplicación o aplicación indebida de la norma a la situación de hecho.

Sin entrar a fondo en las causas o motivos de impugnación, ordinaria o extraordinaria, en cualquier caso, los vicios de la decisión judicial vienen motivados por una interpretación indebida de la realidad social y jurídica. Los primeros son de difícil solución, más allá de la arbitrariedad o falta de motivación, tema del que nos ocuparemos seguidamente, pero queda pendiente la posible integración de la norma con prejuicios o sesgos de cualquier tipo que pertenecen al subconsciente y que pueden provocar una interpretación incorrecta de la realidad y supuesto de hecho de la norma.

Por ello, es fundamental que la motivación se exprese en la decisión del juez y que tal motivación pueda ser revisada por el tribunal superior, si bien, es evidente que salvo en supuestos muy claros el juicio del juez impregnado por sus creencias y opiniones íntimas no siempre será susceptible de revocación, sólo cuando suponga una vulneración de la norma por ser tal interpretación absurda o irrazonable. Ello puede generar situaciones, como veremos, en que se filtren en la decisión del órgano judicial estereotipos de género, en este caso, que impliquen la inaplicación del mandato normativo o su incorrecta interpretación y consiguiente error en su aplicación.

2.2. Motivación suficiente de la decisión judicial[8]

Al lado del acceso al proceso, forma parte también del contenido del derecho a la tutela judicial efectiva el participar en

---

[8]   Apartado perteneciente a la monografía IGLESIAS CANLE, I. C. (2019), *Situación actual de la Justicia en España*, Tirant lo Blanch,

las alegaciones y prueba[9] y el obtener una resolución sobre el fondo fundada en Derecho, sea favorable o no a las pretensiones del actor, ya que este derecho fundamental no consiste en el éxito de la pretensión ni garantiza su triunfo[10].

Este derecho exige también que la resolución judicial sea motivada según establece el art. 120.3 CE[11], exigencia constitucional que *«puesta en conexión con el artículo* 24.1 *de la propia Constitución -entendido como el derecho a una resolución jurídicamente fundada- conduce a integrar en el contenido* de *esa garantía constitucional el derecho del justiciable a conocer las razones* de *las decisiones judiciales...* Además, *la doctrina expuesta resulta* de *innegable aplicación a las resoluciones que adopten la forma* de *auto...»*[12].

Este razonamiento permite a las partes conocer los motivos por los que su pretendido derecho puede ser negado, facilitando al tiempo el control por los órganos jurisdiccionales superiores. Es además *("y fundamentalmente")* una garantía de los justiciables mediante la que se puede comprobar que la solución dada al caso es fruto de una exégesis racional del ordenamiento, y no de la arbitrariedad[13].

Valencia, págs. 23 a 29.

[9]   SSTC 4/1982, de 8 de febrero (TOL 110.847); 48/1984, de 4 de abril (TOL 79.338); 237/1988, de 13 de diciembre (TOL 80.084); 57/1991, de 14 de marzo (TOL 80.471); 231/1992, de 14 de diciembre (TOL 82.011) y 300/1994, de 14 de noviembre (TOL 82.705).

[10]   Calvo Rubio, J. A. (1988), Protección constitucional del derecho al recurso en el proceso penal REDC, núm. 22, enero abril, págs. 238 y ss.; Romero Coloma, A. M. (1993), El artículo 24 de la Constitución española: análisis y valoración: el acceso del ciudadano a la justicia, Serlipost, Barcelona.

[11]   Art. 120.3 CE: «Las sentencias serán siempre motivadas y se pronunciarán en audiencia pública».

[12]   STC 14/1991, de 28 de enero (TOL 80.428).

[13]   STC 116/1986, de 8 de octubre (TOL 79.662).

Ahora bien, la obligación de motivar, o lo que es lo mismo, la exigencia de explicar la decisión judicial, no impone un determinado modo de razonar o una determinada extensión, sino que basta con que la motivación sea suficiente, teniendo en cuenta a su vez que se trata de asegurar que no exista una contradicción entre la fundamentación y lo dispuesto en el fallo judicial[14].

La suficiencia o insuficiencia de la motivación, en tanto que concepto jurídico indeterminado, exige una ulterior concreción que se realizará en función de las circunstancias concurrentes en el caso concreto, de la importancia intrínseca de las mismas y de las cuestiones que se planteen[15].

De lo dicho se deduce la importancia de la fundamentación y motivación de las sentencias, hasta el punto de que condiciona el ejercicio de los recursos legalmente previstos y permite a su vez detectar posibles sesgos cognitivos que conduzcan a una conclusión arbitraria alejada de la función y finalidad prevista en la norma que se debe aplicar al caso concreto[16].

---

[14]   En este sentido, la doctrina constitucional se manifiesta de forma que "no puede reputarse como tal una Sentencia cuya fundamentación discurre por una senda diametralmente opuesta a la del fallo y en la que se motiva lo contrario de lo que se falla. De ahí que sólo una motivación razonada y suficiente permite satisfacer el ejercicio del derecho a la tutela judicial efectiva, porque una motivación radicalmente contradictoria no satisface los requerimientos constitucionales" (STC 127/2008, de 27 de octubre, TOL 1.391.039)

[15]   STC 28/1994, de 27 de enero (TOL 82.436).

[16]   Se pronunció el Tribunal Constitucional en el mismo sentido en las sentencias 143/1992, de 13 de octubre (TOL 80.753); 13/1993, de 18 de enero (TOL 82.036); 58/1993, de 15 de febrero (TOL 82.081); 28/1994, de 27 de enero (TOL 82.436); 177/1994, de 10 de junio (TOL 82.582); 192/1994, de 23 de junio (TOL 82.597) y 325/1994, de 12 de diciembre (TOL 82.729).

Además, tal resolución, precisamente por la fundamentación jurídica exigida, ha de ser congruente con lo postulado por las partes y con lo dispuesto en el fallo[17]. A este respecto, el Tribunal Constitucional ha declarado con reiteración que en realidad la incongruencia es un vicio procesal que tiene relevancia constitucional en la medida en que, bien por exceso o bien por defecto, produzca una alteración o modificación de los términos en los que se sustanció el debate procesal[18], puesto que en tales supuestos no se respetó el principio procesal de contradicción, a no ser que la sentencia verse sobre puntos que el tribunal puede analizar de oficio o que se refieren a la norma aplicable y entren por tanto en el ámbito de la regla *iura novit curia* o incluso si la sentencia versa sobre una petición implícita en la demanda del actor. Generalmente en estos supuestos estaremos–en presencia de situaciones en las que se ha producido una alteración o modificación de los términos del debate procesal por exceso, esto es, se habrá incurrido por parte del órgano jurisdiccional en incongruencia *ultra* o *extra petitum,* al concederse más o algo distinto de lo que se ha pedido. Pero, la incongruencia puede surgir también como consecuencia de un defecto u omisión en la resolución judicial respecto de alguna de las peticiones planteadas por las partes, dejando de este modo imprejuzgada alguna de sus pretensio-

---

[17]   SSTC 20/1982, de 5 de mayo (TOL 8.478); 9/1983, de 18 de febrero (BJC. núm. 23. 1983); 61/1983, de 11 de julio (TOL 79.226); 138/1985, de 18 de octubre (TOL 79.528); 109/1985, de 8 de octubre (TOL 79.524); 29/1987, de 6 de marzo (TOL 136.560): 244/1988, de 19 de diciembre (TOL 80.091); 8/1989, de 23 de enero (TOL 80.219); 26/1989, de 3 de febrero (TOL 80.237); 58/1989, de 16 de marzo (TOL 80.269); 41/1992, de 30 de marzo (TOL 80.655).

[18]   SSTC 4/1994, de 17 *de* enero (TOL 82.414); 87/1994, de 14 de marzo (TOL 82.495); 122/1994, de 25 de abril (TOL 82.529); 172/1994, de 7 de junio (TOL 82.577); 305/1994, de 14 de noviembre (TOL 82.710); 311/1994, de 21 de noviembre (TOL 82.715).

nes, si bien, lógicamente, no es exigible una pormenorizada respuesta a todas las alegaciones si efectivamente se resuelven las pretensiones formuladas[19].

Por último, la motivación de la decisión judicial en ocasiones no convence a la ciudadanía, porque los tiempos de la Justicia se compadecen mal con los de la comunicación mediática, de ahí que sea necesario articular mecanismos para hacer realidad el derecho a la tutela judicial efectiva, la presunción de inocencia, el derecho al proceso debido y el derecho la libertad de expresión y de información por los medios de comunicación, máxime cuando estamos en presencia de casos mediáticos y con gran repercusión social en los que la decisión judicial no siempre se entiende bien por la sociedad sino se ajusta a las exigencias sociales de una respuesta ejemplarizante y a la altura de la necesidad de reparar a la víctima y a la propia sociedad[20].

Veremos a continuación dos manifestaciones de decisiones judiciales en las que se advierte la existencia de sesgos cognitivos o estereotipos de género por parte del juzgador y que provocan situaciones de injusticia, algunas de ellas advertidas y corregidas por la vía de los medios de impugnación habilitados legalmente; otras, en el debate político actual, han provocado reformas legislativas recientes, algunas pendientes de revisión como la conocida como la ley "del solo sí es sí" o Ley Orgáni-

---

[19]   Borrajo Iniesta, I., Diez-Picazo Giménez, I. y Fernández Farreres, I. (1995), El derecho a la tutela judicial y el recurso de amparo. Una reflexión sobre la jurisprudencia constitucional, Civitas, Madrid

[20]   Iglesias Canle, I. C. (2019), "Aspectos jurídicos de la comunicación en supuestos de violencia de género" en Barona Vilar, S. (Dir.), Claves de la Justicia Penal. Feminización, Inteligencia Artificial, supranacionalidad y seguridad, Tirant lo Blanch, Valencia, págs. 153-176; Iglesias Canle, I. C. (Dir.) (2014), Comunicación y justicia en violencia de género, Tirant lo Blanch, Valencia

ca para la garantía integral de la libertad sexual, además de cambios en la jurisprudencia precisamente para atender las exigencias de una respuesta judicial acorde con las exigencias constitucionales y legales, esto es, la reparación de la víctima, el respeto a la presunción de inocencia y el derecho de defensa y a un juicio justo del encausado, conforme al art. 24.2 CE.

2.3. Valoración prueba psicosocial en el proceso de guarda y custodia de hijos menores y sobre alimentos reclamados por un progenitor contra el otro a favor de los hijos menores

Uno de los temas en los que tiene cabida la posible arbitrariedad judicial y la existencia de estereotipos de género en la decisión judicial en el ámbito del proceso civil se refiere precisamente a los procesos matrimoniales o en los que versen exclusivamente sobre guarda y custodia de hijos menores y sobre alimentos reclamados por un progenitor contra el otro a favor de los hijos menores. En este ámbito, de conformidad con las normas antes referidas, como se refleja en la doctrina legal, la determinación del interés superior del menor no es una simple labor de interpretación jurídica, sino de apreciación circunstancial, en donde el auxilio de otras disciplinas deviene trascendente, y, entre ellas, la psicología ocupa un papel destacado. De ahí que las inferencias del juzgador no siempre estén exentas de cierta parcialidad, como veremos, bien por sus propios prejuicios, bien por los que trasladan los psicólogos en sus informes.

No es de extrañar, en el contexto expuesto, que el art. 2.5 b) de la LO 1/1996, norme que toda medida en el interés superior del menor deberá ser adoptada respetando las debidas garantías, así como: *"la intervención en el proceso de profesionales cualificados o expertos. En caso necesario, estos profesionales han de contar con la formación suficiente para determinar las específicas necesidades de los niños con discapacidad. En las decisiones especialmente relevantes que afecten al menor se contará con el informe colegiado de un grupo técnico y multidisciplinar especializado en los ámbitos adecuados"*, como son por ejemplo los equipos psicosociales adscritos a los juzgados de familia.

En este sentido, tras la LO 7/2015, de reforma de la Ley Orgánica del Poder Judicial, se hace escueta referencia a la integración de los equipos psicosociales en los Institutos de Medicina Legal, en la nueva redacción del art. 479 de la LOPJ[21] y, por su parte el art. 92.6 CC se refiere al Equipo Técnico Judicial, quienes valorarán las circunstancias familiares y sociales para, a continuación, emitir su informe dónde se determine la medida más idónea para el supuesto concreto[22]. De hecho,

---

[21]   Art. 479.3 LOPJ: *"Mediante real decreto, a propuesta del Ministro de Justicia y previo informe del Consejo General del Poder Judicial y de las Comunidades Autónomas que han recibido los traspasos de medios para el funcionamiento de la Administración de Justicia, se determinarán las normas generales de organización y funcionamiento de los Institutos de Medicina Legal y Ciencias Forenses y de actuación de los médicos forenses y del resto del personal funcionario o laboral adscrito a los mismos, pudiendo el Ministerio de Justicia o el órgano competente de la Comunidad Autónoma dictar, en el ámbito de sus respectivas competencias, las disposiciones pertinentes para su desarrollo y aplicación. En todo caso los Institutos de Medicina Legal y Ciencias Forenses contarán con unidades de valoración forense integral, de las que podrán formar parte los psicólogos y trabajadores sociales que se determinen para garantizar, entre otras funciones, la asistencia especializada a las víctimas de violencia de género y el diseño de protocolos de actuación global e integral en casos de violencia de género. Asimismo dentro de los Institutos podrán integrarse el resto de equipos psicosociales que prestan servicios a la Administración de Justicia, incluyendo los equipos técnicos de menores, cuyo personal tendrá formación especializada en familia, menores, personas con discapacidad y violencia de género y doméstica. Su formación será orientada desde la perspectiva de la igualdad entre hombres y mujeres".*

[22]   Art. 92.6 CC: *"6. En todo caso, antes de acordar el régimen de guarda y custodia, el Juez deberá recabar informe del Ministerio Fiscal, oír a los menores que tengan suficiente juicio cuando se estime necesario de oficio o a petición del Fiscal, las partes o miembros del Equipo Técnico Judicial, o del propio*

la jurisprudencia hace continúa alusión a los informes de tal naturaleza, que resultan sumamente relevantes a la hora de adoptar la decisión procedente sobre el régimen de custodia más beneficioso para el menor, todo ello, siempre considerando los restantes medios de prueba[23].

El informe psicosocial deviene, por lo tanto, de importancia para determinar el "parenting", entendido como capacidad o competencia de los progenitores para la crianza y cuidado de los hijos, así como para efectuar un juicio de previsión o constatación de problemas de coparenting, abiertos, encubiertos o encapsulados, derivados de las relaciones entre los padres con respecto al cuidado y educación de los hijos comunes menores de edad[24].

Las SSTS de 13 de febrero de 2015, rec. 2339/2013; 15 de julio de 2015, rec. 545/2014, ratificadas por la de 25 de septiembre de 2015, disponen que: *"la valoración de la prueba del informe de los servicios psicosociales debe ser asimilado a los peritos, aunque tenga una naturaleza no totalmente equiparada al informe pericial"*.

Ahora bien, ello no quiere decir que el tribunal sentenciador deba una adhesión incondicionada a tales dictámenes, limitándose a refrendarlos; sino que, como todos los elementos de prueba, deberán ser objeto de la correspondiente valoración judicial.

---

menor, y valorar las alegaciones de las partes, la prueba practicada, y la relación que los padres mantengan entre sí y con sus hijos para determinar su idoneidad con el régimen de guarda".

[23]   SSTS 12 de abril de 2016, rec. 1225/2015, 369/2016, de 3 de junio, 545/2016, de 16 de septiembre y 559/2016, 21 de septiembre entre otras muchas.

[24]   Bolaños Cartujo, I. (2015), "Custodia compartida y coparentalidad: una visión relacional", Psicopatología Clínica, Legal y Forense, Vol. 15, 2015, págs.57-72.

En este sentido, señala la STS de 12 de mayo de 2017, que *"las conclusiones del informe psicosocial deben ser analizadas y cuestionadas jurídicamente, en su caso, por el tribunal, cual ocurre con los demás informes periciales, si bien la sala no es ajena a la importancia y trascendencia de dichos informes técnicos"*[25]. Por su parte, la STS de 17 de diciembre de 2013 establece que *"el informe psicosocial siendo relevante no es de ineludible cumplimiento"*. Deberá ser apreciado según las pautas de la sana crítica, siguiendo postulados de la lógica y de la razón (art. 348 LEC).

A esta función valorativa de la prueba pericial conforme a los postulados de la sana crítica se refiere la jurisprudencia, al señalar que no existen reglas legales preestablecidas que rijan el criterio estimativo de la prueba pericial, ni las reglas de la sana crítica están catalogadas o predeterminadas[26]. Se identifican con las reglas de la común experiencia[27], responden a las más elementales directrices de la lógica humana[28]. Son las reglas del raciocinio lógico[29].

No obstante, es evidente que la valoración de este medio de prueba no está exento de dificultades porque el juez en ocasiones, al conformar su convicción, analiza el supuesto de hecho conforme a sus propias experiencias y ello puede conducir en este ámbito a la estimación o desestimación de la petición de custodia exclusiva o compartida conforme a la valoración que

---

[25] SSTS de 18 de enero de 2011, 9 de septiembre de 2015, 135/2017, de 28 de febrero.

[26] SSTS 29 de abril de 2005, 15 de diciembre de 2012, 297/2015, de 27 de mayo y 697/2015, de 10 de diciembre

[27] SSTS 3 de marzo de 2004, 18 de diciembre de 2001.

[28] SSTS de 13 de febrero de 1990, 29 de enero, 20 de febrero y 25 de noviembre de 1991, 16 de marzo de 1999, 15 abril 2003, 30 de enero de 2013, 353/2015, de 22 de junio, entre otras muchas.

[29] SSTS de 13 mayo de 2008, 15 de noviembre de 2012 y 24 de enero de 2013.

le merezca el informe psicosocial, que se erige en la prueba reina en este tipo de procesos en los que se discute la guarda y custodia de los hijos menores de edad, tal y como se puede observar y deducir del análisis de las resoluciones judiciales que resuelven este tipo de litigios en el ámbito del proceso civil contencioso, muchas veces impregnadas de estereotipos de género precisamente importados del propio informe psicosocial, tal y como hemos tenido ocasión de comentar en anteriores estudios[30].

2.4. Estereotipos de género en los delitos contra la libertad sexual

Como hemos indicado anteriormente, otro de los ámbitos en los que la decisión judicial ha experimentado una contaminación de los estereotipos de género es en el de los delitos contra la libertad sexual. La violencia, y por ende la violencia sexual, es una de las manifestaciones más clara de la discriminación contra la mujeres y que impide la realización efectiva del principio de igualdad, como reconoce por vez primera la tercera Conferencia mundial de la mujer celebrada en Nairobi en 1985, a través de la Recomendación número 19 al decir expresamente que *"la violencia contra la mujer es una forma de discriminación que impide gravemente que goce de derechos y libertades en pie de igualdad con el hombre"*.

La violencia en sí misma se constituye en la ruptura de la regla de la justicia que proviene del principio de igualdad de trato y es, por tanto, una manifestación más de la cultura y tradición del patriarcado y los organismos de Derechos Humanos

---

[30] IGLESIAS CANLE, I. C. y GONZÁLEZ FERNÁNDEZ, A. I., "Sesgos de género y decisión judicial: análisis práctico y legal de la custodia de menores en el proceso matrimonial" en BONORINO, P. (Dir.), Sesgos, argumentación y decisión judicial, Thomson Reuters Aranzadi, 2022, ISBN: 978-84-1391-1954-6148, págs. 129-148.

y las declaraciones de defensa de tales derechos luchan desde hace años contra ella por ser precisamente una clara forma de discriminación contraria al principio de igualdad de trato por razón de sexo.

No podemos olvidar que gran parte de la desigualdad por razón de género ha sido propiciada por los Estados y esa violencia institucional hay que conocerla y corregirla y, si con motivo de la represión jurídico penal se advierten posibles sesgos de género trasladados de la tradición jurídica del patriarcado, se deben advertir y corregir.

Muchas de las cuestiones antes referidas están ligadas a la deficiente regulación normativa de los delitos contra la libertad sexual, como se está evidenciando tras la última reforma efectuada por la denominada ley del "sólo sí es sí", si bien, no es un caso aislado sino que es una constante la existencia de ambigüedades e incongruencias que han dificultado la interpretación de los elementos típicos, muchas de ellas fruto de la inercia histórica y de una visión patriarcal de la violencia. Es preciso realizar una interpretación coherente para salvaguardar el derecho a la libertad sexual desde el principio de igualdad y la prohibición y sanción penal de la violencia sexual sobre la mujer.

En esta línea se ha pasado de exigir una actitud heroica como prueba de la resistencia de la víctima ("cuota de sangre") a una exigencia probatoria de la intimidación muy cuestionable en ocasiones. Valga como ejemplo la STS de 16 de enero de 1991 que absuelve al acusado de un delito de violación y otro de abuso deshonesto porque consideró no probada la intimidación ejercida sobre la mujer que fue obligada a realizar una felación y posteriormente fue penetrada vaginalmente en una zona industrial, porque "la amenaza de pincharle con un alfiler no parecía intimidación suficiente"[31].

Con el tiempo se ha ido afianzando una línea jurisprudencial que considera probada la intimidación por la presencia de un contexto amenazante, que se consolidó finalmente con motivo de la conocida como Sentencia de la Manada de Navarra, que condenó como agresión sexual por la existencia de violencia ambiental[32].

Pero, en cualquier caso, lo relevante es que se ha tratado en estos pronunciamientos de realizar una interpretación jurisprudencial que tiende a poner en el centro del discurso y de la valoración de la prueba la libertad sexual y la afectación del consentimiento del sujeto pasivo, que se produce cuando se coarta, limita o anula la libre decisión de la persona con relación a su actividad sexual.

Pero como advierte ANSUA no siempre es así y hay pronunciamientos que siguen el camino inverso, como en la Sentencia de la Audiencia Provincial de Cádiz de 22 de febrero de 2000, que niega la calificación de agresión sexual porque "las violencias producidas sobre M. no tenían por objeto vencer su resistencia al coito, sino castigarla a causa de las discusiones anteriores…", al igual que sucede en la sentencia de 22 de mayo de 2001 que no consideró la existencia de agresión se-

---

[31] ANSUA, A., *El significado de la violencia sexual contra las mujeres y la reformulación de la tutela penal en este ámbito. Inercias jurisprudenciales*, en VVAA., (coord. LAUREANZO, P., MAQUEDA, M.L., RUBIO, A.), "Género, violencia y Derecho", Tirant lo Blanch, Valencia, 2008, págs.131 y ss.

[32] V. nuestro trabajo en Iglesias Canle, I. C. González Fernández, A. I. y González Pérez, A. (2020), "Derecho de defensa en el proceso penal español y violencia sobre la mujer. Especial referencia a la violencia sexual", en BRAVO BOSCH, M. J. (Dir.), *Feminización y Justicia*, Tirant lo Blanch, Valencia, págs. 279 a 345

xual el acceso carnal con penetración vaginal porque, a juicio del tribunal, " *ella consintió en la esperanza de que, de este modo, él la dejaría marchar"* y concluye afirmando que "*aunque el acusado ejerciera sobre la víctima actos de indudable contenido intimidatorio, estos actos no guardan una relación causal directa con ninguno de los hechos concretos que han sido objeto de acusación, por lo que no pueden ser calificados como delitos descritos en el art. 178 y 179 del Código Penal"* [33].

Este y otros supuestos evidencian la existencia de una interpretación jurisprudencial que vulnera el derecho a la libertad sexual de la víctima por la existencia de sesgos de género en la decisión judicial y que se imponen a la hora de valorar la existencia de violencia o intimidación o sin más del consentimiento de la víctima sobre la base de la valoración de los hechos tales como la duración del sometimiento, los actos sobre el cuerpo de la víctima, su carácter consentido o no…por tanto, más allá de la regulación legal, el problema estriba en la valoración de los hechos a partir de la prueba practicada en el acto del juicio tal y como evidencian las motivaciones de las decisiones judiciales antes referidas a modo de ejemplo.

III. A MODO DE CONCLUSIÓN: ¿QUÉ ES JUZGAR CON PERSPECTIVA DE GÉNERO?

La denominada "teoría jurídica feminista" analiza las relaciones entre género y Derecho y considera diferentes puntos de vista a la hora de construir y comprender tales relaciones. Las teorías feministas del Derecho pueden resultar útiles a la hora de comprender que el Derecho no es un instrumento neutral sino que debe ser resignificado en clave no androcéntrica, en palabras de Facio. No hacerlo supone olvidar la fuerza

---

[33]   ANSUA, A., *El significado de la violencia sexual…*, op. cit., pág. 148 y ss.

que tienen ciertas estructuras androcéntricas y la forma en que se desarrollan las relaciones desiguales de género en los sistemas jurídicos.

Los análisis jurídicos con perspectiva de género advierten de que el Derecho está plagado de estructuras androcéntricas, que obligan a realizar una intervención desde el análisis crítico feminista.

No bastan las reformas legales, reivindicación feminista inicial, sino que es preciso promover cambios en la doctrina legal y en las estructuras políticas y judiciales. Es necesario advertir que el pensamiento más tradicional concibe una ideal del principio de igualdad que no entiende como discriminación ciertas formas de desigualdad en el plano sexual. Por ello, sucede que en el proceso penal se han venido exigiendo ciertas conductas de la mujer agredida para su consideración de víctima. Todo ello nos lleva a postular una nueva lectura y aplicación de las normas con perspectiva de género, con la finalidad de hacer realidad la igualdad efectiva entre hombres y mujeres, con especial énfasis en aquellas situaciones en que la discriminación supone una actitud de violencia sobre la mujer. La lucha no es una lucha antipatriarcal o antisexista sino una lucha por la igualdad jurídica formal, de ahí que únicamente haya que intervenir cuando haya distorsiones en la aplicación de la norma por razón de género, para homologar la violencia contra las mujeres a otras formas de violencia[34].

El mismo pensamiento resulta de aplicación en la integración de las normas civiles, la visión feminista señala que debemos procurar una intervención donde las estructuras andro-

---

[34] BODELÓN, E., *La violencia contra las mujeres y el derecho no-androcéntrico: perdidas en la traducción jurídica del feminismo*, en en VVAA., (coord. LAUREANZO, P., MAQUEDA, M.L., RUBIO, A.), "Género, violencia y Derecho", Tirant lo Blanch, Valencia, 2008, págs. 276 y ss.

céntricas del patriarcado impongan sesgos de género que se trasladen a la decisión judicial generando una aplicación desigual de la norma por tales motivos, como hemos advertido en los supuestos de concesión de la guarda y custodia, ya que los roles de género tradicionales también deben ser cuestionados y en una sociedad más igualitaria porque en caso contrario se estaría produciendo una visión paternalista en la búsqueda de la protección de las mujeres, perpetuando una imagen de la mujer como «sexo débil», ligando el papel de la mujer al de cuidadora en el ámbito doméstico.

Pero los estereotipos y sesgos de género no se advierten exclusivamente en estos dos ámbitos, sino que también se pueden observar en resoluciones judiciales en que se otorgan permisos de paternidad o maternidad o cuando se analizan cuestiones ligadas a valoración de la prueba pericial.

Los remedios frente a una valoración judicial con sesgos de género pasan por la formación de los jueces y magistrados en igualdad, tal y como postulan las últimas reformas legales[35], así como por la exigencia en la motivación de las decisiones

---

[35]   El estudio del principio de igualdad de hombres y mujeres se contempla en todas las pruebas de ingreso y promoción en la carrera judicial (art. 310 LOPJ), pasando a ser obligatoria su inclusión en cada plan de formación continuada de la carrera judicial y en la programación anual de los cursos de formación de la Escuela judicial (art. 433 bis.5 LOPJ).

Por su parte, el reciente art. 38 de la Ley 15/2022, de 12 de julio, establece *"Los poderes públicos, en el ámbito de sus respectivas competencias, contemplarán en los procesos selectivos y en la formación de su personal, el estudio y la aplicación de la igualdad de trato y la no discriminación. Además, velarán por que el personal externo cuente con esa formación cuando los servicios prestados impliquen una relación directa con la ciudadanía. La formación no solo será teórica, sino también práctica en cuanto a las herramientas que pueden usar los distintos perfiles de personas que trabajan en la administración pública para prevenir y dar respuesta a la discriminación en el ámbito de sus respectivas competencias".*

judiciales en los términos que hemos referido antes, sólo así se puede desterrar la arbitrariedad de las mismas, puesto que tales sesgos no son sino una forma clara de arbitrariedad judicial al resultar contrarias tales interpretaciones a una aplicación igualitaria de la norma jurídica. De otro lado, la previsión del art. 217.5 LEC, redactada como consecuencia de la incorporación a nuestro ordenamiento jurídico de la a Directiva 2006/54/CE del Parlamento Europeo y del Consejo de 5 julio de 2006, relativa a la aplicación del principio de igualdad e igualdad de trato entre hombres y mujeres en asuntos de empleo y ocupación, incorporada a nuestro Ordenamiento Jurídico mediante la Ley 15/2022, de 12 de julio, Integral para la igualdad de trato y no discriminación, establece una inversión de la carga de la prueba cuando se trata de acciones discriminatorias por razón de sexo, de forma que corresponde al demandado la prueba de que tales acciones no son discriminatorias, en el mismo sentido se ha modificado el art. 60.7 LJCA.

En relación a tal previsión, el artículo 30 dispone "de acuerdo con lo previsto en las leyes procesales y reguladoras de los procedimientos administrativos, cuando la parte actora o el interesado alegue discriminación y aporte indicios fundados sobre su existencia, corresponderá a la parte demandada o a quien se impute la situación discriminatoria la aportación de una justificación objetiva y razonable, suficientemente probada, de las medidas adoptadas y de su proporcionalidad.

2. A los efectos de lo dispuesto en el párrafo primero, el órgano judicial o administrativo, de oficio o a instancia de parte, podrá recabar informe de los organismos públicos competentes en materia de igualdad.

3. Lo establecido en el apartado primero no será de aplicación a los procesos penales ni a los procedimientos administrativos sancionadores, ni a las medidas adoptadas y los procedimientos tramitados al amparo de las normas

de organización, convivencia y disciplina de los centros docentes".

Asimismo, esta misma ley establece en su artículo 19 que "*los poderes públicos, en el ámbito de sus respectivas competencias, velarán por la supresión de estereotipos y promoverán la ausencia de cualquier forma de discriminación en la administración de justicia por razón de las causas previstas en esta ley*". En tal sentido, "*las administraciones públicas favorecerán la información y accesibilidad a la justicia de los grupos especialmente vulnerables según las causas establecidas en esta ley*".

En el artículo 28 de la misma Ley se definen los términos en los cuales debe ejercerse la tutela judicial frente a las vulneraciones del derecho a la igualdad de trato y no discriminación de forma que de conformidad con las Leyes procesales, deben adaptarse toda las medidas necesarias, incluso las medidas cautelares, para prevenir y poner fin a la discriminación. el artículo siguiente otorga la legitimación al derecho a la promoción de igualdad de trato y no discriminación "las *personas afectadas, los partidos políticos, los sindicatos, las asociaciones profesionales de trabajadores autónomos, las organizaciones de personas consumidoras y usuarias y las asociaciones y organizaciones legalmente constituidas que tengan entre sus fines la defensa y promoción de los derechos humanos estarán legitimadas, en los términos establecidos por las leyes procesales, para defender los derechos e intereses de las personas afiliadas o asociadas o usuarias de sus servicios en procesos judiciales civiles, contencioso-administrativos y sociales, siempre que cuenten con su autorización expresa*". Renglón seguido establece los requisitos que han de cumplir las asociaciones en defensa y promoción de los derechos humanos que quieran hacer valer el derecho a la igualdad en un proceso, en concreto:

"*a) Que se hubieran constituido legalmente al menos dos años antes de la iniciación del proceso judicial y que vengan ejerciendo de modo activo las actividades necesarias para alcanzar los fines previstos en sus estatutos, salvo que ejerciten las acciones*

administrativas o judiciales en defensa de los miembros que la
integran.

b) *Que según sus estatutos desarrollen su actividad en el ámbito
estatal o, en su caso, en un ámbito territorial que resulte afectado
por la posible situación de discriminación".*

Por su parte, la referida reforma ha obligado a realizar una
ampliación de los supuestos de legitimación extraordinaria
para la defensa del derecho de igualdad de trato y no discriminación en los términos antes referidos con la consiguiente
reforma del art. 11 bis de la LEC y, la necesaria intervención
provocada en el proceso en los términos del artículo 15 ter de
la misma norma para facilitar su participación en el proceso en
condición de personas afectadas y en defensa del interes y del
derecho a la igualdad de trato y no discriminación por parte
de la autoridad independiente para la igualdad de trato y no
discriminación y demás personas legitimadas conforme a esta
Ley, de acuerdo con las previsiones del art. 11 bis de la LEC.
En el mismo sentido, se modifica el art. 19.1 de la LJCA para
otorgar legitimación extraordinaria en defensa del derecho de
igualdad de trato y no discriminación, además de las personas
afectadas, y siempre con su autorización, a la Autoridad Independiente para la Igualdad de Trato y la No Discriminación, así
como, en relación con las personas afiliadas o asociadas a los
mismos, los partidos políticos, los sindicatos, las asociaciones
profesionales de trabajadores autónomos, las organizaciones
de personas consumidoras y usuarias y las asociaciones y organizaciones legalmente constituidas que tengan entre sus fines
la defensa y promoción de los derechos humanos, de acuerdo
con lo establecido en la Ley integral para la igualdad de trato y
la no discriminación.

Todo ello merece una valoración muy positiva y permite
corregir muchas de las anteriores inercias en el seno de los
procesos dispositivos sin que ello genere un desequilibrio en el
proceso contrario al derecho a la igualdad de armas.

Sin embargo, en el ámbito penal no es posible proceder en tal sentido porque rige el principio de presunción de inocencia, pero sí debemos considerar remedios tales como, además de la formación específica y la necesidad de motivación de las decisiones judiciales, la posición de la víctima en el proceso penal y su reparación que lleva a evitar su victimización secundaria y limitar, por ejemplo, la práctica de diligencias de prueba redundantes en las que deba intervenir la denunciante (art. 21 b) de la Ley 4/2015, de 27 de abril, del Estatuto de la víctima del delito), o la difusión a los medios de comunicación de datos personales que permita la identificación de la denunciante (art. 22 de la Ley 4/2015)[36].

No obstante, actualmente existen pronunciamientos judiciales que realizan una corrección de la aplicación de la norma en aquellos espacios o situaciones en que no se ha tenido en consideración el principio de igualdad, sobre la base de la necesidad de juzgar con perspectiva de género para acabar con la discriminación subyacente a tales situaciones.

En este sentido DESVIAT realiza una selección jurisprudencial que referenciamos a continuación por su interés y a efectos ilustrativos de la tesis que sostenemos:

- *El Tribunal Superior de Justicia de Castilla La Mancha en una reciente sentencia sigue la estela de la sentencia dictada en 2020 por el Tribunal de Justicia valenciano y ha considerado que la tendiditis aguda de muñeca que sufrió una teleoperadora de 25 años es enfermedad profesional y no común, algo importante a la hora de valorar económicamente la prestación por incapacidad temporal.*

- *En ambas resoluciones se examina el RD 1299/2006 (LA LEY 12147/2006), que incluye el cuadro de enfermedades profesio-*

---

[36] MUÑOZ ARANGUREN, A., (2020), *El peso de los estereotipos de género…*, op. cit., págs. 63 y ss.

nales. En dicho cuadro se establece una lista de profesiones y actividades que pueden producir esta enfermedad profesional, una lista abierta, que no incluye la profesión de teleoperadora. Se concluyó que su no inclusión suponía una discriminación indirecta por razón de género. Efectivamente, la no inclusión expresa de actividades fuertemente feminizadas, por contra de las profesiones como pintor, escayolista o montador de estructuras (masculinizadas), suponía un agravio comparativo. Mientras que estas últimas se beneficiaban con la presunción de laboralidad, no ocurría lo mismo en los casos examinados, a pesar de que se trata de una profesión que exige continuamente movimientos repetitivos de mano para el uso del ordenador y el ratón. Debía, por tanto, encuadrarse como enfermedad profesional.

- *Por su parte, nuestro Tribunal Supremo ha tenido la ocasión de pronunciarse también en relación a la categorización como enfermedad profesional, desde una perspectiva de género. Así en esta sentencia dictada en 2022, afirmó que una lesión en un hombro de una limpiadora era enfermedad derivada de contingencia profesional y no común. Afirma que esta profesión es una actividad feminizada y constituye una discriminación indirecta que no esté incluida entre las profesiones que pueden generar una enfermedad profesional y en cambio otros trabajos similares "masculinos" sí lo estén. La Sala nos dice que solo aplicando la perspectiva de género en la interpretación y aplicación de las normas se puede alcanzar la igualdad de trato y de oportunidades entre mujeres y hombres porque aferrarse en la interpretación estricta y literal generaría en el caso una discriminación indirecta, al desplegar efectos desproporcionados sobre el colectivo femenino.*

- *El Juzgado de lo Social 12 de Barcelona dictó una ejemplarizante sentencia el pasado diciembre, que condenó con perspectiva de género, tanto al acosador como al empresario, por su falta de vigilancia e infracción del deber de seguridad. Y es que la sentencia declara la responsabilidad directa del emplea-*

dor aunque no participara en los hechos. El empresario debe, por su status, proteger a sus trabajadores ante cualquier conducta constitutiva de acoso sexual en el marco de la relación laboral: debe prevenir primero, y reparar cuando se produzcan los hechos.

- *La sentencia señala que los hechos padecidos por la trabajadora se integran en la perspectiva de género a los efectos de la impartición de justicia cuando en la controversia se aprecian relaciones asimétricas o patrones estereotípicos de género, y aun cuando las partes no lo hayan solicitado expresamente.*

Además de ordenar el cese de la conducta y de indemnizar a la trabajadora con 10.000 € por el daño moral sufrido (que deben pagar conjuntamente el acosador y la empresa), el Juzgado ordena a trasladar al director a otro centro de trabajo para evitar cualquier tipo de discriminación de la trabajadora.

- *El Tribunal Superior de Justicia de Madrid en noviembre de 2022 dictó sentencia sobre un asunto de discriminación indirecta en la negativa de una empresa a que un hombre adaptara su jornada para cuidado de su hijo porque su mujer tenía horario flexible. La empleadora atribuye, según indica la resolución, el rol exclusivo de cuidadoras a las madres, algo que desde la perspectiva de género, constituye una discriminación indirecta por razón de sexo.*

La sentencia realiza una dura crítica al argumento empresarial para negar la concreción horaria al padre. Sea o no cierto que la madre puede ocuparse del menor, la empresa no tiene que investigar ni inquirir cuáles son las circunstancias laborales de la mujer, porque el derecho es de cada trabajador individualmente considerado, sin distinción de sexo. La Sala estima finalmente que la petición del padre es razonable porque el niño finaliza el colegio a las 13,30 horas, no tiene colegio por la tarde, y se ha solicitado exclusivamente entrar y salir media hora antes para poder estar con su hijo ese tiempo y acredita la necesidad, por lo

que tiene derecho de adaptación horaria que reconoce el artículo
38.4 del Estatuto de los Trabajadores.

- Por su parte, el TSJ de Madrid en una reciente sentencia de
febrero de 2023 declaró el derecho de una mujer a percibir la
prestación por cuidado de un menor afectado por una enfermedad grave, y que esa prestación no debía ser por lo cotizado por
la jornada reducida que tenía, sino que debía ampliarse a lo
que le correspondería por jornada completa. La Sala considera
que el caso debía juzgarse con perspectiva de género, porque en
la mayoría de las ocasiones son las mujeres las que solicitan
reducción de jornada, lo que la perjudicaba.

- En esta sentencia del TSJ Galicia dictada en diciembre, se equi-
para a las víctimas de trata sexual con las víctimas de violencia de género para cobrar esta prestación. La Sala permite
acceder a la RAI cualquiera que sea su edad y sin tener que
esperar doce meses como inscrita como demandante de empleo,
siempre que no se tengan rentas. Fundamenta sus razonamientos en aplicación de las normas desde la perspectiva de género,
que encuentran innegable en un asunto como es la trata de
seres humanos con fines de explotación sexual, que también es
violencia sexual. Es evidente la situación de vulnerabilidad en
la que se encuentran por carecer de ingresos ante la dificultad
de acceder a un empleo y por la inmediatez de sus necesidades.

- Esta sentencia del Tribunal de Justicia de la Unión Europea
sentó un importante precedente. Consideró la existencia de discriminación por razón de sexo, el hecho de los empleados de
hogar estuvieran excluidos de la protección de desempleo, lo que
les impedía el acceso a otras prestaciones. Indica que la proporción de las mujeres trabajadoras afectadas por esta diferencia
de trato es significativamente mayor al de los trabajadores por
cuenta ajena.

Aplica por tanto la perspectiva de género para resolver la cuestión prejudicial, añadiendo que aunque la actividad se realiza
en el domicilio y es de difícil comprobación por parte de la Ins-

pección, esto no justifica su exclusión, porque otros colectivos en situaciones parecidas -conductores particulares o jardineros- sí están protegidos frente a dicha contingencia.

- *También interesante es esta sentencia de este mismo mes de enero de 2023 dictada por el Juzgado de lo Social 1 de Palma de Mallorca, donde da la razón a una trabajadora a la que el Fondo de Garantía Salarial le había negado el abono de las cantidades que le debía su empleador, en situación de insolvencia, aduciendo que dicho colectivo estaba excluido de la cobertura que da el FOGASA al resto de trabajadores. La sentencia consideró que la norma constituía un supuesto de discriminación indirecta contrario al Derecho de la Unión Europea.*

- *Juzgado de lo Social 2 de Guadalajara, dictada en septiembre de 2022, llegó a multar a una empresa por no incluir la perspectiva de género en el documento de evaluación de riesgos, a pesar de los requerimientos que se le hicieron al respecto. El documento, según indicaba el requerimiento, debía tomar en consideración si hombres y mujeres desarrollaban las mismas tareas y de la misma forma, con valoración, además, de los riesgos psicosociales teniendo en cuenta los factores ligados al género.*

- *Novedosa esta sentencia dictada por el Juzgado de Primera Instancia de Arrecife del pasado noviembre, donde estima la acción de nulidad del contrato de arrendamiento celebrado entre las sociedades codemandadas sobre un inmueble del que la demandante es copropietaria. Y aplica de forma novedosa al ámbito civil la perspectiva de género analizando los hechos concretos, que es que el contrato se celebró con la finalidad de impedir el cobro del derecho de crédito de la actora en concepto de indemnización reconocida por responsabilidad civil en una sentencia condenatoria por delito de asesinato en grado de tentativa cometido por su expareja sentimental, que fue socio único de la sociedad arrendadora.*

- *Concluimos este repaso jurisprudencial con en este reciente Auto dictado por la Audiencia Provincial de A Coruña donde la*

Sala plantea cuestión de constitucionalidad sobre si el artículo 607 LEC vulnera el derecho a la tutela judicial efectiva y el derecho fundamental a la igualdad ante la ley, sin discriminación por razón de sexo. Entiende que el límite al embargo de la pensión de jubilación al esposo discrimina indirectamente a las mujeres, a las que particularmente perjudica negando o restando efectividad al derecho compensatorio que sirve para paliar el desequilibrio que soportan, tras el cese de la convivencia, por razón del rol que han asumido en el reparto de tareas propio de la estructura familiar tradicional [37].

Con el presente trabajo se trata de plantear la reversión de la actual situación de discriminación por la aplicación inconsciente de sesgos y estereotipos de género, con el recurso a los remedios antes referidos, que están dando su fruto, como se recoge en las anteriores decisiones en las que, al juzgar con perspectiva de género, no solo se evitan los mismos, sino que se realiza una interpretación correctora de las lagunas o de la deficiente regulación existente en nuestro ordenamiento jurídico y que sean consecuencia de una visión androcéntrica del Derecho y de la tradición jurídica del patriarcado.

Bibliografía

ANSUA, A. (2008), El significado de la violencia sexual contra las mujeres y la reformulación de la tutela penal en este ámbito. Inercias jurisprudenciales, en VVAA., (coord. LAUREANZO, P., MAQUEDA, M.L., RUBIO, A.), "Género, violencia y Derecho", Tirant lo Blanch, Valencia, págs.131 y ss

BELLOSO MARTÍN, N. (2017), "La concreción del interés (superior) del menor a partir de los conceptos jurídicos indeterminados: la ¿idoneidad? De la mediación familiar", *Anuario Facultad de Derecho–Universidad de Alcalá*, n° 10, 2017, (disponible en: *https://ebuah.uah.es/*

---

[37] Desviat, I. (2023), "Lo más visto en sentencias con «perspectiva de género»", *Diario la Ley*.

dspace/bitstream/handle/10017/32719/concrecion_belloso_AFDUA_2017. pdf?sequence=1&isAllowed=y, última consulta: 31/05/2022), págs. 1-42.

BODELÓN, E., (2008), *La violencia contra las mujeres y el derecho no-androcéntrico: perdidas en la traducción jurídica del feminismo*, en VVAA., (coord. LAUREANZO, P., MAQUEDA, M.L., RUBIO, A.), "Género, violencia y Derecho", Tirant lo Blanch, Valencia, págs. 276 y ss.

BOLAÑOS CARTUJO, I. (2015), "Custodia compartida y coparentalidad: una visión relacional", *Psicopatología Clínica, Legal y Forense*, Vol. 15, 2015, págs.57-72.

BORRAJO INIESTA, I., Diez-Picazo Giménez, I. y Fernández Farreres, I. (1995), El derecho a la tutela judicial y el recurso de amparo. Una reflexión sobre la jurisprudencia constitucional, Civitas, Madrid.

CALVO RUBIO, J. A. (1988), *Protección constitucional del derecho al recurso en el proceso penal* REDC, núm. 22, enero abril, págs. 238 y ss.

DESVIAT, I. (2023), "Lo más visto en sentencias con «perspectiva de género»", Diario la Ley.

IGLESIAS CANLE, I. C. (2019), "Aspectos jurídicos de la comunicación en supuestos de violencia de género" en Barona Vilar, S. (Dir.), Claves de la Justicia Penal. Feminización, Inteligencia Artificial, supranacionalidad y seguridad, Tirant lo Blanch, Valencia, págs. 153-176.

IGLESIAS CANLE, I. C. (2018), *Situación actual de la Justicia en España*, Tirant lo Blanch, Valencia.

IGLESIAS CANLE, I. C. (Dir.) (2014), *Comunicación y justicia en violencia de género*, Tirant lo Blanch, Valencia.

IGLESIAS CANLE, I. C. y González Fernández (2022), A. I., "Sesgos de género y decisión judicial: análisis práctico y legal de la custodia de menores en el proceso matrimonial" en BONORINO, P. (Dir.), *Sesgos, argumentación y decisión judicial*, Thomson Reuters Aranzadi , ISBN: 978-84-1391-1954-6148, págs. 129-148.

MUÑOZ ARANGUREN, A., (2020), El peso de los estereotipos de género en las decisiones judiciales. Una aproximación desde la psicología jurídica, Cuadernos penales José María Lidón, ISBN: 978-84-1325-102-8, núm. 16/2020, Bilbao, págs. 37-79

ROMERO COLOMA, A. M. (1993), *El artículo 24 de la Constitución española: análisis y valoración: el acceso del ciudadano a la justicia*, Serlipost, Barcelona.

VALLESPÍN PÉREZ, D. (2022), "Inteligenza Artificiale e valutatione delle prove nel processo civile spagnolo e italiano", *Revista General de Derecho Procesal*, nº 57.

Capítulo 11

Perspectiva de género en las decisiones judiciales

ANA I. GONZÁLEZ FERNÁNDEZ

Investigadora Postdoctoral
Universidade de Vigo

SUMARIO: I. INTRODUCCIÓN. II. FEMINIZACIÓN DE LA JUSTICIA: LA FEMINIST JURISPRUDENCE. III. JUSTICIA CON PERSPECTIVA DE GÉNERO: IV. ESTEREOTIPOS DE GÉNERO EN LAS RESOLUCIONES JUDICIALES. Bibliografía.

RESUMEN: El objetivo de este estudio es analizar y detectar, en su caso, la presencia de estereotipos de género en las decisiones judiciales y sus implicaciones en el ámbito de la Justicia. Para ello, debe concluirse el proceso de feminización de la Justicia, lo que requiere conjugar medidas legislativas y una transformación cultural, de hábitos, de gestión, interpretación y pensamiento pro-igualdad, para acabar con las desigualdades por razón de género en la sociedad actual.

Con este objetivo, abarcaremos desde un punto de vista integrador, los distintos hitos que se han alcanzado en el mundo del Derecho y la definitiva integración de la perspectiva de género en las resoluciones judiciales y lograr la igualdad real y efectiva sin discriminación por razón de género.

PALABRAS CLAVE: género, decisiones judiciales, Justicia, igualdad

SUMMARY: The objective of this study is to analyze and detect, where appropriate, the presence of gender stereotypes in judicial decisions and their implications in the field of justice. To this end, the process of feminization of the justice system must be completed, which requires combining legislative measures and a transformation of culture, habits, management, interpretation and proequality, to end gender inequalities in today's society.

With this objective, we will cover from an integrative point of view, the various milestones that have been reached in the world of law and the definitive integration of the gender perspective in judicial decisions and achieve real and effective equality without gender discrimination.

KEYWORDS: gender, judicial decisions, Justice, equality

I. INTRODUCCIÓN

No resulta extraño escuchar y leer en la prensa y en las conversaciones cotidianas los hitos superados en materia de igualdad entre mujeres y hombres en la sociedad en la que vivimos. Gran parte de este éxito se debe al reconocimiento del principio de igualdad en los textos internacionales y Constituciones de los países más desarrollados.

Con todo, todavía queda un largo camino por recorrer para logar la ansiada igualdad real entre hombres y mujeres, aún hoy nos encontramos con situaciones en las que quiebra el acceso en igualdad de condiciones de la mujer, en igualdad de condiciones, en el mundo laboral, en el mundo social, en el mundo de la economía, de la política, en la relación de pareja, así como en la distribución de funciones en el seno de la sociedad[1]. Si bien es cierto que la sociedad está cambiando paulatinamente lo hace a una velocidad distinta a lo largo y ancho del panorama mundial. Resultando más evidente en los países más desarrollados y con un Estado Democrático, en el resto de los

---

[1] BARONA VILAR, S., "La necesaria deconstrucción del modelo patriarcal de Justicia" en MARTÍNEZ GARCÍA, E., Análisis de la justicia procesal desde la perspectiva de género, Tirant lo Blanch, 2018, pág. 30.

países se puede observar todavía una importante cosificación de la mujer y que evidencia un largo camino por hacer.

De todo ello se pone de relieve que no se debe bajar la guardia, debemos apostar por conseguir una igualdad real y efectiva y luchar por que sea una realidad, superando los obstáculos existentes todavía en muchos sectores de nuestra sociedad. Así se puso de manifiesto por el Comité de Ministros del Consejo de Europa e la Declaración de Madrid de 2009, al disponer que «*el estatus legal de las mujeres ha ganado con el tiempo, pero que, pasados 20 años desde la Declaración sobre la igualdad de mujeres y hombres (Consejo de Europa, 1988), todavía es un reto para los estados miembros salvar la distancia entre la igualdad legal y la real*».

Todavía son necesarias muchas transformaciones en la sociedad, entre ellas, generar la necesidad de cambio interno en cada uno de los individuos que componen nuestra sociedad. Precisamos transformar el pensamiento, la cultura y la forma de percibir todo cuanto nos para acabar con una visión distinta que permita acabar con las desigualdades en función del género.

Por ello, este trabajo pretende realizar un análisis para detectar, en su caso, la presencia de estereotipos de género en las decisiones judiciales y sus implicaciones en el ámbito de la Justicia. Concordamos con la mayoría de la doctrina que una de las premisas fundamentales para la modernización de la Justicia y el desarrollo de la misma pasa por su feminización, lo que requiere conjugar medidas legislativas y una transformación cultural, de hábitos, de gestión, interpretación y pensamiento pro-igualdad, para acabar con las desigualdades por razón de género en la sociedad actual[2].

---

[2]   BARONA VILAR, S., "La necesaria...", *Op. Cit.*, pág. 32.

Con este objetivo, abarcaremos desde un punto de vista integrador, los distintos hitos que se han alcanzado en el mundo del Derecho y la definitiva integración de la perspectiva de género en las resoluciones judiciales y lograr la igualdad real y efectiva sin discriminación por razón de género.

II. FEMINIZACIÓN DE LA JUSTICIA: LA FEMINIST JURISPRUDENCE

Desde el punto de vista de la Justicia debemos considerar dos puntos de vista. Primero, el acceso de la mujer a la misma de la mano de un cambio orgánico de la Administración de Justicia entendido como *acceso de las mujeres Juezas y Magistradas a los órganos de decisión y poder*, que será analizado al fin de este epígrafe, y de otro lado, es necesario un cambio sustancial en la forma de ejercer y argumentar las decisiones judiciales. Todo ello repercute positivamente en la consecución de la feminización integral de la Administración de Justicia.

En la década de los años setenta, especialmente en el mundo académico escandinavo y anglosajón, surge un movimiento filosófico-jurídico denominado *Feminist Jurisprudence*, que perseguía evidenciar que el derecho y las normas jurídicas debían analizarse con perspectiva de género. Asimismo, este movimiento denunciaba con hechos objetivos, a partir de los datos existentes y los postulados derivados de este movimiento, se pueden extraer las siguientes premisas sobre el Derecho:

- *es masculino (la ley ve y trata a las mujeres como los hombres ven y tratan a las mujeres),*

- *tiene sexo (no tiene en cuenta las experiencias y necesidades de las mujeres…un ejemplo claro lo constituye la manera en que se fueron construyendo históricamente los tipos penales relativos a los delitos sexuales) y*

- *tiene género (las relaciones de poder, que son la causa de la desigualdad de las mujeres, se reflejan en la norma jurídica; el patriarcado se refleja en la norma jurídica, y más si pensamos en que se sigue considerando reglas como la de "un buen padre de familia" o la del "hombre bueno conciliador", que muestran una evidencia de ese discurso al que nos venimos refiriendo)*[3].

Actualmente, la representación más significativa de este movimiento lo representa la Asociación de Mujeres Juezas en España con presencia en el ámbito nacional e internacional, su objetivo no es otro que «*contribuir al desarrollo y difusión de la Justicia y de la Igualdad, a través de la concienciación y sensibilización de la ciudadanía en general y a las juezas y de los jueces en particular sobre la necesidad impostergable de la defensa de los Derechos Humanos*».

En su desarrollo este movimiento partía esencialmente de tres postulados básicos:

1. La falsa neutralidad del derecho, que invisibiliza a las mujeres, especialmente a través del lenguaje jurídico: un lenguaje que ha venido marcado por y desde el pensamiento andrógino y frente al que en la actualidad se está avanzando lenta pero imparablemente;

2. La falsa objetividad del derecho, pues el pensamiento de quién la aplica y la norma van unidos; aparecen condicionantes de la falsa objetividad: androcentrismo, clasismo, racismo y por tanto no hay un único discurso jurídico, sino tantos como personas lo construyen.

   Resulta ilustrativa la relación existente entre el Derecho y la Justicia entre mujeres y varones. En este sentido, es cuanto menos curiosa la forma de interpretar las cau-

---

[3] GARCÍA MARTÍNEZ, E., MARTÍNEZ GARCÍA, E., Análisis de la justicia procesal desde la perspectiva de género, Tirant lo Blanch, 2018, pág. 17 y ss.

sas de divorcio en los años 80 por Jueces y Magistrados (hombres) en España, una aplicación que presentaba esos síntomas andróginos, de dominio y poder del hombre, y que llevaban a consecuencias absurdas en la interpretación de las normas (sentencias en las que, a título de ejemplo, se podía leer que un golpe o un bofetón del hombre a la mujer no podía justificar el divorcio porque respondía a lo que es la relación habitual en el matrimonio).

Por ello, resultan positivos los avances que se han producido desde entonces dentro de nuestras fronteras, amén de las distintas normas jurídicas existentes que pretenden la protección de la mujer. Pese a todo, en nuestros días todavía persisten argumentaciones jurídicas en las que se percibe la interpretación de debilidad de las mujeres respecto de los hombres, la aplicación de estereotipos o consideración de esquemas mentales masculinos en general debe dar pasos, y avanzar hacia el abandono de este diálogo masculino aun presente.

3. Por último, el desmantelamiento del androcentrismo del Derecho, para el que se requiere una solución transversal que ligue los saberes jurídicos y los extrajurídicos (experiencia, política, ética) y que permita precisamente una interpretación de las leyes existentes con la finalidad de promover, desde el método de interpretación teleológico la vida y la realidad jurídica del Siglo XXI.

Por otro lado, es imprescindible seguir reivindicando la necesaria rotura del "techo de cristal" (*glass ceiling barrier*), la desaparición del "suelo pegajoso" (*sticky floor,*) que dificulta el acceso a los primeros niveles de carrera o profesión, más complejo de salvar en determinadas profesiones, como en la Justicia, por ejemplo, que veremos en las siguientes líneas.

Deben utilizarse las políticas de discriminación positiva previstas en nuestro Ordenamiento Jurídico que se han puesto a disposición de los poderes públicos para promover una mayor igualdad de hecho o, en su caso, procurar asegurar a los colectivos más agraviados cierta igualdad de oportunidades. Las medidas de acción positiva previstas en nuestras Leyes procuran compensar las diferencias existentes en la actualidad de cara a que éstas desaparezcan por completo, a partir de entonces, estas medidas deben ser revocadas, siguiendo las indicaciones del artículo 9.2 de la Constitución Española.

Si bien, como denuncian las distintas asociaciones de jueces y Magistrados, todavía se existen evidencias de la palmaria desigualdad entre hombres y mujeres en puestos discrecionales de la judicatura, de hecho, el último informe de la Estructura Demográfica de la Carrera Judicial, las cifras son realmente desoladoras y son reflejo de la existencia de las estructuras patriarcales que reinan en nuestra sociedad, cuanto más si revisamos las cifras de los Jueces y Magistrados que se encuentran en excedencia por cuidado de menores.

Todavía resta mucho para conseguir romper el techo de cristal, la Administración de Justicia aún no muestra muestras evidencias que permitan hablar de un suerte de mejora de las cifras de las mujeres en puestos de cierta relevancia.

Por otro lado, como establece el artículo 117.3 CE, le corresponde al Poder Judicial la función de juzgar y hacer ejecutar lo juzgado. En este sentido, este Poder del Estado tiene la posibilidad y en sus manos está deconstruir y reconstruir el espacio de la Justicia en la que se integre de forma correcta el principio de igualdad reconocido en nuestra Carta Magna en sus artículos 1, 10.2, 14 y 117.3. Ellos en su función jurisdiccional deben corregir las deficiencias y superar la visión patriarcal y androcéntrica de los hechos y normas jurídicas de cara a un enfoque más abierto que suponga dar visibilidad a la mujer y conseguir de ese modo la ansiada igualdad real entre hombres y mujeres.

En conclusión, deben usarse todos los medios disponibles a nuestro alcance para superar la visión patriarcal del sistema, considerando las resoluciones judiciales como una vía más que válida para estos fines. Por ello, debe cuidarse milimétricamente el lenguaje empleado en las resoluciones judiciales y la forma de resolver un supuesto de hecho en dos situaciones prácticamente idénticas, pero con sujetos de distintos sexos. Asimismo, es importante comenzar por educar y formar con perspectiva de género y garantizar una educación libre de desigualdades.

III. JUSTICIA CON PERSPECTIVA DE GÉNERO

Como referimos en las líneas precedentes, al margen de las medidas legales que resulten necesarias para conseguir una Justicia respetuosa con la igualdad de trato y libre de discriminaciones, deben venir de la mano de una verdadera «transformación cultural, de hábitos, de gestión, de interpretación, de pensamiento por la Justicia como estructura orgánica, por la función jurisdiccional y, por tanto, por su resultado: las sentencias y su poder de transformación social, con sujeción a la Constitución y las leyes». El principio de integración de género en la función jurisdiccional debe darse en todas las fases del procedimiento, desde su incoación hasta la fase de sentencia o, en su caso, ejecución, cuanto más en la valoración de la prueba[4], teniendo en cuenta los principios que informan el proceso en atención a su objeto y naturaleza y fines.

En 1975, en el seno de las Naciones Unidas, en relación con las políticas de ayuda al desarrollo de las mujeres, surge por

---

[4]   IGLESIAS CANLE, I. C., "Perjuicios, libre valoración probatoria y género en el proceso" en Justicia y Género, Tirant lo Blanch, Valencia, 2023, págs. 292 y ss.

primera vez el concepto *gender mainstreaning* o, en su traducción al español, transversalidad de género. En este coloquio se cuestionaban ciertas políticas que parecían neutrales y que en realidad no eran más que una forma de ocultar la consolidación de desigualdades de género.

Este término se acuñó definitivamente en la IV Conferencia Mundial de Mujer, celebrada en Beijing en el año 1995. En este momento, se abordó pormenorizadamente el concepto de género y la violencia contra las mujeres como una de las mayores formas de vulneración de los derechos humanos. La conferencia de Beijín introdujo de forma oficial el concepto *gender mainstreaming* o transversalidad de la perspectiva de género, que perseguía incorporar la sensibilidad de género como un instrumento más al servicio de los poderes públicos para el diseño, ejecución y evaluación de sus políticas, de forma que se convierta en la principal estrategia para lograr la igualdad de facto[5].

La incorporación de la perspectiva de género en la forma de hacer política permite la superación de la visión androcéntrica del mundo y de la vida social. En el ámbito jurídico se traduce en la detección de la existencia de instituciones, normas y prácticas interpretativas y aplicativas que refuerzan, a través de una pretendida neutralidad vinculada al ideal abstracto de hombre bueno, atribuido a un varón de raza blanca sin defectos, a la igualdad formal y a las relaciones de poder de los hombres sobre las mujeres que no hacen sino consolidar la discriminación de éstas en nuestra sociedad.

Para una correcta interpretación judicial con perspectiva de género, debe tenerse en cuenta la premisa de que una cosa es

---

[5]   POYATOS Y MATAS, G., "Juzgar con perspectiva de género: una metodología vinculante de Justicia equitativa", *IQUAL. Revista de Género e igualdad*, 2019, nº 2, pág. 2-3.

la diferencia sexual, biológica, y otra diferente el género -de carácter puramente cultural-, que incorpora las atribuciones, ideas, representaciones y prescripciones sociales que se construyen tomando como referencia a esa diferencia sexual[6].

A estos efectos, en la Convención sobre la eliminación de todas las formas de discriminación contra la mujer en su artículo 1, se define la discriminación contra la mujer de la forma que sigue:

> «denotará toda distinción, exclusión o restricción basada en el sexo que tenga por objeto o resultado menoscabar o anular el reconocimiento, goce o ejercicio por la mujer, independientemente de su estado civil, sobre la base de la igualdad del hombre y la mujer, de los derechos humanos y las libertades fundamentales en las esferas política, económica, social, cultural y civil o en cualquier otra esfera».

Esto es, coincidiendo plenamente con lo antedicho, las normas internacionales **no** exigen que se trate de idéntica forma a mujeres y hombres. Esta igualdad debe operar desde una perspectiva material, de forma que, se deba tratar de igual modo en la misma situación y al contrario, en situaciones desiguales, deben tomarse las medidas que sean necesarias para beneficiar a los grupos más discriminados -en este caso, el género femenino-[7].

En conclusión, tal como refleja POYATOS, «*no puede haber discriminación, si una distinción de tratamiento está orientada a situaciones contrarias a la Justicia, a la razón o a la naturaleza de las*

---

[6]   POYATOS Y MATAS, G., "Juzgar con perspectiva de género: una metodología vinculante de Justicia equitativa", *IQUAL. Revista de Género e igualdad*, 2019, n° 2, pág. 2-3.

[7]   Así se puso en evidencia, entre otros, por la Corte Constitucional de Colombia.

cosas; porque la discriminación se determina a partir de una afectación injustificada y desproporcionada en el ejercicio de un derecho»[8].

IV. ESTEREOTIPOS DE GÉNERO EN LAS RESOLUCIONES JUDICIALES

En cuanto a la temática de la posible existencia de estereotipos de género, debemos referirnos necesariamente a la inclusión de todos los postulados antedichos en la práctica judicial. Para ello, vamos a analizar posibles roles que evidencian la perpetuación de ciertos estereotipos de género que deben ser erradicados, por lo que, en ellos, vía de recurso, se procede en tal sentido por el órgano judicial revisor, se parte de una situación de vulnerabilidad de la mujer en la que se dicta una resolución judicial que, una vez corregida, supera los estereotipos de género de la sociedad y, aplicando este concepto de perspectiva de género, logran la ansiada igualdad por medio de una acción correctora de la Justicia.

En lo que resta de trabajo haremos alusión a las distintas sentencias dictadas por Tribunales nacionales e internacionales dónde se corrigieron las deficiencias jurisdiccionales enumeradas en una resolución de primera instancia que perpetuaba roles de género y la visión androcéntrica del Derecho.

En primer lugar, quisiéramos analizar la sentencia del Tribunal Europeo de Derechos Humanos dictada en el caso de María Ivone Carvalho Pinto de Sousa Morais.

Esta señora, de nacionalidad portuguesa y nacida en el año 1945 denunció en su día una negligencia médica de suma gravedad. Esta paciente padecía una enfermedad ginecológica a

---

[8]   POYATOS Y MATAS, G., "Juzgar con perspectiva de género...", *Op. Cit.*, pág. 4.

causa de la cual tuvo que ser intervenida quirúrgicamente en el año 1995, cuando ésta tenía 50 años. Tras la operación, la demandante quedó con graves secuelas para su vida diaria, en su cotidianidad se enfrentaba a intensos dolores, así como a la pérdida de sensibilidad vaginal, incontinencia, dificultad de locomoción, e imposibilidad de mantenimiento de relaciones sexuales. Posteriormente, se comprobó que durante la intervención se había afectado el nervio pudendo lo cual constituía un hecho evidente de mala praxis médica. Esto motivó que la Sra. de Sousa Morais incoara una acción de daños contra el hospital y que llegara el 27 de julio de 2017 al Tribunal Europeo de Derechos Humanos, en caso titulado "Carvalho Pinto de Sousa Morais v. Portugal".

La sucesión cronológica de los hechos se resume en los siguientes hitos:

- En el año 2013, en primera instancia, un Tribunal portugués dictó sentencia favorable a las pretensiones de la mujer afectada, condenando al hospital a pagarle una indemnización de ochenta mil euros en concepto de daños físicos y mentales por mala praxis médica y, además, debería abonar a la perjudicada la cantidad de dieciséis mil euros para sufragar los gastos de una persona que le preste ayuda en el hogar, debido a que la mujer había quedado impedida de realizar tareas domésticas por sí misma.

- Esta resolución fue recurrida por la autoridad sanitaria con un resultado verdaderamente alarmante. La Suprema Corte Administrativa de Portugal redujo esta compensación a un tercio. Entre otras razones, entendió que a pesar de estar probados los hechos constitutivos de mala praxis médica, las indemnizaciones fijadas por el a quo eran desproporcionadas y excesivas. Entre las argumentaciones esgrimidas por el Alto Tribunal se reconocía que el sufrimiento de la actora se había agravado consecuencia de la intervención quirúrgica, a pesar de que estas molestias ya existían antes de la intervención. Sin embargo, lo que verdaderamente llama la atención fueron los motivos por los cuales se le rebaja su indemnización. El Tribunal consideró que «*en el momento de la cirugía la mujer ya tenía 50 años de edad, era madre de dos hijos adultos y sólo debía prestar tareas del hogar a favor de su marido, todo lo cual restaba importancia al ejercicio de su sexualidad*»[9].

Ante una situación tan clara de desigualdad, la actora llevó su caso al Tribunal Europeo de Derechos Humanos (TEDH), alegando que había sido discriminada debido a su género y de su mayor edad. El Alto Tribunal europeo señaló que los jueces portugueses se habían apoyado en prejuicios estereotipados acerca del rol de la mujer en la sociedad. Asimismo, el propio Tribunal Europeo reconoce que la actitud de los órganos judiciales portugueses es reprochable por haber considerado que la sexualidad no es tan importante para una mujer de 50 años y madre de dos que para alguien más joven. En concreto, expresaron que: "*este postulado refleja la idea tradicional de la sexualidad femenina como algo esencialmente vinculado a propósitos reproductivos y por lo tanto ignora su importancia física y psicológica para la realización de las mujeres como personas*" [10].

Como vemos, la sentencia dictada en el país luso flaco favor hace en la promoción de una igualdad real que promueve la superación de estereotipos de género en el marco de una sociedad moderna. Creemos que la sentencia dictada por el Tri-

---

[9]   POYATOS I MATAS, G., "Juzgar con perspectiva…", *Op. Cit.*, pág. 6.

[10]   MUÑOZ RODRÍGUEZ, M. C., "Sexismo y edadismo en la justicia: a propósito de la sentencia del tribunal europeo de derechos humanos de 25 de julio de 2017 en el caso Carvalho Pinto de Sousa Morais c. Portugal", *Revista electrónica de Estudios internacionales*, nº 36, 2018, pág. 12.

bunal Europeo es un buen tirón de orejas para una corrección de la acción jurisdiccional.

Dentro de nuestras fronteras también nos encontramos con ejemplos similares al del país luso. Un ejemplo -aunque si es cierto que lejano a nuestros días-, es el caso de la sentencia de la minifalda, dictada por la Sala de lo Penal del Tribunal Supremo en 1990 que, ante la existencia de un supuesto de acoso en el trabajo por parte del empresario, se consideró que la mujer podía ir provocando esta situación por su vestimenta[11].

Como ya avanzamos, el principio de integración de la dimensión del género en la actividad jurídica vincula a todos los poderes públicos del Estado. La diferencia sexual será jurídicamente relevante en los casos sospechosos de opresión y subordinación social de las mujeres. Será pues en estos supuestos dónde se deba integrar la perspectiva de género en el ejercicio argumentativo equilibrador de las situaciones asimétricas de género, actuando como promotora de cambios sociales en la transformación de los patrones de conducta que favorecen la subordinación de las mujeres al sexo opuesto.

En este sentido, la Ley 15/2022, de 12 de julio, integral para la igualdad de trato y la no discriminación[12], en su art. 4 dispone expresamente:

---

[11]   POYATOS I MATAS, G., "Juzgar con perspectiva…", *Op. Cit.*, pág. 6 o REGUERO RÍOS, P., "De la "sentencia de la minifalda" a La Manada: juicios sobre agresiones sexuales y estereotipos sexistas", El Salto, disponible en: *https://www.elsaltodiario.com/abusos-sexuales/codigo-penal-cambios-movimiento-feminista-sentencia-minifalda-la-manada*.

[12]   Pero ya antes de la entrada en vigor de esta norma, el Tribunal constitucional en su sentencia 3/2007, de 15 de febrero, puso de manifiesto que *"el art. 14 CE contiene en su primer inciso una cláusula general de igualdad de todos los españoles ante la Ley, habiendo sido configurado este*

1. El derecho protegido por la presente ley implica la ausencia de toda discriminación por razón de las causas previstas en el apartado 1 del artículo 2.

En consecuencia, queda prohibida toda disposición, conducta, acto, criterio o práctica que atente contra el derecho a la igualdad. Se consideran vulneraciones de este derecho la discriminación, directa o indirecta, por asociación y por error, la discriminación múltiple o interseccional, la denegación de ajustes razonables, el acoso, la inducción, orden o instrucción de discriminar o de cometer una acción de intolerancia, las represalias o el incumplimiento de las medidas de acción positiva derivadas de obligaciones normativas o convencionales, la inacción, dejación de funciones, o incumplimiento de deberes.

2. No se considera discriminación la diferencia de trato basada en alguna de las causas previstas en el apartado 1 del artículo 2 de esta ley derivada de una disposición, conducta, acto, criterio o práctica que pueda justificarse objetivamente por una finalidad legítima y como medio adecuado, necesario y proporcionado para alcanzarla.

3. El derecho a la igualdad de trato y la no discriminación es un principio informador del ordenamiento jurídico y, como tal, se integrará y observará con carácter transversal en la interpretación y aplicación de las normas jurídicas.

4. En las políticas contra la discriminación se tendrá en cuenta la perspectiva de género y se prestará especial atención a su impacto

---

principio general de igualdad como un derecho subjetivo de los ciudadanos a obtener un trato igual, que obliga y limita a los poderes públicos a respetarlo y que exige que los supuestos de hecho iguales sean tratados idénticamente en sus consecuencias jurídicas, de suerte que, para introducir diferencias entre ellos, deba existir una suficiente justificación de tal diferencia, que aparezca al mismo tiempo como fundada y razonable, de acuerdo con criterios y juicios de valor generalmente aceptados, y cuyas consecuencias no resulten, en todo caso, desproporcionadas"

en las mujeres y las niñas como obstáculo al acceso a derechos como la educación, el empleo, la salud, el acceso a la justicia y el derecho a una vida libre de violencias, entre otros.

Por tanto, quienes juzgan quedan totalmente vinculados a hacer que el derecho a la tutela judicial efectiva y el derecho a la igualdad queden vinculados a través de todas las herramientas disponibles. De no usarlas, no sólo estarán perpetuando la discriminación y la revictimización de las mujeres, sino negándoles el acceso a sus derechos.

Resulta sumamente ilustrativa la STS de 18 de julio de 2018 que condena a la Administración General del Estado por funcionamiento anormal de la Justicia en el caso de Ángela González y que marca un hito importante en nuestro país al reconocer la obligación del Estado de cumplir los dictámenes internacionales emitidos por el Comité para la Eliminación de la Discriminación contra la Mujer. Esta sentencia se refiere al caso de una sobreviviente de violencia de género. Decidida a acabar con esa violencia, en 1999 huyó de la casa familiar con su hija Andrea, que entonces tenía 3 años, denunció el maltrato que sufrían y solicitó la separación del agresor. El maltrato continuó después del divorcio, a través de su hija Andrea. A pesar de las decenas de denuncias interpuestas por Ángela, los estereotipos de género que persisten en el sistema de justicia impidieron que se protegiera de manera adecuada a ella y a su hija Andrea, que terminó siendo asesinada por el agresor durante un régimen de visitas no supervisado en el año 2003 con sólo 7 años. Desde entonces Ángela pleiteó de forma continua en los tribunales españoles en busca de justicia y de que se reconociera la responsabilidad del Estado en el asesinato de su hija.

No la obtuvo, por lo que, en 2012, Women's Link llevó el caso ante el Comité para la Eliminación de la Discriminación contra la Mujer (Comité CEDAW) de la Organización de las Naciones Unidas (ONU). En 2014, este Comité condenó a España por no haber protegido a Ángela y a su hija y dictó una serie de medidas que el Estado español debía implementar para proteger a las mujeres y a sus hijos e hijas de la violencia de género[13]. Durante cuatro años el Estado español se negó a implementarlas, alegando que los dictámenes de la ONU no son de obligado cumplimiento. Por ello, Women's Link inició un nuevo un proceso judicial para exigir que el Estado cumpliera con sus obligaciones internacionales. Durante dicho procedimiento, el caso llegó hasta el Tribunal Supremo, que acaba de pronunciarse y ha condenado al Estado español a pagar una indemnización de 600.000 euros a Ángela. Además, ha reconocido la obligación del Estado de cumplir con los estándares internacionales, lo que sienta un precedente único en la defensa de los derechos humanos. La cronología de los hechos acontecidos son los que se exponen a continuación[14]:

- 3 de septiembre de 1999: Ángela González huye de la casa familiar junto a su hija Andrea de 3 años para protegerla de la terrible violencia que su marido ejerce sobre ella y sobre su hija.

- Entre 1999 y 2002, Ángela consigue que las visitas de su hija Andrea con su padre maltratador sean siempre supervisadas, ya que teme que este pueda hacer daño a su hija.

---

[13] ORGANIZACIÓN MUNDIAL DE NACIONES UNIDAS, NOTA DE PRENSA: "España sienta un precedente en el derecho internacional de los derechos humanos, afirman expertos de las Naciones Unidas en los derechos de la mujer", disponible en: *https://www.ohchr.org/es/press-releases/2018/11/spain-sets-milestone-international-human-rights-law-say-un-womens-rights*.

[14] Cronología de los hechos que se recoge en el siguiente enlace y ahora reproducimos a efectos de claridad del tema por el lector: *https://www.womenslinkworldwide.org/files/3047/cronologia-angela.pdf*

- 6 de mayo de 2002: a pesar de llevar dos años y medio denunciando al menos una vez al mes el acoso por parte de su ex marido (insultos, amenazas de muerte, persecuciones, ataques a la niña, golpes), una jueza del Juzgado de Primera Instancia Número 1 de Navalcarnero decide que no existen razones para que el padre no esté a solas con su hija. Ángela recurre la decisión.

- 17 de junio de 2002: el Juzgado de Primera Instancia n°1 de Navalcarnero desestima el recurso de Ángela y autoriza las visitas sin supervisión. Establecen que el punto de recogida y entrega de la menor sea en los Servicios Sociales.

- 8 de enero de 2003: Ángela presenta ante el juzgado un escrito en el que ruega que escuchen a la niña, que no quiere estar con su padre. Ese mismo día, los Servicios Sociales presentan un informe en el que advierten de que él está usando a la niña para agredir a la madre a base de preguntas sobre su intimidad y amenazas que confunden a Andrea.

- 11 de abril de 2003: la trabajadora social que está presente cuando el agresor recoge a la niña advierte de que él la está utilizando para agredir a Ángela, e insiste en que la niña no quiere estar con su padre, que se siente "incómoda y confusa".

- 24 de abril de 2003: el ex marido de Ángela asesina a su hija Andrea durante una de las visitas no supervisadas y después se suicida. La niña tenía 7 años y había repetido una y otra vez que no quería ir con su padre.

- 2 de enero de 2004: el Juzgado de Instrucción Número 3 de Navalcarnero declara "extinguida la responsabilidad penal" en el asesinato de Andrea Rascón. Ángela recurre la decisión, sin éxito.

- 23 de abril de 2004: Ángela inicia su lucha contra la Administración pública española. Defiende que la Administración de Justicia y los Servicios Sociales españoles fallaron en su deber de proteger la vida de su hija Andrea y que el Estado primó el derecho de su ex marido a tener una relación con su hija, en lugar de velar por el interés superior de su hija.

- 3 de noviembre de 2005: el Ministerio de Justicia desestima su reclamación, alegando que la vía judicial elegida era errónea. Ángela recurre, nuevamente sin éxito. A este rechazo le siguen el de la Audiencia Nacional (10 de diciembre de 2008), el Tribunal Supremo (15 de octubre de 2010), que además le obligó a pagar las costas, y el Constitucional, que el 27 de abril de 2011 inadmitió la demanda.

- Septiembre de 2012: agotadas todas las vías en España, Ángela y la organización internacional Women's Link presentan el caso ante el Comité CEDAW de la ONU.

- Julio de 2014: el Comité CEDAW emite un dictamen en el que afirma que el Estado español vulneró los derechos de Ángela y de su hija y realiza una serie de recomendaciones para mejorar la protección de las mujeres víctimas de violencia de género y de sus hijos e hijas. En esas fechas todavía el Estado español no ha acatado la condena de la ONU por no considerarla vinculante.

- 2016: la Audiencia Nacional sigue insistiendo en que los procedimientos legales y las decisiones tomadas por la Justicia española fueron correctas.

- 20 de julio de 2018: el Tribunal Supremo da la razón a Ángela y condena a España a indemnizarla con 600.000 euros. Además, reconoce la obligación del Estado de cumplir los dictámenes internacionales.

Por último, una de las sentencias más importantes que marcaron un antes y un después en la función de feminización de la Justicia la marcó la STS de 24 de mayo de 2018, que habló por primera vez la perspectiva de género en la Sala de lo Penal del TS en la resolución de un asunto de estas características. Es objeto del presente recurso de casación la sentencia dictada por la Audiencia Provincial de Ciudad Real de fecha 9 de junio de 2017 por la que se condena al recurrente como autor criminalmente responsable de dos delitos, homicidio doloso en grado de tentativa acabada contra su mujer y maltrato habitual en el ámbito familiar contra su mujer e hijas. La recurrente alegaba que no se habían considerado todas las circunstancias que rodeaban el caso y por tanto, la pena a imponer debería ser mayor al no tratarse de un homicidio sino un asesinato en grado de tentativa.

El Tribunal Supremo, en este caso, apreció la concurrencia de la alevosía. Esta anulación de la defensa de la víctima hace aparecer esta circunstancia considerándola, en este caso concreto, con una perspectiva de género, ante la forma de ocurrir los hechos del hombre sobre su mujer y delante de sus hijos, y con un mayor aseguramiento de la acción agresiva sobre la víctima mujer por su propia pareja y en su hogar, siempre que del relato de hechos probados se evidencie esta imposibilidad de defensa de esta en la acción de su pareja.

Todo lo expuesto nos lleva a concluir que debemos aprovechar todas las herramientas a nuestro alcance para lograr la consecución de una igualdad real frente a la formal que no hace más que perpetuar los roles de género que suponen asimetría en las relaciones sociales. Sólo educando y juzgando, considerando las desigualdades propias de cada género, se podrá logar la efectiva igualdad entre hombres y mujeres.

TERCERA PARTE

LA VIOLENCIA CONTRA LA MUJER EN LA LEGISLACIÓN PENAL ESPAÑOLA

Capítulo 12

Las mujeres migrantes y la conquista de la ciudadanía

MARIA HYLMA ALCARAZ SALGADO[1]

1. INTRODUCCIÓN

La participación de las mujeres en los desplazamientos transnacionales ha aumentado en los primeros decenios del siglo XXI. El tratamiento estadístico sobre las migraciones internacionales, realizado por organismos internacionales, indican que las mujeres representan el 48% de la población migrante en el mundo. Los movimientos migratorios femeninos son motivados, en la mayoría de los casos, por la búsqueda de trabajo y mejores condiciones de vida, lo que caracteriza una migración económica. No obstante, hay migraciones de mujeres motiva-

---

[1] Doctora en Derecho por la Universidad de Vigo. Profesora del Área de Derecho Constitucional de la Universidad de Vigo.

das por otros factores como son los conflictos armados, la violación de derechos humanos en el país de origen, los estudios, y otras razones subjetivas. El perfil principal de las mujeres migrantes presenta las siguientes características: en general, son mujeres que huyen de una situación de pobreza, de violencia, o de ausencia de oportunidades laborales, culturales y sociales. En la sociedad de destino las mujeres migrantes son incorporadas por el mercado laboral para el desempeño de funciones tradicionalmente consideradas *femeninas,* y peor valoradas económica y socialmente.

Considerando el perfil trazado, el problema que representa el núcleo del presente estudio se formula en el siguiente planteamiento: ¿las mujeres migrantes pueden acceder a la ciudadanía? El acceso a la ciudadanía corresponde al cierre del proceso de integración en la sociedad de acogida. Dicho proceso empieza con la llegada de las mujeres migrantes en la sociedad de destino, avanza a la siguiente etapa con la incorporación al mercado de trabajo, sigue su marcha con la adquisición de derechos civiles y sociales, y concluye su curso con la participación ciudadana por medio del acceso a los derechos políticos.

El análisis de la cuestión planteada anteriormente empieza por la observación del fenómeno migratorio en el siglo XXI, con el objetivo de comprender sus causas y características principales. Esta observación se hace desde una perspectiva sociológica, a fin de construir teóricamente el contexto de las migraciones transnacionales contemporáneas. Esta construcción contextual se complementa con el examen de los movimientos migratorios actuales y su relación con la integración de las personas migrantes. A continuación, se examina la participación de las mujeres en los desplazamientos transnacionales. En la segunda parte del estudio, orientada por una perspectiva teórico jurídica, son examinados los elementos clásicos de la ciudadanía, y su articulación con los nuevos espacios multiculturales. Por último, se intenta establecer un nexo entre la inclusión social de las personas migrantes con la adquisición de derechos políticos como vía de acceso a la ciudadanía.

El desarrollo del presente estudio emplea el método cualitativo, haciendo uso de materiales bibliográficos, materiales bibliográficos digitales y documentos cualitativos como instrumentos para la realización del análisis pretendida.

2. LA FEMINIZACIÓN DE LAS MIGRACIONES

2.1. El fenómeno migratorio en el siglo XXI

El desarrollo físico y espiritual del ser humano está condicionado por el ambiente en el que está inserido. El entorno constituye el sistema de referencia a partir del cual el ser humano aprende, compara, juzga y valora los bienes y las relaciones. Toda persona nace dentro de una sociedad y se amolda a ella, incorpora hábitos y costumbres, sigue las tradiciones, aprende las normas de convivencia y, dentro de estos límites, busca la manera de obtener los bienes necesarios a la supervivencia, así como los medios imprescindibles a su desarrollo personal. La persona humana es un ser social por naturaleza, como afirmó Aristóteles. La vida en sociedad tiene sus dificultades porque en ella actúan diferentes actrices y actores con distintos intereses. La actuación de las actrices y de los actores sociales en la búsqueda de sus concepciones de bien produce constantes modificaciones en el espacio social. Los cambios políticos, el movimiento económico, los modos de producción, la distribución del trabajo, el reparto de la riqueza, generan constantes tensiones que afectan tanto a los intereses personales como a los intereses colectivos. El ser humano, como partícipe y elemento formador de la sociedad, está sometido a estos movimientos e intenta desarrollarse física y espiritualmente en este contexto.

Entre tanto, hay determinadas circunstancias políticas, sociales o económicas que muchas veces impiden lograr sus objetivos.

Los desplazamientos de personas por mejores condiciones de vida es lo que caracteriza la migración humana. El proceso migratorio involucra la *emigración* y la *inmigración*. La emigración está asociada a una estimación negativa del nivel de vida en la sociedad de origen, mientras que la inmigración implica una estimación positiva delante de las expectativas de obtención de mejores condiciones económicas, sociales y políticas. Las migraciones, por tanto, resultan de la combinación de factores económicos, políticos y sociales, los cuales son determinantes tanto en la salida de personas *(factores de incitación)*, como en el destino elegido por las personas migrantes *(factores de atracción)*.

En todas las etapas históricas se verifican desplazamientos de personas motivados, de forma general, por una búsqueda de mejores condiciones de vida. Pero, es en el mundo contemporáneo donde el fenómeno migratorio asume una mayor proporción y se presenta como un desafío para las sociedades actuales. En este sentido, García Ruiz (2005, p. 489) afirma que

"Es preciso hacer un esfuerzo mental y situarnos en la consideración del mundo como algo muy alejado de la realidad que hoy es. El auge de las comunicaciones no se produce hasta el siglo XX y conlleva la consecuencia de la transformación del planeta en la llamada aldea global que nos permite la instantaneidad de la información y una asombrosa facilidad en los desplazamientos [...] Si a ello unimos el desarrollo económico como factor facilitador y, al mismo tiempo, polo de atracción, nos damos cuenta de que los desplazamientos de población, en términos de cierta entidad, son un fenómeno relativamente reciente y, por lo tanto, hemos de asumir el hecho de cómprender que el fenómeno de la extranjería y el de las migraciones [...] era un fenómeno muy pequeño, por no decir irrelevante."

Las migraciones son, en la actualidad, un reflejo de la globalización. Este fenómeno produjo un nuevo orden social anclado en los movimientos del capital. El nuevo mapamundi fijó regiones en razón de determinantes económicos creando países desarrollados, en vías de desarrollo y subdesarrollados. Las regiones desarrolladas, centros productivos y financieros, pasaron a necesitar mano de obra y la importaron de las regiones menos desarrolladas. Por otra parte, el avance de las comunicaciones posibilitó el intercambio de información, abriendo un portal para el conocimiento de los modelos de vida de las sociedades económica y técnicamente desarrolladas, convirtiéndolas en polos de atracción ante la expectativa de una vida mejor. Otro factor a tener en cuenta son los conflictos políticos y bélicos que impulsaron la salida de muchas personas hacia los países democráticos.

De acuerdo con Saskia Sassen (2007, pp. 171-172) la globalización genera tres tendencias principales en la articulación de los movimientos migratorios:

> "a) la geoeconomía de los movimientos migratorios, que explica la presencia de patrones en común a través de diversos movimientos y ofrece un contexto fundamental para comprender la dinámica que hace de una condición generalizada de pobreza, desempleo o subempleo un factor de expulsión; b) la conformación actual de mecanismos que vinculan a los países de origen con los países receptores, en especial los efectos de las diversas formas de globalización económica; y, c) la exportación organizada de mano de obra, ya sea legal o ilegal".

Los movimientos migratorios suelen ser explicados, sociológicamente, por intermedio de los factores de atracción y de expulsión. Según Sassen, (2007, p. 167) "entre los principales factores de expulsión se encuentran la pobreza y el desempleo, mientras que los factores de atracción más importantes son la posibilidad de obtener un empleo y una mejor remuneración". Estos factores, en cierto sentido, justifican algunos de los movimientos migratorios, pero no son suficientes para determinar todas las causas que motivan las salidas de personas de su país de origen. Hay otras circunstancias que impulsan las migraciones como, por ejemplo, la contratación directa de personal laboral, estudios, reunificación familiar, además de motivaciones subjetivas. Así, los factores de atracción y de expulsión como condicionantes de las migraciones las pueden justificar en parte, pero no en su totalidad. De hecho, los movimientos migratorios contemporáneos son complejos y cada situación migratoria es única. Además, la globalización es un factor que juega un papel importante en los flujos migratorios pues "produce un efecto puente que genera nuevos imaginarios y condicionantes materiales a partir de los cuales la inmigración aparece como una opción, cuando antes no lo era" (Sassen, 2007, p. 169).

Los análisis de los flujos migratorios intentan demostrar la estructura de los movimientos migratorios en cuanto a origen y destino de los mismos. Esto permite conformar la geoeconomía de referidos movimientos. Sassen (2007, p. 170) señala que gran parte de las migraciones actuales es consecuencia de vínculos económicos establecidos entre el país de origen y el de destino. La llamada de empresas que necesitan mano de obra y los acuerdos entre empresas y los gobiernos facilitan las migraciones. Por otra parte, los vínculos entre el país de destino con antiguas colonias favorecen también estos movimientos.

Como resultado de los análisis sobre el fenómeno migratorio se observa que los mismos ocurren dentro de un sistema de relaciones políticas y económicas, y dentro de determinadas regiones del planeta. Es decir, aunque las migraciones actuales no se caractericen por la unidireccionalidad, la observación apunta para algunas tendencias en cuanto a los destinos, condicionadas por vínculos económicos y políticos entre el país receptor y el país de origen. Estos patrones de las migraciones son los que indican la existencia de una geoeconomía de los movimientos migratorios.

Otro factor importante para la comprensión de los movimientos migratorios actuales son los puentes de contacto entre los países de origen y los países receptores. Estos puentes pueden ser agrupados en tres categorías principales: "a) los lazos generados por la globalización económica; b) los lazos que surgen de la contratación de trabajadores y trabajadoras provenientes del extranjero; y, c) la exportación organizada, legal e ilegal, de mano de obra" (Sassen, 2007, pp. 179-180).

La globalización económica genera una dinámica de inversiones transfronterizas por intermedio de las cuales el empresariado, las entidades inversoras y otros agentes económicos crean las condiciones para un intercambio transnacional. El desarrollo económico de las sociedades contemporáneas, por intermedio de las actividades industriales, de construcción, agrícolas y de servicios, conlleva a la contratación de mano de obra. En los mercados en crecimiento, muchas veces, es necesario buscar mano de obra externa, sea por la falta de personas trabajadoras en la localidad de contratación, sea porque los trabajos ofertados no son deseados por la población autóctona. En estos casos, los gobiernos, juntamente con las empresas, desarrollan campañas de contratación de mano de obra. Otras veces, las personas migrantes afluyen por vías ilegales, donde actúan las redes de tráfico de trabajadores y trabajadoras. Por otra parte, se verifican, también, contrataciones de profesionales altamente calificados, lo que se conoce como "fuga de cerebros".

La exportación de mano de obra está asociada a las condiciones económicas y a las expectativas presentes en el país de origen, es decir, la realidad política, económica y social del país de origen actúa como factor de expulsión. En cambio, la posibilidad de obtener un empleo, de invertir en un negocio propio, de disfrutar de condiciones de vida más dignas en nuevos espacios funcionan como factores de atracción. Por esta razón, los espacios sociales en crisis son, por lo general, exportadores de mano de obra. En el ámbito de la exportación ilegal de mano de obra están las redes organizadas que suelen buscar en el extranjero personas para la realización de trabajos clandestinos o incluso delictivos.

Las consecuencias de la inmigración son varias: alteración en la pirámide poblacional, integración laboral con efectos en el mercado laboral, legalidad o ilegalidad de la inmigración con sus efectos sociales y administrativos, diversidad cultural, actitud de la población nativa en relación a la presencia de las personas inmigrantes, entre otras. Estas consecuencias exigen una reordenación social que debe ser realizada mediante la adopción de políticas que aminoren los efectos negativos de la inmigración y que aporten los vectores para la creación de normas que puedan asegurar los derechos fundamentales de las personas migrantes, además de proporcionar los medios para la integración e inclusión social de las mismas.

2.2. *Los movimientos migratorios actuales y el reto de la integración*

Los movimientos migratorios actuales no son unidireccionales como solían ser en el pasado. Los destinos de las migraciones contemporáneas son muy variados. Se puede decir que cualquier lugar del planeta es un destino posible para las personas migrantes. El tiempo de las migraciones también ha sufrido cambios. En las migraciones de los siglos anteriores solía haber una salida sin retorno, ya bien fuese por las distancias o por el coste del viaje. Hoy en día, las migraciones no son siempre permanentes pues en muchos casos ocurren desplazamientos temporales.

Los estudios sobre las migraciones apuntan, también, cambios en los tipos de personas que migran. En las migraciones del final del siglo XIX y comienzos del siglo XX los migrantes eran varones en su mayoría, o familias enteras. En la actualidad se verifica un número creciente de mujeres que buscan mejores condiciones de vida fuera de su país de origen. Del mismo modo, los destinos han sufrido modificaciones: en el período antes referido, las personas migrantes se dirigían hacia países con los que había un vínculo histórico y cultural, circunstancia esta que actualmente no influye en la elección de los destinos.

De forma general, los movimientos migratorios contemporáneos son un fenómeno amplio y complejo, sea porque son multidireccionales, otras veces temporales, incluso circulares, sea porque las motivaciones están globalizadas o porque los actores y actrices son distintos. Esta nueva realidad migratoria ha hecho emerger una serie de cuestiones vinculadas a la integración social de las personas migrantes. La integración de la población migrante en la sociedad de acogida es, en la actualidad, el principal objetivo de las políticas públicas. Aunque haya dificultad en uniformar los procesos de integración, lo cierto es que este es el reto de los gobiernos que se enfrentan con la cuestión migratoria.

Según la Organización Internacional para las Migraciones, la integración puede ser definida como "un proceso en virtud del cual los migrantes pasan a formar parte de la sociedad, tanto a título individual como de grupo" (OIM, 2008). La integración[2], comprendida como un proceso, abarca una serie de etapas en las que están involucrados no sólo las personas

---

[2] El término integración, de acuerdo con Javier de Lucas, designa tres dimensiones principales: "primero (a) la relación evidentemente bilateral que se entabla entre el inmigrante y las instituciones públicas y asimismo la sociedad del país receptor; (b) en segundo lugar, lo que es muy importante, los procesos de inserción social de los inmigrantes y de interacción entre éstos y la sociedad de acogida; y, finalmente (c) el resultado de estos procesos, es decir, la consolidación de determinado tipo de vínculo entre el inmigrante, las estructuras institucionales y la sociedad de establecimiento, referido sobre todo (aunque no sólo) al reconocimiento de derechos y obligaciones y a la gestión de la diferencia cultural, lo que permite realizar la evaluación de las medidas de integración" (De Lucas et al., 2012, p. 25).

migrantes, sino también la sociedad y el gobierno del país receptor, y muchas veces el gobierno del país de origen. Además, desde la llegada de las personas migrantes hasta la plena integración hay una serie de factores que influyen en el proceso, como los económicos, culturales y jurídicos. Es conveniente tener en cuenta que la integración de las personas migrantes en la sociedad de acogida es un proceso necesario para garantizar la cohesión social, pues sin una conducción adecuada del proceso pueden surgir conflictos entre la población nativa y las personas migrantes. Por esta razón, son esenciales las políticas públicas para la gestión del proceso de integración de las personas migrantes.

Las políticas adoptadas para la gestión de la integración son bastante diversificadas, porque cada país receptor busca la vía más apropiada para compatibilizar las necesidades de los nuevos miembros con las demandas de sus nacionales.

> "Las sociedades han desarrollado una variedad de modelos y estrategias de gestión de la integración de los migrantes, que van desde la asimilación, en un extremo del espectro, hasta el multiculturalismo y el transnacionalismo en el otro. En general, los enfoques y las actitudes con respecto a la integración se derivan de la forma en que la sociedad de acogida y los migrantes consideran las cuestiones de identidad y diversidad cultural" (OIM, 2008).

A pesar de la diversidad de las políticas públicas sobre la materia, hay algunos temas comunes que deben ser considerados en la gestión de la integración de las personas migrantes para que la misma sea lo más eficaz posible. Primeramente, es importante considerar que la integración es un proceso dual, es decir, solo es posible realizarse si hay un esfuerzo por parte de la sociedad de acogida y un esfuerzo por parte de las personas migrantes. De nada sirve la implantación de una política de integración si en la sociedad se constata un perjuicio reiterado hacia los extranjeros y las extranjeras, y si las personas implicadas se encierran en guetos.

El conocimiento y el reconocimiento de los derechos son otros componentes esenciales en el proceso de integración. Las personas que se incorporan al nuevo espacio social tienen la obligación de obedecer las leyes vigentes y el país receptor, por su parte, tiene la obligación de garantizar los derechos fundamentales de los extranjeros y de las extranjeras.

Las directrices de integración deben tener presente que las personas migrantes constituyen una minoría dentro de la sociedad y tienen los derechos que les corresponden como grupo minoritario. Por eso, las soluciones generales adoptadas como estándares pueden llegar a ser discriminatorias en algunos casos o ineficaces en otros. Las estrategias de integración deben estar volcadas al equilibrio social mediante la reducción de los antagonismos sociales. En este sentido, es importante el diálogo social y la elucidación sobre la diferencia, la tolerancia y, especialmente, sobre los derechos humanos.

En líneas generales, los elementos anteriormente destacados deben servir como vectores para la planificación de la gestión de la integración. Sin embargo, hay que tener en cuenta que la integración presenta distintas dimensiones: la económica, la social, la cultural, la jurídica, la religiosa y la política. Todas estas dimensiones, y cada una de ellas, ejercen un papel esencial para la inclusión social de la población migrante.

En general, las migraciones son motivadas por una expectativa positiva de las condiciones económicas del país de destino. Las personas migrantes, por esta razón, buscan lugares donde las posibilidades de trabajo sean efectivas. La inserción laboral es un factor imprescindible para dar inicio al proceso de integración. Sin medios de subsistencia no hay cómo alcanzar los objetivos de las personas migrantes. Entre tanto, la inserción laboral no es tan sencilla. Hay contrataciones de extranjeros y de extranjeras por el alto grado de conocimiento técnico o científico que poseen. Otras migraciones de personas trabajadoras resultan de transferencias a una filial en el exterior.

En estos supuestos, los trabajadores y trabajadoras oriundos de terceros países no tienen dificultades de inserción en el mercado laboral porque su condición altamente cualificada es justamente lo que les garantiza su puesto de trabajo. Pero, en la mayoría de los casos a las personas migrantes les son destinados los puestos de trabajo no deseados por la población nativa, sea por la ausencia de cualificación de referidos trabajadores y trabajadoras, sea por la irregularidad de su estancia. Una adecuada gestión de la integración debe tener en cuenta la real situación de las personas trabajadoras provenientes del extranjero, especialmente de las que constituyen el grupo de trabajadores y trabajadoras no cualificados o con poca cualificación.

Es importante considerar que las personas inmigrantes pueden aportar innovación al mercado laboral; y, también, desarrollar su potencial si se les brindan con oportunidades de formación. El desarrollo personal de los trabajadores y de las trabajadoras y sus buenas relaciones en el ambiente laboral son circunstancias que permiten a las personas inmigrantes empezar a sentirse parte de la comunidad. El nacimiento del sentimiento de pertenencia es el primer paso para dar inicio a la integración.

La dimensión jurídica de la integración se consustancia en el Derecho mismo. Las personas inmigrantes tienen el deber de conocer el Derecho del país de acogida, como también tienen el deber de obedecer a las normas jurídicas locales. Para el conocimiento del Derecho vigente es importante que el gobierno preste servicios de información y orientación. Por otro lado, las personas inmigrantes deben tener reconocidos sus derechos básicos, es decir, los derechos fundamentales que les corresponden por su dignidad humana.

Desde una perspectiva social, la integración ocurre cuando los nuevos actores y las nuevas actrices pueden disfrutar de los servicios de educación, salud, vivienda, entre otros servicios sociales. En efecto, el acceso a estos servicios amplía el sentimiento de pertenencia de las personas inmigrantes. Naturalmente, la integración social va más allá del uso de los servicios sociales. La integración social, como visto anteriormente, es un proceso complejo que depende en gran medida de las políticas públicas, de la actitud de la población autóctona hacia las personas extranjeras y de la propia actitud del colectivo inmigrante con relación a la población local.

De modo general, las personas extranjeras son vistas con desconfianza y el perjuicio genera una actitud hostil de la población nativa respecto a las personas inmigrantes, lo que se convierte en una barrera para la integración. Las personas inmigrantes, ante el rechazo, se encierran y forman grupos apartados de la sociedad, conducta que tampoco facilita la integración. Los países de acogida deben promover la integración mediante el desarrollo de programas de aclaración y sensibilización sobre la nueva realidad social producida por el fenómeno migratorio. Las experiencias que resultan de la convivencia social son positivas tanto para las personas que están incorporándose como para la población nativa. La persona inmigrante, poco a poco, aprende y asimila la cultura local, pero también puede aportar nuevos referentes. Este intercambio es productivo porque amplía los horizontes del espacio social y de sus integrantes. La diversidad cultural es un factor de transformación y evolución de las sociedades contemporáneas. Sin embargo, la diversidad cultural presenta sus problemas porque nuevos referentes culturales introducidos por los movimientos migratorios son, muchas veces, vistos como una amenaza. Los conflictos que advienen de la diversidad pueden traducirse en intolerancia y xenofobia, con la consecuente violación de derechos. Para evitar conflictos de esta especie es importante que las políticas locales gestionen la integración cultural de tal modo que las diferencias sean interpretadas positivamente y se transformen en experiencias enriquecedoras.

Otra dimensión importante de la integración es la política. La participación política es "parte sustancial e incluso prioritaria en las políticas de inmigración." (De Lucas et al., 2012, p. 35). La participación política es relevante en el proceso de integración porque esta actuación permite a la persona inmigrante involucrarse con la vida política de la sociedad de acogida, lo que fortalece los vínculos con la misma. Javier De Lucas (2012, p. 23) pone de relieve que la dimensión participativa de la integración es la que aporta las "condiciones de acceso a la ciudadanía, a la participación en la vida local, en movimientos de barrio, de escuela, al derecho a voto en elecciones locales, regionales, estatales".

La integración de las personas migrantes en el país de destino empieza con las políticas de acceso al territorio del Estado y se completa con las políticas de convivencia en la sociedad de acogida. Como se ha destacado anteriormente, la integración es un proceso complejo que representa en la actualidad uno de los principales desafíos para las sociedades contemporáneas que tienen que enfrentarse con la cuestión migratoria y gestionar los efectos producidos por la incorporación de las personas migrantes como nuevos integrantes de la comunidad.

2.3. La participación de las mujeres en los movimientos migratorios

En el examen de las características más destacadas de la movilidad humana en la actualidad, realizado al inicio del presente estudio, ha sido posible identificar cambios en la participación de las mujeres en los desplazamientos transnacionales contemporáneos. De conformidad con los datos estadísticos[3]

---

[3]   Los datos aportados se basan en las estadísticas del Departamento de Asuntos Económicos (DAES) de las Naciones Unidas, de la Organización Internacional del Trabajo (OIT), del Banco Mundial, de la Organización de Cooperación y Desarrollo Económicos (OCDE), de la Oficina del Alto Comisionado de las Naciones Unidas (ACNUR), del Centro de Seguimiento de los Desplazamientos

globales, que apuntan las cifras y tendencias de las migraciones internacionales, las mujeres representan el 48% de la población de migrantes, y constituyen el 42% de las personas trabajadoras provenientes del extranjero. Según el Informe sobre las migraciones en el mundo (OIM, 2020), las estimaciones referentes a la menor presencia de las mujeres en el mercado laboral son indicadores de la existencia actual de un sesgo de género, pues el número de trabajadores migrantes hombres en el mundo es mayor que el número de mujeres trabajadoras migrantes, y "la composición por género revela cifras mucho más altas de hombres que de mujeres en los países de ingreso bajo y mediano bajo, en contraste con la distribución por género en los países de ingreso alto" (OIM, 2020, p. 37).

Aunque en el conjunto de las personas migrantes el número de mujeres sea inferior a la población masculina, es cierto que se produjo un incremento de los desplazamientos internacionales de mujeres en el siglo XXI. Como consecuencia de dicho fenómeno, es necesario verificar si los derechos básicos de las mujeres están reconocidos y asegurados en las diferentes etapas del proceso de integración en la sociedad de acogida. El análisis global de la protección de los derechos de las mujeres, y su inclusión social, se desarrolla con base a las informaciones transmitidas por los Estados receptores, que son recopiladas y analizadas por los organismos internacionales, tales como la Organización Internacional para las Migraciones y la agencia ONU mujeres. De acuerdo con los datos obtenidos por los citados organismos, los aspectos de mayor relieve en las migraciones de mujeres pueden ser sintetizados en los siguientes puntos: a) la participación de las mujeres en el mercado laboral, representada principalmente por la inserción en trabajos domésticos y otros puestos de trabajo considerados tradicio-

---

Internos (IDMC), de la Organización Internacional de las Migraciones (OIM) y del Informe sobre las migraciones en el mundo 2020.

nalmente femeninos, siendo pocas las mujeres migrantes que se incorporan a puestos de liderazgo; b) la contribución en la economía de los países emisores, por medio de las remesas que las trabajadoras migrantes envían a las familias; c) el desconocimiento de los derechos en el país de acogida, que aumenta la vulnerabilidad de las mujeres migrantes; d) ausencia de participación ciudadana, resultante de la falta de información, de las condiciones laborales, del aislamiento social y del desconocimiento de sus derechos básicos.

La feminización de las migraciones está relacionada con los circuitos globales de supervivencia (Sassen, 2003), y con las transformaciones en los mercados de trabajo de los países receptores (Oso y Parella, 2012). Entre tanto, los cambios producidos en los mercados, fruto de las innovaciones tecnológicas, poco influyen en la cuota destinada a las mujeres, que siguen siendo incorporadas en los sectores laborales peor valorados social y económicamente. En este sentido, las investigaciones contemporáneas sobre el fenómeno de la feminización de las migraciones internacionales se desarrollan a partir de las dinámicas de globalización del trabajo de cuidado (Oso y Parella, 2012), sector que absorbe la mayor parte de las trabajadoras migrantes. La contratación de mujeres migrantes para los servicios domésticos y de cuidados es un reflejo de lo que Sassen (2007) denomina *hogares profesionales sin esposa*, integrados por profesionales que no pueden ocuparse de la vida doméstica, y de la formación de una nueva *clase de servidumbre* en las ciudades globales formada principalmente por mujeres y por mujeres migrantes.

La contribución de las mujeres migrantes a la economía de los países de origen es otro aspecto destacable en el análisis de la feminización de las migraciones. Las remesas, que se materializan a través de los flujos de dinero enviado a las familias, generan "puentes transnacionales entre los hogares y las comunidades de origen" (Cortés, 2011, p. 177). Para muchos países exportadores de mano de obra, especialmente los países en vías de desarrollo, las remesas representan importantes ingresos de moneda extranjera.

Gran parte de las trabajadoras migrantes no conocen sus derechos, lo que contribuye a intensificar su vulnerabilidad. Las mujeres migrantes, empleadas en los hogares para los servicios domésticos y de cuidados, están expuestas a situaciones que, con relativa frecuencia, derivan en la violación de sus derechos humanos y laborales. De acuerdo con la Organización Internacional del Trabajo (OIT), las principales acciones que vulneran los derechos de las trabajadoras migrantes están relacionadas con los mecanismos de contratación, la ausencia de asistencia y protección, el aislamiento social y cultural, la falta de información y de conocimiento de las condiciones de empleo, y la falta de cobertura de la legislación laboral para este grupo de trabajadoras. Considerando la necesidad de mejorar la protección de las personas migrantes contratadas en el sector de servicios domésticos y de cuidados, la OIT ha formulado el Convenio sobre el trabajo decente para trabajadoras y trabajadores domésticos (núm. 189, 2011, y Recomendación 201). Las mujeres migrantes que prestan servicios en otros sectores, a ejemplo del hostelero, agrícola o en la industria del sexo, también están expuestas a situaciones que vulneran sus derechos, pero que en raras ocasiones son denunciadas sea por desconocimiento, sea por temor a desvelar su condición de indocumentada.

En el proceso de inclusión social de las mujeres migrantes la incorporación al mercado laboral constituye la primera etapa de integración. Las nuevas redes de contacto que se pueden llegar a formar por intermedio del trabajo representan un paso más hacia la inclusión social. Entre tanto, las circunstancias concretas de la mayoría de las trabajadoras migrantes no les permiten establecer vínculos constructivos con la población autóctona, dado el aislamiento social y cultural resultante de los profundos cambios de paradigma. Este hermetismo impide avanzar en las siguientes etapas de la integración, así como impide desarrollar un sentimiento de pertenencia necesario para la conquista de la ciudadanía.

3. LA CONQUISTA DE LA CIUDADANÍA

3.1. La extensión de los derechos de ciudadanía

Las personas extranjeras son titulares de los derechos primarios de la persona, que son los derechos humanos, y son titulares de derechos secundarios de la persona, es decir, de los derechos civiles. A las personas extranjeras se les atribuye, aún, la titularidad de los derechos individuales, o negativos, dentro de los cuales están los derechos primarios de libertad (derechos-inmunidad) y los derechos secundarios consistentes en poderes (derechos de autonomía privada) (Ferrajoli, 2001). Las personas extranjeras, de conformidad con esta clasificación, están excluidas de las clases de derechos fundamentales cuya titularidad pertenece a la ciudadanía, como son los derechos públicos, los derechos políticos y los derechos sociales. La inclusión o la exclusión de los derechos en clases están condicionadas por la adopción de criterios de ordenación que son necesarios, desde un punto de vista racional, pero completamente arbitrarios. De hecho, si se cambian los criterios, cambia la clasificación. Es decir, las categorías constituidas científicamente para organizar los derechos fundamentales son una referencia importante, porque agrupan derechos según características afines. Pero eso no quiere decir que no sea posible buscar otras características y volver a agrupar los derechos a partir de nuevos criterios. Los derechos públicos, los derechos políticos y los derechos sociales pertenecen, en principio, a la ciudadanía. Pero, es posible extenderlos a las personas extranjeras, siempre y cuando esta extensión resulte de la conveniencia política o de la voluntad de la ley.

Los derechos fundamentales no son predeterminados, son determinables, pues es un acto de voluntad el que decide cuáles son las acciones que, efectivamente, son lesivas a la dignidad y cuáles acciones son necesarias para su preservación. Esta decisión depende de la Constitución de los Estados, pues es en el Texto Magno donde están catalogados los derechos fundamentales, y es el lugar dentro del sistema jurídico que indica quiénes son los sujetos titulares de los mismos. De modo que, los derechos ciudadanos pueden ser extendidos a las personas extranjeras, en mayor o menor medida, según lo dispuesto en la Constitución del Estado, pues es ella la que tiene el poder de decidir el nivel de protección que pretende garantizar a las personas que están bajo su autoridad.

La cuestión de saber si los derechos de ciudadanía pueden ser extendidos a las personas extranjeras tiene su justificación en virtud de las transformaciones producidas por las migraciones en las sociedades contemporáneas. El fenómeno migratorio actual, cuyas raíces se encuentran en la globalización, es responsable por la modificación del espacio social. Como consecuencia, la integración social de las personas extranjeras exige el reconocimiento de derechos que van más allá de los derechos primarios de la persona.

En el ámbito teórico, esta realidad se convierte en un problema conceptual, porque las nociones de extranjería y ciudadanía, tal como están constituidas por la tradición, son antitéticas. La idea de ciudadanía está basada en la pertenencia, en una relación política fundamental, en la igualdad entre los miembros de la comunidad, en la posesión de derechos y en la participación política. En cambio, la noción de extranjería está asentada en el alejamiento, en la desigualdad y en la ausencia de participación en la comunidad.

En virtud del nuevo perfil social, las contribuciones teóricas son fundamentales en la conciliación de los conceptos. La posibilidad de reconocer a las personas extranjeras los derechos tradicionalmente atribuidos a la ciudadanía depende, en gran medida, de la revisión de las nociones predominantes, y de encontrar en ellas mismas los aportes para la integración.

La ciudadanía es una idea que se expresa por intermedio de diferentes formulaciones. No hay un consenso formado acerca de lo que sea ciudadanía, tampoco sobre cuáles sean sus atributos esenciales. A pesar de la diversidad conceptual es posible verificar la presencia de determinados elementos que son constantes en las definiciones. Estos elementos que, también, pueden ser identificados como atributos de la ciudadanía son: la pertenencia de la persona a una comunidad, la relación política que vincula la persona y el Estado, el reconocimiento de derechos fundamentales a los integrantes de la comunidad, la regulación del ejercicio de la libertad de las personas que forman parte de la comunidad, la igualdad entre los miembros de la comunidad y la participación de las personas en las decisiones fundamentales de la comunidad.

Desde los primordios, los seres humanos se agrupan para garantizar su protección y supervivencia. Cuanto mayor el número de personas que componen el grupo, más alto es el nivel de seguridad y mejores las condiciones de supervivencia. La preservación del grupo es fundamental. El "crecer y multiplicar" son contingencias necesarias del mantenimiento grupal. Las personas que forman parte del grupo son, por esta razón, componentes vitales, como lo son también las personas de las generaciones que les suceden. El vínculo familiar genera la pertenencia de la persona en el grupo social. El nacimiento es, de este modo, un factor indicativo de la pertenencia a una determinada comunidad, en virtud de los vínculos de sangre. Desde las comunidades primitivas hasta las sociedades complejas contemporáneas es la persona el elemento fundamental para el desarrollo de la organización social y política. No existe una comunidad o sociedad, tampoco un Estado, sin la presencia de personas. El vínculo entre la comunidad y el individuo forma parte de la constitución de los espacios sociales, y este vínculo concede al individuo una propiedad que es la pertenencia. En la teoría jurídica dos son los criterios determinantes de la pertenencia de un individuo a una sociedad: el *ius sanguinis*, que crea un vínculo consanguíneo, y el *ius soli*, que instituye una vinculación en virtud del lugar de nacimiento. Estos criterios no son entre sí incompatibles, pues puede haber (y, de hecho, hay) una combinación entre ellos. Los criterios jurídicos de pertenencia formalizan el vínculo entre la persona y el Estado y, como consecuencia, generan una relación política fundamental por la que el Estado protege a la persona y ésta, en cambio, se somete a la autoridad de aquel.[4]

La constitución política de la relación entre persona y Estado es, también, causa generadora de derechos y deberes. La organización política ordena las acciones del Estado y las del individuo. La finalidad del orden es garantizar el bienestar de los integrantes del cuerpo social. El bienestar de las personas involucra la existencia de condiciones que les permitan desarrollar plenamente la vida y, como presupuesto necesario, la personalidad. El orden se destina, en ese sentido, a promover la libertad. La libertad como condición del desarrollo de la personalidad debe ser repartida por igual entre los miembros de la comunidad. La organización política hecha para y por el ser humano debe contar con la participación activa de los integrantes del cuerpo social en la toma de decisiones relati-

---

[4] En este sentido, Ruiz Vieytez (2006, pp. 130-131) señala: "Todo Estado tiene (…) una población propia, que con independencia de su ubicación concreta en un momento determinado, queda adscrita jurídicamente a aquél. Ello se realiza a través de las normas jurídicas que definen la nacionalidad y que competen de nuevo al ámbito de soberanía propia de cada Estado. Por tanto, de alguna forma, cada Estado determina quiénes son sus nacionales y de un modo directo o indirecto crea identidad al definir, según los casos, a los miembros de la nación, del pueblo, o simplemente a los ciudadanos de dicha comunidad política".

vas a los temas de interés común. La ciudadanía es, así, una reunión de factores imprescindibles al mantenimiento de la vida de las personas dentro del espacio social, cuyo motor es la pertenencia. La pertenencia a la comunidad, entre tanto, no es una condición impuesta por la naturaleza, sino por la conveniencia. Los criterios determinantes de la pertenencia son convencionales, porque son resultantes de un acto de voluntad que decide quien es miembro de la comunidad y quien no lo es. Si los criterios de pertenencia dependen de decisiones racionales, fundadas en la conveniencia, nada impide que los miembros de la comunidad establezcan nuevos criterios para la incorporación de nuevos miembros.

La llegada de la persona inmigrante produce una desarticulación en el funcionamiento del sistema social, porque equivale a la introducción de un cuerpo extraño que genera una reacción orgánica. En el cuerpo, biológicamente constituido, la reacción será la expulsión del cuerpo extraño puesto que los procesos bioquímicos se ponen en marcha delante de situaciones de riesgo, o puede que haya una absorción de dicho elemento extraño. En el cuerpo social, entre tanto, las reacciones no están sujetas a procesos bioquímicos, sino que son fruto de las elecciones de sus integrantes. Puede haber una reacción de rechazo a la persona inmigrante, lo que de hecho ocurre, dado que es un elemento extraño que entra en el cuerpo social, pero puede que la reacción sea contraria y se produzca su incorporación. En las sociedades contemporáneas las reacciones de rechazo al inmigrante están calificadas como violaciones a los derechos fundamentales, pues la persona inmigrante es, ante todo, un ser humano. Como consecuencia del grado de desarrollo actual de los derechos fundamentales la reacción esperada de las sociedades civilizadas es la incorporación e integración de los nuevos actores y de las nuevas actrices al cuerpo social, lo que exige establecer nuevos criterios de pertenencia.

3.2. *Los espacios multiculturales y los nuevos criterios de pertenencia*

Una sociedad es una organización compleja, porque su constitución supone una diversidad estructural. De hecho, una sociedad está compuesta por diferentes personas que provienen de distintas familias con valores y creencias igualmente distintas. La sociedad está constituida, también, por instituciones que tratan de armonizar las diferencias existentes dentro del grupo social por intermedio de la creación de normas comunes de conducta que expresan los valores reconocidos y compartidos por la mayoría. No solo las normas sociales son responsables por generar cohesión social. El ambiente geográfico, el clima, la historia, las costumbres, los modos de producción, la lengua, la religión, son factores que, también, se consolidan como referencias para determinar el estilo de vida de una sociedad. Estos elementos reunidos constituyen la cultura de una sociedad y es ella la que da homogeneidad al grupo, es decir, define su identidad.

Todas las sociedades tienen un referente cultural propio, aunque se verifique la presencia de diferentes grupos en su interior. La diversidad forma parte de la constitución de las sociedades. Entre tanto, es la llegada de nuevos integrantes extranjeros lo que pone de manifiesto el problema de la diversidad, porque las diferencias internas de la sociedad están, de cierto modo, equilibradas por una identidad común, mientras que la entrada de personas foráneas que no comparten la misma identidad supone un antagonismo derivado de la diferencia cultural. En este sentido, Cohn-Bendit (1995, p. 37) señala que "los extraños, con su presencia, obligan a los nativos a relativizar el propio sistema de valores". La entrada masiva de personas extranjeras, consecuencia de las nuevas oleadas migratorias, generó profundas modificaciones en las sociedades contemporáneas, especialmente las que fueron elegidas como destino de las migraciones. De modo general, estas sociedades se convirtieron en espacios multiculturales, porque los nuevos actores y las nuevas actrices trajeron en su equipaje, además de nuevos valores, otras referencias culturales.

La sociedad multicultural es, en palabras de Cohn-Bendit (1995, p. 29), "una sociedad de inmigración. Su rasgo característico es la presencia de extraños". Aunque sea esta una de las facetas de la sociedad multicultural, no es cierto decir que la inmigración sea de *per se* el elemento caracterizador del espacio multicultural. En realidad, la multiplicidad de culturas que conviven en un mismo espacio es lo que conlleva a la diversidad cultural. Las diferencias culturales presentes en las sociedades contemporáneas reflejan la existencia de grupos minoritarios que poseen una identidad propia, distinta de la identidad nacional dominante. Entre estos grupos minoritarios es posible localizar al colectivo inmigrante, porque ellos terminan formando guetos en función de una identidad común, determinada por la lengua, por las costumbres, por la religión y por las tradiciones. Pero, en las sociedades actuales hay grupos minoritarios cuyo origen no se encuentra en la inmigración, como las poblaciones indígenas, por ejemplo, y que reivindican los derechos propios de su identidad cultural. En suma, las sociedades contemporáneas son plurales en razón de la diversidad que forma parte de su estructura y de sus movimientos.

El multiculturalismo, término no menos polémico en su significación, puede ser entendido, básicamente, en dos sentidos: el descriptivo y el normativo. De acuerdo con Ruiz Vieytez (2006, p. 332),

> "en sentido descriptivo, alude a la diversidad cultural que deriva de la coexistencia en una sociedad de varios grupos con diferentes elementos de identidad y sentimientos de pertenencia. Como término normativo, multiculturalismo implica una asunción positiva de la diversidad cultural, que reconoce el valor de las diversas creencias, valores y modos de vida y promueve el mutuo reconocimiento y valoración de todas ellas."

De acuerdo con Javier de Lucas (2001, p. 10), la multiculturalidad es un hecho social porque las diferencias étnicas, lingüísticas, religiosas o nacionales son consecuencia de la presencia de grupos con diferentes códigos culturales (identidades culturales propias).

La diversidad cultural presente en el espacio social es la causa de la formación de los grupos minoritarios, los cuales reivindican derechos propios para conservación de su identidad cultural. Entre tanto, los intereses de los grupos dominantes se polarizan con los reclamos de las minorías. Entre los intereses de la mayoría y los de las minorías surge la necesidad de buscar un punto de equilibrio que aminore la tensión generada por las diferencias. De ahí la propuesta de una gestión multicultural capaz de integrar las diferencias de la sociedad. Por eso, "el multiculturalismo democrático es hoy el objetivo principal de los movimientos sociales reformadores" (De Lucas, 2006, p. 16). El multiculturalismo democrático

> "no se reduce a la tolerancia ni a la aceptación de los particularismos limitados; tampoco se confunde con su relativismo cultural cargado de violencia. En los países liberales su fuerza principal es su resistencia a una globalización que sirve a los intereses de los más poderosos, y en los países autoritarios está a servicio de la laicidad y de los derechos de las minorías" (De Lucas, 2006, p. 16).

El debate sobre los derechos de las minorías ha sido retomado en los años noventa. Con anterioridad a esta fecha el tema ha sido objeto de análisis, pero sin grandes investigaciones sobre la cuestión. Desde un punto de vista teórico, los derechos de las minorías constituyen un tema problemático por falta de unidad conceptual o, mejor dicho, un consenso doctrinal acerca de las cuestiones fundamentales de la materia. Entre tanto, las reivindicaciones de las minorías son una realidad social que debe ser objeto de consideración científica, además de política. La referencia a los derechos de las minorías implica considerar la dimensión identitaria de las personas, y de los

respectivos grupos a los que pertenecen, pues los valores personales y grupales resultan de las identidades nacionales, étnicas,
religiosas o lingüísticas.

La identidad cultural es, hoy en día, un parámetro importante en la consideración de los derechos incidentes sobre la
persona humana. En este sentido, la Declaración Universal de
la Unesco sobre Diversidad Cultural, aprobada el 02 de diciembre de 2001, en su artículo 4, dispone:

> "La defensa de la diversidad cultural es un imperativo ético,
> inseparable del respeto de la dignidad de la persona humana.
> Ella supone el compromiso de respetar los derechos humanos
> y las libertades fundamentales, en particular los derechos de
> las personas que pertenecen a minorías y los de los pueblos
> autóctonos. Nadie puede invocar la diversidad cultural para
> vulnerar los derechos humanos garantizados por el derecho
> internacional, ni para limitar su alcance."

A pesar del desarrollo normativo internacional, la efectividad de la protección de los derechos de las minorías es cuestionable, porque los grupos minoritarios están sometidos a los
marcos institucionales – políticos y jurídicos – dictados por la
mayoría, los cuales establecen una uniformidad cultural bajo
el corolario de la igualdad. Las personas migrantes, entre las
minorías, suelen encontrarse reprimidas dentro del espacio social cerrado en una identidad nacional dominante. Las personas migrantes que se incorporan a un nuevo ambiente deben
adaptarse a los elementos culturales e identitarios de la sociedad de acogida. Deben aprender el idioma, asimilar hábitos,
cambiar comportamientos. Sin esta adaptación la persona migrante se depara con una gran dificultad para su integración.
Pero, el esfuerzo de integración puede representar una negación de la propia identidad, lo que no deja de ser una violación, aunque impuesta por la necesidad. Es importante poner
de manifiesto que la integración de las personas migrantes no
puede convertirse en asimilación cultural. Sobre esta cuestión,
Ruiz Vieytez (2006, p. 449) señala que:

"la integración social no es sinónimo de disolución cultural, sino (...) un proceso bidireccional y dinámico de adaptación recíproca entre las poblaciones inmigradas y las poblaciones originarias, tanto mayoritarias como minoritarias. La integración, desde el punto de vista cultural o político, no equivale a la confluencia de identidades ni mucho menos a la asimilación de las culturas minoritarias en la mayoritaria."

El hecho de haber un reconocimiento internacional de los derechos de las minorías, y su correspondiente regulación en algunas leyes internas de los Estados, constituye un avance en el ámbito de los derechos fundamentales, aunque no se haga efectivo en la práctica. La principal dificultad que se presenta para la efectividad de los derechos minoritarios es estructural, eso porque los Estados están consolidados dentro del modelo de Estado Nación, cuya construcción está fundada en un principio de identidad nacional, que funciona como un vector para la homogeneización de la sociedad. Referido modelo corresponde al Estado identitario que, según Ruiz Vieytez (2006, p. 478), "conforma un sistema político cerrado en cuanto a la pertenencia y a la identidad". El Estado identitario es cerrado, en cuanto a la pertenencia, porque los vínculos entre los integrantes de la sociedad y el Estado son establecidos por criterios predeterminados por las normas jurídicas positivadas, las cuales reflejan la voluntad de la mayoría. La incorporación de nuevos actores y actrices sociales es un proceso que exige la *nacionalización* de los aspirantes por intermedio de una asimilación cultural, como el conocimiento del idioma mayoritario, cierto grado de conocimiento de la cultura local, la residencia por determinado período de tiempo, entre otros requisitos establecidos por el Estado.[5]

---

[5]　El asimilacionismo es uno de los modelos de integración de los inmigrantes, muchas veces utilizado en las políticas de integración. En este modelo el inmigrante debe incorporarse a la cultura dominante, sacrificando su identidad cultural. De acuerdo con Javier de

No cabe duda de que la inmigración conlleva a una asimilación de la cultura local. Las personas inmigrantes entran en un nuevo espacio social que ya se encuentra consolidado desde el punto de vista cultural. Los nuevos actores y las nuevas actrices saben que tendrán que pasar por diferentes etapas hasta alcanzar una relativa acomodación en el nuevo espacio. No se puede pretender que las personas inmigrantes desarrollen sus vidas aislados de la realidad social en la que están insertos. Entre tanto, el proceso de asimilación cultural no debe convertirse en anulación de la identidad de dichas personas. Las personas migrantes, de modo general, entran en el nuevo espacio social con ánimo de permanecer en él. Por esta razón, la pertenencia es una condición que va más allá de la asimilación cultural: la pertenencia supone la integración. Alcanzada la integración, los nuevos actores pueden sentir que forman parte del nuevo espacio.

La pertenencia cerrada en una identidad nacional es consecuencia del modelo actual impuesto por los Estados identitarios. La realidad migratoria pone de relieve la necesidad de construir nuevos criterios de pertenencia que proporcionen los medios para facilitar la integración social de los nuevos actores. Ruiz Vieytez (2006, p. 479) señala que:

"En pleno proceso de globalización y con movimientos de población cada vez mayores, no resulta ya posible ni deseable vivir en espacios cerrados que aspiren a la pluralidad identitaria.

Lucas (2001, pp. 30-31), "los condicionantes que el modelo asimilacionista impone al proceso de integración tienden a limitar la participación de los inmigrantes en las decisiones públicas. Se asume que la capacidad de decisión en la esfera pública debe estar en manos de los miembros del grupo dominante (los ciudadanos). En este sentido, el acceso al ámbito público de decisión (…) sólo se concibe como legítimo en el caso de que el inmigrante haya completado el proceso de asimilación y no suponga un factor de riesgo para la identidad cultural autóctona."

En última instancia no puede olvidarse que no hay integración efectiva ni cohesión social desde la asimilación, y que, por el contrario, hay una permanente reconstrucción de nuevos parámetros culturales e identitarios en todas las sociedades."

La transformación de los espacios sociales contemporáneos es una realidad. Desde una perspectiva científica, los estudios realizados sobre la materia se inclinan a una relectura de los conceptos tradicionales, como forma de solucionar los problemas introducidos por la nueva configuración de las sociedades actuales. Las propuestas teóricas contemporáneas cobran una revisión de la organización formal, lo que implica en cambios en el sistema normativo. El Derecho tiene, así, la misión de corregir las imperfecciones del sistema instituido por intermedio de una legislación acorde con las transformaciones sociales. Pero, el Derecho no puede cambiar el orden instituido sin que haya una voluntad política. El querer que se exterioriza en la voluntad representa un cambio de consciencia que sólo puede realizarse si hay suficiente conocimiento de la realidad. Concretamente, la convivencia de diferentes culturas dentro del mismo espacio exige una actitud política que sea capaz de gestionar los conflictos derivados de las interacciones entre los actores y las actrices sociales. Entre tanto, la gestión de la diversidad tiene que estar fundada en criterios que respeten los valores democráticos. De ahí la importancia de los derechos humanos como vectores para la actuación de las políticas públicas, y para la aplicación del Derecho.

La medida de la extensión de derechos a las personas extranjeras está condicionada a las nuevas interpretaciones de los derechos instituidos, interpretaciones éstas que encuentran su referente en la relectura de los principios liberales, en la profundización de la teoría de los derechos humanos y en la revisión de la teoría de la democracia. Las nuevas directrices teóricas implican en una comprensión del Estado como un espacio que pertenece a todos por igual, independientemente de la nacionalidad o de otros elementos cerrados que conforman una identidad nacional. Desde el punto de vista científico se habla de "un nuevo modelo avanzado de democracia inclusiva, plural, consociativa e igualitaria" (Ruiz Vieytez, 2006, p. 481), o de una democracia basada en una ciudadanía abierta, diferenciada e integradora.

El nuevo modelo propuesto pretende construir un Estado cosmopolita, cuyos fundamentos son: la ciudadanía inclusiva y la democracia multicultural. La ciudadanía inclusiva y la democracia multicultural constituyen "los dos ejes necesarios en la organización política de la sociedad y son las bases que orientan una nueva lectura de los derechos humanos a favor de las comunidades minoritarias" (Ruiz Vieytez, 2006, p. 481).

La ciudadanía inclusiva resulta de un sistema abierto de pertenencia. En un sistema abierto los vínculos entre las personas integrantes de la comunidad son generados por criterios inclusivos, los cuales asumen la diversidad y las nuevas dinámicas sociales para permitir el acceso a la ciudadanía. Por esta forma de concebir la ciudadanía es posible atribuir la titularidad de los derechos ciudadanos a las personas inmigrantes, y esta extensión es la vía para la efectiva integración en la sociedad de acogida. La adquisición de la condición de ciudadano o ciudadana, en un modelo inclusivo, supone la ampliación de los criterios de pertenencia. La pertenencia basada en criterios identitarios no es suficiente para permitir la inclusión de los diferentes; de ahí la necesidad de redefinir y ampliar los elementos caracterizadores de la pertenencia.

La residencia y el trabajo son las circunstancias fácticas que ponen de relieve la incorporación de las personas inmigrantes en la sociedad de acogida. Residencia y trabajo son condiciones primordiales para el desarrollo de la vida y de la personalidad, y deben ser valorados, también, como indicadores de la pertenencia de las personas inmigrantes en la comunidad política.

La democracia cultural exige, como la ciudadanía inclusiva, la constitución de un sistema abierto de identidad, en el cual la participación en los procesos políticos debe asegurar la plena igualdad de oportunidades a todos los grupos sociales. La democracia multicultural, en palabras de Ruiz Vieytez (2006, p. 485),

> "se construye a partir de la aceptación de la diferencia, la diversidad y la pluralidad como valores positivos y, en consecuencia, de la renuncia del Estado a su tradicional función informadora. Esta actitud incluye la valoración positiva de las diferentes expresiones culturales presentes en la sociedad. Se trata de que el Estado está obligado a dar una respuesta democrática a la diversidad, distinta a la posición clásica de privilegio a favor del grupo dominante."

Por intermedio de políticas multiculturales es posible crear las condiciones necesarias para la efectiva integración de los grupos minoritarios. La adopción de políticas multiculturales implica, de un lado, la negociación con los diversos grupos sociales, lo que refuerza la propia democracia, y de otro lado, conlleva a una interpretación más flexible de las normas, permitiendo su adaptación a las circunstancias concretas presentes en la realidad social.

3.3. El reconocimiento de los derechos de ciudadanía como vía de integración

Los movimientos migratorios y la integración de las personas migrantes en la sociedad de destino son cuestiones recurrentes en virtud de los circuitos globales de supervivencia, por lo que siguen presentes en las discusiones políticas nacionales e internacionales. El fenómeno migratorio siempre existió, pero es en las sociedades contemporáneas que se intensifica, especialmente por los movimientos económicos globales que ejercen fuerte influencia en los desplazamientos humanos en la actualidad. Los flujos migratorios actuales exigen que las so-

ciedades de acogida adopten políticas para la gestión de la inmigración. De otra parte, los desplazamientos que sobrepasan
las fronteras del Estado constituyen una preocupación internacional, razón por la cual este tema está incluido en la agenda
internacional. Los países de destino de las migraciones deben,
además de adoptar políticas migratorias, establecer el estatuto
jurídico de los extranjeros.

Las políticas de inmigración presentan dos dimensiones
principales: la primera se refiere al acceso de los extranjeros y
de las extranjeras al territorio del Estado, y la segunda se refleja
en la regulación de la coexistencia de las personas migrantes
con la población autóctona y con las instituciones públicas.
En este sentido, se puede decir que la gestión de la inmigración desarrolla políticas de acceso y políticas de coexistencia.
De acuerdo con Javier de Lucas (2006, p. 37), las políticas de
acceso fijan directrices para la admisión o inadmisión de los
extranjeros en el interior del Estado receptor, mientras que
las políticas de coexistencia son referentes a la integración de
los extranjeros. La admisión y la permanencia de las personas
extranjeras en el país receptor supone el reconocimiento de
derechos a dichas personas, como también ponen en marcha
el complejo proceso de integración de las mismas. La extensión de los derechos atribuidos a las personas extranjeras depende, en la mayoría de los casos, del perfil de la inmigración
diseñado por las políticas migratorias y determinado por las
necesidades internas de la sociedad de acogida.

El reconocimiento de derechos a las personas inmigrantes
es un factor esencial para su integración social. En general,
a las personas extranjeras legalmente admitidas son reconocidos derechos civiles y sociales, además de los derechos humanos. Entre tanto, los derechos políticos no siempre les son
reconocidos, como tampoco lo son los derechos propios de su
condición de minoría étnica y cultural. La participación política de las personas inmigrantes en la sociedad de acogida
es de fundamental importancia para consolidar el sentimiento

de pertenencia y completar el proceso de integración. En este sentido, Javier de Lucas (2006, p. 39) habla de *integración cívica*, que es un concepto normativo de la integración, cuyo objeto es la participación de las personas inmigrantes en la vida pública.

Las políticas públicas de inmigración suelen enfatizar la necesidad de promover los medios para integrar a las personas extranjeras. No cabe duda de que la integración social es fundamental, porque refuerza el sentimiento de pertenencia de la persona inmigrante. El acceso al mercado laboral y a los servicios sociales son dimensiones importantes para que la persona inmigrante forme parte de la comunidad, pero el pleno sentimiento de pertenencia se completa con la participación política. La vía por la cual la persona inmigrante puede pertenecer a la sociedad de acogida, en la condición de ciudadano o ciudadana, es la integración cívica. Esta dimensión cívica, o ciudadana, de la integración es la que posibilita una redefinición de los conceptos tradicionales que fundan la construcción del Estado Nación. De conformidad con los modelos tradicionales, la ciudadanía es una condición propia de los nacionales que están jurídicamente vinculados al Estado. La ciudadanía, en sentido clásico, no es un atributo de las personas extranjeras. Sin embargo, el nuevo diseño social, orientado por los movimientos migratorios, relativiza los conceptos tradicionales y conduce a la necesidad de construir nuevos criterios de pertenencia. La propuesta de la integración cívica es incluir la residencia como elemento generador del vínculo político entre Estado e inmigrante. La integración cívica "incorpora la idea de que los inmigrantes no son, o no deben ser, sólo destinatarios de las políticas sociales sectoriales, sino actores o partícipes en la determinación de sus perfiles normativos y en el diseño de sus contornos" (De Lucas, 2006, p. 39).

Es importante poner de relieve que la integración cívica impide el asimilacionismo, porque la persona inmigrante tiene la posibilidad de participar en el diálogo político en condiciones de igualdad y, como consecuencia, tener voz activa como grupo minoritario. Esta participación permite, además, mantener su identidad étnica y cultural. La integración cívica se caracteriza, por tanto, por la presencia del colectivo inmigrante en el espacio público como agente actuante e integrado. Para alcanzar la integración ciudadana hay que considerar los siguientes puntos: a) es necesario establecer un nuevo concepto de ciudadanía inclusiva acorde con la realidad migratoria, fuertemente influyente en el perfil de las sociedades contemporáneas; b) es fundamental que el principio de igualdad sea el vector de la creación y aplicación de las normas de extranjería, y que se garantice plenamente a las personas inmigrantes el ejercicio de los derechos fundamentales, incluidos los derechos políticos.

4. CONCLUSIONES

La feminización de las migraciones es un fenómeno que cobra importancia en las investigaciones contemporáneas en virtud de la vulnerabilidad de las mujeres migrantes. El fenómeno migratorio es un proceso complejo para todas las personas que emprenden esta aventura, pues la migración no termina con la llegada al destino elegido, al contrario, la entrada en la sociedad de destino es el inicio de una serie de etapas que deben ser superadas para la completa integración de la personas extranjeras en la sociedad de acogida. En este contexto, las mujeres migrantes y los varones migrantes se deparan con las mismas dificultades para la plena inclusión social. Entre tanto, el proceso de integración en la sociedad de destino es más excluyente para las mujeres que para los varones, en razón de los puestos de trabajo que suelen ocupar, la mayor discriminación de la población autóctona, y el aislamiento social y cultural que suele ser consecuencia de las condiciones laborales y económicas.

La inclusión social de las personas migrantes es un proceso gradual en el que se generan vínculos con la sociedad de acogida, por medio de los cuales se desarrolla un sentimiento de pertenencia. Pero, ¿es el sentimiento de pertenencia razón suficiente para la adquisición de la ciudadanía? De acuerdo con el análisis desarrollado en este estudio, ha sido posible verificar que este sentimiento de pertenencia adquiere un peso significativo para la incorporación de las personas migrantes, pero no es suficiente para el acceso a la ciudadanía. La integración social puede darse sin que la persona migrante acceda a la ciudadanía.

La previsión de derechos ciudadanos en los sistemas jurídicos estatales suele referirse a determinadas situaciones jurídicas cuya titularidad es reservada a los nacionales, a ejemplo del ejercicio de los derechos políticos. De modo general, la idea de ciudadanía reflejada en la disciplina de los derechos fundamentales corresponde al modelo liberal clásico. Entre tanto, este modelo no es suficiente para integrar las nuevas situaciones jurídicas, sociales y políticas de las sociedades contemporáneas, porque su constitución está asentada sobre la noción de pertenencia. En virtud de la adopción de un referente tradicional de la concepción de ciudadanía, las personas extranjeras no pueden acceder a algunos derechos fundamentales reservados a los nacionales. Por fuerza de dicha exclusión, se plantea una nueva noción de ciudadanía acorde con la diversidad propia de las sociedades contemporáneas, y capaz de incluir tanto a los integrantes de los grupos mayoritarios cuanto a los miembros de los grupos minoritarios.

La ciudadanía inclusiva es, hoy en día, fundamental en el proceso de integración de las personas migrantes. La plena integración de los nuevos actores y de las nuevas actrices en la sociedad de acogida, establecida como reto de las políticas de inmigración e integración, solo es posible si se garantiza el efectivo ejercicio de los derechos civiles, de los derechos sociales y de los derechos políticos. Por esta razón, la exclusión de las personas migrantes de la titularidad de derechos ciudadanos constituye una barrera para lograr el objetivo de la plena integración. Es decir, sin ciudadanía no hay integración. En el ámbito de la protección de los derechos de las mujeres migrantes es imprescindible el desarrollo de políticas migratorias con perspectiva de género para contrarrestar los efectos de la doble discriminación que incide sobre ellas.

La conquista de la ciudadanía por las mujeres migrantes depende, en gran parte, de un cambio conceptual y de una transformación del imaginario social. El concepto predominante de ciudadanía, vinculado a la nacionalidad, no permite a las mujeres migrantes el acceso al estatus de ciudadana, razón por la cual los estudios sobre la materia reivindican nuevos conceptos capaces de ajustarse a las *ciudades globales*. El concepto de las mujeres migrantes predominante en las sociedades de acogida, así como los roles que les son asignados, son factores que dificultan el desarrollo del proceso de integración. Si para las mujeres migrantes conseguir un puesto de trabajo que garantice sus derechos laborales ya es un reto, participar políticamente en la vida de la sociedad de acogida es una quimera.

Referencias

CORTÉS, R. (2011). Migración y remesas. Nexo América Latina–Europa. *Pensamiento Iberoamericano, Vol. 8*, pp. 175-193. *https://dialnet.unirioja.es/servlet/articulo?codigo=3622857*.

COHN-BENDIT. D. SCHMID, T. (1995). *Ciudadanos de Babel: apostando por una democracia multicultural*. Trad. Guillermo Aparicio. Talasa Ediciones.

FARIÑAS DULCE, M. J. et al. (2002). *El vínculo social: ciudadanía y cosmopolitismo*. Tirant lo Blanch.

FERRAJOLI, L. (2001). *Los fundamentos de los derechos fundamentales*. Trotta.

FERRAJOLI, L. (2011). *Principia iuris: teoría del derecho y de la democracia*. Trad. Perfecto Andrés Ibáñez, Carlos Bayón, Marina Gascón, Luis Pietro Sanchís y Alfonso Ruiz Miguel. Trotta.

GARCÍA RUIZ, J. L. (2005). La condición de extranjero y el Derecho constitucional español. En: REVENGA SÁNCHEZ, M. (Coord.). *Pro-*

blemas constitucionales de la inmigración: una visión desde Italia y España. II Jornadas Ítalo-españolas de Justicia Constitucional. Tirant lo Blanch.

GREGORIO GIL, C.(s.f.) *Migración femenina. Su impacto en las relaciones de género.* Narcea.

JAVIER DE LUCAS MARTÍN, F. (Dir.). (2001). *La multiculturalidad.* Consejo General del Poder Judicial.

JAVIER DE LUCAS MARTÍN, F. (2003). *Globalización e identidades: claves políticas y jurídicas.* Icaria.

JAVIER DE LUCAS MARTÍN, F. (Coord.). (2006). *Europa: derechos, culturas.* Universitat de València.

JAVIER DE LUCAS MARTÍN, F. et al. (2008). *Los derechos de participación como elemento de integración de los inmigrantes.* Fundación BBVA.

KYMLICKA, W. (1996). *Ciudadanía multicultural: una teoría liberal de los derechos de las minorías.* Paidós.

LUHMANN, N. (2010). *Los derechos fundamentales como institución: aportación a la sociología política.* Universidad Iberoamericana.

MARTÍNEZ DE PISÓN, J. GARCÍA INDA, A. (Coord.). (2003). *Derechos fundamentales, movimientos sociales y participación: aportaciones al debate sobre la ciudadanía.* Dykinson.

MARTÍNEZ DE PISÓN, J. GIRÓ MIRANDA, J. (Coord.). (2003). *Inmigración y ciudadanía: perspectivas sociojurídicas.* Servicio de Publicaciones de la Universidad de La Rioja.

MARZAL YETANO, E. (2009). *El proceso de constitucionalización del derecho de inmigración: estudio comparado de la reformulación de los derechos de los extranjeros por los tribunales de Alemania, Francia y España: derechos precarios y emergentes.* Colegio de Registradores de la Propiedad y Mercantiles de España.

MEZZADRA, S. (2005). *Derecho de fuga: migraciones, ciudadanía y globalización.* Traficante de Sueños.

OIM. (2020). *Informe sobre las migraciones en el mundo 2020. https://publications.iom.int/books/informe-sobre-las-migraciones-en-el-mundo-2020.*

OSO, L. PARELLA, S. (2012). Inmigración, género y mercado de trabajo. Una panorámica de la investigación sobre la inserción laboral de las mujeres en España. *Cuadernos de Relaciones Laborales,* vol. 30 (1), 11-44. *https://dx.doi.org/10.5209/CRLA*

REGUERO IBÁÑEZ, J. L. ORTEGA MARTÍN, E. (Dir.). (2007). *Sociedad multicultural y derechos fundamentales.* Consejo General del Poder Judicial.

REHER, D. REQUENA DÍEZ, M. (Ed.). (2009). *Las múltiples caras de la inmigración en España.* Alianza.

REVENGA SÁNCHEZ, M. (2007). *La Europa de los derechos, entre tolerancia e intransigencia.* Grupo Difusión.

RUIZ VIEYTEZ, E. J. (2006). *Minorías, inmigración y democracia en Europa: una lectura multicultural de los derechos humanos.* Tirant lo Blanch.

SASSEN, S. (2007). *Una sociología de la globalización.* Trad. María Victoria Rodil. Katz.

SASSEN, S. (2003). *Contrageografías de la globalización. Género y ciudadanía en los circuitos transfronterizos.* Traficantes de sueños.

SUSÍN BETRÁN, R. (2012). *Fronteras y retos de la ciudadanía: el gobierno democrático de la diversidad.* Perla.

TAPINOS, G. (Dir.). (1993). *Inmigración e integración en Europa.* Fundación Paulino Torras Domènech.

VILLACORTA MANCEBO, L. (2013). *Nuevas dimensiones de protección asumidas por los derechos fundamentales.* Dykinson.

YOUNG, I. M. (2002). *Inclusion and democracy.* Oxford University Press.

Capítulo 13

Algunos comentarios generales a la Ley Orgánica 10/2022, de 6 de septiembre, de Garantía Integral De La Libertad Sexual[1]

FCO. JAVIER ÁLVAREZ GARCÍA

Catedrático de Derecho Penal
Universidad Carlos III de Madrid

SUMARIO: I. CONSIDERACIONES GENERALES. 1. La desaparición de los hombres adultos en la nueva Ley. 2. Los intentos de equiparar valorativamente todas las agresiones sexuales. 3. Definiciones y afirmaciones. II. ALGUNOS, SÓLO ALGUNOS, DEFECTOS TÉCNICOS EN LA LEY LO 10/2022. 1. Disposiciones transitorias. 2. Confusión de rango normativo. 3. Errores de remisión. 4. Máximo desconcierto normativo. III. SECTARISMO E INCONSTITUCIONALIDAD DE LA LEY. IV. LA EXCLUSIÓN DE LOS AUTORES DE DELITOS SEXUALES (AÚN LEVES) DE LA COMUNIDAD DE CIUDADANOS. V.EPÍLOGO. Bibliografía

RESUMEN: Este capítulo versará sobre la Ley Orgánica 10/2022, de libertad sexual, que vulnera claramente lo que constituye el objetivo primordial de toda legislación: ordenar la vida en común, gestionar la paz. Lo trasgrede porque,

---

[1]   En recuerdo de nuestro entrañable amigo y compañero Mario Sánchez Dafauce, quien acudió demasiado temprano a coger de la mano a la muerte.

patéticamente, viene a fomentar, como veremos más abajo, un rancio enfrentamiento entre mujeres y varones. Es decir: concibe la lucha por los derechos de
la mujer como una de enfrentamiento con los varones, lo que conducirá, necesariamente, a un fracaso social. Estamos, pues, ante una Ley excluyente, polarizada exclusivamente en favor de la mujer, prescindente de los hombres, en la
que lo masculino únicamente se cita una vez: con finalidad reeducativa, nunca
para el reconocimiento de derechos o facultad alguna. No es una Ley que se
compadezca con la democracia tal y como explicamos oportunamente en el
presente trabajo que se somete a la consideración de la comunidad científica.

PALABRAS CLAVE: libertad sexual, igualdad, delitos sexuales, agresión sexual, consentimiento.

SUMMARY: This chapter will deal with the Organic Law 10/2022, on sexual
freedom, which clearly violates what constitutes the primary objective of all
legislation: ordering life together, managing peace. It transgresses it because,
pathetically, it comes to encourage, as we will see below, a stale confrontation between women and men. In other words, it conceives the struggle for
women's rights as one of confrontation with men, which will necessarily lead
to social failure. We are therefore faced with an exclusive law, polarized ex-
clusively in favour of women, without regard for men, in which masculinity
is mentioned only once: for re-education purposes, never for the recognition
of rights or any faculty. It is not a law that sympathizes with democracy as we
have explained in this paper that is submitted to the scientific community.

KEYWORDS: sexual freedom, equality, sexual crimes, sexual assault, consent.

I. CONSIDERACIONES GENERALES

1. La "desaparición" de los hombres adultos en la nueva Ley

Los varones adultos resultan invisibilizados en la nueva Ley
de libertad sexual. No se les menciona en absoluto[2] en un in-

---

[2]   Sólo en un párrafo, intrascendente a los efectos de este trabajo,
       cuando dice: "Las disposiciones finales décima y undécima adaptan

usual Preámbulo que se parece más a una disertación ideológica que a una exposición del contenido de una ley[3]: no existen los hombres como víctimas de violencia sexual por más que

---

a la presente norma, respectivamente, la Ley Orgánica 3/2007, de 22 de marzo, para la igualdad efectiva de mujeres y hombres, y la Ley 20/2007, de 11 de julio, del Estatuto del Trabajo Autónomo"; asimismo hay alguna otra mención a los hombres en otros pasajes similares y también carentes de trascendencia.

[3]   Es cierto que un "preámbulo" no está dotado de contenido normativo alguno, y para lo único que puede servir es para ilustrar sobre las intenciones del Legislador. La Jurisprudencia del Tribunal Constitucional refleja perfectamente lo acabado de significar, y en este sentido la STC 170/2016, de 6 de octubre, asevera:

"Como este Tribunal ha declarado, 'aunque los preámbulos o exposiciones de motivos de las Leyes carecen de valor normativo (SSTC 36/1981, de 12 de noviembre, FJ 7; 150/1990, de 4 de octubre, FJ 2; 173/1998, de 23 de julio, FJ 4; 116/1999, de 17 de junio, FJ 2, y 222/2006, de 6 de julio, FJ 8), sirven, sin embargo, como criterio interpretativo de las disposiciones normativas a las que acompañan para la búsqueda de la voluntad del legislador (SSTC 36/1981, de 12 de noviembre, FJ 7, y 222/2006, de 6 de julio, FJ 8); esto es, sirven para efectuar una interpretación finalista (STC 83/2005, de 7 de abril, FJ 3 a)' (STC 90/2009, de 20 de abril, FJ 6)".

Esta idea es, también, la mantenida por el Tribunal Supremo; por todas, SSTS, Sala 3ª, 1399/2020, 26-10, y 1366/2020, 21-10, entre otras muchas de esta Sala.

En cuanto a la Doctrina, véanse, por todos, ROVIRA FLÓREZ DE QUIÑONES, MC *Valor y función de las Exposiciones de Motivos en las normas jurídicas*, Santiago de Compostela, 1972; EZQUIAGA GANUZAS, J "Concepto, valor normativo y función interpretativa de las Exposiciones de Motivos y Preámbulos", en *Revista Vasca de Administración Pública*, núm. 20, 1988, págs. 27 y ss.; ALEGRE ÁVILA, JM *Evolución y régimen jurídico del Patrimonio Histórico, I*, Madrid, 1994, pág. 36 (n), y CERDEIRA BRAVO DE MANSILLA, G *Principio, realidad y norma: el valor de las exposiciones de motivos (y preámbulos)*, Biblioteca Universitaria de Derecho, México, DF, 2015, *passim* y bibliografía allí indicada.

sean muy minoritarios, estadísticamente, frente a las mujeres[4].
Es decir: no estamos, a pesar del título de la norma, ante una
ley "de garantía integral de la libertad sexual", sino ante una
ley "de garantía integral de la libertad sexual de la mujer"; y
ahí empieza el conflicto. Pero el mayor problema es que, como
veremos en lo que sigue, nos encontramos ante una ley dictada
desde el fanatismo, sectaria, pues sólo se pone el foco sobre la
víctima -si es mujer, pues como digo el hombre no existe- pero
no se tienen en cuenta los derechos de los acusados[5], lo que

---

[4]   Según los números proporcionados por el INE en 2021 hubo un
total de 3.196 condenados por delitos sexuales, de los cuales 3.128
fueron hombres (97,9%) y sólo 14 (2,1%) mujeres (*https://www.
ine.es/jaxiT3/Datos.htm?t=28857*) . Respecto a los menores, en 2021
hubo 439 condenados por delitos sexuales, un 12,6% más que el
año anterior (y un 5,5% más que en 2019). El 96,8% fueron varones
y el 3,2% mujeres.
Según el Ministerio del Interior (*https://www.interior.gob.es/opencms/
pdf/archivos-y-documentacion/documentacion-y-publicaciones/publicacio-
nes-descargables/publicaciones-periodicas/informe-sobre-delitos-contra-la-li-
bertad-e-indemnidad-sexual-en-Espana/Informe delitos libertad e indemnidad sexual 2021 126210034.pdf*) el número de delitos sexuales
cometidos en 2021 fue de 17.016 (13.174 en 2020 -año de la pan-
demia-, 15.319 en 2019 y 13.782 en 2018), lo que supuso un fuerte
aumento respecto a años anteriores.
En cuanto a las víctimas, 14.608 fueron mujeres y 2.340 varones.
Debe señalarse que en esta estadística faltan algunos datos -de gran
importancia para poder evaluar correctamente el fenómeno- que
arrojarían mucha luz para el correcto dimensionamiento del problema, por ejemplo: ¿cuántas de esas víctimas varones eran menores
de edad? ¿cuántas de esas víctimas varones lo fueron, a su vez, de
varones?

[5]   Lo que siempre ha constituido una de las referencias de las doctrinas penales; en este sentido sólo hay que recordar las corrientes
humanizadoras, en diversos aspectos, que han hecho progresar el
Derecho Penal (no hay Derecho Penal sin humanización), e introducir las reacciones estatales frente a la comisión de injustos dentro
de determinados límites. ¿O acaso hay que olvidar todas esas penas

ha llevado al dibujo de conductas y a la imposición de penas que conculcan principios constitucionales básicos en materia penal.

Se trata de una Ley que vulnera claramente lo que constituye el objetivo primordial de toda legislación: ordenar la vida en común, gestionar la paz. Lo trasgrede porque, patéticamente, viene a fomentar, como veremos más abajo, un rancio enfrentamiento entre mujeres y varones. Es decir: concibe la lucha por los derechos de la mujer como una de enfrentamiento con los varones, lo que conducirá, necesariamente, a un fracaso social. Estamos, pues, ante una Ley excluyente, polarizada exclusivamente en favor de la mujer, prescindente de los hombres, en la que lo masculino únicamente se cita una vez: con finalidad reeducativa, nunca para el reconocimiento de derechos o facultad alguna. No es una Ley que se compadezca con la democracia.

2. *Los intentos de equiparar valorativamente todas las agresiones sexuales.*

Desde luego que con lo anterior no se quieren indiferenciar las agresiones que ocasionalmente puedan padecer varones vulnerables, de las sufridas por la mujer por su condición

---

más que crueles degradantes tanto para víctimas como para verdugos que estuvieron vigentes en España hasta el Código Penal de 1848? ¿O las penas desproporcionadas, duras, incompatibles con la naturaleza otorgada a la persona en la Declaración de los Derechos del Hombre y del Ciudadano? En esta materia, en la que levantar la voz a favor de un trato humanitario para los agresores es siempre motivo de sospecha, en la que los programas de reeducación y reinserción para los agresores han estado, y siguen estando en buena medida, "prohibidos ideológicamente", en la que la invisibilización es la receta para víctimas hombres (que es evidente no es de género) y agresores varones, es indispensable reivindicar, también, el Derecho Penal humanitario.

de mujer. No son valorativamente ni siquiera similares. En esta dirección se debe salir al paso de las frecuentes estrategias procesales consistentes en reaccionar a una denuncia de maltrato de género con otra, por parte del varón, en la que se acusa a la mujer de maltrato. Ello por una sencilla razón: la una y la otra (en caso de existir esta última, y que no responda a una mera treta procesal de los abogados del varón) tienen muy distinta naturaleza. Una, la llevada a cabo por la mujer consistiría en una agresión física "normalizada"; la otra, la producida por el varón, puede trascender la agresión física para adquirir un significado vinculado con el ejercicio del poder. En este último sentido, la diferencia de penas entre el maltrato de género del artículo 153, CP, aunque surgido en un contexto que nada tiene que ver con el actual, y la del artículo 147.3, CP, y siempre que se esté atento al elemento subjetivo, resulta plenamente justificada. De otra manera nos hallaríamos ante incrementos de la pena por el mero hecho de que el sujeto pasivo sea mujer[6].

3. Definiciones y afirmaciones

En el ya citado Preámbulo son llamativas algunas definiciones y afirmaciones, por causar perplejidad, como las siguientes:

a) Son "violencias sexuales los actos de naturaleza sexual no consentidos o que condicionan el libre desarrollo de la vida sexual en cualquier ámbito público o privado". Un texto en todo similar se encuentra en el artículo 3.1 de la Ley 10/2022: "*El ámbito de aplicación objetivo de esta ley orgánica comprende las violencias sexuales, entendidas como cualquier acto de naturaleza sexual no consentido o que condi-*

---

[6]   Véase, por ejemplo, STS 677/2018, de 20 de diciembre.

cione el libre desarrollo de la vida sexual en cualquier ámbito público o privado..."

Lo primero que debe decirse ante esta definición, es que se trata de un texto que se aparta diametralmente de la definición del Convenio de Estambul, cuyo artículo 36 SÍ pone, por contraposición a esta norma, el consentimiento en el centro de la definición de violencia sexual. Sin embargo, al introducirse la conjunción disyuntiva "o", este texto crea una segunda categoría de "violencias sexuales consentidas pero que condicionan el libre desarrollo de la vida sexual"; se trata de una clase de violencia sexual desconocida en el ámbito nacional e internacional y totalmente ajena a la idea de "solo sí es sí". Parece claro que no puede referirse a víctimas infantiles o adolescentes, ya que ellas carecen de capacidad de consentir en este punto, por lo que necesariamente deben ser actos sexuales plena y libremente consentidos por mujeres adultas. Desde luego que esto resulta sumamente perturbador.

En todo caso, y además, ante esta conceptualización cabe preguntarse ¿por qué debe ser entendido como violencia sexual un acto que, sin mayores cualificaciones, haya condicionado el libre desarrollo de la vida sexual? Fíjese, además, que se somete la calificación de la conducta como violencia sexual a la ocurrencia de un fenómeno que no sólo no está en manos del sujeto activo, sino que puede ser absolutamente imprevisible y producto exclusivo de la psicología de la víctima. ¿O a qué se refiere esa definición? ¿Quiere decir que constituye violencia sexual la que se ejerce -en público o en privado- prescindiendo de la libertad de la víctima Y condicionando el libre desarrollo de la vida sexual?[7] Porque en este último caso sí estoy de acuerdo, pero no lo puedo estar en el primero: el condicionamiento

---

[7] El texto se refiere a actos no consentidos o que condicionan el libre desarrollo, etc. Se trata de alternativas unidas por una conjunción disyuntiva: o lo uno o lo otro.

del "libre desarrollo de la vida sexual" puede llegar como consecuencia de una actividad sexual llevada a cabo libremente -quizá escasamente meditada- por el sujeto pasivo, o como consecuencia de un acto sexual "impuesto" en sentido normativo. En este último supuesto la calificación de violencia sexual no precisa la producción de consecuencia alguna[8]. En el primero (el condicionamiento de la vida sexual de su pareja) no es algo que pueda ser imputado al varón que ha protagonizado el acto sexual si éste ha sido consentido.

b) "Asimismo, entre las conductas con impacto en la vida sexual, se consideran violencias sexuales la mutilación genital femenina…". Un texto similar se encuentra, ya en el texto de la Ley, en el artículo 3.1, II: *"En todo caso se consideran violencias sexuales los delitos previstos en el Título VIII del Libro II de la Ley Orgánica 10/1995, de 23 de noviembre, del Código Penal, la mutilación genital femenina…"*

Una vez más el texto se aparta radicalmente del Convenio de Estambul para saltar a terrenos pantanosos. Por supuesto, el Convenio NO define como violencia sexual las mutilaciones genitales femeninas. Las violencias sexuales son para el Con-

---

[8] Con carácter general no es admisible la insistencia en que la agresión sexual condiciona la futura vida sexual. Eso puede ser cierto o no…pero no constituye elemento del delito (tampoco estamos ante tipos de resultado material). Además, semejante planteamiento recuerda la vieja disposición del Código Penal de 1973 (artículo 444.1°) según la cual había que "dotar a la ofendida, si fuere soltera o viuda". Ello desde una presuposición: que una mujer violada (o sometida a los delitos de estupro o rapto) era una mujer "deteriorada" como "mercancía matrimonial"; por ello se le proporcionaba una "buena dote" para que de esa manera "resultara atractiva", "encontrara marido", finalidad ésta de toda "mujer decente". Pues no. Una mujer agredida sexualmente es una víctima sin más…e igual a todos los demás ciudadanos. La única persona deteriorada (sin comillas) es el agresor. Sólo él.

venio los actos sexuales no consentidos (art. 36), y en otros artículos lo que hace es recoger la obligación de criminalizar otros ataques contra las mujeres (acoso, violencia no sexual, matrimonio forzoso, aborto forzoso, esterilización forzosa...). Así, el art. 38 obliga a criminalizar la mutilación genital femenina. Sin embargo, el Convenio jamás ha incurrido en un error tan grosero como el de desdibujar el concepto de violencia sexual para incluir en él actos delictivos que no tienen que ver con el sexo no consentido. España, con esta ley, pasa a tener un concepto de violencia sexual que se aparta del consenso internacional.

En todo caso, ¿por qué únicamente la referencia a la mutilación genital femenina en el texto de la Ley? ¿quizá porque se refiere exclusivamente a ella el Convenio de Estambul[9]? Veamos lo que asevera el dicho precepto:

---

[9]   *"Artículo 38.Mutilaciones genitales femeninas. Las Partes adoptarán las medidas legislativas o de otro tipo necesarias para tipificar como delito, cuando se cometa de modo intencionado:*
      a) La escisión, infibulación o cualquier otra mutilación de la totalidad o parte de los labios mayores, labios menores o clítoris de una mujer;
      b) El hecho de obligar a una mujer a someterse a cualquiera de los actos enumerados en el punto a) o de proporcionarle los medios para dicho fin;
      c) El hecho de incitar u obligar a una niña a someterse a cualquiera de los actos enumerados en el punto a) o de proporcionarle los medios para dicho fin".
      Ciertamente en el *Rapport explicatif de la Convention du Conseil de l'Europe sur la prévention et la lutte contre la violence à l'égard des femmes et la violence domestique* (*https://rm.coe.int/16800d38c9*), se asevera:
      "198. Debido a su carácter, la mutilación genital femenina (MGF) es uno de los delitos que derogan el principio de neutralidad de género que impregna la parte de derecho penal de la convención. Esta disposición tipifica el delito de mutilación genital femenina cuyas víctimas son necesariamente mujeres o niñas. Busca criminalizar la práctica tradicional -observada por algunas comunidades en relación con sus miembros femeninos- de quitar ciertas partes de los genitales femeninos. Los redactores consideran fundamental tipificar como delito la mutilación genital femenina a través de esta convención, ya que esta

"Artículo 38. Mutilaciones genitales femeninas. Las Partes adop-

---

práctica provoca daños irreversibles, cuyos efectos se hacen sentir a lo largo de la vida de las víctimas cuando rara vez se solicita su consentimiento".

Para BROX SÁENZ DE LA CALZADA, AG ("El Convenio de Estambul en Francia y en España: tareas pendientes", en *Cuadernos Electrónicos de Filosofía del Derecho*, núm. 43, 2020, pág. 53), "El texto [del Convenio] indica que, a diferencia del resto de manifestaciones violentas, los delitos de mutilación genital (femenina), aborto y esterilización forzosos, por su carácter 'sexoespecífico', deberán buscar solamente la protección de las víctimas de sexo femenino", y esa aseveración la hace a la vista del fragmento del "Informe explicativo…" acabado de reflejar. Sin embargo, no creo que ello deba ser así. Para empezar, el texto de este "Informe" no es vinculante para las partes. Es verdad que hay no poca discusión en la doctrina internacionalista sobre el valor de redactados como éste, y se utilizan criterios muy diferentes para dilucidar la cuestión; desde algunos puramente filológicos (los tiempos verbales, que plantean no pocos problemas a la vista de que los textos considerados "genuinos" han de ir, al menos, en dos idiomas -y no se debe olvidar que luego esos documentos se traducen a decenas de idiomas-. En este sentido, CARDONA LLORENS, J -"La protección de los derechos humanos en el ámbito nacional: la aplicación nacional de la protección internacional", en J. Cardona Llorens y otros -*La protección internacional de la persona*, Valencia, 2022, pág. 200- afirma: "El valor jurídico de los Comentarios Generales se encuentra relacionado con el objeto y el fin de los mismos: ayudar a comprender mejor el contenido y las obligaciones derivadas de la correspondiente Convención. En este sentido, los Comités suelen ser especialmente cuidadosos en la terminología utilizada, distinguiendo especialmente entre los verbos modales, *shuld, shall* and *must* a la hora de explicar las obligaciones de los Estados. De esta forma pretenden distinguir lo que, en su opinión, es solo una recomendación, una obligación deducida y una obligación imperativa y claramente establecida en la Convención"), a otros, más fundamentados, referidos a la instancia de aprobación, pasando por algunos que se refieren a que esos informes pueden tener *auctoritas*, de manera que se deba motivar la discrepancia, pero no implican interpretación auténtica de obligado seguimiento, etc.

Debe hacerse notar, además, que en el propio "glosario" de la web del Consejo de Europa (coe.int/en/web/conventions/glossary) se afirma (se disculpará la introducción de un texto sin traducir, pero se hace para evitar disquisiciones sobre, precisamente, la interpretación del mismo: *"Explanatory report.since 1965, each newly adpted treaty has an explanatory reprt which details the main steps of its elaboration and comments article by article the raison d'ètre and the meaning of the provisions of the treaty. Since 2001, all the explanatory reports are public. The explanatory report does not constitute an instrument providing an authoritative interpretation of the treaty"*. Desde luego, la claridad de la última frase no precisa demasiada ilustración ("El informe explicativo no constituye un instrumento que proporcione una interpretación autorizada del tratado").

Pero más allá de lo anterior, ha de recordarse que el propio Convenio, en el artículo 69, dispone: "Recomendaciones generales. El GREVIO podrá adoptar, cuando proceda, recomendaciones generales acerca de la aplicación del presente Convenio". "Recomendaciones", pues, no otra cosa son las competencias, en este punto, del GREVIO (Grupo de Expertos en la lucha contra la violencia contra la mujer y la violencia doméstica).

En fin, el texto vinculante es, no cabe duda, el del Convenio y no el "Informe explicativo", que en algún punto "tiene la osadía", incluso, de constreñir la mutilación genital en ámbitos "sobreculturizantes" referidos a los pueblos que practican esta mutilación tradicionalmente, dejando fuera de la prohibición (intentando) la mutilación genital que se lleva a cabo en clínicas europeas (en efecto, dice el Informe explicativo en el invocado punto 198 "Busca criminalizar [el Convenio] la práctica tradicional -observada por algunas comunidades en relación con sus miembros femeninos- de quitar ciertas partes de los genitales femeninos"). Cuando la verdad es que el Convenio, en su artículo 38, no incluye ninguna limitación a la mutilación genital (véase en este mismo sentido, THILL, M "El Convenio de Estambul: análisis iusfeminista del primer instrumento europeo vinculante específico sobre violencia de género", disponible en *https:// www.cepc.gob.es/sites/default/files/2021-12/3904606-magaly-thill.html*).

En todo caso, y más allá del valor que se quiera reconocer al citado "Informe explicativo", debe señalarse que BROX SÁENZ DE LA CALZADA ha entendido erróneamente el texto del Convenio. En

> tarán las medidas legislativas o de otro tipo necesarias para
> tipificar como delito, cuando se cometa de modo intenciona-
> do: a) La escisión, infibulación o cualquier otra mutilación de
> la totalidad o parte de los labios mayores, labios menores o
> clítoris de una mujer; b) El hecho de obligar a una mujer a
> someterse a cualquiera de los actos enumerados en el punto
> a) o de proporcionarle los medios para dicho fin; c) El hecho
> de incitar u obligar a una niña a someterse a cualquiera de los
> actos enumerados en el punto a) o de proporcionarle los me-
> dios para dicho fin".

Mas es evidente que una ley estatal no debe (obviamente
sí puede) referirse exclusivamente en semejante materia a las
mujeres, sino que la invocación del Convenio de Estambul
debe integrarse en el ámbito de valores del Ordenamiento estatal de que se trate...y no puede ser discriminatoria. Por otra
parte, semejante conducta está castigada en nuestro Ordenamiento desde el primer Código Penal, y se refería, y se refiere,
tanto a hombres como a mujeres.

¿Significa lo dicho que la norma tiene que ser ciega ante
el género? No, porque si lo fuera demostraría incomprensión
al por qué de la mutilación genital femenina frente a la
masculina[10], al mismo hecho criminal, pero ello no puede

---

efecto, del hecho de que un Convenio obligue a perseguir la mutilación genital femenina no es posible deducir que los delitos de
mutilación genital sólo deban buscar la protección de las víctimas
de sexo femenino. Es como si de un Convenio que obligase a los
Estados a asumir las indemnizaciones a víctimas del terrorismo, se
dedujera que esto obliga a los estados a "buscar solamente la indemnización de las víctimas del terrorismo", y no de otros delitos
violentos. Absurdo.

[10]   Que ha estado históricamente más vinculada a la trata, a la humillación de los prisioneros vencidos o al genocidio. Pero la castración
masculina sigue existiendo en algunos países vinculada a razones
culturales o religiosas; es el caso de la India, en donde se calcula
que existen entre uno y tres millones de hombres castrados (hijras).

implicar una contemplación penal separada de la mutilación genital femenina de la posible masculina. Lo que exige es examinar la posibilidad de agravación de la pena a través de circunstancias generales, de género (de cualquier género, huyendo de una comprensión estrictamente binaria del mismo), no el construir códigos penales distintos para hombres y mujeres[11]. Ello, es evidente, permite, además, hacer en el Código una contemplación total del fenómeno con potencial aplicación a cualquier figura de la Parte Especial.

Pero también se llevan a cabo castraciones forzadas con objeto de dedicar a esos hombres a la prostitución masculina homosexual. Asimismo sigue estando presente la castración masculina en otros países asiáticos como Pakistán, o africanos como Tanzania, Níger o Malí. En todo caso las cifras de la castración masculina, por más que numéricamente significativa como he dejado señalado, no puede acercarse cuantitativamente a la femenina. Sobre el particular, véase DÍAZ SÁEZ, JA *Eunucos: historia universal de los castrados y su influencia en las civilizaciones de todos los tiempos*, Córdoba, 2014, *passim*.

[11]   En ese esperpento se cayó en la STS 677/2018, de 20 de diciembre, Ponente Magro Servet, en la que con el siguiente relato de Hechos Probados: "Queda acreditado que los encausados, Pablo Jesús y Palmira, pareja sentimental, el día 6 de diciembre de 2017, cuando se encontraban... junto a la discoteca..., en un momento determinado se inició una discusión entre ellos motivada por no ponerse de acuerdo en el momento que habían de marchar a casa, en el curso de la cual se agredieron recíprocamente, de manera que la encausada le propinó a Pablo Jesús un puñetazo en el rostro y él le dio un tortazo con la mano abierta en la cara, recibiendo él una patada propinada por la señora Palmira, sin que conste la producción de lesiones. Ninguno de los dos denuncia al otro", se terminó condenando al hombre a la pena de seis meses de prisión, y a la mujer, que fue quien inició la agresión física, a la de tres meses (sentencia construida sobre algunas desgraciadas resoluciones del Tribunal Constitucional, como la STC 45/2010, de 28 de julio).

Pero, además, parece olvidarse que el Convenio de Estambul[12] pretende elevar el nivel de protección a las mujeres de muchos países hasta, al menos, los estándares de los más avanzados de Europa occidental; que se dirige a estados donde la mutilación genital femenina (y a algunos países donde aún existe la esclavitud y se practica -excepcionalmente- la mutilación genital masculina) es una práctica "habitual", y a los que pretende atraer al Convenio: no constituyen punto esencial de atracción los países de Europa occidental, por más que parte de las cláusulas del Convenio -y el mismo enfoque de entender la violencia de género como una de derechos humanos[13]- puedan suponer avances también para estos últimos países[14].

---

[12]   Que no debe olvidarse es jurídicamente vinculante para los países signatarios, lo que les obliga a sancionar todos los comportamientos que el propio Convenio entiende como infracciones, lo que posee un significado que va más allá de lo meramente sancionatorio y que se plasma en un replanteamiento del concepto mismo de violencia de género en los ordenamientos de los distintos países.

[13]   Artículo 3, a) del Convenio de Estambul: *"Por «violencia contra la mujer» se deberá entender una violación de los derechos humanos y una forma de discriminación contra las mujeres, y se designarán todos los actos de violencia basados en el género que implican o pueden implicar para las mujeres daños o sufrimientos de naturaleza física, sexual, psicológica o económica, incluidas las amenazas de realizar dichos actos, la coacción o la privación arbitraria de libertad, en la vida pública o privada"*. Esta idea ya había sido adelantada por el CEDAW (Comité sobre la Eliminación de la Discriminación contra las Mujeres) en su Recomendación General N°19 (11 período de sesiones, 1992). Véase al respecto, CALVO GARCÍA, M "La violencia de género como violación de Derechos Humanos. El papel de los movimientos sociales en la lucha por los derechos", en AAVV *Historia de los Derechos Fundamentales*, Tomo IV, Siglo XX, Madrid, 2014, *passim*.

[14]   Una cierta sensación de fracaso del Convenio se ha extendido a partir del momento en el que Turquía lo ha abandonado, y otros países han amenazado con hacerlo (por ejemplo, Polonia, más allá de que todavía no la han ratificado distintos países pertenecientes

c) "Las consecuencias físicas, psicológicas y emocionales de las violencias sexuales pueden afectar gravemente o incluso impedir la realización de un proyecto vital personal a las mujeres y las niñas, que se pueden ver sometidas a las relaciones de poder que sustentan este tipo de violencias"[15].

---

al Consejo de Europa -como República Checa, Hungría, Letonia, etc.-, en alguno de los cuales ha mediado decisión del Parlamento o del Tribunal Constitucional contraria a la ratificación). La cuestión debería haber sido, como se indica más arriba en el texto, más allá de establecer normas comunes asimismo vigentes para los países más avanzados en la materia -que también-, la de "atraer" a su observancia a otros que padecen una legislación más atrasada, o, incluso, que no observan niveles mínimos de protección. Por ello, desde antes de la reunión de Estambul, los representantes de algunos países trataron de "rebajar" el lenguaje utilizado (hecho que fue criticado por algunas organizaciones internacionales, como fue el caso de Amnistía Internacional, en un ejercicio insensato de absoluta incomprensión de la importancia de lo internacional: Europa, una vez más, no supo asumir su papel), con objeto de integrar más países en el marco del Convenio.

Esa sensación de fracaso se incrementa debido a la pretensión del Convenio de extenderse geográficamente más allá del ámbito territorial del Consejo de Europa, lo que no ha sucedido, ni siquiera entre aquellos estados que no siendo miembros del Consejo de Europa participaron en la elaboración del Convenio (Japón, México, Santa Sede, Canadá y EE.UU). No obstante, debe tenerse en cuenta que en otros continentes ya se habían adelantado al aprobarse, en 1994, el de Belém do Pará -inspirado por la OEA- y más tarde, en 2003, el Protocolo a la Carta Africana sobre los derechos humanos y de los pueblos, sobre los derechos de las mujeres en África.

[15] En el artículo 33.2 de la Ley se asevera: "*Artículo 33. El derecho a la asistencia integral especializada y accesible. 1. Todas las personas comprendidas en el apartado 2 del artículo 3 de esta ley orgánica tienen derecho a la asistencia integral especializada y accesible que les ayude a superar las consecuencias físicas, psicológicas, sociales o de otra índole, derivadas de las violencias sexuales. Este derecho comprenderá, al menos:*". Debe recordar-

Entonces, ¿los hombres que se ven sometidos a esas violencias no padecen las consecuencias físicas, emocionales…, de
los abusos sexuales sufridos[16]? ¿Es que, acaso, las mujeres que
redactaron ese Preámbulo no se han ilustrado mínimamente
de las terribles consecuencias que para los, mayoritariamente, niños y jóvenes que han sido abusados por clérigos, han
tenido esas actividades sexuales? ¿Cómo es posible, más que
desde el fanatismo, ignorar el padecimiento de esas decenas,
centenares de miles de personas[17]? ¿Por qué excluirles de los

se que ese artículo 3.2 se refiere, exclusivamente, a mujeres, niñas
y niños.

[16] Según este texto, si un varón es violado por otro varón, queda fuera
del concepto "víctima de violencia sexual".
Sin embargo, las cifras de violaciones de varones son extraordinariamente preocupantes en entornos como, por ejemplo, la prisión,
donde el Estado tiene además una particular responsabilidad de
protección de las personas presas.
Los estudios de victimización nos muestran porcentajes alarman-
tes de victimización sexual de varones en prisión (en un estudio de
2015 se exponía cómo el 17,7% de los participantes, es decir, más de
1 de cada 6; en un 6,6% de los participantes, las agresiones habían
incluido penetración: es decir, en aproximadamente 1 de cada 15:
CARAVACA SÁNCHEZ, F y otros "Abusos y agresiones sexuales en
prisión, percepción de los internos sobre la existencia de desórdenes mentales como factor de vulnerabilidad", en *Revista Española
de Medicina Legal*, núm. 2, 2015, passim (disponible en *https://www.
elsevier.es/es-revista-revista-espanola-medicina-legal-285-articulo-abusos-
agresiones-sexuales-prision-percepcion-S0377473214000649*)

[17] También en España, desde luego, aunque desconociéndose el número total de afectados; ignorancia que proseguirá a la vista de que
la iglesia católica española está atrincherada en posiciones negacio-
nistas despreciando a las víctimas -lo que ha sido tradicional en su
práctica eclesial en España a lo largo del siglo XX-, y que el Gobierno está haciendo la peor gestión posible del tema con la constitución de una Comisión lastrada por su propia estructura. Sí hay cifras
en otros países y el caso más sobresaliente es el de Francia: más de
trescientas mil personas, niños y jóvenes -en el 80% varones entre 10

"beneficios" de la Ley? La razón es sencilla: porque como se ha anotado se trata de una Ley excluyente que se encuentra en el polo opuesto de la democracia.

No obstante lo dicho, el Preámbulo sí expresa, de forma subordinada, que "En el caso de los niños, las violencias sexuales también son fruto de relaciones de poder determinadas por el orden patriarcal"; más ninguna mención a los varones adultos. Ninguna. Parece, pues, que los varones adultos acogen con indiferencia el ser víctimas de violencia sexual. Sin embargo, sí se hace expresa alusión (además de al género "mujer") a otro hecho: "resulta también imprescindible dar respuesta a la indefensión específica sufrida por las mujeres mayores debido a la persistencia de esquemas patriarcales"[18].

d) Ya desde un punto de vista de técnica jurídica destacar la siguiente reflexión contenida en el Preámbulo: "Asimismo, al tratarse de una norma compleja que abarca un ámbito particular pero amplio de la violencia contra las mujeres, la regulación por una ley ad hoc exhaustiva constituye el instrumento más adecuado para garantizar la consecución de dichos fines".

---

y 13 años-, fueron abusados, de acuerdo con el Informe redactando por la "Comisión Independiente sobre Abusos en la Iglesia Católica" (Ciase) establecida a finales de 2018 por la propia Conferencia Episcopal francesa, véase *https://www.ciase.fr/rapport-final/ https://www.ciase.fr/medias/Ciase-Final-Report-5-october-2021-english-version.pdf*). Más en otros muchos países se han denunciado decenas de miles de abusos a menores, mayoritariamente varones, es el caso de Irlanda, EE. UU., México, Perú...y una lista interminable que abarca a todas aquellas naciones con presencia de la iglesia católica: cuanto más catolicismo más abusos sexuales a niños y jóvenes varones.

18   No termino de entender bien esta referencia efectuada en el Prólogo de la Ley: ¿es que, acaso, las "mujeres mayores" no pertenecen al género "mujer"? ¿Es que en las mujeres "no mayores", en muchas de ellas, no persisten los "esquemas patriarcales"?

En los últimos años se ha difundido la idea de que la mejor forma de abordar determinados fenómenos, que no se refieren exclusivamente al problema penal, es con "leyes integrales", en las que se regularían aspectos civiles, administrativos, penales, procesales, meramente tuitivos, etc. Seguramente ello es así. El peligro radica, no obstante y en primer lugar, en que los principios que gobiernan la ley integral interfieran los de las leyes modificadas (códigos penales, civiles, procesales…); y en segundo término, en que los departamentos que abordan esa ley integral, en algunas ocasiones con insuficientes conocimientos jurídicos, terminen cometiendo importantes errores técnicos. Empecemos por eso último[19].

II. ALGUNOS, SÓLO ALGUNOS, DEFECTOS TÉCNICOS EN LA LEY LO 10/2022[20]

1. Disposiciones transitorias

Ha llamado poderosamente la atención la ausencia de Disposiciones Transitorias en la nueva ley orgánica, error imper-

---

[19]   Desde luego que existe otro aspecto de las leyes integrales que es muy rentable para las esferas del poder, y es el de la comunicación política, que no voy a desarrollar.

[20]   Más allá de continuas repeticiones en el texto de otras disposiciones. Compárese, por ejemplo, lo dicho en el artículo 37 de la LO 10/2022: *"Acreditación de la existencia de violencias sexuales. 1. A estos efectos, también podrán acreditarse las situaciones de violencias sexuales mediante informe de los servicios sociales, de los servicios especializados en igualdad y contra la violencia de género, de los servicios de acogida destinados a víctimas de violencias sexuales de la Administración Pública competente, o de la Inspección de Trabajo y de la Seguridad Social, en los casos objeto de actuación inspectora; por sentencia recaída en el orden jurisdiccional social; o por cualquier otro título, siempre que ello*

donable que ha sido tratado de "suplir" por las impulsoras de la ley (Ministerio de Igualdad) invocando las transitorias de la LO

---

esté previsto en las disposiciones normativas de carácter sectorial que regulen el acceso a cada uno de los derechos y recursos. En el caso de víctimas menores de edad, y a los mismos efectos, la acreditación podrá realizarse, además, por documentos sanitarios oficiales de comunicación a la Fiscalía o al órgano judicial. 2. El Gobierno y las comunidades autónomas, en el marco de la Conferencia Sectorial de Igualdad, diseñarán, de común acuerdo, los procedimientos básicos que permitan poner en marcha los sistemas de acreditación de las situaciones de violencias sexuales"; con lo preceptuado en el artículo 23 de la LO *"También podrán acreditarse las situaciones de violencia contra las mujeres mediante informe de los servicios sociales, de los servicios especializados, o de los servicios de acogida de la Administración Pública competente destinados a las víctimas de violencia de género, o por cualquier otro título, siempre que ello esté previsto en las disposiciones normativas de carácter sectorial que regulen el acceso a cada uno de los derechos y recursos.- En el caso de víctimas menores de edad, la acreditación podrá realizarse, además, por documentos sanitarios oficiales de comunicación a la Fiscalía o al órgano judicial.- El Gobierno y las comunidades autónomas, en el marco de la Conferencia Sectorial de Igualdad, diseñarán, de común acuerdo, los procedimientos básicos que permitan poner en marcha los sistemas de acreditación de las situaciones de violencia de género"*.
Este concreto hecho fue advertido en el Informe del Consejo Fiscal al Anteproyecto de Ley Orgánica de Garantía Integral de la Libertad Sexual, de 2 de febrero de 2021 (pág. 24), pero no sirvió de nada. Parece que las autoras de la Ley de Garantía Integral de la Libertad Sexual tenían un programa normativo propio; o lo que es peor: no están dispuestas de ninguna manera a escuchar opiniones que no se subordinen a las suyas. Por eso todo el proceso legislativo les sobra, prescinden de cualquier advertencia incluidas las de los órganos constitucionales, y a quienes "no leen" en la Ley lo que ellas "quieren leer" les declaran inmediatamente boicoteadores de la Ley; y lo que es más preocupante: en el conflicto por la revisión de las penas no tienen ningún inconveniente en descalificar a los jueces que no acuerdan con ellas, y "señalarles con el dedo" (véase, por ejemplo, *https://www.elconfidencial.com/espana/2023-02-24/montero-achaca-rebajas-campana-jueces-incumplen-ley_3581391/*).

10/1995, de 23 de noviembre, por la que se aprobó el nuevo Código Penal. El problema es que ello...no es posible por una potísima razón: estas disposiciones transitorias son de la ley del 95 y no es posible jurídicamente que trasciendan a la LO 10/2022[21].

En efecto, el Derecho Transitorio, por definición, viene a regular las situaciones de "tránsito" de un escenario jurídico a otro. Determinar qué relaciones se conservan y cuáles se modifican, tratando de evitar contextos de pendencia en el Ordenamiento provocados por cambios legislativos. En definitiva, se trata de vislumbrar qué eficacia pueda tener la norma nueva sobre hechos y relaciones producidas cuando regía la norma anterior (CASTÁN TOBEÑAS). Esto es producto de que los hechos y relaciones de que se traten siguen produciendo efectos en un tiempo en el que la norma antigua no rige ya por haber entrado en vigor la nueva: se trata, por ello, de resolver concursos de normas que se producen en un ámbito de sucesión temporal de leyes. La cuestión se complica en el caso de las leyes penales, precisamente por la vigencia de los principios de irretroactividad/retroactividad de la norma de esa naturaleza (sancionadora, art. 9.3 CE y 2 CP). Se trata, sin embargo, de una "complicación" simplificadora. En efecto, a diferencia del CC en el cual sus disposiciones transitorias tienen que aludir a múltiples situaciones singulares, en el Código Penal, por mandato constitucional -en el caso de la irretroactividad y legal en el de la retroactividad- tal y como se acaba de indicar, se incluye en el artículo 2.2 lo que constituye la regla que, con carácter general, proporciona la pauta a la que se somete la sucesión temporal de leyes penales: este es el criterio general que indica

---

[21]   En efecto, continuamente las disposiciones transitorias del Código Penal de 1995 se están refiriendo tanto al "código derogado" como al nuevo Código: al Código Penal de 1973 como al de 1995. A la legislación penal especial vigente con anterioridad al 1995 o a la redención de penas por el trabajo, etc.

al Legislador cuál deba ser la armadura a la que se tiene que ajustar el Derecho Transitorio que se prevea para cada Ley penal particular.

Es decir: dos planos normativos regulatorios. El general, acogido en los citados artículos 9.3 y 25.1 CE y 2, CP, en los que se indica con carácter universal cuál es la norma aplicable: la favorable[22], y cuál no es: la desfavorable; y el particular, diseña-

---

[22] En nuestro Derecho Penal, con fundamento en la prohibición del exceso (en el caso de que la nueva norma mantenga la consideración de la conducta como ilícita, pero disminuya la pena, en este sentido COBO DEL ROSAL, M y VIVES ANTÓN, T *Derecho Penal. Parte General*, 5ª ed., Valencia, 1999, pág. 196; CASABÓ RUÍZ -"Comentario al artículo 24 CP", en J. CÓRDOBA RODA y G. RODRÍGUEZ MOURULLO *Comentarios al Código Penal. Tomo II, artículos 23-119*, Barcelona, 1972, pág. 46- entiende, sin embargo, que la retroactividad sólo se puede justificar en razones de humanidad. Para el Tribunal Constitucional la fundamentación, vinculada con el principio de legalidad, se encuentra en la evitación de sorpresas al ciudadano, en este sentido, y por todas STC 234/2007, de 5 de noviembre), y como consecuencia de lo dispuesto en el artículo 2.2 del Código Penal (*"No obstante, tendrán efecto retroactivo aquellas leyes penales que favorezcan al reo, aunque al entrar en vigor hubiera recaído sentencia firme y el sujeto estuviese cumpliendo condena..."*), no hay limitación a la aplicación de la norma más favorable (en algunas resoluciones del Tribunal Constitucional se estima que la retroactividad favorable tiene también anclaje constitucional, véanse SSTC 8/1981, de 30 de marzo; 15/1981, de 7 de mayo; 131/1986, de 28 de octubre, y 215/1998, de 11 de noviembre, para las que la "retroactividad de la ley penal más favorable es un principio reconocido constitucionalmente a partir de una interpretación 'a contrario' del art. 9.3 C.E". Ello, en todo caso, no significa que conlleve derecho de carácter constitucional susceptible de amparo; en este sentido y por todas, STC 17/2010, de 27 de abril). Ello no ocurre así, sin embargo, en otros ordenamientos de la Unión; por ejemplo, en el italiano, artículo 2, párrafo cuarto, se dispone: "Si la ley al tiempo de comisión del delito y la posterior son distintas, se aplicará aquella cuyas disposiciones sean más favorables al reo,

do para cada singular norma penal de modificación del Ordenamiento criminal, que concretará para esa última disposición los criterios pertinentes que permitirán fijar normativamente cuál sea la ley llamada a integrar el Ordenamiento. Con esta estructura se trata de blindar la certeza sobre el Ordenamiento Jurídico aplicable y los intereses jurídicamente tutelados (STC 15/1986, de 31 de enero); en definitiva: la seguridad jurídica (art. 9.3, CE).

---

salvo que haya sido dictada sentencia firme" (éste era, también, el espíritu de la norma aplicable al caso contenida en el artículo 20 del CP español de 1848. El texto vigente en el artículo 2 del Código, proviene del artículo 23 del CP1870 -véase sobre las razones de la modificación en la redacción GROIZARD Y GÓMEZ DE LA SERNA, A *El Código Penal de 1870. Concordado y comentado*, Tomo II, págs. 96 y ss.-, y se ha mantenido ese contenido, incluso en las dictaduras del siglo XX-(aunque el CP1928 limitaba el alcance de la retroactividad a que el reo no fuere un "delincuente habitual"-, hasta el día de hoy). Se trata de una disposición que trae causa de la redacción originaria del Código Rocco (artículo 2, párrafo segundo, último inciso); sin embargo, en el Código Zanardelli de 1889, el párrafo segundo del artículo 2 se pronunciaba en términos muy parecidos al de nuestro vigente Código Penal: "Si la ley del tiempo en el cual fue cometido el delito y las posteriores son diversas, se aplica aquella cuyas disposiciones sean más favorables al imputado". En el mismo sentido que el Código Penal italiano vigente se pronuncia el Código Penal francés (artículo 112-1, párrafo tercero: "No obstante, las nuevas disposiciones se aplicarán a los delitos cometidos antes de su entrada en vigor cuando sean menos gravosas que las antiguas, y no se haya dictado sentencia firme"), y el alemán (artículo 2.3 "Si cambiara la ley vigente al momento de finalizar el hecho antes de dictar sentencia, se aplicará la ley más favorable", en el cual, y como ya dijera R. MAURACH (*Tratado de Derecho Penal*, trad. y notas Juan Córdoba Roda, Barcelona, 1962, pág. 143) más allá del dictado de la sentencia firme sólo caben medidas de gracia.

De lo anterior se deducen, inmediatamente, dos consecuencias: a) que las disposiciones transitorias particulares están referidas, exclusivamente, a la Ley de la que forman parte[23]; b) que las disposiciones transitorias concretas se agotan en su vigencia en cuanto materialmente finalizan los problemas aplicativos de la norma de que se trate (HERNÁNDEZ GIL), de los que traen causa. Esto significa, entre otras cosas, que las normas, las disposiciones, transitorias de la Ley de aprobación del Código Penal de 1995, han dejado de producir efecto desde el momento en que se ha terminado la "transición" del CP de 1973 al CP de 1995[24]

---

[23]   Véase, CUELLO CONTRERAS, J *El Derecho penal español. Parte General. Nociones introductorias. Teoría del delito,* 3ª ed., 2002, pág. 249.

[24]   Es verdad que en la STS 178/2006, de 16 de febrero (Ponente Román Puerta) se llega a afirmar en algún pasaje de la misma: "Que la Disposición transitoria segunda del Código Penal establece que 'para la determinación de cuál sea la ley más favorable se tendrá en cuenta la pena que correspondería al hecho enjuiciado con la aplicación de las normas completas de uno u otro Código', y la Disposición transitoria quinta que 'en las penas privativas de libertad no se considerará más favorable este Código cuando la duración de la pena anterior impuesta al hecho con sus circunstancias sea también imponible con arreglo al nuevo Código" (pasajes semejantes se repiten en otros puntos de la misma resolución). Esos textos a que se aluden en la resolución corresponden con las disposiciones transitorias de la Ley de aprobación del Código Penal de 1995. Indudablemente. ¿Quiere decir esto que la Sala consideró vigentes las disposiciones transitorias de la última disposición aludida? No, lo que quiere decir es que los magistrados se confundieron en la cita de la norma. Que ello es así se deduce inmediatamente porque las disposiciones transitorias alegadas por la recurrente en su escrito fueron siempre las de la Ley Orgánica 15/2003, de 25 de noviembre, por la que se modifica la Ley Orgánica 10/1995, de 23 de noviembre, del Código Penal (verbigracia, Fundamento Trigésimo segundo, párrafo quinto: "La disposición transitoria quinta de la L.O. 15/2003 , que entró en vigor el 1º de octubre de 2004, establece que cuando se trate de causas penales en las que el recurso de casación no esté aún formalizado, 'el recurrente podrá señalar las infracciones

(DE LA MATA BARRANCO[25]).

Pues bien, en todo el mundo jurídico se distingue, en las elaboraciones normativas, entre las normas permanentes, como la del artículo 2 del CP, que regulan con carácter general la materia de que se trate, y que por ello permanecen en

---

legales basándose en los preceptos de la nueva ley"; En el mismo sentido, en el Antecedente Cuarto.4, párrafo primero, *in fine*, de la Sentencia, se afirma por la representación de "Cristóbal" en relación con la formalización del recurso de casación: "TRIGÉSIMO: Al amparo de la disposición transitoria quinta de la Ley Orgánica 15/2003 de 25 de noviembre, por adaptación de la individualización de la pena a la reforma del artículo 370 del Código Penal"; así también con relación al otro procesado, y en otros pasajes de la sentencia). La conclusión es que los recurrentes invocan una norma que les favorece, delimitando así el ámbito de la casación, y el Tribunal argumenta con otra, pero que con cualquiera de las dos se llega a idéntica conclusión (la disposición transitoria quinta invocada por el tribunal se corresponde con la primera.2 de la LO 15/2003). Obviamente ha habido un error en la cita por parte del Ponente que ha arrastrado a la Sala.

[25] "Disposiciones transitorias y Derecho Penal", en *Almacén de Derecho*, nov. 20 2022 (*https://almacendederecho.org/disposiciones-transitorias-y-derecho-penal*).

el tiempo; y las normas transitorias, que tienen una vigencia temporal que está condicionada al agotamiento, en este caso, de las particulares situaciones de conflicto aplicativo entre la nueva y la antigua norma, y que actúan como complementarias de las principales. En este sentido es criterio general, tanto en el Derecho patrio como en el Comparado, separar geográficamente ambos tipos de normas.

2. Confusión de rango normativo

Entre otras muchas normas la Ley 10/2022 modifica, en su Disposición Final Séptima, la LO 5/2000, de 12 de enero, reguladora de la responsabilidad penal de los menores. Pues bien, más allá de la inclusión de algún apartado "llamativo"[26] hay que resaltar que a pesar de que la LO 5/2000, tiene ese rango,

---

[26]   El c) del referido artículo 10.2 que dispone: "*Cuando el delito cometido lo sea de los tipificados en los artículos 178 a 183 del Código Penal, las medidas previstas en los dos apartados anteriores deberán acompañarse de una medida de educación sexual y educación para la igualdad*". Más allá de problemas de redacción llama la atención que la medida prevista lo sea únicamente con relación a los preceptos relativos a la libertad sexual, y no a los otros delitos a los que se refiere el apartado, en particular el terrorismo. En este último sentido no debe olvidarse que fue la intervención de menores en actos de *kale borroka* la determinante para el incremento en la duración de la medida de internamiento a la que se refiere el artículo 10.2 de la LO 5/2000 (y que fue operada por la LO 8/2006, de 4 de diciembre).

Por otra parte, no debe olvidarse que la finalidad de la medida de internamiento de menores pretende, siempre, "la adquisición por parte del menor de los suficientes recursos de competencia social para permitir un comportamiento responsable en la comunidad, mediante una gestión de control en un ambiente restrictivo y progresivamente autónomo" (Exposición de Motivos -en realidad Preámbulo-, punto 16, de la LO 5/2000). También en el artículo 7 de la LO se preceptúa: "*Definición de las medidas susceptibles de ser impuestas a los menores y reglas generales de determinación de las mismas. 1. Las medidas que pueden imponer los Jueces de Menores, ordenadas según la restricción de derechos que suponen, son las siguientes: a) Internamiento en régimen cerrado. Las personas sometidas a esta medida residirán en el centro y desarrollarán en el mismo las actividades formativas, educativas, laborales y de ocio".* En la letra h) del mismo precepto, y en referencia a la medida de libertad vigilada de la que gozarán los menores a la finalización del régimen cerrado, se dispone concretamente que los menores quedarán obligados a someterse a programas de *"tipo formativo, cultural, educativo, profesional, laboral, de educación sexual, de educación vial u otros similares".*

Debe tenerse en cuenta a este respecto que todo el período de internamiento de menores y de sometimiento a medidas, tiene una finalidad esencialmente educativa, y dada su edad, su desarrollo, y con independencia -en principio- del delito que haya cometido, una educación que tiene que versar sobre todos los aspectos que permitan su maduración, inserción y empatía social, entre los que se encuentra la educación sexual (por ello, precisamente y también, la introducción del artículo 7.5 en la LO 5/2000 carece de sentido, y vuelve a demostrar el desconocimiento sobre la legislación de menores por parte de los reformadores de la LO 10/2022). En este sentido POZUELO PÉREZ, en un interesante trabajo ("Sobre la responsabilidad penal de un cerebro adolescente. Aproximación a las aportaciones de la neurociencia acerca del tratamiento penal de los menores de edad", en *InDret*, 2/2015, disponible en *https://www.raco.cat/index.php/InDret/article/view/365913/459967*), pone de manifiesto no sólo la necesidad de diferenciar entre adolescentes y adultos a la vista de "las aportaciones de la Neurociencia, que han centrado sus investigaciones en la evolución del cerebro del niño y del adolescente y su transición al cerebro adulto. Estas investigaciones ponen de relieve que en la adolescencia el cerebro humano aún no se encuentra totalmente desarrollado y que ese desarrollo no alcanza su último estadio hasta la edad adulta, lo que podría incidir en la menor capacidad de responsabilidad penal de los adolescentes y en la necesidad, en consecuencia, de un tratamiento penal diferente".

Finalmente hay que indicar que es conveniente conocer, o esforzarse en hacerlo, una Ley antes de proceder a su modificación. En este sentido se entiende mal que se haya reformado el artículo 10.2

es decir, de Ley Orgánica, las autoras de la Ley 10/2022 han dispuesto su modificación por medio de una Ley ordinaria.

En efecto, la Disposición Final Decimoséptima de la LO 10/2022, dispone:

> *"Naturaleza y rango jurídico. Las normas contenidas en el Título Preliminar y las disposiciones finales primera, apartado uno, segunda, cuarta, sexta y undécima tienen rango orgánico".*

Como puede comprobarse, entre las citadas no se encuentra la Disposición Final Séptima por la que se modificó la LO 5/2000. Luego, la redacción del artículo 10.2 de esta Ley sigue teniendo el contenido anterior al que pretendió otorgarle la LO 10/2022, y la modificación, por consiguiente, resulta contraria a la Constitución.

En el sentido anterior el Informe del Consejo General del Poder Judicial al Anteproyecto de Ley de Garantía Integral de la Libertad Sexual señalaba: "Tal y como ha puntualizado la doctrina constitucional (cfr. SSTC 140/1986 y 159/1986), el rango de la norma aplicable, y en su caso el tipo de ley a que se encomienda la regulación de los derechos constitucionalmente reconocidos –ley orgánica o ley ordinaria- constituyen una garantía de los mismos, al suponer límites y requisitos para la acción normativa de los poderes públicos. En tal sentido, la vulneración del rango legal supone la vulneración del derecho protegido en sí mismo: el rango legal se convierte, por tanto, en garante constitucional del propio derecho (cfr. STC 140/1986), y el principio de legalidad pasa a integrarse en el derecho fundamental en el sentido de que su contenido reside en reclamar la regulación por ley, ya ordinaria, ya orgánica, del derecho constitucional".

---

de la LO 5/2000 en el sentido antedicho, y no se haya procedido a hacer lo propio con el artículo 15.1.1°, al menos con relación al artículo 181 CP.

420 FCO. JAVIER ÁLVAREZ GARCÍA

3. Errores de remisión

En el artículo 173.1, CP, se introduce un párrafo, actualmente cuarto, referido a la responsabilidad de las personas jurídicas en materia de delitos contra la integridad moral. Pues bien, en su redacción se ha cometido un error infantil al no haberse coordinado la dicha incorporación con la que estaba en trámite y que se ha terminado plasmando en el párrafo segundo por la LO 14/2022, de 22 de diciembre, de trasposición de directivas europeas. El error es debido a que en el vigente párrafo cuarto la referencia se efectúa a los "tres párrafos anteriores", con lo que al no haber tenido en cuenta el nuevo párrafo segundo, resulta que el delito contra la integridad moral recogido en el párrafo primero quedará fuera del ámbito de comisión de la persona jurídica[27].

4. Máximo desconcierto normativo

Hay no pocos casos en los que se introducen preceptos sin contenido normativo propio y que en no pocas ocasiones se limitan a recordar las facultades que corresponden a otros sujetos, y en otros supuestos a incidir en materias reguladas por

---

[27] Desde luego que no es la primera vez que esto sucede con nuestro Código Penal. Véase a ese respecto lo sucedido con la redacción del artículo 141, CP (actos preparatorios), donde por no haber sumado correctamente resulta que, por primera vez en la historia de nuestra codificación, los actos preparatorios del delito de homicidio del artículo 138, CP, no están castigados; y ello por la misma causa de lo que más arriba se ha expuesto: no se tuvo en cuenta la introducción de un nuevo artículo 140 bis.
En todo caso debe decirse que el "olvido" siendo injustificable desde el punto de vista del cuidado que debe tenerse a la hora de legislar no resultará muy relevante, pues son difícilmente imaginables casos en los que se pudiera articular responsabilidad de la persona jurídica en el ámbito de los delitos sexuales.

todo tipo de normas. En el primer sentido, el artículo 50.2 de la LO 10/2022, preceptúa:

> *"La Agencia Española de Protección de Datos ejercerá las funciones y potestades que le corresponden de acuerdo con lo previsto en el artículo 47 de la Ley Orgánica 3/2018, de 5 de diciembre, de Protección de Datos Personales y garantía de los derechos digitales, con el fin de garantizar una protección específica de los datos personales de las mujeres en los casos de violencia sexual, especialmente cuando esta se perpetúe a través de las tecnologías de la información y la comunicación".*

Este particular aspecto ya fue puesto de manifiesto, con ningún éxito, en el Informe del CGPJ al Anteproyecto de la LO 10/2022[28].

Hay otros muchos casos de confusión, en el sentido indicado, en la LO 10/2022, como las referidas a las unidades de valoración forense integral, artículo 47[29]; las oficinas de asistencia a las víctimas, artículo 49[30]; el Título VII, y más en concreto, los artículos 52 y 53 (responsabilidad civil)[31], y un largo etcétera. Aludiré, finalmente, como un supuesto más de precepto sin contenido normativo propio, el precepto recogido en el artículo 18.2 de la Ley:

> *"Sin perjuicio de lo establecido en los artículos 262 y 264 de la Ley de Enjuiciamiento Criminal, aprobada por Real Decreto de 14 de septiembre de 1882, en cuanto al deber de denunciar, cuando las violencias sexuales detectadas afecten a niñas*

---

[28] Véase la página 22 del dicho Informe. En este mismo documento se advirtió de la inutilidad del contenido de lo que hoy es el artículo 18.3 de la LO 10/2022...con ningún éxito (pág. 22).

[29] Véase la Disposición Adicional Segunda de la LO 1/2004, de 28 de diciembre, y 479 LOPJ.

[30] Véase en ese sentido el artículo 28 de la Ley 4/2015, de 27 de abril, del Estatuto de la Víctima del Delito.

[31] Véanse los artículos 109 y ss., CP, y 615 y ss. de la Ley de Enjuiciamiento Criminal.

o niños, la responsabilidad institucional conllevará el cumplimiento del deber de comunicación previsto en el Título II de la Ley Orgánica 8/2021, de 4 de junio, de protección integral a la infancia y la adolescencia frente a la violencia".

Como puede verse, se trata de un inútil precepto que sólo viene a recordar la vigencia de los artículos 262 y 264 de la Ley de Enjuiciamiento Criminal, y a insistir en una obligación de la institución de que se trate…que deriva de los preceptos acabados de invocar de la LECri. En todo caso, y además, sin olvidar que esa obligación de comunicar, y despreciando ahora los preceptos de la Ley rituaria, se desprende de otros mandatos legales como los recogidos en los artículos 13 y 14 de la Ley Orgánica 1/1996, de 15 de enero, de Protección Jurídica del Menor, de modificación parcial del Código Civil y de la Ley de Enjuiciamiento Civil[32].

En fin, se trata de una forma verdaderamente "enloquecida" de legislar, sin venerar ámbitos normativos y en la que a menudo tampoco se respetan los principios más elementales de la "ciencia de la legislación". Esto sólo va a procurar enorme confusión en la aplicación de la Ley Orgánica, problemas hermenéuticos sin fin e inseguridad jurídica[33].

---

[32]   Cabe preguntarse, llegados a este punto, por la causa de que la LO 10/2022 se refiera en este precepto, exclusivamente, a la LO 8/2021, y no a normas anteriores que fueron impulsadas en otros tiempos por otros departamentos ministeriales, como la ya citada 1/1996: el sectarismo y el fanatismo asoma constantemente en esta Ley, y explica perfectamente todos sus defectos.

[33]   El propio CGPJ, en el Informe reiteradamente mencionado, advertía al Ministerio proponente: "La pluralidad de disposiciones normativas, con aspectos concéntricos y concurrentes, no desaparece mediante la promulgación de la ley orgánica proyectada; antes bien, tal y como está concebido el texto del Anteproyecto, lejos de coadyuvar a la conjunción normativa, propicia mayor dispersión, al introducir un nuevo texto legal que ha de convivir con los ya vigen-

III. SECTARISMO E INCONSTITUCIONALIDAD DE LA LEY

1. El artículo 1.2 de la LO 10/2022, expresa:

"La finalidad de la presente ley orgánica es la adopción y puesta en práctica de políticas efectivas, globales y coordinadas entre las distintas administraciones públicas competentes, a nivel estatal y autonómico, que garanticen la sensibilización, prevención, detección y la sanción de las violencias sexuales, e incluyan todas las medidas de protección integral pertinentes que garanticen la respuesta integral especializada frente a todas las formas de violencia sexual, la atención integral inmediata y recuperación en todos los ámbitos en los que se desarrolla la vida de las mujeres, niñas, niños y adolescentes, en tanto víctimas principales de todas las formas de violencia sexual".

Desde luego este enunciado normativo se cohonesta perfectamente con la ya anunciada finalidad de la Ley de acuerdo a su Preámbulo: "Esta ley orgánica pretende dar cumplimiento a las mencionadas obligaciones globales en materia de protección de los derechos humanos de las mujeres, las niñas y los niños frente a las violencias sexuales... la norma viene justificada por una razón de interés general tan poderosa como es la necesidad de erradicar las violencias sexuales que sufren las mujeres de todas las edades y los niños[34]".

---

tes, y que habrá de solaparse con las disposiciones contenidas, sobre todo, en las leyes sobre violencia de género, sobre igualdad, sobre el estatuto y protección de las víctimas, sobre educación e, incluso, en la ley procesal penal" (pág. 21).

[34] Incluso, en las estadísticas de agresiones sexuales que aparecen en el Preámbulo sólo se alude a las padecidas por mujeres

En el Informe del Consejo Fiscal al Anteproyecto de Ley Orgánica de Garantía Integral de la Libertad Sexual, de 2 de febrero de 2021[35]se decía:

> "En el apartado 1 del artículo 1 se establece que el objeto de esta ley es 'la protección integral del derecho a la libertad sexual mediante la prevención y la erradicación de todas las violencias sexuales contra las mujeres, las niñas y los niños, en tanto que víctimas fundamentales de la violencia sexual'.
> No se considera correcta la formulación del objeto de la ley en tales términos. La libertad sexual se configura como una manifestación del derecho a la libertad del artículo 17 Constitución española, libertad que se predica de toda persona, como se analizará con más detenimiento al tratar la Disposición final quinta"[36].

Pues bien, curiosamente en el texto de la Ley, tal y como se ha publicado en el BOE, la referencia que se efectuaba en el artículo 1.1 del Anteproyecto a las "mujeres, niñas y niños" ha pasado a estar ubicada en el núm. 2 del precepto, y en el número 1 sólo figura una declaración general como es la siguiente: "*El objeto de la presente ley orgánica es la garantía y protección integral del derecho a la libertad sexual y la erradicación de todas las violencias sexuales*"[37].

---

[35]   Que había "entrado" en la Fiscalía, para informe, con fecha 20 de octubre de 2020.

[36]   Pág. 16 del citado Informe.

[37]   Ya en el Anteproyecto de julio de 2021 la referencia a las "mujeres, niñas, niños y adolescentes" se ubicó en el artículo 1.2, con la siguiente redacción: "La finalidad de la presente ley orgánica es la adopción y puesta en práctica de políticas efectivas, globales y coordinadas entre las distintas administraciones públicas competentes, que garanticen la prevención y la sanción de las violencias sexuales, así como el establecimiento de una respuesta integral especializada para mujeres, niñas y niños, en tanto víctimas principales de todas las formas de violencia sexual".

Ahora la pregunta: ¿habrán concluido las proponentes de la Ley que si cambiaban la referencia a mujeres, niños y niñas del número 1 al 2 del precepto, la objeción del Consejo Fiscal decaía?

Pues bien, a mi modo de ver la objeción del Consejo Fiscal parece suficientemente contundente: proteger únicamente, desde el punto de vista penal, a las mujeres, niñas, niños y adolescentes, excluyendo a los varones adultos, conculca el artículo 17 (y el 14) de la Constitución española. Es evidente. ¿Cómo es posible que se haya dictado una norma con esa evidente tacha constitucional?

2. El problema se acrecienta si se acude al artículo 3.2 de la LO 10/2022:

> *"Ámbito de aplicación. 2. La presente ley orgánica es de aplicación a las mujeres, niñas y niños que hayan sido víctimas de violencias sexuales en España, con independencia de su nacionalidad y de su situación administrativa; o en el extranjero, siempre que sean de nacionalidad española, pudiendo a estos efectos recabar la asistencia de embajadas y oficinas consulares prevista en el artículo 51, todo ello sin perjuicio de lo establecido en la Ley Orgánica 6/1985, de 1 de julio, del Poder Judicial, respecto a la competencia de los tribunales españoles".*

a) Una primera observación: Resulta muy llamativa la constante de agrupar -de forma expositiva- en los textos legales a la mujer con los niños y discapaces. Como afir-

---

Sin embargo, ese artículo 1.2, de octubre de 2020, que fue el que se trasladó a los órganos constitucionales para que rindieran informe, se señalaba: "2. La finalidad de la presente ley orgánica es adoptar y poner en práctica políticas efectivas, globales y coordinadas entre las distintas Administraciones Públicas competentes, que incluyan todas las medidas pertinentes que garanticen la prevención y la respuesta frente a todas las formas de violencia sexual".

ma MAQUEDA ABREU[38] debe realizarse "una llamada de cautela sobre los riesgos de estigmatizar a la mujer en su condición de 'sujeto vulnerable', confirmando así los peores estereotipos de género". La mujer debe ser invocada desde la normalidad, desde su entendimiento como persona con plena capacidad de autogestión y no necesitada de constante ni particular tutela. Cuando en esta Ley, y en otras muchas disposiciones de todo género, se agrupa a la mujer con los niños y discapaces, lo que es habitual, no puede evitarse el recuerdo del artículo 57 del CC, vigente hasta la Ley de 2 de mayo de 1975, según el cual: "*El marido debe proteger a la mujer, y ésta obedecer al marido*". No, la mujer no necesita estar tutelada sino únicamente encontrarse en condiciones para ejercer en igualdad. Estamos ante un discurso uno de cuyos finales se encuentra en sacrificar la libertad de las mujeres concretas a quienes no se permite que decidan sobre su sexualidad. En este sentido, la prohibición de la publicidad de la prostitución femenina [que es tipificada como un caso de "violencia sexual", junto a la pornografía, en el artículo 9.1 d) de la Ley 10/2022], que descansa sobre la publicidad en plataformas informáticas ("prostitución discreta") que ha permitido a las personas que la ejercen "abandonar las calles", constituye todo un ejemplo[39].

---

[38] "¿Es la estrategia penal una solución a la violencia contra las mujeres? Algunas respuestas desde un discurso feminista crítico", en *InDret*, 4/2007, pág. 14. Véase también el trabajo, asimismo invocado por la autora acabada de citar, de LARRAURI PIJOAN, E "Feminismo y multiculturalismo" en *Análisis del Código penal desde la perspectiva de género*, Emakunde/Instituto Vasco de la Mujer, Vitoria-Gasteiz, 1998, págs. 33 y ss.

[39] Ciertamente todo el tema de la consideración como ilícita de la publicidad de la prostitución está afectado por la muy deficiente técnica legislativa usada por el Legislador; en este sentido, pongan en relación el artículo 11.1 de la Ley 10/2022, con el nuevo artículo

> b) El artículo 3.2 de la Ley 10/2022 trata, como se deduce inmediatamente de la lectura del precepto, de la fijación del ámbito subjetivo de la Ley; y la conclusión es evidente: se trata de una Ley de aplicación exclusiva, no hay margen de interpretación en este sentido, a las "mujeres, niñas y niños".

Es cierto, sin embargo, que no es excepcional que, en distintas leyes, y después de una declaración general sobre el ámbito de aplicación de la norma se incluya en otro precepto de la misma un ámbito de aplicación complementario. Es el caso, por ejemplo, de la Ley 9/2017, de 8 de noviembre, de Contratos del Sector Público, que en su artículo 2.2 asevera: *"Están también sujetos a la presente Ley..."*; de esta forma se amplía el ámbito de aplicación de la disposición.

Un supuesto como el anterior puede encontrarse en algún precepto de la Ley 10/2022; es el caso del artículo 12.2, II:

> *"De las medidas adoptadas, de acuerdo con lo dispuesto en el párrafo anterior, podrá beneficiarse la plantilla total de la empresa cualquiera que sea la forma de contratación laboral, incluidas las personas con contratos fijos discontinuos, con contratos de duración determinada y con contratos en prácticas".*

No cabe duda de que, en este caso, no son sólo las "mujeres, niñas y niños" las destinatarias de la norma, sino "la plantilla total de la empresa", y es evidente que de esa plantilla forman parte (pueden formar parte) también los varones

---

3 a) de la Ley General de Publicidad (tras la modificación efectuada en el precepto por la LO 10/2022).

Más no puedo terminar esta nota sin poner de manifiesto cómo la LO 10/2022 castiga, mediante la interdicción de la publicidad, esa que he denominado "prostitución discreta", pero no la más penosa para la mujer, la que debe ejercer en los polígonos industriales, en los cruces de carretera, en clubes de mala muerte...si no se tiene la suerte de acceder a la prostitución de élite.

adultos. Nos encontramos, por tanto, con un "ámbito de aplicación complementario".

Sin embargo, a continuación, las autoras de la norma no han "podido evitar" en idéntico precepto la inclusión de una nueva restricción (que roza el ridículo):

"También podrán beneficiarse las becarias y el voluntariado".

Para, nuevamente, a continuación, volver a ampliar el ámbito subjetivo:

"Asimismo, podrán beneficiarse de las anteriores medidas aquellas personas que presten sus servicios a través de contratos de puesta a disposición".

Algún otro supuesto de "ámbito de aplicación complementaria" es posible hallar. Es el caso del artículo 9.1 b):

*"Campañas de concienciación y sensibilización dirigidas específicamente a **hombres, adolescentes y niños** para erradicar los prejuicios basados en roles estereotipados…"* [también en los casos de los artículos 9.1.f)].

Resulta llamativo, por cierto, que esas campañas de "concienciación y sensibilización" (reeducación) se dirijan solamente a varones en toda su amplitud. Ello obliga a subrayar dos aspectos: a) Se señala tácitamente al varón como "el enemigo"; b) Al implicarse al "niño", sin limitaciones en cuanto a la edad, entre el objeto de la norma, se apunta a la creencia genética en su "maldad"; c) Se excluye a la mujer, *in toto*, siendo así que en no pocos casos la mujer es portadora clara de la ideología machista (piénsese, verbigracia, en el caso de las abuelas llevando a cabo la mutilación genital de las nietas); d) Es evidente: no sólo estamos ante una Ley casi exclusivamente para las mujeres, sino también contra el hombre desde el nacimiento de éste.

c) Volviendo al discurso central en este apartado hay que decir que lo habitual, cuando se hace referencia al ámbito de aplicación subjetivo en los distintos preceptos de esta disposición, es que vuelva a insistirse en lo preceptuado en el artículo 3.2 de la Ley: "mujeres, niñas y niños". Es el caso del artículo 33.2 o del 45. En otros supuestos, sin embargo, y aún dentro del universo "mujer", se restringe el ámbito de aplicación subjetivo. Verbigracia, en los artículos 38.1 (trabajadoras), 38.2 (trabajadoras desempleadas), 40.1 y 2 (funcionarias), etc.

Hay otros casos, no obstante, en los que hay una ampliación aparente del ámbito subjetivo, son los supuestos de los artículos 27.2; 28.1; 29.1; 30.1… Digo que se trata de "ampliación aparente" porque de acuerdo con la Ley Orgánica 8/2021, de 4 de junio, de protección integral a la infancia y la adolescencia frente a la violencia, todos los menores de edad tienen la consideración de "niñas, niños o adolescentes", no existiendo normativamente una separación entre la denominación de niño y adolescente, tal y como avala el enunciado del artículo 2 de la Ley (*"Ámbito de aplicación. 1. La presente ley es de aplicación a las personas menores de edad que se encuentren en territorio español, con independencia de su nacionalidad y de su situación administrativa de residencia y a los menores de nacionalidad española en el exterior en los términos establecidos en el artículo 51"*).

d) Pues bien, todos esos preceptos de la LO 10/2022, que son aplicables exclusivamente a las mujeres, niños y niñas, reconocen derechos, situaciones jurídicas, establecen obligaciones a cargo de terceros, etc. Así, el artículo 22 se refiere a que: *"Los poderes públicos establecerán protocolos de actuación que permitan la detección y atención de casos de mutilación genital femenina, de trata de mujeres con fines de explotación sexual y de matrimonio forzado…"*. ¿Por qué los poderes públicos no han de ocuparse de la trata de varones adultos con fines de explotación sexual, o…?; el artículo 33.1 alude a que: "1. *Todas las per-*

sonas comprendidas en el apartado 2 del artículo 3 de esta ley orgánica tienen derecho a la asistencia integral especializada y accesible que les ayude a superar las consecuencias físicas, psicológicas, sociales o de otra índole, derivadas de las violencias sexuales. Este derecho comprenderá, al menos...", y a continuación enumera una gran cantidad de prestaciones como: atención médica, psicológica, información sobre derechos, atención a las necesidades económicas, atención especializada..., sólo para mujeres, niños y niñas. ¿Por qué para los varones adultos víctimas de violencia sexual no hay esas "atenciones"?; el artículo 34.2: *"2. Se garantizará, a través de los medios necesarios, el acceso integral de las mujeres con discapacidad, así como de las niñas y los niños víctimas de violencias sexuales, a la información sobre sus derechos y sobre los recursos existentes..."* ¿y los varones adultos con discapacidad? ¿no se les dará acceso integral a la información...?, y un interminable etcétera de discriminación de los varones adultos respecto a las "mujeres, niñas y niños".

Como conclusión decir que no pocos de los preceptos de la LO 10/2022 son obscenamente contrarios a la Constitución, tanto en lo que afecta a algunas de sus cláusulas generales (artículos 1.2 y 3.2) como desde el prisma de diferentes preceptos particulares como los que hemos aludido.

IV. LA EXCLUSIÓN DE LOS AUTORES DE DELITOS SEXUALES (AÚN LEVES) DE LA COMUNIDAD DE CIUDADANOS

La LO 10/2022 ha incorporado un último apartado al artículo 180, CP, que reza como sigue:

"3. En todos los casos previstos en este capítulo, cuando el culpable se hubiera prevalido de su condición de autoridad,

agente de ésta o funcionario público, se impondrá, además, la pena de inhabilitación absoluta de seis a doce años".

Debe tenerse en cuenta que del Capítulo forma parte el tipo atenuado recogido en el artículo 178.3, CP, según el cual:

"El órgano sentenciador, razonándolo en la sentencia, y siempre que no concurran las circunstancias del artículo 180, podrá imponer la pena de prisión en su mitad inferior o multa de dieciocho a veinticuatro meses, en atención a la menor entidad del hecho y a las circunstancias personales del culpable".

Es decir, y marginando de momento los supuestos de tentativa, complicidad o atenuación de la pena (incluso atenuantes muy cualificadas), podría resultar que a un sujeto condenado a la pena de dieciocho meses de multa se le imponga, además y como pena principal, la de inhabilitación absoluta de hasta doce años.

Si tomamos como referencia las penas accesorias, resultará que la pena de inhabilitación absoluta sólo se impone, y durante el tiempo de la condena, ante penas de prisión de diez o más años (artículo 55, CP). En el caso de penas inferiores a los diez años de prisión, la pena accesoria podrá ser alguna de las siguientes: suspensión de empleo o cargo público, inhabilitación para el derecho de sufragio o inhabilitación especial para empleo o cargo público, profesión, etc., si estos derechos hubieran tenido relación directa con el delito cometido (artículo 56, CP). Desde luego, las penas de multa carecen de pena accesoria.

Pues bien, teniendo en cuenta la enorme amplitud de los efectos de la pena de inhabilitación absoluta[40], ¿puede

---

[40]   *"La pena de inhabilitación absoluta produce la privación definitiva de todos los honores, empleos y cargos públicos que tenga el penado, aunque sean electivos. Produce, además, la incapacidad para obtener los mismos o cuales-*

demostrarse la existencia de proporción alguna entre la imposición de una pena de multa y la de inhabilitación absoluta por hasta doce años? ¿No se trata, más bien, de la decisión de excluir por siempre de la Administración Pública a determinados sujetos/delincuentes por razones exclusivas de tipología de autor, y, paralelamente, de ampliar considerablemente los tiempos de prescripción, de aplicabilidad de la reincidencia y de cancelación de los antecedentes penales[41]? Todos los delincuentes sexuales tendrán, así, imposible, o muy dificultosa, la reinserción a la que se refiere el artículo 25.2, CE, entre otras razones porque con el contenido del artículo 180.3, CP, y con lo que a continuación se expone se evidencia claramente que la pretensión es expulsar de la comunidad de ciudadanos a los delincuentes sexuales, a determinado tipo criminológico de autor, con independencia de la gravedad de sus actos.

En efecto, el artículo 192.3, II, preceptúa:

> *"Asimismo, la autoridad judicial impondrá a las personas responsables de los delitos comprendidos en el presente Título, sin perjuicio de las penas que correspondan con arreglo a los artículos precedentes, una pena de inhabilitación especial para cualquier profesión, oficio o actividades, sean o no retribuidos, que conlleve contacto regular y directo con personas menores de edad, por un tiempo superior entre cinco y veinte años al de la duración de la pena de privación de libertad impuesta*

---

quiera otros honores, cargos o empleos públicos, y la de ser elegido para cargo público, durante el tiempo de la condena".

[41]   Se trata de un régimen tan radicalmente excepcional que sólo encuentra parangón con el de aquéllos delitos a cuyos autores se les pretende, siempre, apartar de la sociedad. Me refiero a los delitos de terrorismo, respecto de los cuales el artículo 579 bis, CP, dispone que sus responsables serán también castigados con las penas de inhabilitación absoluta y especial por un tiempo entre seis y veinte años superior a la de prisión. Aunque también debe decirse que en el caso del terrorismo no se cuenta con una cláusula como la ya criticada del artículo 180.3, CP.

> *en la sentencia si el delito fuera grave, y entre dos y veinte años si fuera menos grave. En ambos casos se atenderá proporcionalmente a la gravedad del delito, el número de los delitos cometidos y a las circunstancias que concurran en la persona condenada".*

Este precepto se incorporó al Código Penal con la Ley Orgánica 8/2021, de 4 de junio, de protección integral a la infancia y la adolescencia frente a la violencia, aunque la LO 10/2022 le dio nueva redacción, pero sin alteraciones materiales en el contenido[42], mas incorporándolo al sistema normativo propio de la LO 10/2022[43].

¿A qué responden estas penas que implican, sectorialmente, la inocuización del individuo[44]? Entiendo que a dos ideas: la del convencimiento sobre la peligrosidad de los delincuentes sexuales (de todos los delincuentes sexuales por igual y con independencia del concreto tipo realizado, a la vista de la falta de proporcionalidad y escalamiento entre el delito y la sanción), y también la creencia (falsa) en la muy difícil, sino imposible, re-

---

[42] La estructura del precepto proviene de la Ley Orgánica 1/2015, de 30 de marzo, donde se le otorgó la siguiente redacción:
  "A los responsables de la comisión de alguno de los delitos de los Capítulos II bis o V se les impondrá, en todo caso, y sin perjuicio de las penas que correspondan con arreglo a los artículos precedentes, una pena de inhabilitación especial para cualquier profesión u oficio, sea o no retribuido que conlleve contacto regular y directo con menores de edad por un tiempo superior entre tres y cinco años al de la duración de la pena de privación de libertad impuesta en su caso en la sentencia, o por un tiempo de dos a diez años cuando no se hubiera impuesto una pena de prisión atendiendo proporcionalmente a la gravedad del delito, el número de los delitos cometidos y a las circunstancias que concurran en el condenado".

[43] Ambas leyes orgánicas fueron impulsadas por el Ministerio de Igualdad.

[44] Véase sobre este concepto, MUÑOZ CONDE, F "La herencia de Franz von Liszt", en *Revista Penal México*, núm. 2, julio-diciembre de 2011, *passim*.

educación de los sujetos que cometen estos delitos[45]. Por ello, la reacción penal es desproporcionada y, como digo, inocuizadora: mira exclusivamente en dirección a la prevención especial referida a un tipo de delincuente al que se considera siempre y en todo caso "peligroso". De ahí que la pena privativa de derechos a imponer sea siempre imperativa (impondrá), nunca facultativa, y que el límite superior de la horquilla sea tan elevado (20 años); amén de que esos 20 años hay que sumarlos a la cifra de la pena de prisión impuesta, lo que puede terminar sumando los treinta y cinco años en algunos supuestos.

Con la inclusión de semejantes penas privativas de derechos (más allá de las altísimas privativas de libertad para los delitos contra la libertad sexual, que en algunos casos superan al homicidio[46], y de las posibles penas accesorias), y tanto por el

---

[45]   Véase, sin embargo, VV.AA *Delitos sexuales y reincidencia Un estudio en las prisiones de Cataluña Evaluación y predicción del riesgo de reincidencia en agresores sexuales Recomendaciones de la comisión para el estudio de las medidas de prevención de la reincidencia en delitos graves*, Generalitat de Catalunya, ¿Barcelona?, 2009, *passim*, especialmente págs. 23 y ss., y referencias bibliográficas; asimismo, Pueyo, AA y Nguyen, T *La reincidencia sexual: breve resumen del estado de la cuestión*, en *La Post Revista sobre Crimen, Ciencia y Sociedad de la era PosCovid19*, 2020, *passim*, y bibliografía allí indicada.

[46]   No debe olvidarse que imponer una pena de idéntica gravedad (o incluso superior, como es el caso del artículo 181.4, CP) a la prevista para el delito de homicidio, puede ser criminógeno, pues pudiera alentar al sujeto activo a dar muerte a la víctima del delito sexual con objeto de suprimir testigos de cargo.
También debe decirse con absoluta rotundidad: más allá de la polémica existente por la revisión de penas como consecuencia de que en algunos tipos penales se ha producido una disminución de los límites mínimos o máximos de la pena con la Ley 10/2022, entiendo que las penas imponibles por la comisión de delitos sexuales son excesivamente elevadas, desproporcionadas en relación a las impuestas por la lesión de bienes jurídicos de mayor valor, como la vida, y lo único razonable sería llevar a cabo una completa revisión

contenido como por la duración de la inhabilitación absoluta (en el caso del artículo 180.3, CP) y de la inhabilitación especial a la que se refiere el artículo 192.3, II, CP, a lo cual se debe sumar el plazo para la cancelación de los antecedentes penales [diez años, de acuerdo con el artículo 136.1 e), CP], la consecuencia será, normalmente, que los condenados no podrán retornar nunca a la profesión que detentaban (especialmente en el caso de la función pública); algo muy cercano, pues, a la muerte civil[47].

Desde luego no es extraño que los códigos penales contengan referencias a elementos personales, GÓMEZ MARTÍN, tras referirse a las relaciones de la criminología y la política criminal con la dogmática, alude al caso de la reincidencia[48] o al reo habitual o profesional o a las circunstancias personales

---

     del modelo lo que debería implicar una sustancial disminución de los marcos penales.

[47] Por otra parte, semejante disposición plantea una enorme cantidad de problemas cuando en el delito de que se trate ya se haya aplicado una pena de inhabilitación. Es el caso del ya mencionado artículo 180.3 y, también, del 184.2, ambos del CP. En este último supuesto se amenaza, además de con una pena de prisión, con la de inhabilitación especial para, entiendo, el ejercicio de la profesión, oficio o actividad de que se tratare por un tiempo de hasta dieciocho meses. Una pena privativa de derechos totalmente adecuada a la gravedad de la conducta reprimida. En este contexto ¿qué justificación puede haber para imponer, sobre las anteriores, una inhabilitación especial de, potencialmente, hasta veinte años? Más allá de que pudieran plantearse cuestiones vinculadas con el *bis in idem*, proporcionalidad y concursales (véase, OTERO GONZÁLEZ, P "Lección 18. Acoso sexual", en ÁLVAREZ GARCÍA, FJ (dir.) *Tratado de Derecho Penal Español. Parte Especial I. Delitos contra las personas*, 4ª ed. -en prensa-, Valencia, 2023).

[48] Seguramente el caso de la reincidencia se aparta del "Derecho Penal del hecho" y se interna en el pantanoso terreno de la "culpabilidad por la conducción de vida".

del delincuente a tener en cuenta en la determinación de la pena[49]. Pero se trata de referencias a concretos sujetos no a categorías enteras de delincuentes, de una determinada tipología de delincuentes: los sexuales. Es decir, en aquél caso se conserva la adhesión esencial al Derecho Penal del hecho[50]. Sin embargo, como señala ROXIN citando a BOCKELMANN, "allí donde entre los presupuestos de la conminación penal se incluye algo distinto y más que el sí y el cómo de una acción individual, y donde ese algo más debe buscarse en la peculiaridad humana del autor, estamos ante un sistema en que la pena se dirige al autor como tal"[51].

Pues bien, no cabe duda de que los delitos sexuales se han estructurado alrededor de un principio: no se trata tanto de reprimir concretas conductas sino categorías de delincuentes (ya la pregunta no es qué ataques son más o menos graves para el bien jurídico que se protege). De ahí la indiferenciación en cuanto a la gravedad de los medios utilizados para llevar a cabo los comportamientos en los artículos 178 y 179, CP; y de ahí, también, la decisión de alejar a esos concretos delincuentes -a todos ellos- del pleno disfrute de la comunidad de los ciudadanos mediante penas privativas de derechos interminables, para todos los delincuentes sexuales, con independencia de la gravedad de las conductas realizadas en términos de ataque el bien jurídico (las penas del artículo 192.3, II, CP, son igualmente

---

[49]   *El Derecho Penal de autor*, Valencia, 2007, pág. 96.

[50]   "…, en estos casos no se trata de un tipo criminológico de receptador, cazador furtivo o usurero, sino de que la comisión profesional o habitual de esos delitos, con independencia de la persona del autor, es mucho más dañosa socialmente que el hecho aislado ocasional y por eso precisa una pena superior" (C. ROXIN *Derecho Penal. Parte General. Tomo I. Fundamentos. La estructura de la teoría del delito*, trad. Diego-Manuel Luzón Penal, Miguel Díaz y García Conlledo y otros, Madrid, 1997, pág. 185).

[51]   Ob. cit., pág. 177.

aplicables por la comisión de un simple acoso sexual que por una penetración anal a un niño)[52]. ¿Cuál puede ser la razón de la imposición de esas "penas eternas"? ¿Qué ha habido una "decadencia personal en la actitud interna" (Erik WOLF[53]) de esos delincuentes sexuales, de todos los delincuentes sexuales?

V. EPÍLOGO

Desde luego, y a pesar de las citas, no estamos, todavía, ante el escenario que se alumbrara en el Derecho Penal de la mano de la denominada "escuela de Kiel", pero es cierto que el autoritarismo en estos tiempos no hace su aparición vestido con camisas pardas, sino con formas aparentemente más inocuas: con la mentira (asalto a los congresos de los EE.UU y Brasil), con la descontextualización, con el ataque despiadado a todos aquellos que se atreven a separarse de la "verdad" (todos los que hemos cuestionado la bondad de la Ley de Libertad Sexual), con la auto atribución de "verdades" que no lo son…, en definitiva con muy diferentes estrategias; y sobre todo: con el silencio de muchos y la disposición de otros tantos a someterse a los toques de corneta, bien sea por disciplina, por la espe-

---

[52]   A todo esto hay que sumar el tenor del artículo 36.2 d) y e), CP, que dispone el cumplimiento de al menos la mitad de la pena, siempre que esta sea superior a cinco años, en el caso de los delitos del artículo 181 (agresiones sexuales a menores de dieciséis años) y en los del Capítulo V del Título VIII, CP ("De los delitos relativos a la prostitución y a la explotación sexual y la corrupción de menores"). Asimismo se incorpora un nuevo segundo párrafo al artículo 83.3, CP, que, para los delitos contra la libertad sexual, incorpora una serie de prohibiciones y deberes.

[53]   "Sobre la esencial del autor", trad. José Luis Guzmán Dalbora, en *Revista Electrónica de Ciencia Penal y Criminología*, 10-r4 (2008), pág. 13.

ranza de una retribución aunque sea miserable, o por cábalas electorales.

Hay que decirlo con claridad, y así lo han manifestado en la prensa algunos catedráticos de Derecho Penal: es falso, radicalmente falso y peligroso porque viene a constituir en paradigma lo que no lo es, que tras la Ley de Garantía de la Libertad Sexual el consentimiento se haya situado, por fin, en el "centro" de los delitos sexuales. NO. FALSO: el consentimiento, y no únicamente en los delitos sexuales, está "desde siempre", en el corazón del sistema del "Derecho Penal sexual", hasta el punto de que su presencia (si se tenía capacidad de consentir y si ésta no se hallaba mermada o afectada) hacía lícita la conducta sexual de que se tratara, y su ausencia la constituía en ilícita. Es FALSO, también, que a la víctima se le exigieran resistencias numantinas frente al agresor (que, en la práctica criminal suele acudir más a la intimidación que a la violencia). No es así, no lleva siendo así desde hace muchos años. Es FALSO, asimismo, que no bastara con la negativa de la víctima para construir el delito; en ese sentido, y cito intencionadamente una resolución "antigua", la Sala 2ª del Tribunal Supremo[54] ha dejado dicho:

> "...la persona humana tiene derecho a decidir libremente sobre su propia sexualidad: realizar el acto o no, realizar o no otras actividades distintas al acceso carnal, aunque del mismo signo, y llevarlo a cabo, en su caso, con determinadas personas y no con otras. Y por ello no puede hablarse ya de resistencia de la víctima, sino más sencillamente de voluntad contraria, sin necesidad de resistencias especiales o heroicas, como a

---

[54] Compuesta por Magistrados solventes, igual que los de Audiencia, a todos los cuales se desautoriza con las peores denominaciones en cuanto se separan de la "verdad pretendida"..., a pesar de que la separación la llevan a cabo "de la mano de la Ley". Mas ¿quién les manda a ellos separarse de lo que dictamina la "perspectiva de género?

veces se entendió. **Basta con el no de la víctima**" (STS de 12 de junio de 1992).

O del mismo Tribunal:

"De la resistencia heroica se pasó a la resistencia seria, finalmente a considerar que lo verdaderamente importantes es 'la actitud violadora del sujeto activo' frente a la cual nada significa la conducta de la víctima, de mayor o menor fuerza opositora" (STS 624/1991, 3-11).

O, en fin:

"...lo esencial en ese delito es que el violador actúe contra la voluntad de la persona violada porque actúa conociendo su oposición" (STS 18-10-1993).

Como se ve, el consentimiento estaba, está, en "el centro" de lo injusto de los delitos contra la libertad sexual. Es FALSO, como digo, que la prescindencia de la voluntad del sujeto pasivo no fuera suficiente para constituir el delito.

Es FALSO que estemos ante una ley de protección de la sexualidad de todas las personas. Es FALSO que se puedan aplicar, sin más y si no es como contribución a la constitución de principios generales, las disposiciones transitorias de la Ley de aprobación del Código Penal de 1995 a la LO 10/2022. Es FALSO que la LO 10/2022 hay acomodado su concepto de violencia sexual al que se deduce del Convenio de Estambul. Es FALSO que las violencias sexuales tengan consecuencias exclusivamente en las mujeres, niñas y niños, con exclusión de los varones adultos.

Es FALSO que una Ley Orgánica se pueda modificar con una simple Ley ordinaria, sin violentar la Constitución.

Es FALSO que todos los medios instrumentales sean valorativamente idénticos en el ataque al bien jurídico protegido: la libertad sexual. No es lo mismo la intimidación o la violencia que el engaño. Es decir: "no todo es robo", existe también el hurto, la estafa o la apropiación.

Es FALSO que la Ley anterior a la entrada en vigor de la 10/2022 no fuera capaz de salir al paso de los atentados contra la libertad sexual. FALSO. De hecho fue aplicando esa Ley como se condenó a los miembros de "la manada de los sanfermines" (y a otras "manadas") a fuertes penas de prisión. Sanciones que hubieran podido ser mucho más graves con la aplicación de esa misma Ley si las acusaciones (no los magistrados que actuaron en las distintas instancias) hubieran sido capaces de acusar, y ordenar sus recursos, correctamente. En este sentido, la Sala 2ª del Tribunal Supremo, dijo en su resolución:

> "El hecho de no haber sido condenados como cooperadores necesarios en las agresiones sexuales consumadas por los otros procesados, sino exclusivamente como autores directos en las que han sido autores materiales, aplicando la continuidad delictiva, lo que es discutible doctrinal y jurisprudencialmente en supuestos como el analizado en los que hay intercambio de roles, cuando un sujeto accede y otro intimida, para luego intercambiar sus posiciones, lo que normalmente ha sido subsumido por esta Sala en las normas concursales; no obstante, al no haber sido objeto de impugnación, el principio acusatorio impide que nos pronunciemos al respecto" (STS 344/2019, de 4 de julio).

En fin, es FALSO que la soberbia, la ignorancia y el fanatismo sean buenas guías político-criminales o dogmáticas a la hora de construir los delitos contra la libertad sexual.

Bibliografía

ALEGRE ÁVILA, JM *Evolución y régimen jurídico del Patrimonio Histórico, I*, Madrid, 1994

BROX SÁENZ DE LA CALZADA, AG ("El Convenio de Estambul en Francia y en España: tareas pendientes", en *Cuadernos Electrónicos de Filosofía del Derecho*, núm. 43, 2020

CALVO GARCÍA, M "La violencia de género como violación de Derechos Humanos. El papel de los movimientos sociales en la lucha por los derechos", en AAVV *Historia de los Derechos Fundamentales*, Tomo IV, Siglo XX, Madrid, 2014

CARAVACA SÁNCHEZ, F y otros "Abusos y agresiones sexuales en prisión, percepción de los internos sobre la existencia de desórdenes mentales como factor de vulnerabilidad", en *Revista Española de Medicina Legal*, núm. 2, 2015

CARDONA LLORENS, J -"La protección de los derechos humanos en el ámbito nacional: la aplicación nacional de la protección internacional", en J. Cardona Llorens y otros -*La protección internacional de la persona*, Valencia, 2022

CASTÁN TOBEÑAS, J *Derecho civil español, común y foral. Obra ajustada al programa para las oposiciones a notarías determinadas.* Tomo primero. Parte general, 6ª ed. revisada, Madrid, 1943

CASABÓ RUÍZ, "Comentario al artículo 24 CP", en J. CÓRDOBA RODA y G. RODRÍGUEZ MOURULLO *Comentarios al Código Penal. Tomo II, artículos 23-119*, Barcelona, 1972

CERDEIRA BRAVO DE MANSILLA, G *Principio, realidad y norma: el valor de las exposiciones de motivos (y preámbulos)*, Biblioteca Universitaria de Derecho, México, DF, 2015

COBO DEL ROSAL, M y VIVES ANTÓN, T *Derecho Penal. Parte General*, 5ª ed., Valencia, 1999

CUELLO CONTRERAS, J *El Derecho penal español. Parte General. Nociones introductorias. Teoría del delito*, 3ª ed., 2002

DÍAZ SÁEZ, JA *Eunucos: historia universal de los castrados y su influencia en las civilizaciones de todos los tiempos*, Córdoba, 2014

EZQUIAGA GANUZAS, J "Concepto, valor normativo y función interpretativa de las Exposiciones de Motivos y Preámbulos", en *Revista Vasca de Administración Pública*, núm. 20, 1988

GROIZARD Y GÓMEZ DE LA SERNA, A *El Código Penal de 1870. Concordado y comentado*, Tomo II

HERNÁNDEZ GIL, A "Disposiciones transitorias", en Paz-Ares Rodríguez y otros (director), *Comentarios del Código Civil*, Tomo II, Madrid, 1993

LARRAURI PIJOAN, E "Feminismo y multiculturalismo" en *Análisis del Código penal desde la perspectiva de género*, Emakunde/Instituto Vasco de la Mujer, Vitoria-Gasteiz, 1998

MUÑOZ CONDE, F "La herencia de Franz von Liszt", en *Revista Penal México*, núm. 2, julio-diciembre de 2011

OTERO GONZÁLEZ, P "Lección 18. Acoso sexual", en ÁLVAREZ GARCÍA, FJ (dir.) *Tratado de Derecho Penal Español. Parte Especial I. Delitos contra las personas*, 4ª ed. -en prensa-, Valencia, 2023

POZUELO PÉREZ, en un interesante trabajo ("Sobre la responsabilidad penal de un cerebro adolescente. Aproximación a las aportaciones de la neurociencia acerca del tratamiento penal de los menores de edad", en *InDret*, 2/2015, disponible en *https://www.raco.cat/index.php/InDret/article/view/365913/459967*

R. MAURACH (*Tratado de Derecho Penal*, trad. y notas Juan Córdoba Roda, Barcelona, 1962

ROVIRA FLÓREZ DE QUIÑONES, MC *Valor y función de las Exposiciones de Motivos en las normas jurídicas*, Santiago de Compostela, 1972

ROXIN, C., *Derecho Penal. Parte General. Tomo I. Fundamentos. La estructura de la teoría del delito*, trad. Diego-Manuel Luzón Penal, Miguel Díaz y García Conlledo y otros, Madrid, 1997

Capítulo 14

Sobre las nuevas excepciones a la dispensa familiar de mujer y menores en supuestos de violencia vicaria y por exposición

GREGORIO SERRANO HOYO

Profesor titular de Derecho Procesal
Universidad de Extremadura

SUMARIO: I. INTRODUCCIÓN: PROGRESIVO CERCO AL SILENCIO PROCESAL EN MATERIA DE VIOLENCIA DE GÉNERO 1. Reforma de los arts. 261 y 416 LECrim por L.O. 8/2021 2. Discordancia entre la exención del deber de denunciar y la de declarar *2.1. Excepción a la exención del deber de denunciar por razón de parentesco 2.2. Excepción a la dispensa familiar del deber de declarar relativa a la representante legal del menor* 3. Limitaciones de las exenciones y retractación de la víctima en los Convenios de Lanzarote y de Estambul II. PECULIARIDADES DE LAS EXENCIONES FAMILIARES EN SUPUESTOS DE VIOLENCIA VICARIA Y POR EXPOSICIÓN 1. Notas sobre la violencia vicaria y por exposición y recíproca condición de testigo y víctima en la mujer y el menor 2. Sujetos pasivos de violencia vicaria no parientes: los allegados menores de edad 3. Persistencia en no incluir en la ley procesal la necesaria distinción entre testigo y testigo-víctima III. EXCEPCIONES A LA DISPENSA DE DECLARAR DE LA MUJER Y DEL MENOR 1. Testigo representante legal o guardador de hecho respecto del menor 2. Testigo mayor de edad de delito grave de que es víctima un menor de edad 3. Menor sin madurez para comprender el sentido de la dispensa *3.1. Tratamiento no uniforme de la minoridad o madurez para determinados actos: apreciación casuística 3.2. Dispensa como derecho de la personalidad o personalísimo 3.3 Incidente para examen del grado de madurez 3.4 Ejercicio sobrevenida y efectos 3.5 Imprevisión en las exploraciones preconstituidas de mayores de 12 años* 4. Personación de la testigo representante legal o guardadora de hecho como acusación particular *4.1. Personación de la madre en nombre propio: pérdida del derecho de dispensa 4.2. Personación de la madre en representación del menor: recuperación por éste del derecho de dispensa* 5. Aceptación, previa información del derecho a no hacerlo, de declarar como testigo en el procedimiento

I. INTRODUCCIÓN: PROGRESIVO CERCO AL SILENCIO PROCESAL EN MATERIA DE VIOLENCIA DE GÉNERO

La mujer víctima de violencia de género por motivos diversos puede no denunciar las conductas constitutivas de delitos de violencia de género de que ella es víctima (es lo que podríamos llamar el silencio inicial y total extraprocesal,[1] generador de impunidad y causa de que las instituciones no puedan adoptar medidas de protección); veremos la exención del deber de declarar por razón de parentesco que contiene el art. 261 LE-Crim. También, iniciado el proceso penal mediante denuncia suya o de terceros, la mujer puede acogerse a la dispensa legal del deber de declarar (cabría hablar de un silencio procesal sobrevenido) por razón de parentesco contra su marido o pareja de hecho en fase de instrucción y en fase de juicio oral. En efecto, no es menor el porcentaje de casos en que la mujer víctima de la violencia de género bien se ha acogido a la exención de declarar ante juzgados y tribunales en procesos en los que se intenta exigir responsabilidad penal a su cónyuge o pareja de hecho, bien se ha desprovisto de virtualidad probatoria a su denuncia o declaración en fase de instrucción por no haberse informado a la misma de su derecho a acogerse a ella. Los da-

---

[1] La STS (2ª) 684/2021, de 15 de septiembre, al recoger las características del maltrato habitual constata que "cuando la víctima se decide a denunciar, o a querer romper su relación ante el carácter insoportable del que se ejerce sobre ella y sus hijos se incrementa el riesgo de que los actos de maltrato pasen a un escenario de "incremento grave del riesgo de la vida de la víctima", ya que si ésta decide comunicar la necesidad de una ruptura de la relación, o le denuncia por esos hechos, el sentimiento de no querer aceptar esa ruptura el autor de los mismos provoca que pueda llegar a cometer un acto de mayor gravedad, y que puede dar lugar, incluso, a actos de la denominada violencia vicaria" (FD 3º).

tos estadísticos sobre dispensas de la mujer son llamativos[2] y el acogimiento a la dispensa genera bolsas de impunidad en la violencia machista debido a que determina el sobreseimiento provisional o la absolución por falta de prueba. A este respecto, la reciente reforma del art. 416.1 LECrim, introducida por la *Ley Orgánica 8/2021, de 4 de junio, de protección integral a la infancia y la adolescencia frente a la violencia,* supondrá una disminución de esa impunidad cuando no sea aplicable la dispensa familiar a tenor de los nuevos supuestos 4º y 5º.

No nos vamos a referir a la violencia de género en que la mujer es la única víctima por no convivir con menores, sino a aquella que implica directa o indirectamente a éstos. En efecto, si nos encontramos con el hecho de que la violencia sobre la mujer se ha cometido en presencia de menores (subtipos agravados) o de que el autor se ha servido de éstos para causar daño a la mujer (violencia vicaria), el menor es como poco testigo y víctima indirecta o colateral de la violencia por exposición y víctima directa y testigo de la violencia vicaria, aunque no es fácil disociar las posiciones de menor y madre. Además, tanto la mujer como el menor son víctimas y testigos de los hechos sobre ellos cometidos y testigos directos o de referencia de las conductas violentas cometidas sobre el otro. Ello provoca que surjan dudas sobre si cada uno de ellos, cuando proceda, podría hacer uso de la dispensa del deber de declarar separadamente o si, en estos casos, no cabe distinguir las posiciones de uno respecto del otro. El problema podía complicarse cuando el menor de edad no tiene la madurez necesaria para entender lo que la dispensa comporta, siendo la madre como represen-

---

[2]   Según el boletín núm. 80, enero 2021, del CGPJ, *Quince años de la Ley Orgánica 1/2004, de 28 de diciembre, de Medidas de Protección Integral contra la Violencia de Género en los órganos judiciales,* en el año 2018 fueron 17.347 las mujeres que se han acogido; en 2019, fueron 17.205. Ha supuesto una *ratio* siempre en torno al 10-12% de las denuncias presentadas.

tante legal la que toma la decisión de que declare en la fase de instrucción, pero el menor adquiere tal madurez en la fase de juicio oral y el tribunal tiene que decidir si el menor recupera su derecho a la dispensa y las consecuencias que ello tiene respecto de lo declarado previamente. Una aproximación a estas complejas cuestiones es lo que se pretende en este breve trabajo a la vista de la reciente reforma legal.

1. Reforma de los arts. 261 y 416.1 LECrim por L.O. 8/2021

Los arts. 261.II y 416.1 de la Ley de Enjuiciamiento Criminal han sido reformados por la *Ley Orgánica 8/2021, de 4 de junio, de protección integral a la infancia y la adolescencia frente a la violencia.* Aplicados en particular en el ámbito de los delitos de violencia de género, analizaremos brevemente las exenciones del deber de denunciar y de declarar, respectivamente, cuando un menor es ofendido o afectado por las conductas constitutivas de tales delitos. La condición de víctimas de mujer y menor es relevante y la doctrina, desde que tales dispensas -redactadas en un momento en que la violencia de género ni existía en la mente del legislador decimonónico- cobraron una aplicación inusitada, empezó a solicitar su reforma para contemplar tal distinción; tal diferenciación sigue sin hacerse y, dado que la ley no la hace, tampoco pueden hacerla los tribunales.

En la reforma de ambos preceptos se lleva a cabo la introducción de excepciones al ejercicio de esta dispensa por razón de parentesco, pero son distintas. Analizaremos las limitaciones a la dispensa que contienen los reformados arts. 261 y 416.1 LECrim en relación con la llamada violencia vicaria o con los subtipos agravados de violencia en presencia de menores y en función de si se puede acoger o no a cada una de ellas la mujer o, eventualmente, la persona menor o con discapacidad; en este sentido, ya anticipamos que algunas limitaciones[3] a la dispensa incluidas en el referido art. 416 son aplicables sólo a la madre, otra únicamente al menor y algunas a ambos con los matices que se dirán.

El art. 261 LECrim contempla la exención por razón de parentesco de la obligación de denunciar respecto del cónyuge y pareja de hecho, pero también del hijo, en relación con el autor de determinados delitos violentos. En el mismo sentido, el art. 416.1 LECrim regula la dispensa del deber de declarar ante el juez instructor y el art. 707 de la misma ley procesal ante el juez sentenciador en la fase de juicio oral. Los supuestos de exención o dispensa de tales deberes no concuerdan, como se verá, sin que el legislador exponga las razones.

La dispensa del deber de declarar en procesos por violencia de género ha ocupado y seguirá ocupando a doctrina y jurisprudencia. Su fundamento es siempre la solución legal a un conflicto de conciencia o de intereses entre el testigo y el investigado a los que les une una relación familiar o vínculo parental[4].

---

[3]   Cuatro de ellas se contienen en el artículo 660 del Anteproyecto de Ley de Enjuiciamiento Criminal de 2020. En tal Anteproyecto se recogen previsiones que no ha acogido la vigente L.O. 8/2021, como la que encarga al juez, de oficio o a petición de parte, a realizar las comprobaciones oportunas para asegurarse que concurren los supuestos que amparan la dispensa del testigo y que su decisión ha sido libremente adoptada, sin coacción o amenaza. Además, tales informaciones obtenidas al practicar tales comprobaciones carecerán de valor probatorio a efectos del juicio.

[4]   La reciente STS 2701/2022 (ECLI:ES:TS:2022:2701) recoge su regulación y fundamento: 1.2. Nuestro ordenamiento jurídico impone la obligatoriedad de colaborar con la Justicia a aquellos que tengan conocimiento de circunstancias o extremos que puedan servir para el esclarecimiento de los hechos que son objeto de un proceso penal (arts. 410 y 702 LECRIM). Un deber general que se excepciona para

los testigos que mantienen determinados vínculos de parentesco o
de relación con el sujeto pasivo de la acción penal. Concretamente,
el artículo 416.1 de la LECRIM dispone que, entre otros supuestos,
están dispensados de la obligación de declarar: "Los parientes del
procesado en líneas directa ascendente y descendente, su cónyuge o
persona unida por relación de hecho análoga a la matrimonial, sus
hermanos consanguíneos o uterinos y los colaterales consanguíneos
hasta el segundo grado civil..."; añadiendo el artículo 418 del mismo
texto que: "Ningún testigo podrá ser obligado a declarar acerca de
una pregunta cuya contestación pueda perjudicar material o moralmente y de una manera directa e importante, ya a la persona, ya a la
fortuna de alguno de los parientes a que se refiere el artículo 416".
Una dispensa que para el acto del plenario se recoge en el artículo
707 de la Ley procesal, al fijar que "Todos los testigos están obligados a declarar lo que supieren sobre lo que les fuere preguntado,
con excepción de las personas expresadas en los artículos 416, 417 y
418, en sus respectivos casos".

La dispensa de la obligación del testigo de colaborar con la Administración de Justicia se configura como un derecho individual de
rango constitucional, en la medida en que los preceptos citados son
el reflejo y el desarrollo de la previsión contenida en el artículo 24.2
de la Constitución Española, que fija "in fine" que "La ley regulará
los casos en que, por razón de parentesco o de secreto profesional,
no se estará obligado a declarar sobre hechos presuntamente delictivos".

Se muestra así como un derecho de los ciudadanos en relación con
el ejercicio de las funciones jurisdiccionales, si bien con la singularidad, destacada por la doctrina constitucional y jurisprudencial, de
que se proyecta a favor del testigo en un proceso y no de las partes
que se integran en él, sin que exista un derecho del encausado a
que no declaren contra él las personas referenciadas en las normas
reguladoras anteriormente expuestas (STC 94/2010, de 15 de noviembre).

1.3. El Derecho encuentra su justificación en razones de estricta eficacia procesal, así como en razones de conciencia , esto es, en la
significación natural y social de determinados vínculos parentales,
cuya intensidad y duración pueden colocar al testigo entre la difícil
tesitura de colaborar con la Justicia diciendo la verdad sobre unos

Aunque el fundamento de las exenciones del cumplimiento de deberes procesales para terceros (afectados por la violencia de género, no se olvide) sea el parentesco, la discordancia no se entiende en la medida en que el denunciante será llamado a presencia judicial para ratificarse o declarar.

2. Discordancia entre la exención del deber de denunciar y la de declarar por razón de parentesco

El deber de denunciar delitos públicos de los que se sea testigo (art. 259 LECrim) y el de declarar como testigo (art.

---

hechos con la trascendencia que sugiere que presenten una estrecha conexión con un delito, o preservar la incuestionable solidaridad y afecto que puede unir al testigo con el procesado, cuando se puede tener la voluntad de preservar y no comprometer sus relaciones de futuro. Decíamos en nuestra STS 486/2016, de 29 de octubre, que, "la exención al deber de declarar que proclama el artículo 416 de la LECRIM tiene mucho que ver con razones de índole puramente pragmática. El legislador sabe que las advertencias a cualquier testigo de su deber de decir verdad y de las consecuencias que se derivarían de la alteración de esa verdad, no surte nel efecto deseado cuando es un familiar el depositario de los elementos de cargo necesarios para respaldarla acusación del sospechoso. De ahí que, más que una exención al deber de declarar, el artículo 416.1 arbitre una fórmula jurídica de escape que libera al testigo-pariente de la obligación de colaboración con los órganos jurisdiccionales llamados a investigar un hecho punible. Ese es el significado jurídico de aquel precepto y su aplicación no puede ir más allá de su verdadero fundamento". Pero recalcábamos también en nuestra STS 134/2007, de 22 de febrero, que la dispensa de declarar "tiene por finalidad resolver el conflicto que se le puede plantear al testigo entre el deber de decir la verdad y el vínculo de solidaridad y familiaridad que le une con el procesado", remarcando así los motivos de conciencia que refleja nuestra jurisprudencia, de la que es también ejemplo la STS 703/2014, de 29 de octubre, con cita de la STEDH, de 24 de noviembre de 1986, caso Unterpertinger vs. Austria.

410 LECrim) y las exenciones o dispensas de tales deberes por razón de parentesco (arts. 261 y 416 LECrim, respectivamente) guardan cierta relación, pero no siempre van unidos ni con carácter general ni en particular en lo relativo a los delitos de violencia de género o, más concretamente, en la violencia vicaria. La falta de homogeneidad entre el ámbito objetivo de una y otra exención puede plantear problemas o situaciones paradójicas.

El menor o impúber está exento del deber de denunciar (art. 260 LECrim), pero el adolescente o mayor de 14 años sí está obligado a denunciar salvo que se acoja a la dispensa, que no decae por mucho que se trate de delito de maltrato habitual previsto en el artículo 173.2 del Código Penal de que sea víctima su madre. En cambio, tendría el deber de denunciar y no podría acogerse a la dispensa si la víctima de un delito grave es un hermano suyo menor de edad (art. 416.1.2º LECrim).

En la práctica es poco frecuente que el menor presente directamente denuncias al hacerlo sus representantes legales, pero en este precepto se atiende a la edad; en cambio, en el art. 416.1.3º para el deber de declarar se acude al criterio de la "comprensión del sentido de la dispensa", que más adelante comentaremos.

No puede decirse que el legislador no haya sido consciente de la reforma de ambos preceptos, que en algunas ocasiones no se han hecho a la vez. En la EM de la *Ley Orgánica 8/2021, de 4 de junio, de protección integral a la infancia y la adolescencia frente a la violencia,* refiriéndose a la disposición final primera, se establece: "En el tercer apartado se modifica el artículo 261 y se establece una excepción al régimen general de dispensa de la obligación de denunciar, al determinar la obligación de denunciar del cónyuge y familiares cercanos de la persona que haya cometido un hecho delictivo cuando se trate de un delito grave cometido contra una persona menor de edad o con discapacidad necesitada de especial protección, adaptando nuestra legislación a las exigencias del Convenio de Lanzarote. Igualmente, en el apartado cuatro se modifica el artículo 416, de forma que se establecen una serie de excepciones a la dispensa de la obligación de declarar, con el fin de proteger en el proceso penal a las personas menores de edad o con discapacidad necesitadas de especial protección". Estos menores o discapacitados pueden no ser descendientes, pero convivir en el núcleo familiar y, dado que no se distingue, también formar parte del mismo; sólo en este caso, surgirá el conflicto derivado de la relación de parentesco, que resulta irrelevante.

2.1. Excepción a la exención del deber de denunciar por razón de parentesco

El art. 261.II LECrim, en la redacción dada también por la *Ley Orgánica 8/2021, de 4 de junio, de protección integral a la infancia y la adolescencia frente a la violencia,* dispone: "Esta disposición no será aplicable cuando se trate de un delito contra la vida, de un delito de homicidio, de un delito de lesiones de los artículos 149 y 150 del Código Penal, de un delito de maltrato habitual previsto en el artículo 173.2 del Código Penal, de un delito contra la libertad o contra la libertad e indemnidad sexual o de un delito de trata de seres humanos y la víctima del delito sea una persona menor de edad o una persona con discapacidad necesitada de especial protección". Por tanto, la inaplicación de la exención o, dicho de otra forma, la excepción a la exoneración de la obligación de denunciar por razón de parentesco para la madre está supeditada a la concurrencia de un doble requisito: uno, el elenco de delitos previstos (filicidio, lesiones, retención o secuestro, maltrato habitual y violencia sexual en lo que aquí interesa) y, dos, la minoridad o discapacidad de la víctima. En definitiva, la madre (o cualquier persona con relación de parentesco) tiene la obligación legal de denunciar, pero sólo en los delitos que aquí se determinan (elenco bastante raquítico respecto de todos los que constituyen violencia a tenor del párrafo segundo del art. 1.2 de la L.O. 8/2021 y que pueden ser delitos cometidos en el ámbito familiar o doméstico por el padre o conviviente para causarle daño a la madre) y en los que la víctima sea un hijo menor suyo; por tanto, en otros delitos que se cometan sobre sus hijos menores o con discapacidad podría acogerse a la exención del deber de denunciar por razón de parentesco. El silencio procesal de la madre en cuanto testigo directo o indirecto de otros delitos cometidos sobre los hijos para causarle daño a ella (por ejemplo, el maltrato puntual del art. 153.2 CP) no nos parece que esté justificado, pero es legal sin que conozcamos las razones del legislador.

Como veremos a continuación, la mujer puede acogerse a la dispensa de denunciar determinados delitos que pueden conceptuarse como violencia vicaria, pero no puede hacer valer su derecho a la exención de declarar ante el juez por esos delitos si el proceso se ha incoado por atestado o denuncia de un tercero.

2.2. Excepción a la dispensa familiar del deber de declarar relativa a la representante legal del menor

Las limitaciones del derecho a la dispensa serán objeto de estudio más adelante, pero ya avanzamos que la dispensa del deber de declarar en los supuestos de violencia vicaria o por exposición no existe tras la reforma del art. 416.1.1º LECrim; en efecto, la dispensa no será de aplicación cuando el testigo (la madre) tenga atribuida la representación legal o guarda de hecho de la víctima menor de edad o con discapacidad necesitada de especial protección. El legislador resuelve el conflicto que puede haber entre declarar contra el padre investigado o enjuiciado como autor del delito y entre proteger al menor de edad o persona con discapacidad víctima del delito, decantándose en favor de la protección del menor con lo que la madre o guardadora nunca podrá acogerse a la dispensa del deber de declarar. Distinto será si la madre se puede acoger a la dispensa del deber de declarar respecto de los daños o lesiones psíquicas que la comisión del delito sobre el hijo a ella le causa. En este caso, la abstención del deber de declarar sobre el fin perseguido por el investigado no debilita su deber de declarar (y, por tanto, la prueba) sobre los hechos de que haya sido víctima el menor como instrumento empleado para dañarla a ella.

Si no existe dispensa a la que la mujer/madre pueda acogerse, no hay que informar de ella y, consiguientemente, desaparecen los problemas sobre las consecuencias que la omisión de tal información sobre la misma tiene respecto de su declaración en el proceso, objeto de distinta interpretación judicial y doctrinal.

En definitiva, aunque la madre no tiene el deber legal de denunciar (obviamente puede hacerlo y lo deseable es que lo haga) la comisión de determinados delitos sobre el hijo menor o persona con discapacidad que dan lugar a violencia vicaria, debe declarar y decir verdad cuando sea citada ante el juez instructor.

3. Limitaciones de las exenciones y retractación de la víctima en los Convenios de Lanzarote y de Estambul

El hecho de que el legislador procesal restrinja las exenciones de los deberes de denunciar y de declarar es coherente con el deseo de acabar con cualquier encubrimiento de la violencia de género.

Como veíamos más arriba, la EM de la Ley orgánica 8/2021 hace referencia expresa al Convenio de Lanzarote, pero tras la lectura del Instrumento de ratificación del Convenio del Consejo de Europa para la protección de los niños contra la explotación y el abuso sexual, hecho en Lanzarote el 25 de octubre

454 GREGORIO SERRANO HOYO

de 2007 (publicado en el BOE de 12/11/2010) no acertamos a entender esa adaptación del art. 261 LECrim al mismo. En su artículo 32, intitulado "Iniciación del procedimiento" dispone: "Cada Parte adoptará las medidas legislativas y de otro tipo que sean necesarias para que las investigaciones o enjuiciamiento de los delitos tipificados con arreglo al presente Convenio no estén supeditados a una denuncia o acusación por parte de la víctima, y para que el procedimiento siga adelante incluso en el caso de que la víctima se retracte". En el mismo sentido, el art. 55.1 del Instrumento de ratificación del Convenio del Consejo de Europa sobre prevención y lucha contra la violencia contra la mujer y la violencia doméstica, hecho en Estambul el 11 de mayo de 2011 (BOE de 6 de junio de 2014), intitulado "procedimientos ex parte y ex oficio" establece: "Las Partes velarán por que las investigaciones o los procedimientos relativos a los delitos previstos en los artículos 35, 36, 37, 38 y 39 del presente Convenio no dependan totalmente de una denuncia o demanda de la víctima cuando el delito se hubiera cometido, en parte o en su totalidad, en su territorio, y por que el procedimiento pueda continuar su tramitación incluso cuando la víctima se retracte o retire su denuncia". Realmente, estos convenios no imponen la restricción o limitación de las exenciones de denunciar o declarar, sino que, pese al ejercicio del derecho a las dispensas familiares y el protagonismo probatorio de las víctimas en los procesos de violencia de género[5], el proceso no se archive.

---

[5] ETXEBERRÍA GURIDI, J. F., "Protagonismo probatorio de la víctima en el proceso penal: inconvenientes y ¿posibles soluciones? (al hilo del Convenio de Estambul)", *Revista Boliviana de Derecho*, N°. 33, 2022, págs. 326-363.

II. PECULIARIDADES DE LAS EXENCIONES FAMILIARES EN SUPUESTOS DE VIOLENCIA VICARIA Y POR EXPOSICIÓN

1. Notas sobre la violencia vicaria y por exposición y recíproca condición de testigo y víctima en la mujer y el menor

La violencia vicaria, que con tal denominación específica en la norma estatal no aparece, se introduce en el apartado 4 del art. 1 de la *Ley Orgánica 1/2004, de 28 de diciembre, de Medidas de Protección Integral contra la Violencia de Género,* añadido por la disposición final décima de la antedicha Ley Orgánica 8/2021, de 4 de junio. Su tenor literal es el siguiente: "La violencia de género a que se refiere esta Ley también comprende la violencia que con el objetivo de causar perjuicio o daño a las mujeres se ejerza sobre sus familiares o allegados menores de edad por parte de las personas indicadas en el apartado primero". No se define más allá de los destinatarios o afectados sobre los que recae[6] y por la intencionalidad lesiva para la mujer, que habrá que determinar, aunque sea acudiendo a la prueba indiciaria.

---

[6]   Encajarían en esta violencia vicaria las conductas que se ejercen a través de los menores y no tanto sobre ellos al menos a efectos de su protección. En este sentido, el AAP M 5724/2021 (ECLI:ES:APM:2021:5724A) considera que el hecho de que el investigado le haya mandado, entre otras personas, mensajes a los hijos menores de edad de la denunciante, no comunes con el denunciado, que han tenido que bloquearle para dejar de recibirlos legitima que la orden de protección respecto de la madre de los menores deba hacerse extensiva la protección prevista en el ordenamiento jurídico a sus hijos, y así se desprende del art.1 de la Ley orgánica 1/2004 de 28 de diciembre, de medidas de protección integral contra la violencia de género, al establecer ... en su apartado 4 que "la violencia de género a que se refiere esta Ley también comprende la violencia que con el objetivo de causar perjuicio o daño a las muje-

No obstante, aquella ley orgánica ya contemplaba la violencia simultánea sobre personas menores o con discapacidad en el mismo acto y ámbito familiar para determinar la competencia objetiva del Juzgado de Violencia sobre la Mujer.

La delimitación del ámbito subjetivo que resulta de la enumeración del art. 173.2 CP no es un dechado de claridad. En aquel precepto se contemplan varios grupos de sujetos pasivos en lo que ahora interesan: a) el que sea o hubiere sido "cónyuge" y a la persona que hubiese podido estar ligada al sujeto activo por "una análoga relación de afectividad", y, en ambos casos, con atención exclusiva a tal vínculo, que opera "aun sin convivencia". b) Los "descendientes por naturaleza, adopción o afinidad". c) menores o incapaces que convivan con aquél o que guarden cierto tipo de relación de dependencia con el cónyuge o conviviente del mismo. Tal enumeración no coincide con lo que previenen los arts. 261 y 416 LECrim. Tampoco con lo previsto en otras leyes procesales. Así, en relación con la violencia de género, que ahora engloba la denominada violencia vicaria siempre que exista la intencionalidad de dañar a la mujer que la caracteriza, el ámbito subjetivo de aplicación que determina la competencia de los Juzgados de Violencia sobre la Mujer para conocer de delitos se puede entender que se concreta en "los cometidos sobre los descendientes, propios o de la esposa o conviviente, o sobre los menores o incapaces que con él convivan o que se hallen sujetos a la potestad, tutela, curatela, acogimiento o guarda de hecho de la esposa o conviviente, *cuando también* se haya producido un acto de violencia de género" contenida en el art. 14.5 a) LECrim, añadido por la Ley Orgánica 1/2004, de 28 de diciembre, o en "los cometidos sobre los descendientes, propios o de la esposa o conviviente, o sobre los menores o personas con la capacidad modificada

---

res se ejerza sobre sus familiares o allegados menores de edad por parte de las personas indicadas en el apartado primero" (FD 2º).

judicialmente que con él convivan o que se hallen sujetos a la potestad, tutela, curatela, acogimiento o guarda de hecho de la esposa o conviviente, *cuando también* se haya producido un acto de violencia de género" contemplada en el art. 87 ter 1. a) LOPJ, añadido por la Ley Orgánica 1/2004, de 28 de diciembre, y modificado por el art. único.25 de la *Ley Orgánica 7/2015, de 21 de julio, por la que se modifica la Ley Orgánica 6/1985, de 1 de julio, del Poder Judicial.*

Los concretos sujetos protegidos se enumeran en el art. 173.2 CP ("sobre los descendientes, ascendientes o hermanos por naturaleza, adopción o afinidad, propios o del cónyuge o conviviente, o sobre los menores o personas con discapacidad necesitadas de especial protección que con él convivan o que se hallen sujetos a la potestad, tutela, curatela, acogimiento o guarda de hecho del cónyuge o conviviente, o sobre persona amparada en cualquier otra relación por la que se encuentre integrada en el núcleo de su convivencia familiar"). Este precepto fue modificado por el art. único 92 de la *Ley Orgánica 1/2015, de 30 de marzo, por la que se modifica la Ley Orgánica 10/1995, de 23 de noviembre, del Código Penal.* al que se remiten los arts. 153.2, 171.5 y 173.4 del mismo texto punitivo[7].

---

[7] Un elenco de los distintos delitos llamados de violencia de género, aunque no exento de críticas, aparece en los arts. 14.5 a), b) y d) LECrim y 87 ter 1. a), b), d) y g) LOPJ.
Podía haberse aprovechado la *Ley Orgánica 8/2021, de 4 de junio, de protección integral a la infancia y la adolescencia frente a la violencia* para la reforma de tales leyes penales y procesales a fin de adaptarlas al sistema establecido en la *Ley 8/2021, de 2 de junio, por la que se reforma la legislación civil y procesal para el apoyo a las personas con discapacidad en el ejercicio de su capacidad jurídica*, que aunque conserva la guarda de hecho, ya no prevé instituciones como la tutela, la patria potestad prorrogada o la patria potestad rehabilitada; aunque sí la curatela (art. 250 CC en su nueva redacción), pero sólo se ha modificado el art. 120.1 CP.

De otra parte, la violencia por exposición o, en términos del código penal, cuando el delito "se perpetre en presencia de menores" supone en principio un único delito, pero esa circunstancia fáctica comporta su subsunción en el subtipo agravado debido a que los menores sufren los efectos dañosos derivados del hecho de que perciban que uno de sus progenitores ejerce violencia sobre el otro, aunque también podría ser otro delito cometido en concurso. Ese menor es potencial víctima y testigo, aunque su declaración muy probablemente no sea ni necesaria ni aconsejable por las consecuencias perjudiciales que le puede acarrear.

Los menores con demasiada frecuencia son testigos-víctimas de la violencia ejercida sobre su madre lo que entraña para ellos importantes consecuencias negativas; a ellos habrá que oírlos y serán explorados cuando proceda y sea aconsejable de acuerdo con lo previsto en el art. 9.2 LOPJM. En definitiva, la condición de testigo y víctima o, al menos, de afectado en estos supuestos es indisociable.

La violencia vicaria puede comportar un concurso ideal: un único hecho constituye dos o más delitos (art. 77.2 CP), pero tiene dos víctimas de delitos distintos (concurso ideal heterogéneo) con resultados o lesiones de bienes jurídicos distintos (el que tiene para el hijo y el que tenga para la madre).

Tanto la madre como el hijo no son terceros ajenos a los hechos, de algún modo en ellos concurre la condición de víctima o cuando menos de afectados. Dado que la ley procesal no distingue, la dispensa es aplicable a ambos.

El concurso puede tener distintas implicaciones procesales (competencia, conexidad, tipo de proceso en función de la pena correspondiente al delito más grave, etc.), pero únicamente abordaremos algunos aspectos relativos a la exención del deber de denunciar, declaración en fase de investigación y de juicio oral y ejercicio de la acusación particular por la mujer en su doble condición de víctima y de representante legal de la persona menor de edad o con discapacidad utilizada como instrumento para causar daño a aquélla.

La violencia vicaria y la violencia por exposición pueden dar lugar a un concurso de delitos y depende de en qué persona pongamos el foco (en la madre o en el hijo) para ver que las soluciones legales pueden ser distintas. Independientemente de la existencia de concurso de delitos y de la perseguibilidad de ambos, los hijos menores convivientes con su madre que sufre directamente la violencia de género son víctimas de la llamada violencia por exposición y los que son víctimas directas de delitos con el fin de dañar a su madre convierten a ésta en víctima o afectada, aunque no sea testigo directa o presencial de los actos criminales sobre su hijo. En efecto, la violencia sobre ellos constituye violencia vicaria sobre la madre o, dicho de otra forma, la conducta delictiva sobre los hijos es un medio más para seguir ejerciendo violencia sobre la mujer (delito conexo según la definición del art. 17 bis LECrim).

El art. 2 de la *Ley 4/2015, de 27 de abril, del Estatuto de la víctima del delito* define víctima directa como toda persona física que haya sufrido un daño o perjuicio, sobre su propia persona o patrimonio, en especial lesiones físicas o psíquicas, daños emocionales o perjuicios económicos directamente causados por la comisión de un delito. En este concepto amplio de víctima directa podría incluirse a los hijos menores convivientes con la madre que han presenciado (aunque se encuentren en otra estancia y sólo lo oigan, como ha tenido ocasión de sostener el Tribunal Supremo) la perpetración o comisión de actos de violencia sobre la mujer y, por supuesto, son víctimas directas de los delitos que padecen en su propia persona en cuanto violencia vicaria. Es verdad que la violencia vicaria sobre los hijos y la violencia directa sobre la mujer en la presencia de aquéllos se enmarcan en un contexto de dominación de ésta, pero habrá que distinguir y probar las consecuencias dañosas de los delitos que se investigan o enjuician en el mismo proceso. En definitiva, hay dos víctimas directas, pero una es inmediata y la otra lo es mediata (al menos en el plano físico o mecánico).

El presunto autor (procesado, es el término empleado en el precepto que comentamos) de la violencia vicaria es único, pero las víctimas son dos (una por cada uno de los dos delitos). Además, el investigado o enjuiciado con cada una de las víctimas tiene una relación de parentesco o afectividad diferente: de un lado, la filiación y, de otro, matrimonio o convivencia "more uxorio". La interpretación restrictiva de la dispensa impone que tales menores con los vínculos indicados respecto de la madre no puedan acogerse a la exención de declarar. Dicho de otra forma, si el menor únicamente es hijo de la madre y fruto de una relación anterior, pero el marido o conviviente no es su padre, tal menor no podrá acogerse a la dispensa por grande que sea su relación de afectividad: la ley sólo contempla la "relación de hecho análoga a la matrimonial", no la relación de hecho asimilable a la filial.

2. Sujetos pasivos de violencia vicaria no parientes: los allegados menores de edad

Al definir los sujetos sobre los que se ejerce la violencia vicaria, el nuevo art. 1.4 LO 1/2004 alude a "familiares o allegados menores", pero ni el Código penal ni la LECrim o la LOPJ se refieren a ellos de la misma manera, tampoco las normas procesales que recogen las dispensas por razón de parentesco. El término "allegado" se utiliza más en el ámbito de los perjudicados; no sabemos si el legislador ha querido resumir en este término todas las relaciones que se contemplan en los códigos penal y procesal penal.

En cuanto a las posibles víctimas de la violencia vicaria, destacan los hijos, sean comunes o no; si no son hijos del victimario no concurre la dispensa por razón de parentesco; pero también otros menores convivientes o dependientes de la mujer no familiares próximos que sean allegados a la misma podrían ser arma para infligirle dolor o daño. En efecto, cabe violencia vicaria sobre allegados convivientes con la mujer que son menores; en el caso de que la violencia se ejerza sobre ellos no concurrirá con el agresor el vínculo parental en que se funda la dispensa y cabe que el maltratador en el colmo del sarcasmo plantee en su pretendido beneficio si por analogía pueden o no acogerse a ella. En cualquier caso, debido a que las probabilidades de que esto suceda en la práctica son sustancialmente más bajas, no nos detendremos en su análisis.

Los allegados mayores de edad, previstos en leyes autonómicas por ejemplo a efectos de la concesión de ayudas a la mujer, no son susceptibles de ser instrumentos de la violencia vicaria por no figurar en la ley nacional[8]; tampoco podrían acogerse a

---

[8] Algunas Comunidades autónomas también aluden a esta violencia vicaria con un contenido más amplio, que no es relevante a efectos penales y procesales por ser estas leyes competencia exclusiva del Estado; a título de ejemplo, la reciente Ley 11/2022, de 20 de septiembre, contra la Violencia de Género de La Rioja (B.O.L.R. de 22 de septiembre y BOE del 4 de octubre) define esta violencia vicaria en el art. 4.3 ("También se incluye en el concepto de violencia vicaria entendida como la violencia contra menores cometida por el padre, o por el hombre con el que la madre mantiene o ha mantenido una relación afectiva de pareja, con o sin convivencia, con el fin de infligir a la madre un maltrato psicológico o emocional. Así como, la violencia ejercida contra otras personas convivientes sujetas a guarda o curatela a cargo de la mujer víctima de violencia de género y personas convivientes dependientes o a su cargo, que sean víctimas de dicha situación"). El art. 5.2 añade: "A efectos de lo previsto en la presente ley, tendrán la consideración de actos de violencia de género, entre otras, las siguientes manifestaciones sin que ello suponga una limitación de la definición de violencia de género contemplada en el artículo anterior: n) La violencia vicaria, ejercida sobre los hijos e hijas, así como sobre las personas contempladas en los párrafos b y c) del artículo 6.1, que incluye toda conducta ejercida por el agresor que sea utilizada como instrumento para dañar

las dispensas de denunciar y de declarar contra el maltratador investigado o enjuiciado si no concurre relación de parentesco, dado que las causas de dispensa deben ser objeto de una interpretación restrictiva por cuanto que excepcionan un deber general[9].

En definitiva, se produce una discordancia en el ámbito subjetivo de la violencia vicaria y la relación de parentesco de las víctimas de la violencia desde las perspectivas penal y procesal.

---

a la mujer". Los párrafos del precepto mencionado precisan: b) Las hijas e hijos a su cargo convivientes, y que sufran la situación de violencia a la que está sometida la madre. c) Otras personas mayores, personas con discapacidad o en situación de dependencia que estén sujetas a guarda o curatela de la mujer víctima de violencia de género y personas convivientes dependientes o a su cargo, que sean víctimas de dicha situación y que convivan en el entorno violento". En Cataluña, véase la Ley 17/2020, de 22 de diciembre, de modificación de la Ley 5/2008, del derecho de las mujeres a erradicar la violencia machista.

[9]   La STS 218/2018 (ECLI:ES:TS:2018:218) constata otra discordancia entre la exención del deber de denunciar y la del deber de declarar: "en absoluto menciona a los parientes por afinidad, y encontrándonos ante una dispensa, es decir, una excepción a la aplicación general de la norma, debe ser objeto de interpretación restrictiva. Como dice la STS 703/2014 de 29 de octubre, en un caso de hermana de la víctima, esposa del acusado, y por tanto cuñada del mismo, caso similar al presente, la exclusión de los parientes por afinidad de la dispensa de testificar, además del tenor literal del precepto es cuestión pacífica en la doctrina de la Sala (STS 62/2013 del 29 enero (caso Marta del Castillo).
La exclusión de los parientes afines hasta el segundo grado que se recoge en el artículo 261.2, lo es en cuanto a la obligación de denunciar, no es aplicable a supuestos del artículo 416 que refiere a la dispensa de declarar, tal es así que la remisión que este último precepto realiza el artículo 261, sólo se refiere al apartado 3, referencia a los afines que ha sido eliminado en la redacción actual del art. 261.2 por LO 4/2015 de 27.4 de Estatuto de la víctima del delito" (FD 3°).

3. Persistencia en no incluir en la ley procesal la necesaria distinción entre testigo y testigo-víctima

El legislador procesal aborda una regulación general de las dispensas por razón de parentesco y, pese a su relevancia, sigue sin distinguir a la hora de acogerse a la dispensa los supuestos en que el testigo es víctima (y tiene, por tanto, un interés adicional en verse protegido cuando denuncia y/o declara) de aquellos en que es un tercero, es decir, no es víctima, sino sólo testigo o conocedor de unos hechos constitutivos de delito cuyas víctimas son ajenas al círculo familiar. La situación es radicalmente distinta cuando el testigo no es un tercero, sino que en su calidad de ofendido o perjudicado por el delito puede convertirse en parte acusadora[10].

En definitiva, los problemas que origina la dispensa a la que se pueden acoger la mujer o el menor víctimas van a seguir surgiendo en los casos de la llamada violencia vicaria y cuando el delito se perpetra en presencia de menores (subtipos agravados).

---

[10]   La mencionada STS 2701/2022 (ECLI:ES:TS:2022:2701) afirma: "Se añade que cuando el testigo puede ser al tiempo la víctima de unos *hechos penalmente perseguibles,* el vínculo de solidaridad con el procesado no solo se enfrenta a la obligación de colaboración veraz con la Justicia, sino que pugna también con el *interés que el testigo pueda tener a que se sancionen los comportamientos eventualmente sufridos por él,* sin que en estos supuestos decaiga tampoco el derecho del testigo a ser dispensado de la obligación de declarar contra el procesado, sino que el derecho es conservado y protegido por nuestro ordenamiento jurídico, de manera que el aprovechamiento del privilegio no es sino el resultado de la libre preponderancia que el testigo conceda a las distintas ventajas entre las que está facultado a discriminar". La cursiva es nuestra.

III. EXCEPCIONES A LA DISPENSA DE DECLARAR

En la reforma que comentamos el legislador ha incorporado cinco casos o limitaciones al régimen de la dispensa del deber de declarar; ello no sólo era posible, sino necesario dado que la dispensa familiar entraña un derecho constitucional de configuración legal y su limitación debe ser objeto de una interpretación restrictiva, aunque ponderando los intereses en presencia.[11]

Trataremos de exponer cómo se aplican estas excepciones, introducidas en el art. 416.1 LECrim por la LO 8/2021, en el ámbito de la violencia vicaria y la violencia por exposición. Veremos, en su caso, su aplicación tanto a la madre y al hijo (para simplificar) respecto de un delito de que es víctima el hijo para causar daño a la mujer y que se atribuye al padre con el que mantiene su relación matrimonial o de pareja, como al menor (hijo, para simplificar) respecto de un delito del que es víctima su madre y que él ha presenciado. También cabe que la excep-

---

[11] La STS 1629/2018 (ECLI:ES:TS:2018:1629) lo expresa así: "Caben indudablemente limitaciones efectuadas desde la legalidad. No es eso discutible. La propia LECrim prevé algunas (vid. art. 418). Pero esos límites han de venir impuestos en principio por la ley (bien expresamente, bien por deducirse natural e inmediatamente de ella) y merecen una interpretación restrictiva. En la duda hay que optar por la máxima amplitud del derecho, aunque sin dejar de ponderar el otro bien constitucional en conflicto, las exigencias de la justicia penal y del *ius puniendi*, lo que no constituye, sin embargo, un derecho fundamental (aunque también indirectamente algunos derechos fundamentales reclamen la actuación penal de lo que puede derivarse la relevancia constitucional- ligada a la misma protección del derecho fundamental de su eficaz tutela penal: entre muchas, SSTEDH de 9 de junio de 2009 -asunto Opuz contra Turquía , ó 2 de marzo de 2017 -Talpiz contra Italia-. ... La jurisprudencia, no sin vacilaciones, ha introducido algunas modulaciones en la poco matizada regulación de la ley" (FD 3°).

ción segunda se aplique a quien no es víctima de la violencia vicaria ni por exposición.

1. Testigo representante legal o guardador de hecho del menor

El primero de los casos se enuncia legalmente así: "Cuando el testigo tenga atribuida la representación legal o guarda de hecho de la víctima menor de edad o con discapacidad necesitada de especial protección".

En este caso, la mujer en su condición de madre y representante legal o de simple guardadora de hecho de la víctima menor instrumentalizada que sea testigo (directa o de referencias) no podrá acogerse a la dispensa y deberá declarar cuanto sepa fuese ella o no la que presentó la denuncia. Nótese que la norma tiene vocación general, es decir, no distingue si es violencia vicaria o por exposición ni tampoco el tipo de delito.

Nos remitimos a lo dicho antes sobre la condición de testigo y víctima de la madre y a lo que después se señale para el supuesto habitual de que se persone como acusación particular y confluya o no la excepción cuarta (art. 416.1.4º LEcrim)[12].

---

[12] Un supuesto que encajaría en esta excepción sería el de la abuela guardadora de hecho que ejerce la acusación particular por un delito cometido sobre su nieta por la pareja sentimental de ésta y fuera del marco de la violencia vicaria, siendo además controvertido si la nieta de 14 años puede acogerse a la dispensa respecto del agresor al que está unido sentimentalmente a la vista de la excepción tercera del precepto que comentamos como parece ser su voluntad no coincidente con su representante legal. Vid. SAP M 14346/2021 (ECLI:ES:APM:2021:14346), FFJJ 3º y 4º.

2. Testigo mayor de edad de delito grave de que es víctima un menor de edad

El tenor literal del caso 2.º es: "Cuando se trate de un delito grave, el testigo sea mayor de edad y la víctima sea una persona menor de edad o una persona con discapacidad necesitada de especial protección".

A tenor de lo dispuesto en este numeral cabría que un ascendiente o descendiente de la mujer mayor de edad sea testigo de un delito grave cometido contra un nieto o hermano menor de edad para causar daño a su hija o madre o de un delito grave contra la madre que se comete en presencia suya o le refieren; en estos casos el abuelo o el hijo no puede acogerse a la dispensa por razón de parentesco contra su yerno o padre.

3. Menor sin madurez para comprender el sentido de la dispensa

El supuesto 3.º exceptuado de la dispensa y más complejo se establece así: "Cuando por razón de su edad o discapacidad el testigo no pueda comprender el sentido de la dispensa. A tal efecto, el Juez oirá previamente a la persona afectada, pudiendo recabar el auxilio de peritos para resolver".

La declaración o testimonio del menor pariente de la persona investigada o enjuiciada o, por el contrario, el ejercicio del derecho de dispensa depende de la madurez del menor, del grado de desarrollo personal, que le permite estar en condiciones de poder representarse adecuadamente el conflicto entre el deber de decir la verdad y los vínculos familiares, emotivos, de solidaridad o lealtad conociendo las posibles las consecuencias o trascendencia para sí y para el familiar.

3.1. Tratamiento no uniforme de la minoridad o madurez para determinados actos: apreciación casuística

En nuestro ordenamiento se contemplan distintos supuestos en que el menor de edad puede realizar determinados actos:

A partir de los 12 años de edad, el menor debe ser oído en los casos de desavenencia entre los progenitores en el ejercicio de la patria potestad (art. 156 tercer párrafo y 159 CC) y en los procesos de separación y divorcio (art. 770.4ª LEC) o se debe contar con su consentimiento para el acogimiento (art. 173.2 CC) o la adopción (art. 177.1 CC).

A partir de los 14 años, al menor se le reconoce idoneidad plena para ser testigo en el proceso civil y se le toma juramento o promesa (arts. 361 y 433 LEC), capacidad para ejercer el derecho de opción por la nacionalidad española (art. 20.2.b CC) y para testar (art. 663 CC).

A partir de la edad de 16 años puede consentir la emancipación y el emancipado, a su vez, puede contraer matrimonio (arts. 317 y 46 CC). Es la edad fijada por el artículo 9 de la Ley 41/2002, de 14 de noviembre, reguladora de la autonomía del paciente, para prestar consentimiento informado, siempre que el menor sea capaz intelectual y emocionalmente de comprender el alcance de la intervención, con excepción de actuaciones de grave riesgo para su vida e integridad, supuestos en los que en todo caso habrá de manifestar su opinión, y de las intervenciones previstas en el artículo 9.5 de la referida Ley. En este sentido, véase también el art. 13 bis) de la Ley Orgánica 1/2023, de 28 de febrero, por la que se modifica la Ley Orgánica 2/2010, de 3 de marzo, de salud sexual y reproductiva y de la interrupción voluntaria del embarazo. Asimismo, el Código Penal, tras la reforma operada por la LO 1/2015, reconoce a los mayores de 16 años capacidad para consentir libremente relaciones sexuales, salvo en los delitos de exhibicionismo y provocación sexual y los relativos a la prostitución, la explotación sexual y la corrupción de menores, en los que el umbral se eleva a la mayoría de edad.

El legislador no marca una edad a partir de la cual quepa presumir la existencia de discernimiento necesario para un válido ejercicio del derecho de dispensa, la ley presume que el menor de edad puede tomar decisiones relevantes y realizar determinados actos, habrá de ponderar en el caso concreto si se encuentra en condiciones de entender y resolver el dilema[13].

Parece claro que por debajo de los 12 años no goza de madurez[14] y que por encima de 16 años sí la tiene. Esa franja de

---

[13]   El informe del CGPJ de 30 de mayo de 2019 sobre el anteproyecto de LO que comentamos se advierte: 305.- Es particularmente relevante la cita de la STS 4870/2014, de 28 de octubre (ECLI:ES:TS:2014:4870) cuya doctrina ofrece elementos de interés para calibrar el alcance de la reforma proyectada: «Aquí el menor, dada su baja edad, no podía acogerse a ese derecho o facultad por sí mismo: un niño, ni con cuatro ni con siete (folio 206), ni con ocho (folio 289), ni con once años (acto del juicio oral), goza de la madurez emocional necesaria para captar el alcance del conflicto que justifica esa previsión; ni, por tanto, de la capacidad para dilucidar si debe acogerse o no a ella. ... ha de contarse con la indispensable madurez según un juicio ponderativo que deberá efectuar el Juzgador. ... Esas condiciones de madurez probablemente pueden presumirse de manera indubitada a partir de una edad (quizás los dieciséis años, sin pretender con esto fijar fronteras claras y precisas) (i); ha de confiarse a un juicio casuístico en otra franja de edad (ii); y, por fin, ha de negarse rotundamente por debajo de otra (¿doce años?: algunas normas toman ese momento como referente significativo: vid, por todos, art. 770 LEC)"

[14]   En un caso de menor de 8 años de edad, la STS 228/2019 (ECLI:ES:TS:2019:228) en su FD 4º sostiene: "No se pueden deformar las cosas hasta convertir ese derecho de determinados testigos, víctimas en ocasiones, en una especie de boomerang que se vuelve contra ellos dejándolos desprotegidos y privándoles de la tutela judi-

edad entre 12-16 será la que exija que el juez pondere si tiene la capacidad de entender el alcance de la dispensa.

Dado que esos tres escalones o tramos de edad sólo son orientativos y que la trascendencia de las decisiones es distinta, lo más prudente es que sea el juez en cada caso concreto.

En esa horquilla de edad el juez caso por caso debe comprobar si el menor tiene madurez para decidir si se acoge o no a la dispensa de declarar. En algún supuesto el dintel se ha colocado en los 14 años[15].

Si se alcanza la madurez en la fase de plenario el juez sentenciador de oficio habrá de permitir que el menor se acoja a la dispensa en ejercicio de un derecho constitucional que al mismo le corresponde. En este caso no resulta de aplicación el argumento que recoge la jurisprudencia de que el

---

cial efectiva que han reclamado. No hay que esperar a la mayoría de edad para estar en condiciones de usar de esa habilitación". La Sentencia del Tribunal Superior de Justicia de Islas Canarias 50/2022, de 27 de junio (TOL9.142.790, ECLI:ES:TSJICAN:2022:961) se ocupa de un menor de 7 años alemán objeto de exploración en un proceso contra que su padre por el asesinato de su madre y hermano, de los que fue testigo, y por el asesinato en grado de tentativa de que él fue víctima.

La STS 12/02/2017, de 28 de marzo (ECLI:ES:TS:2017:1202) ha sostenido que la apreciación de la madurez suficiente del menor requiere de un juicio ponderativo, pero «no cabe duda de que una joven de 17 años, cuya capacidad no está judicialmente modificada, que ha entendido el alcance de la advertencia que se le efectuó y sus consecuencias, reúne las condiciones no solo para ser oída, sino también para que su opinión libremente formada se respete en los aspectos que a ella afectan. Y en lo que ahora nos atañe, a decidir acerca de la dispensa de declarar en contra del acusado que el artículo 416 LECrim reconoce por razón de parentesco» (FJ 4).

[15]   La STSJ de Islas Canarias 50/2022, de 27 de junio (TOL9.142.790) coloca la presunción de madurez en la horquilla que oscila entre los 12 y los 14.

menor va contra sus propios actos, puesto que su testimonio o exploración no fue acordado por el mismo, sino por el juez instructor con el consentimiento de su representante legal.

Si el juez aprecia la madurez del menor para entender el significado de la dispensa, habrá de informarle previamente a la toma de declaración de que puede guardar silencio.

3.2. Dispensa como derecho de la personalidad o personalísimo

La configuración legal de la excepción que comentamos comporta que a la dispensa solo se puede acoger el hijo que tenga capacidad para comprender su alcance, esto es, en los supuestos de menores no maduros sus representantes legales no pueden decidir por ellos ni, en caso de conflictos de intereses, el defensor judicial. Esto no era lo previsto en el anteproyecto de ley orgánica, que lo encomendaba en todo caso a sus representantes legales, y en caso de conflicto de intereses con uno de ellos, al otro, y en último término, al Ministerio Fiscal[16].

---

[16]   El mencionado informe del CGPJ señala al respecto: 313.- La previsión de que en el supuesto de falta de capacidad, el ejercicio del derecho corresponda a los representantes legales del menor resulta indiscutible. Más dudas, sin embargo, ofrece la previsión de que, en caso de conflicto con sus representantes legales, decidirá el Ministerio Fiscal. No debe olvidarse que el Ministerio Fiscal es titular de la acción pública y parte en el proceso (art. 105 LECrim) y, al tiempo, se le encomienda una función tuitiva en el proceso de los intereses del menor (art. 2.5.c LO 1/1996). Sin embargo, la regulación proyectada comporta un riesgo de confusión entre la misión de promover la acción de la justicia en la persecución del delito y la encomienda al ministerio público de proteger el interés superior del menor a la hora de ejercer el derecho de dispensa. Atribuir al Ministerio Fiscal, en caso de conflicto de intereses del menor con sus representantes legales, la decisión de si este declarará o no como testigo en la fase de instrucción puede comportar una apariencia de

3.3 Incidente para examen del grado de madurez

La excepción que comentamos se limita a imponer al juez la audiencia del menor y le atribuye la posibilidad de acudir a expertos, a un equipo técnico, si lo considera necesario. No dispone si tiene que hacerse en la sala del juicio o previamente ni si las partes y el fiscal deben estar presentes.

El precepto no marca el momento en que se valora el grado de madurez, si sólo en fase de investigación o también en fase de juicio oral. El transcurso del tiempo puede tener como consecuencia que quien antes no gozaba de madurez, posteriormente la haya adquirido. Por tanto, le corresponde al juez de oficio controlar la edad del menor que se encuentre cerca de la franja en que puede tener la madurez suficiente para comprender el sentido de la dispensa y decidir responsablemente si declara o no[17]. También convendría aprovechar esta explo-

---

falta de neutralidad. Los riesgos señalados podrían sortearse acudiendo a la institución prevista con carácter general para los casos de conflicto de intereses que es el defensor judicial (art. 163 CC) y que ha sido expresamente señalada por la jurisprudencia como la vía procedente del ejercicio del derecho de dispensa en este tipo de supuestos. Es la figura del defensor judicial, por lo demás, la solución prevista, con carácter general, para los casos de víctimas menores de edad respecto de las que se aprecie la existencia de conflicto de intereses con sus representantes legales (art. 26.2.a Ley 4/2015, de 27 de abril, del Estatuto de la víctima del delito), en el marco de lo establecido por el artículo 24.1.b de la Directiva 2012/29/UE del Parlamento Europeo y del Consejo de 25 de octubre de 2012 por la que se establecen normas mínimas sobre los derechos, el apoyo y la protección de las víctimas de los delitos.

[17] La STSJ CV 4165/2021 (ECLI:ES:TSJCV:2021:4165) refleja el desarrollo en ese concreto supuesto del incidente encaminado a determinar la madurez de una menor: "En un supuesto en que la menor tiene ya en el momento de celebración del juicio 12 años, al tribunal le pareció conveniente proceder a su exploración para evaluar su grado de madurez. Es lo que hizo el Tribunal antes y al margen del

ración del menor para comprobar que el deseo de acogerse a la dispensa no tenga causa en la existencia de presiones o de temor a represalias [18].

Si no puede acreditarse la madurez del menor para comprender la dispensa, el menor que declaró en fase de instrucción puede acogerse a tal dispensa en el juicio oral si en este momento goza de tal madurez [19]. Pese a la imprecisión del pre-

---

plenario (una vez que se vió que este no podía celebrarse aquel día). Con todo lo opinable que puede resultar evaluar la capacidad o madurez necesarias para considerar que la calidad de la opción es suficiente, nos pareció que la menor estaba en condiciones de ejercitar por sí el derecho que le corresponde. El natural designio de que los derechos personalísimos sean ejercitados personalmente por la persona titular de los mismos, y la unánime consideración de todas las partes de entender que la menor tiene madurez suficiente para ejercitar la opción del art. 416.1 de la L.E.Crim., terminaron por decantar nuestra decisión.

Se informó a la testigo de la opción que le reconoce la Ley en su condición de testigo en la causa seguida contra su padre. Y la testigo decidió declarar".

La exploración de la menor "al objeto de poder valorar su grado de madurez a los efectos de determinar la forma en que debía aplicarse la previsión contenida en los art. 416.1 y 707 de la LECrim", se acuerda, con presencia del Ministerio Fiscal y letrados de las partes, al igual que la suspensión del juicio ... estimando la Presidenta que puede declarar el día del juicio" (FD 2°).

[18] En este sentido, "el sistema penal más que criminalizar a la víctima con un delito de falso testimonio, debería ofrecerle una protección que le permita declarar sin miedo y en la práctica, valorar el riesgo real existente cuando decide no declarar en el proceso penal", en MARAVALL BUCKWALTER, I. "El derecho del niño a acogerse a la dispensa del deber de declarar Reflexiones desde el Derecho Internacional de los Derechos Humano", *InDret* 1/2019, p. 32.

[19] La SAP O 4185/2022 (ECLI:ES:APO:2022:4185) en su FD 5° señala: "... a fecha del acto plenario, la dispensa recogida en el vigente Art. 416.1 LECrim parecía quedar excluida en el caso que nos ocupa, bien por la excepción prevista en el número 4°, bien por la previs-

cepto, la ponderación debe ser lo más minuciosa posible por tratarse una cuestión compleja y en la que concurren múltiples factores[20].

---

ta en el nº 5º de dicho precepto,... Circunstancias que concurrían en este caso, primero, por haber formulado denuncia la madre del menor, personándose posteriormente como acusación particular en nombre y representación del mismo, pues, aunque posteriormente renunció a seguir personada como acusación, la nueva regulación legal excluye la posibilidad de recuperar el derecho de dispensa renunciado; y, segundo, por haber declarado el menor en fase instructora, tras expresa renuncia del derecho de dispensa, según consta en las actuaciones. ... Así, nuestro Alto Tribunal ha señalado, sintéticamente, que *la irrecuperabilidad del derecho de dispensa* que sufre el legal representante del menor que se constituyó en acusación particular, en nombre y representación de dicho menor, dejando de estar personado como tal posteriormente, *no afecta ni alcanza al propio menor de edad* que ha de comparecer como testigo; añadiendo que habrá de realizarse el ofrecimiento de la dispensa a todos aquellos testigos menores de edad que, siendo titulares de tal derecho por razón de parentesco con el encausado, tengan suficiente juicio y madurez; ... Conforme a dichos presupuestos doctrinales, en el caso que nos ocupa el menor no estaba afectado por la personación y posterior renuncia que su madre había realizado, en nombre y representación de aquél, como acusación particular; de modo que sólo podía privársele de la dispensa por haber declarado contra su padre en sede instructora. Circunstancia ésta que reclama un detallado análisis y que debe resolverse a partir de la armonización de los dos presupuestos con que contamos al efecto, como son: la excepción de dispensa que prevé el Art. 416.1. 5º LECrim para los que han aceptado declarar en cualquier momento del procedimiento, tras ser informados de su derecho a no hacerlo; y la *obligación de ofrecer la dispensa a todos los menores que, siendo titulares de tal derecho, tengan suficiente madurez y juicio.*

[20]   La referida SAP O 4185/2022 (ECLI:ES:APO:2022:4185) con cita de abundante jurisprudencia añade: "... sólo un ejercicio consciente del derecho puede ser válido y surtir verdadero efecto. Lo que exige que, en el ámbito de testigos menores de edad, deban adoptarse las cautelas pertinentes para asegurar tales ponderacio-

La forma en que se realice tal audiencia es importante; de

---

nes, no pudiendo considerarse satisfactorio un mero ofrecimiento o información "formal" de tal prerrogativa al testigo menor, si no se acompaña de una mínima verificación de que el mismo cuenta con resortes de madurez adecuados para comprender el alcance de lo que significa la dispensa y la eventual renuncia de la misma.

Extremos que no constan justificados en este caso, al disponer sólo de la diligencia que se extendió de su declaración en fase instructora, en la que se dice meramente que el menor renuncia al beneficio del Art. 416 LECrim, sin otra consideración. Por tanto, desconocemos, las concretas circunstancias de madurez que el menor presentaba en tal momento, desconocemos si fue debidamente informado de la dispensa comprendiendo su significado, y desconocemos si tenía capacidad para ejercitar tal derecho. … Validación que no consta se hiciera ni por expertos en la materia, ni por el órgano judicial. Por tanto, la mera edad de 14 años es un factor, por sí sólo insuficiente, para presumir y dar por sentado que el menor renunció a la dispensa con conciencia plena de lo que hacía, tal como confirmaría, a mayor abundamiento, su actitud en sede plenaria, marcada por una manifiesta incomodidad al verse obligado a declarar contra su padre, haciendo explícito, de forma espontánea, que su deseo era el de poder recuperar el contacto con su progenitor, no reclamando nada contra el mismo.… El criterio rector en la ponderación de si el menor está capacitado para ejercer un derecho fundamental habrá de ser el de determinar si aquél comprende el contenido del derecho y si es capaz de evaluar las consecuencias que pueden derivarse del acto que se pretende realizar. Se trata de un juicio de ponderación ciertamente complejo y la STS 225/2020, de 25 de mayo, la Sala Segunda patentizó la multiplicidad de factores a tener en cuenta a tal efecto, siendo significativo que en dicha resolución se sostuviera como solución a proponer la de nombrar un defensor que, en nombre del testigo menor, le represente en su opción del artículo 416 de la LECrim, cuando se aprecie en ambos progenitores un conflicto con respecto a los intereses del menor representado, no siendo procedente que el Ministerio Fiscal se atribuya esa representación, y tampoco que el derecho del testigo sea negado o ejercido por el órgano judicial".

modo gráfico el TS ha expresado cómo no debe hacerse[21].

3.4. Ejercicio sobrevenido y efectos

El legislador nada dispone sobre los efectos que el ejercicio sobrevenido del derecho va a comportar. La cuestión no es pacífica ni doctrinal ni jurisprudencialmente. En cualquier caso, la testifical o exploración preconstituida perderá parte de su eficacia probatoria si el menor se acoge a la dispensa[22]. Se

---

[21]   La STS 228/2019 (ECLI:ES:TS:2019:228) llega a decir: "No se pueden deformar las cosas hasta convertir ese derecho de determinados testigos, víctimas en ocasiones, en una especie de boomerang que se vuelve contra ellos dejándolos desprotegidos y privándoles de la tutela judicial efectiva que han reclamado. No hay que esperar a la mayoría de edad para estar en condiciones de usar de esa habilitación. ...
Ha de rechazarse enérgicamente la escena de una menor víctima de corta edad al que se sitúa en la tesitura de decidir si quiere o no declarar, espetándose para que exprese pública y solemnemente si quiere contribuir o no al encarcelamiento de un pariente cercano; aquí su propio padre. Sin la certeza de que el menor reúne las mínimas condiciones de madurez intelectual y emocional para percibir el conflicto, ponderar los intereses enfrentados y tomar una decisión personal, libre y responsable en la medida de sus posibilidades, no puede situársele de manera fría y distante en esa encrucijada, en un trance nada conveniente para su interés y que puede agravar su victimización".

[22]   La STS 539/2021, de 18 de junio, considera que el testimonio de lo reproducido por la menor en sus conversaciones ante los testigos de referencia, no queda neutralizado por tal mecanismo procesal (art. 416 de la Ley de Enjuiciamiento Criminal). Se podrá borrar del cuadro probatorio lo anteriormente expresado por quien se acoge a su derecho a la dispensa, pero no se puede eliminar lo escuchado de ella por los testigos que depusieron en el juicio oral. Este fenómeno solamente ocurre cuando estamos tratando sobre prueba ilícita, de manera que tal ilegalidad contamina en cascada a las demás fuen-

ha planteado el valor probatorio de la pericial de los psicólogos respecto de la exploración de tres menores cuando dos de ellos se acogen a la dispensa[23].

---

tes de prueba. Pero aquí no hay prueba ilícita, sino la utilización de un derecho por parte de la denunciante, que el ordenamiento jurídico le concede. Pero ello no puede derivar a concluir que tal acontecimiento histórico no haya ocurrido en la realidad y que, por consiguiente, no pueda preguntarse por ello, es decir, prestar declaración ante un Tribunal acerca de lo percibido por sus sentidos. Tal percepción no deriva de prueba nula o conseguida ilícitamente, y no hay razón alguna que impida su valoración. Lo mismo ocurriría si un sospechoso expresara ante una multitud su culpabilidad y después se acogiera a su derecho a no declarar contra sí mismo.

[23] La STSJ M 3814/2019 (ECLI:ES:TSJM:2019:3814, ponente Santos Vijande) en un caso de maltrato habitual por el padre en su motivado FJ 1º D concluye: "Aquí radica, justamente, el quid de la cuestión: se dice que los informes periciales, en tanto que referidos a los testimonios de los tres hermanos y de su madre, estarían introduciendo por vía indirecta, e indebidamente, declaraciones de quienes en el plenario se han acogido a su derecho a no declarar.

El alegato no puede prosperar a fuer de formalista: los informes periciales es cierto que, en buena medida, se conforman sobre la base de lo que los testigos relatan, y en ocasiones se expresan en plural, porque plurales han sido las entrevistas realizadas. Ahora bien; lo que esos informes establecen la Sala lo predica, sin sombra de arbitrariedad, de lo que Socorro ha declarado -FJ 5º-, en referencia a la entrevista individual con Socorro y al informe que concluye que " Socorro ha podido ser víctima de maltrato físico y psíquico...". Verdad que la Sentencia reseña cómo las Peritos hablan de la coincidencia de los relatos de los hijos, cómo no apreciaron ánimo de venganza en ninguno de ellos... y que habían sufrido indefensión ante el silencio de la progenitora; pero nada, en términos lógicos ni jurídicos, hace pensar que la anuente conclusión de las Peritos sobre la falta de móvil espurio y sobre la coherencia de lo relatado por Socorro no pueda sostenerse respecto de ella si no es en inescindible consideración con lo relatado por sus hermanos; más bien al contrario, si se atiende al tenor de la entrevista semi-estructurada de Socorro a que se remite la Sentencia, y a su ratificación en el

3.5. Imprevisión en las exploraciones preconstituidas de mayores de 12 años

La reforma que comentamos introduce el art. 449 ter de la LECrim que prevé que en procesos por determinados delitos (pueden no ser graves en función de la pena) y, entre ellos, de violencia de género (lesiones, delitos contra la integridad moral, libertad sexual, etc.) en que una persona menor de 14 años deba testificar se practique su audiencia como prueba preconstituida con todas las garantías de la práctica de la prueba en el juicio oral. Cabría sostener que por debajo de esa edad el menor no puede acogerse a la dispensa, pero nada se dice.

No estamos propiamente ante una antinomia, sino que el menor de esa edad si goza de madurez podrá acogerse a la dispensa por razón de parentesco de acuerdo con lo que establece el art. 416 LECrim.

Todo hace pensar que tal prueba preconstituida servirá para que el juez sentenciador forme su convicción, pero puede suceder que el menor en el momento del juicio oral haya adquirido la madurez para comprender lo que es la dispensa y haga uso de su derecho a no declarar. Si cabe que el tribunal considere que el menor no puede acogerse hasta los 16 años, la

---

plenario por las Psicólogas ... Y ello en el bien entendido de que el ámbito de aplicación del art. 416 LECrim , ciertamente amplio en la doctrina mayoritaria de la Sala Segunda -cfr., en contra, el Voto Particular a la STS 205/2018, de 25 de abril -roj STS 1629/2018-, tampoco puede llevarse al extremo de yugular sin distingos ni matices la viabilidad de fuentes de prueba distintas de la testifical, tales como las pericias, que, aun apoyándose en la entrevista de quien en un momento posterior se acoge a la dispensa, pueda empero sustentar sus conclusiones en una razón de ciencia que hace recaer su conocimiento sobre aspectos no exclusiva ni directamente conectados con el contenido del relato del examinado...".

prueba preconstituida conservará su valor; de lo contrario, su validez probatoria está condicionada a la madurez sobrevenida y decisión posterior del menor de hacer uso de su derecho a la dispensa del deber de declarar contra su padre. En este supuesto el intento de preconstituir prueba y evitar la revictimización del menor colisiona con el derecho sobrevenido a la dispensa, remitiéndonos a lo antes expuesto en el apartado 3.3 y a lo que se dirá en el apartado 4.2 sobre el carácter recuperable o no del derecho de dispensa cuando ya se ha declarado previamente.

4. Personación de la testigo representante legal o guardadora de hecho como acusación particular

El 4.º caso en que no se aplica la dispensa es "cuando el testigo esté o haya estado personado en el procedimiento como acusación particular".

Esta excepción pone de manifiesto que el testigo no es sólo testigo, sino también víctima legitimada para personarse como acusación particular. En cualquier caso, en los supuestos de violencia vicaria y por exposición esas condiciones se entremezclan mutuamente y ello impone que en el caso del menor testigo-víctima deba distinguirse dado que el mismo no es el que se persona, sino que lo hace su madre en su calidad de representante legal.

4.1. Personación de la madre en nombre propio: pérdida del derecho de dispensa

Es una manifestación del principio de los actos propios, pero la validez de las declaraciones previas se condiciona a la oportuna información de la posibilidad de acogerse a la dispensa del deber de declarar y la cuestión de la validez de su declaración se planteará cuando no conste tal información.

Respecto de la mujer personada como acusación particular no se plantean dudas: con la reforma se convierte en ley lo que ya era un criterio jurisprudencial[24]. La retirada en el ejercicio de la acusación no permite a la mujer recuperar el derecho a acogerse a la dispensa[25]. Como razón para inadmitir

---

[24] La SAP M 1930/2022 (ECLI:ES:APM:2022:1930) refiriéndose a la mujer señala: "indicándose por la Juzgadora *a quo* que al ejercer la acusación particular (habiéndose incluso solicitado orden de protección que le fue concedida) tenía la obligación, como testigo, de decir verdad, siguiendo el criterio sostenido en la STS de 10 de julio de 2020, que priva de tal posibilidad a los testigos en estos supuestos, y que, a su vez, es el criterio legal determinado en la actual redacción del art. 416 LECRIM, según reforma operada por LO 8/2021" (FD 5°).

En este caso, resulta plenamente acertado el título de ETXEBERRIA BEREZIARTUA, E. "«C´est fini»: La dispensa de la obligación de declarar de la víctima contra su agresor es Historia del Derecho", *Diario La Ley*, N° 9972, Sección Tribuna, 16 de diciembre de 2021.

[25] El legislador opta por "privar a las víctimas de la posibilidad de volver a acogerse a este derecho una vez que han renunciado una vez a hacer uso de él, siempre previa información de sus consecuencias", en VILLAMARÍN LÓPEZ, M.L., "A propósito de la reciente STS 389/2020, de 10 de julio: reinterpretando el art. 416 LECrim en el ámbito de la violencia familiar", *Diario La Ley*, N° 9732, Sección Tribuna, 10 de Noviembre de 2020. Así lo recoge la SAP M 15537/2021 (ECLI:ES:APM:2021:15537) con extensa cita de la jurisprudencia y de la vigente reforma. También la SAP M 2884/2022 (ECLI:ES:APM:2022:2884) constata: "la sentencia dictada por el Pleno Jurisdiccional de la Sala Segunda del Tribunal Supremo 389/20, de 10 de julio, modificó esta línea interpretativa, al indicar que las presuntas víctimas, una vez constituidas en acusación particular, no recuperan el derecho a la dispensa de declarar contra su pareja o determinados familiares contemplado en el art. 416 de la LECrim si renuncian a ejercer dicha posición procesal, criterio que ya había acogido el Legislador al tiempo de celebrarse el juicio oral" (FD 2°).

la dispensa se apunta la existencia de presiones por parte del maltratador[26].

4.2. Personación de la madre en nombre y representación del menor: recuperación por éste del derecho de dispensa si alcanza la madurez requerida

Así como en los supuestos de violencia vicaria la madre que se haya personado como acusación particular, aunque posteriormente cese en su ejercicio, debe declarar en el juicio oral, no es claro que el menor que ha sido instrumento de la violencia vicaria y se ha personado como acusación particular ejercida por su madre en su nombre y representación no pueda acogerse posteriormente a la dispensa del deber de declarar contra su padre, aunque dependerá de la gravedad del delito y de que no haya riesgo para el mismo. En cualquier caso, la aplicación rigurosa de la norma que impide la dispensa forzando la declaración llevará a que el interrogado ofrezca una declaración más beneficiosa para el acusado o, dicho de otro modo, surgirá un problema de credibilidad del testigo que podría redundar en beneficio del familiar.

La cuestión surge respecto del menor personado como acusación hecha valer por su madre en cuanto que su represen-

---

[26]   La STS 2701/2022 (ECLI:ES:TS:2022:2701) recuerda que "por sujeción al principio de tutela de las víctimas frente al delito y frente a cualquier tipo de extorsión que pueda derivarse del ejercicio tuitivo de la acción penal, nuestra más reciente jurisprudencia modificó el posicionamiento de la Sala y en la Sentencia de Pleno de la Sala Segunda 389/2020, de 10 de julio, recogimos el posicionamiento que actualmente se impone el art. 416.1.4.ª de la LECRIM, excluyendo el derecho de dispensa para aquellos testigos-parientes que hayan estado personados en el procedimiento como acusación particular en cualquier momento, aun cuando ya no ejerciten la acción penal".

tante legal cuando el mismo alcanza la madurez o la mayoría de edad. Sobre este particular se ha ocupado el TS sosteniendo el derecho del menor a ser oído si adquiere madurez[27]. En definitiva, en este caso, el menor recupera en fase de juicio

---

[27] La STS 1629/2018 (ECLI:ES:TS:2018:1629) se ha ocupado de la cuestión en los siguientes términos: "La aplicación de esta doctrina al caso que nos ocupa, en principio nos obligaría a concluir que, en la medida que la víctima de los hechos Dª. Carmen estaba personada en las actuaciones como acusación particular, había decaído en su derecho a acogerse a la dispensa del artículo 416 LECrim. Sin embargo, tal afirmación exige sus matizaciones, porque dada su minoría de edad (15 años) al momento en que se denunciaron los hechos, la personación la decidió en su nombre su progenitora Dª. Milagros, la hoy recurrente, a quien se hizo, como representante legal de aquella, el ofrecimiento de acciones ... Esta circunstancia determinó la conveniencia de que al momento de celebrarse el juicio oral, cuando a la testigo le faltaban escasamente nueve meses para alcanzar la mayoría de edad, el Tribunal sentenciador interesara su opinión al respecto. En la primera ocasión en que fue preguntada una vez había alcanzado la suficiente edad y madurez para que su opinión, no solo fuera escuchada sino también atendida, según relató la sentencia de instancia «respondió, firme y categóricamente, que no quería actuar contra su padre ni declarar en el juicio». Es decir, de manera inequívoca mostró su voluntad de no ejercitar acciones penales.
Esta voluntad libremente expresada por la menor víctima, por primera vez desde que alcanzó la suficiente madurez, es indudablemente relevante en relación a la pervivencia de una relación procesal como acusación que se ejercía en su nombre, y ahora contra su voluntad. Precisamente esa voluntad contraria, no solo a declarar respecto a unos hechos que involucraban a su progenitor, sino también a ejercitar contra él cualquier tipo de acción penal, fue la que determinó al Tribunal sentenciador a tener por apartada del proceso a la acusación particular que se actuaba en su nombre, aunque nominalmente encabezada por su madre. Decisión ésta que se sustenta en el mandato legal que obliga no solo a oír a los menores, sino también a tomar en consideración su opinión cuando gozan de madurez necesaria".

oral un derecho que es personalísimo y, en puridad, no puede decirse que vaya contra sus propios actos. Confluyen aquí la excepción cuarta con la tercera. Como hemos visto antes, en el caso de que el menor maduro se acoja a la dispensa surgirá el problema del efecto retroactivo de su ejercicio respecto de las declaraciones efectuadas antes[28].

5. Aceptación, previa información del derecho a no hacerlo, de declarar como testigo en el procedimiento

El caso 5.º del art. 416.1 LECrim es del siguiente tenor: "Cuando el testigo haya aceptado declarar durante el procedimiento después de haber sido debidamente informado de su derecho a no hacerlo".

Es una manifestación del principio de no ir contra los propios actos, pero la validez de las declaraciones previas se condi-

---

De este precedente podemos, así pues, deducir que el acogimiento a la dispensa es una *facultad personalísima* tanto del ya mayor de edad como del menor ya maduro. En ese caso estamos aquí (tanto en las declaraciones en fase de instrucción como en el momento del acto del juicio oral). En el caso de menores que no hayan alcanzado ese grado de madurez suficiente para decidir por sí mismos, la decisión habrá de ser adoptada por el progenitor con el que no existe interés contradictorio; y si se detecta esa contradicción de intereses con ambos, habrá de acudirse a los mecanismos sustitutivos previstos en la legislación civil para adoptar la decisión adecuada y conveniente al interés superior del menor" (FD 4º).

[28]   Así, "si la voluntad del titular de la dispensa no se toma en cuenta a efectos de la trascendencia procesal de la declaración que ha efectuado mucho menos podrá decidir con carácter retroactivo la exclusión de la misma", en DÍAZ CABIALE, J. A. y CUETO MORENO, C., "La necesidad de revisar la jurisprudencia sobre las consecuencias del empleo de la dispensa en el juicio (especialmente en materia de violencia doméstica y de género)", *Revista electrónica de ciencia penal y criminología*, 2017, núm. 19-22, pp. 1-38

ciona a la oportuna información de la posibilidad de acogerse a la dispensa del deber de declarar. Por tanto, la validez de su declaración se planteará cuando no conste tal información[29]. Esta excepción es aplicable tanto a la mujer como al menor que, cuando tenga aptitud para comprender el significado de la dispensa, acepte declarar en el proceso. En concordancia con lo dispuesto en el propio art. 416.1 LECrim, el Letrado de la Administración de Justicia consignará tal información y su aceptación.

No se establece que esta excepción sea sólo para los testigos que no son víctimas ni que se excluya a éstas de tal información; distinto es que, si las víctimas se personan como parte acusadora, concurra la excepción tercera determinante que no pueda acogerse a la dispensa y, consiguientemente, que no haya que informarle.

En cualquier caso, surgirán cuestiones como las relativas a si la denuncia espontánea exime de esta información a la víctima o a si basta con la información realizada en sede policial cuando todavía no se ha iniciado el procedimiento judicial[30].

---

[29] En efecto, "tiene sentido que, a diferencia de lo que ocurre con los otros sujetos exentos de declarar (abogados, eclesiásticos, etc.), se haya previsto este deber de información a favor de los parientes, dado que puede presumirse que no tienen por qué poseer nociones estrictamente jurídicas que les hagan conocedores de este derecho y, lo más importante, que con su declaración puede poner en peligro la libertad de una persona ligada por íntimos lazos familiares con él", en VILLAMARÍN LÓPEZ, M.L., «El derecho de los testigos parientes a no declarar en el proceso penal», *Indret* 4/2012, p. 27.

[30] Como sostiene MONTESINOS GARCÍA, A. "Especificidades probatorias en los procesos por violencia de género", *Revista de Derecho Penal y Criminología*, 3.ª Época, n.º 17 (enero de 2017), pág. 139, "sí será necesaria dicha instrucción en un momento posterior cuando la denunciante sea llamada a declarar como testigo para ratificar su denuncia o declarar como tal".

Capítulo 15

La orden de protección para las víctimas de violencia de género: una especial referencia a las medidas civiles

ALMUDENA VALIÑO CES

Investigadora Postdoctoral del Área de Derecho Procesal
Universidad de Santiago de Compostela

RESUMEN: La violencia de género constituye un grave problema estructural en nuestra sociedad, en la medida en que supone una discriminación y un ataque a los derechos fundamentales recogidos en nuestra Constitución. En consecuencia, es incuestionable la necesidad de articular mecanismos legales para luchar contra ella no solo para tratar de erradicarla, sino también para garantizar a las mujeres víctimas de tal violencia una protección efectiva. A este respecto, ostenta un papel fundamental la orden de protección como un instrumento legal diseñado para amparar a estas mujeres frente a todo tipo de agresiones. Es por ello que este trabajo, más allá de otro tipo de medidas contenidas en la orden de protección, tiene como eje de reflexión las de naturaleza civil y los aspectos relativos a las mismas.

PALABRAS CLAVE: orden de protección, violencia de género, medidas civiles.

SUMMARY: Gender violence is a serious structural problem in our society, insofar as it represents discrimination and an attack on the fundamental rights enshrined in our Constitution. Consequently, there is an unquestionable need to articulate legal mechanisms to fight against it, not only to try to eradicate it, but also to guarantee women victims of such violence effective protection. In this respect, the protection order plays a fundamental role as a legal instrument designed to protect these women against all types of aggression. That is why this work, beyond other types of measures contained in the protection order, focuses on those of a civil nature and the aspects related to them.

KEYWORDS: protection order, gender violence, civil measures.

I. INTRODUCCIÓN

La violencia de género representa una de las mayores lacras sociales a nivel global, que afecta a todos los países con independencia de su grado de desarrollo[1], lo que justifica que también haya sido descrito como una *«epidemia generalizada»*[2].

---

[1] RODRÍGUEZ ÁLVAREZ, A., «La violencia de género en Italia», en CASTILLEJO MANZANARES, R. (Dir.) y ALONSO SALGADO, C. (Coord.), *Violencia de género y Justicia*, Servicio de Publicaciones e Intercambio Científico de la Universidad de Santiago de Compostela, Santiago de Compostela, 2013, p. 194.

[2] CUADRADO SALINAS, C., «Mujer inmigrante en situación irregular víctima de violencia de género. Aspectos victimológicos, psicosociales y procesales», *Práctica de Tribunales*, vol. 100, Sección Estudios, 2013, pp. 22-33.
Para PÉREZ FERNÁNDEZ y BERNABÉ CÁRDABA la violencia de género se ha convertido en una cuestión de relevancia para los medios de comunicación y, por tanto, para la sociedad en general, creándose con ello *«un acusado estado de alarma social frente al fenómeno»* (PÉREZ FERNÁNDEZ, F. y BERNABÉ CÁRDABA, B., «Las Denuncias Falsas en Casos de Violencia de Género: ¿Mito o Realidad?», *Anuario de Psicología Jurídica*, núm. 22, 2012, pp. 37-46).

Constituye, por tanto, un grave problema estructural de nuestra sociedad, toda vez que supone una discriminación y un ataque a los derechos fundamentales recogidos en nuestra Constitución.

Nos encontramos ante un fenómeno criminológico de tal envergadura, que nos lleva a destacar la trascendencia y extensión de la violencia de género, máxime cuando ésta no hace distinción de clase social, raza o edad, sino que cualquier mujer, por el mero hecho de ser mujer, puede ser la destinataria de estas conductas violentas en las que las posiciones de víctima y agresor están definidas desde un primer momento: la víctima es la mujer y el agresor es el hombre. Tanto es así que desde el 1 de enero de 2003 hasta el día de hoy son 1.188 las mujeres víctimas mortales, de las que 6 ya se han producido en este 2023, y 49 son menores víctimas mortales[3].

En consecuencia, la lucha contra la violencia de género debe representar una prioridad para los poderes públicos y para toda la sociedad, en tanto constituye un grave problema social, contra el que se debe actuar de forma categórica, global y coordinada. Y ello porque no se puede obviar que las mujeres son uno de los colectivos más vulnerables de la sociedad. Es por ello por lo que a lo largo de los últimos años se ha puesto mucho interés en desarrollar y mejorar la seguridad máxima y la protección de las víctimas. Ejemplo de ello ha sido la orden de protección, en la medida en que se configura como un estatuto integral de protección que concentra la acción cautelar de naturaleza civil, penal y asistencial.

---

[3]   Datos del Ministerio de Igualdad (Consultado: 29 de enero de 2023). Disponible en: https://violenciagenero.igualdad.gob.es/violenciaEnCifras/victimasMortales/fichaMujeres/home.htm

II. LA ORDEN DE PROTECCIÓN

1. Origen

El comienzo de la orden de protección se origina en las medidas cautelares para los supuestos de violencia doméstica reguladas por la creación de un nuevo artículo 544 bis de la Ley de Enjuiciamiento Criminal[4] y que, al revelarse claramente insuficientes, dio lugar al nacimiento de esta orden *stricto sensu*. Concretamente, se introduce en nuestro ordenamiento jurídico a través de la Ley 27/2003, de 31 de julio, reguladora de la Orden de protección de las víctimas de la violencia doméstica. Esta Ley añade un nuevo artículo 544 ter en la LECrim[5], el cual prevé un procedimiento sencillo, accesible a todas las víctimas de la violencia doméstica, de modo que tanto éstas, como sus representantes legales o las personas de su entorno familiar más inmediato, puedan solicitarla sin formalismos técnicos o costes añadidos. Además, esta orden se ha de poder obtener de forma rápida, toda vez que realmente no se puede hablar de protección real a la víctima si no se consigue con la máxima celeridad.

Este precepto, en su apartado 1, se refiere a víctimas de violencia doméstica, sin embargo, el artículo 62 de la Ley Orgánica 1/2004, de 28 de diciembre, de Medidas de protección integral contra la violencia de género[6], amplía expresamente su aplicación a las víctimas de violencia de género. Así, la Ley

---

[4]   En adelante, LECrim.

[5]   Este precepto ofrece en once apartados una muy detallada regulación de la orden de protección.

[6]   En adelante, LO 1/2004. Este artículo 62 señala: «*Recibida la solicitud de adopción de una orden de protección, el Juez de Violencia sobre la Mujer y, en su caso, el Juez de Guardia, actuarán de conformidad con lo dispuesto en el artículo 544 ter de la Ley de Enjuiciamiento Criminal*».

27/2003, junto con la LO 1/2004, ha apostado por reforzar la coordinación entre la jurisdicción civil y penal, lo que se plasma en la atribución de la competencia mixta —civil y penal— al Juez de Violencia sobre la Mujer[7].

Respecto a esta materia, cabe destacar *ad maiorem* las siguientes normas. En primer lugar, el Reglamento (UE) n° 606/2013 del Parlamento Europeo y del Consejo, de 12 de junio de 2013, relativo al reconocimiento mutuo de medidas de protección en materia civil. En virtud de esta normativa, cualquier víctima de violencia de género, secuestro o agresión contará con un certificado estándar multilingüe en el que se le reconocerá el derecho a ser protegida en toda la Unión Europea, con las mismas medidas de protección concedidas por su estado de origen; en segundo lugar, los artículos 130 y siguientes de la Ley 23/2014, de 20 de noviembre, de reconocimiento mutuo de

---

[7]   En adelante, JVM.

De acuerdo con la letra a) del artículo 87 ter 1 de la Ley Orgánica 6/1985, de 1 de julio, del Poder Judicial (en adelante, LOPJ), «*1. Los Juzgados de Violencia sobre la Mujer conocerán, en el orden penal, de conformidad en todo caso con los procedimientos y recursos previstos en la Ley de Enjuiciamiento Criminal, de los siguientes supuestos:*

a) De la instrucción de los procesos para exigir responsabilidad penal por los delitos recogidos en los títulos del Código Penal relativos a homicidio, aborto, lesiones, lesiones al feto, delitos contra la libertad, delitos contra la integridad moral, contra la libertad e indemnidad sexuales, contra la intimidad y el derecho a la propia imagen, contra el honor o cualquier otro delito cometido con violencia o intimidación, siempre que se hubiesen cometido contra quien sea o haya sido su esposa, o mujer que esté o haya estado ligada al autor por análoga relación de afectividad, aun sin convivencia, así como de los cometidos sobre los descendientes, propios o de la esposa o conviviente, o sobre los menores o personas con la capacidad modificada judicialmente que con él convivan o que se hallen sujetos a la potestad, tutela, curatela, acogimiento o guarda de hecho de la esposa o conviviente, cuando también se haya producido un acto de violencia de género».

resoluciones penales en la Unión Europea, en tanto regulan la orden europea de protección; en tercer lugar, la Ley 4/2015, de 27 de abril, del Estatuto de la víctima del delito, que contempla un concepto amplio de reconocimiento, protección y apoyo, destinado a la salvaguarda integral de la víctima; y, por último, la Ley Orgánica 8/2015, de 22 de julio, de modificación del sistema de protección a la infancia y a la adolescencia, la cual amplía el ámbito de las medidas de protección integral de la mujer víctima de violencia de género, incluyendo a sus hijos menores y a los menores sujetos a su tutela, o guarda y custodia, víctimas de la violencia[8].

2. *Concepto y naturaleza*

El Consejo General del Poder Judicial[9] califica a la orden de protección como una resolución judicial que, en los supuestos en los que existan indicios fundados de la comisión de delitos o faltas de violencia doméstica y exista una situación objetiva de riesgo para la víctima, ordena su protección mediante la adopción de medidas cautelares civiles y/o penales, además de activar las medidas de asistencia y protección social necesarias, por remisión de la orden de protección a los Puntos de Coordinación de las Comunidades Autónomas[10]. En otras palabras, la orden de protección es una resolución dictada por el juez en la que se adoptan medidas de protección y seguridad, de natu-

---

[8]   A juicio de GÓMEZ FERNÁNDEZ, se incluyen a los menores en la medida en que también son considerados víctimas de la violencia ejercida sobre sus madres, puesto que ésta es ejercida de rebote sobre ellos (GÓMEZ FERNÁNDEZ, I., «Hijas e hijos víctimas de la violencia de género», *Revista Aranzadi Doctrinal*, núm. 8, 2018).

[9]   En adelante, CGPJ.

[10]   Tal y como se indica en la página web del Poder Judicial. Disponible en http://www.poderjudicial.es/cgpj/es/Temas/Violencia-domestica-y-de-genero/La-orden-de-proteccion/.

raleza civil y penal, con el objetivo de proteger a las personas víctimas de la violencia de género o doméstica cuando exista una situación objetiva de riesgo. Orden de protección que será inscrita en el Registro Central para la Protección de las Víctimas de Violencia Doméstica y de Género[11].

Por otro lado, y de conformidad con la Exposición de motivos de la Ley 27/2003, la institución de la orden de protección de las víctimas de violencia de género nace con la vocación de unificar los diferentes instrumentos de amparo y tutela de las posibles víctimas de la violencia de género. Se trata, por tanto, de que a través de un rápido y sencillo procedimiento judicial, tramitado generalmente ante un juzgado de instrucción, la víctima consiga una protección integral que concentre de forma coordinada una acción cautelar de naturaleza civil y penal. A juicio de SERRANO HOYO, se considera que, más que una nueva medida cautelar, lo que se ha creado es un mecanismo

---

[11]   Este Registro Central fue creado por el Real Decreto 355/2004, de 5 de marzo, que, a su vez, fue derogado por el Real Decreto 95/2009, de 6 de febrero, por el que se regula el Sistema de registros administrativos de apoyo a la Administración de Justicia. Ese Registro, de acuerdo con el artículo 2 apartado 3 c) de esta norma tiene por objeto «*la inscripción de penas y medidas de seguridad impuestas en sentencia por delito o falta, medidas cautelares y órdenes de protección acordadas en procedimientos penales en tramitación, contra alguna de las personas a las que se refiere el artículo 173.2 de la Ley Orgánica 10/1995, de 23 de noviembre, del Código Penal. Asimismo, la inscripción de los quebrantamientos de cualquier pena, medida u orden de protección acordada en dichos procedimientos penales administrativos de apoyo a la Administración de Justicia*». Por tanto, conforme a esta disposición, únicamente se deben inscribir en el mismo: penas y medidas de seguridad impuestas en sentencia por delito o falta; medidas cautelares y órdenes de protección acordadas en procedimientos penales en tramitación; quebrantamientos de cualquier pena u orden de protección acordada en dichos procedimientos penales.

de articulación o coordinación de medidas cautelares penales y civiles y que, además, tiene proyección al ámbito asistencial[12].

En la misma línea, DEL POZO PÉREZ afirma que nos encontramos ante un mecanismo de articulación y coordinación de diversas medidas cautelares y protectoras de la víctima, de naturaleza penal, así como de las medidas provisionales civiles, que ya existían en nuestro ordenamiento jurídico, a las que se ha unido en la misma institución una vertiente asistencial y de tutela social, que pretende lograr un estatuto de protección integral de las posibles víctimas de la violencia de género, por lo que goza de una compleja naturaleza en función de las concretas medidas que se adopten en cada orden, con el denominador común de tener como objetivo primordial la seguridad y tutela de aquella mujer que sufre violencia de género[13]. Para MORENO CATENA también es clave este objetivo y a este respecto señala que, en todo caso, la orden de protección desborda de una manera manifiesta el ámbito de las medidas cautelares y su propia denominación revela que nos hallamos ante algo diferente, ante un mecanismo más amplio que las simples medidas limitativas de derechos que pretende, más allá de cualquier otra consideración, dispensar a la víctima una protección completa en el proceso penal. De esta forma, se le evita el peregrinaje a la jurisdicción civil, activándole los mecanismos asistenciales administrativos[14].

---

[12] SERRANO HOYO, G., «Algunas cuestiones procesales que plantea la orden de protección de las víctimas de la violencia doméstica», *Anuario de la Facultad de Derecho*, vol. XXII, 2004, pp. 72 a 73.

[13] DEL POZO PÉREZ, M., «La orden de protección», en FIGUERUELO BURRIEZA, Á. e IBÁÑEZ MARTÍNEZ, M. L., *El reto de la efectiva igualdad de oportunidades*, Comares, Granada, 2006, pp. 89-136.

[14] MORENO CATENA, V. y CORTÉS DOMINGUEZ, V., *Derecho procesal penal*, Tirant lo Blanch, Valencia, 2021, p. 380.

Así pues, nos encontramos ante una figura cuya naturaleza es la de una medida cautelar de carácter personal, pero no en sentido estricto. Y ello porque en el caso de las medidas cautelares personales el objetivo de éstas es evitar que el imputado pueda sustraerse del proceso y de los efectos del mismo. Sin embargo, el fin que persigue la orden de protección es proteger a la víctima de determinados delitos frente a eventuales agresiones de sus derechos por parte del imputado[15]. Para lograr este fin, la víctima, tal y como implica la orden de protección, va a ser informada de manera permanente acerca de la situación procesal y penitenciaria del agresor, así como del alcance y vigencia de las medidas adoptadas. Si bien no resulta factible la concurrencia de varias órdenes de protección sobre una misma víctima, lo cierto es que sí se permite la modificación del contenido de aquélla siempre que varíen las circunstancias que se tuvieron en cuenta para dictarla.

3. Presupuestos para la adopción

El apartado 1 del artículo 544 ter contempla los elementos necesarios que deben concurrir para adoptar la orden de protección. En concreto, en él se señala que «*El Juez de Instrucción dictará orden de protección para las víctimas de violencia doméstica en los casos en que, existiendo indicios fundados de la comisión de un delito o falta contra la vida, integridad física o moral, libertad sexual, libertad o seguridad de alguna de las personas mencionadas en el artículo 173.2 del Código Penal, resulte una situación objetiva de riesgo para la víctima que requiera la adopción de alguna de las medidas de protección reguladas en este artículo*». En consecuencia, para la adopción de la orden de protección se exige la concurrencia

---

[15]   MARCHAL ESCALONA, A. N., *Manual de lucha contra la violencia de género*, Aranzadi, Cizur Menor (Navarra), 2010, p. 202.

simultánea de ciertos requisitos, denominados por la doctrina como presupuestos.

En primer lugar, el *fumus boni iuris*. Este requisito hace referencia a la necesidad de que existan indicios fundados de la existencia de un delito, los cuales deben deducirse de las declaraciones de las víctimas y de las diligencias de investigación practicadas, como pueden ser informes médicos, declaraciones de testigos o, incluso, de la declaración del propio investigado[16]. En consecuencia, no resulta suficiente con las meras sospechas o conjeturas de que se ha cometido un hecho que reviste caracteres de delito. Así, la consideración jurisdiccional se basa en examinar si existen elementos externos que puedan ser valorados judicialmente y que puedan utilizarse para convertir la mera sospecha en sospecha fundada de la comisión de un delito.

En segundo lugar, el *periculum in mora,* esto es, el peligro para la marcha ordenada del proceso por la tardanza. Este presupuesto implica que exista una situación objetiva de riesgo para la víctima, el cual solo puede acreditarse atendiendo a las circunstancias que rodean el caso. Ante su falta de concreción legislativa, la jurisprudencia ha precisado que el riesgo obje-

---

[16]   Ante la cuestión de si el solo testimonio de la víctima es suficiente para entender cumplido este requisito, la respuesta puede entenderse afirmativa, toda vez que hablamos de conductas delictivas que se manifiestan en un ámbito privado e íntimo y, por ende, resulta difícil para la víctima acreditar de otro modo las mismas. No obstante, en este caso la jurisprudencia exige mayor rigurosidad a la hora de valorar dicho testimonio y entender cumplido tal presupuesto. A este respecto, véase: VALIÑO CES, A., «Problemática en torno a la denuncia de las víctimas mujeres inmigrantes en los casos de violencia de género», en GUZMÁN ORDAZ, R., GORJÓN BARRANCO, M. C. (Coords.) y SANZ MULAS, N. (Ed.), *Políticas públicas en defensa de la inclusión, la diversidad y el género,* Grupo de Investigación Reconocido GIR DIVERSITAS, Salamanca, 2019, pp. 609 y 610.

tivo *«no significa otra cosa que la constatación de la posibilidad de advenimiento de una acción lesiva para la integridad física o lesiva de la víctima»*[17], lo que en la práctica implica que deben valorarse, para entenderse cumplido tal requisito, la gravedad del hecho cometido, los antecedentes existentes en el caso –es decir, la existencia de condenas anteriores o de procedimientos penales en trámite por delitos relacionados con la violencia de género en los que la víctima sea la misma u otra mujer–, la personalidad del agresor, la reiterada comisión de actos violentos por el agresor o la situación anímica de la víctima[18], así como el quebrantamiento de medidas cautelares o la comisión de los hechos en el domicilio común, dado que el hogar es el lugar donde las mujeres corren mayor riesgo de experimentar violencia.

En definitiva, el riesgo objetivo debe ser valorado en cada caso concreto y tanto la concesión como la denegación de la medida interesada debe ir revestida de una motivación razonable de la que se desprenda que efectivamente, en el corto lapso de tiempo del que dispone el juez para decidir sobre la

---

[17] En concreto, la Audiencia Provincial de Madrid señala a este respecto: *«Como ya se ha dicho, la existencia de indicios de la posible comisión de una infracción de las consignadas en el art. 544 ter no basta para el dictado de la orden de protección, que requiere también del segundo presupuesto. De haber sido voluntad del legislador que se decretase orden de protección en todo procedimiento iniciado por denuncia de delito o falta contra la vida la integridad física o moral la libertad sexual, la libertad o seguridad de alguna de las personas mencionadas en el art. 173.2 del Código Penal, lo habría manifestado expresamente o hubiese omitido la exigencia de situación objetiva de riesgo, que no significa otra cosa que, constatación objetiva de posibilidad de advenimiento de una acción lesiva para la integridad física o psíquica de la víctima»* (*vid.* el fundamento jurídico segundo del auto de la Audiencia Provincial de Madrid, Sección 26ª, 1118/2009, de 10 de junio (JUR 2009, 301648)).

[18] MARCHAL ESCALONA, A. N., *Manual de lucha contra la violencia de género...*, *op. cit.*, pp. 208 y 209.

medida interesada, se ha procedido al examen serio, detenido y detallado de todas las circunstancias que concurren en el caso concreto.

Con ello y con todo, a juicio de MORENO CATENA, mientras el cumplimiento del *fumus bonis iuris* se sostiene por la apreciación judicial de la existencia del hecho y de la responsabilidad de un agresor, el *periculum in mora* no necesariamente se cumple, sino que se toma en consideración el que podríamos denominar *periculum in damnum*, teniendo en cuenta la situación objetiva del riesgo para la víctima, tal y como se infiere del citado precepto[19].

4. Legitimación

En cuanto a la legitimación activa para solicitar dicha orden, debemos atender al apartado 2 del artículo 544 ter, donde se contiene una amplia relación de personas que pueden solicitarla, coincidiendo todas ellas con el fin de conseguir esa protección integral de las víctimas.

Los sujetos que, en puridad, pueden solicitarla, son: a) la víctima de actos de violencia física o psicológica por parte de quien sea o haya sido su cónyuge o de quien esté o haya estado ligado a ella por relaciones similares de afectividad, aun sin convivencia[20], ya sea de forma directa por la misma o a tra-

---

[19]   Esta medida logró plasmarse por iniciativa española en la Directiva 2011/99/UE del Parlamento Europeo y del Consejo de 13 de diciembre de 2011, sobre la orden europea de protección (MORENO CATENA, V. y CORTÉS DOMINGUEZ, V., *Derecho procesal penal...*, *op. cit.*, p.380).

[20]   En este sentido, es relevante concretar qué se entiende por «*análoga relación de afectividad*» a los efectos de que no todas las situaciones de pareja son consideradas como tales en la LO 1/2004. A este respecto, la legislación no aclara en qué debe consistir tal analogía.

vés de su letrado; b) cualquiera de las personas que tenga con la víctima alguna de las relaciones fijadas en el artículo 173.2 del Código Penal, esto es: los descendientes de la víctima; sus ascendientes; sus hermanos por naturaleza, adopción o afinidad, propios o del cónyuge o conviviente; o los menores o incapaces que convivan con la víctima o que se hallen sujetos a la potestad, tutela, curatela, acogimiento o guarda de hecho; c) por el Ministerio Fiscal; d) también el órgano judicial competente puede acordarla de oficio; e) y/o por las Entidades u Organismos Asistenciales, públicos o privados, que tuviesen conocimiento de la existencia de alguno de los delitos o faltas de violencia doméstica (y/o de género), a causa del deber general de denuncia que prevé el artículo 262 LECrim para estas entidades y organismos, deber según el cual habrán de poner estos hechos inmediatamente en conocimiento del JVM o, en su caso, del Juez de Instrucción en funciones de guardia o del Ministerio Fiscal, con el fin de que el Juez pueda incoar, o el

---

Aun así, podemos encontrar definiciones de lo que se entiende por relación a efectos de la citada Ley. Un ejemplo es la sentencia de la Sección 2º de la Audiencia Provincial de Toledo, 12/2015, de 3 de marzo (JUR 2015, 100259), la cual señala: «*Por análoga relación de afectividad debe entenderse aquellas situaciones que, transcendiendo los lazos de la amistad, del afecto y de la confianza, crean un vínculo de complicidad estable, duradero y con vocación de futuro, mucho más estrecho e íntimo, del que se generan obligaciones y derechos*». La definición parece más o menos clara, pero su aplicación práctica no lo es, toda vez que resulta preciso barajar diversas circunstancias, tales como la estabilidad de la relación, la duración de la misma, cierta vocación de permanencia, etc. Para profundizar en esta cuestión: VALIÑO CES, A. «Debate en torno a la expresión "análoga relación de afectividad" en los delitos de violencia de género», CERVILLA GARZÓN, M. D., JOVER RAMÍREZ, C. y RODRÍGUEZ TIRADO, A. M. (Dirs.), *Jurisprudencia y doctrina: ¿un matrimonio de conveniencia?*, Aranzadi, Madrid, 2020.

Ministerio Fiscal pueda instar, el procedimiento para la adopción de la orden de protección[21].

Para solicitar dicha orden no es necesario que las personas legitimadas para su solicitud lo hagan ante el órgano judicial encargado de resolverla, sino que se ha articulado una red de comunicación entre diversos órganos, todos ellos con función pública, ante los cuales la solicitud de ésta puede ser presentada. En concreto, estos son los siguientes: la Autoridad Judicial; la Fiscalía; Fuerzas y Cuerpos de Seguridad, como Comisarías de Policía, los puestos de la Guardia Civil y las dependencias de las Policías Autonómicas y Locales; Oficinas de Atención a la Víctima y servicios sociales o asistenciales dependientes de cualquier Administración Pública, ya sean municipales, autonómicos o estatales; y los Servicios de Orientación Jurídica de los Colegios de Abogados.

Todos estos órganos tienen la obligación de facilitar la información relativa a la orden de protección, así como el formulario normalizado y único para su solicitud, *ex* artículo 544 ter.3 *in fine*, formulario que también puede obtenerse a través de Internet, entre otras webs, en la del CGPJ[22], donde existe un formulario elaborado por el Observatorio de Violencia Doméstica del CGPJ. Además, tal formulario garantiza la confidencialidad de los datos personales del solicitante, cuando lo sea la

---

[21] MARTIN AGRAZ, P., *Tutela penal de la violencia de género y doméstica*, Bosch, S.A., L´Hospitalet de Llobregat, 2011, p. 69.

[22] Disponible en http://www.poderjudicial.es/cgpj/es/Temas/Violencia-domestica-y-de-genero/La-orden-de-proteccion/. Otras webs donde se pueden obtener el formulario: https://www.icav.es/bd/archivos/ archivo363.pdf; http://igualdade.xunta.gal/es/content/modelo-de-solicitud-de-orden-de-proteccion; https://www.zaragoza.es/contenidos/tramites/impresos/proteccion.pdf; https://www.mscbs.gob.es/gl/ssi/violenciaGenero/QueHacer/ordenProteccion/home.htm.

víctima o un familiar, para que el investigado no pueda tener conocimiento del lugar en el que se encuentra la víctima[23].

5. Procedimiento judicial para la adopción

El procedimiento para la adopción de la orden de protección se desarrolla de forma rápida, ágil y sencilla, con el fin de otorgar la inmediata protección de la víctima. A pesar de esta unidad de acto, existen tres fases en el procedimiento que a continuación se exponen someramente.

De conformidad con los apartados 2 y 3 del artículo 544 ter, la primera de las fases es la solicitud, la cual se realiza por el sujeto pasivo o el Ministerio Fiscal y se interpone directamente ante: el órgano jurisdiccional; el Ministerio Fiscal; las Fuerzas y Cuerpos de Seguridad del Estado; las oficinas de atención a la víctima o los servicios sociales; o los servicios sociales o instituciones asistenciales dependientes de las Administraciones públicas[24]. Para su redacción, tal y como se comentó *supra*, se facilita un formulario normalizado que permite garantizar la confidencialidad de los datos personales del solicitante.

La segunda es la audiencia[25]. Una vez recibida la solicitud, el Juez de guardia convocará a una audiencia urgente, a la víctima o su representante legal, al solicitante, al agresor –asistido,

---

[23] SOSPEDRA NAVAS, F. J., *Las reformas del proceso penal de 2002 y 2003. Juicios rápidos. Prisión provisional y orden de protección. El juicio de faltas*, Civitas Ediciones, S.L. Madrid, 2004, p. 218.

[24] Los servicios sociales y las instituciones asistenciales facilitarán a las víctimas de la violencia a las que hubieran de prestar asistencia, la solicitud de la orden de protección, poniendo a su disposición información, formularios y, en su caso, canales de comunicación telemáticos con la Administración de Justicia y el Ministerio Fiscal (*vid.* artículo 544 ter.3 segundo párrafo).

[25] *Vid.* artículos 505, 544 ter.4 y 798 LECrim.

en su caso, de abogado– y al Ministerio Fiscal. Cuando no sea posible su celebración durante el servicio de guardia, será convocada en el plazo máximo de 72 horas desde la presentación de la solicitud[26]. Durante la audiencia, el Juez tomará las medidas necesarias para evitar la confrontación entre el agresor y la víctima, sus hijos y restantes miembros de la familia. A estos efectos, su declaración se realizará por separado.

En el supuesto de que no fuese posible la celebración de la comparecencia para la adopción de la orden de protección por no haberse podido localizar al investigado o encausado[27],

---

[26] Si la solicitud se presenta ante órgano distinto del juez, este plazo de 72 horas empieza a contar desde la solicitud, y no desde la llegada de la misma al juzgado de guardia. El incumplimiento del plazo implica una irregularidad procesal, pero no conlleva la nulidad de las actuaciones procesales de acuerdo con el artículo 241 LOPJ.

[27] De conformidad con la Circular 3/2003, de 18 de diciembre, de la Fiscalía General del Estado sobre algunas cuestiones procesales relacionadas con la orden de protección, la urgencia puede requerir la adopción de estas medidas sin esperar a la comparecencia. Sea como fuere, las medidas adoptadas deberán comunicarse al denunciado en cuanto sea localizado.

Asimismo, esta Circular aclara la eficacia derivada de la incomparecencia de alguna de las partes. Por un lado, si la incomparecencia es justificada, se suspenderá el acto y se procederá a una nueva convocatoria, sin perjuicio de que puedan adoptarse las medidas cautelares necesarias al amparo de los artículos 544 bis LECrim o 158 del Código Civil. Por otro lado, si la incomparecencia no está justificada, debemos distinguir, primero, si quien no comparece es el agresor. En este supuesto, si ha sido debidamente citado para la comparecencia y no acude, es posible adoptar igualmente medidas cautelares de todo orden. No se pueden considerar medidas cautelares *inaudita parte,* ya que se ha dado al denunciado la oportunidad de la audiencia y la debida contradicción. En otro caso, se dejaría en manos del denunciado la adopción de las medidas previstas en la orden de protección. Otra cosa es que la decisión que se adopte se le notifique y que se puedan interponer los recursos oportunos conel Juez de guardia remitirá todo lo actuado al JVM, quien asumirá la plena competencia sobre la solicitud, sin perjuicio de que el Juez de guardia pueda adoptar, en su caso, aquellas medidas urgentes que considere precisas para la protección de la víctima, nos referimos a las medidas del artículo 544 bis LECrim y del artículo 158 del Código Civil[28]. Las posibles cuestiones de incompetencia territorial del órgano jurisdiccional no impiden su celebración[29].

Esta audiencia permite la práctica de prueba y puede realizarse de forma simultánea a la prevista en el artículo 505 LECrim para poder acordar la prisión provisional o la prevista en el artículo 798 LECrim para la adopción de diligencias urgentes en el juzgado de guardia, cuando se desee acudir al trámite del juicio rápido en la denuncia formulada por violencia doméstica.

Por último, la resolución[30]. Celebrada la audiencia, el Juez de guardia resolverá mediante auto lo que proceda sobre la solicitud de la orden de protección, así como sobre el contenido y vigencia de las medidas que incorpore. Esta resolución será notificada a las partes intervinientes, y comunicada por el letrado de la Administración de Justicia inmediatamente, mediante testimonio íntegro, a la víctima y a las Administraciones públicas competentes para la adopción de medidas de protección, para su proyección al ámbito asistencial. Contra la resolución

---

tra la misma. Y segundo, los supuestos de inasistencia de la víctima, o del solicitante de la orden, no deben implicar necesariamente una suspensión, aunque queda al arbitrio del Juez de guardia.

[28] En adelante, CC.

[29] SOSPEDRA NAVAS, F. J., *Las reformas del proceso penal de 2002 y 2003. Juicios rápidos. Prisión provisional y orden de protección. El juicio de faltas..., op. cit.,* p. 219.

[30] *Vid.* artículo 544 ter.4 y 544 ter.8 LECrim.

caben los recursos ordinarios de reforma y apelación, aunque únicamente contra las medidas penales.

III. LAS MEDIDAS CIVILES

1. Con carácter preliminar

En lo que aquí nos interesa, centraremos el análisis en los apartados 5 y 7 del mencionado artículo 544 ter, que aluden a la regulación general de las medidas y a las civiles, en concreto, que pueden acordarse. El primero de los apartados hace referencia a que la orden de protección confiere a la víctima un estatuto integral de protección, que comprende las medidas cautelares de orden civil y penal contempladas en el propio precepto y aquellas otras medidas de asistencia y protección social necesarias que prevé el ordenamiento jurídico[31]. Por tanto, esta figura constituye un título judicial que le otorga a aquélla una serie de derechos de distinta naturaleza que pueden hacerse valer ante cualquier autoridad y Administración Pública. No obstante, aun cuando no cabe el supuesto de una orden de protección sólo con medidas civiles, sí cabe la adopción de medidas civiles en un procedimiento penal, a tenor del artículo 158 CC, al que se refiere el artículo 544 ter, así como las especialmente previstas en el artículo 544 quinquies LECrim.

En efecto, la orden de protección aúna las medidas civiles y las penales, por lo que las civiles pueden interesarse en la

---

[31]   Para profundizar en este tema: VALIÑO CES, A., «La orden de protección: estudio de las medidas para las víctimas de violencia doméstica y de género en el marco del artículo 544 ter de la Ley de Enjuiciamiento Criminal», *Revista Aranzadi de Derecho y Proceso Penal*, núm. 56, 2019, pp. 21-44.

misma solicitud o modelo protocolizado por la víctima, o su representante legal, o bien por el Ministerio Fiscal en el caso de que existan hijos menores o personas con discapacidad necesitadas de especial protección, con el requisito necesario de que estas medidas no hayan sido previamente acordadas por un órgano del orden jurisdiccional civil. Y ello, porque en este caso no será posible solicitarlas en la orden de protección, salvo que por las circunstancias del hecho denunciado sea preciso proteger de modo urgente a las referidas personas, en cuyo caso se adoptarán tales medidas por vía del referido artículo 158 y se remitirá testimonio al juzgado de lo civil que esté conociendo del asunto[32]. Asimismo, existe la posibilidad de que el juez adopte algún tipo de medida civil, cuando existan menores o personas con discapacidad necesitadas de especial protección que convivan con la víctima o dependan de ella, porque en ese supuesto deberá pronunciarse en todo caso, incluso de oficio, acerca de la pertinencia de la adopción de las referidas medidas[33].

---

[32]   PERAMATO MARTIN, T., «La orden de Protección», en PORRES ORTIZ DE URBINA, E. (Dir.), *Hacia un catálogo de buenas prácticas para optimizar la investigación judicial,* Colección Manuales de Formación Continuada del Consejo General del Poder Judicial, núm. 46, 2007, pp. 587 y 588.

[33]   La Fiscalía General del Estado en la referida Circular 3/2003 concreta: «*En la comparecencia el Fiscal únicamente interesará o se pronunciará sobre las medidas civiles interesadas por otro si existieren hijos menores o incapaces, como cabe deducir de la legitimación restringida que establece el apartado 7 del art. 544 bis. La única excepción a la restricción de la intervención del Fiscal radica en la posibilidad de pronunciarse sobre las medidas civiles, pese a la inexistencia de menores o incapaces, cuando éstas, por su contenido, puedan incidir oponiéndose frontalmente al contenido de las acordadas penalmente que, en tal caso, deberán considerarse prioritarias con apoyo en el art. 8 LECrim»* (Disponible en www.jzb.com.es/resources/fge_circular_3_2003.pdf, p. 7).

2. Tipos de medidas civiles

En cuanto a las medidas de naturaleza civil, su regulación se encuentra en el apartado 7 del artículo 544 ter. No estamos ante un *numerus clausus,* lo que se colige de los propios términos utilizados en su redacción, en la que se dispone que «*Estas medidas podrán consistir en* [...]», por lo que cabe entender que se trata de una enumeración abierta de medidas. Además, el referido párrafo, tal y como veremos a continuación, presenta una cláusula de cierre, lo que daría cabida a otras medidas.

En primer lugar, en la orden de protección se contiene la medida que consiste en adoptar «*la forma en que se ejercerá la patria potestad, acogimiento, tutela, curatela o guarda de hecho*». Esta novedad, incorporada por la Ley Orgánica 8/2021, de 4 de junio, de protección de la infancia y la adolescencia frente a la violencia, va dirigida a dotar de una mayor protección integral a la infancia y a la adolescencia frente a los reiterados fenómenos de violencia en los que los menores son sujetos pasivos de ilícitos penales, y también de una gran problemática en el orden civil.

En segundo lugar, se recoge como medida civil a adoptar «*la atribución del uso y disfrute de la vivienda familiar*». Ésta se va a regir por lo previsto en el artículo 103.2 CC y se limitará a la vivienda y ajuar familiar, dejando fuera otras residencias[34]. En caso de que la mujer víctima decidiese marcharse de la vivienda y refugiarse en una casa de acogida o en el domicilio de familiares o amigos, esto nunca podrá considerarse como una

---

[34] A los efectos de unificar la doctrina de las Audiencias Provinciales en esta materia, la Sección 1ª de la Sala Civil del Tribunal Supremo, en su sentencia 284/2012, de 9 de mayo (RJ 2012, 5137) ha manifestado que «*en los procedimientos matrimoniales seguidos sin consenso de los cónyuges, no pueden atribuirse viviendas o locales distintos de aquel que constituye la vivienda familiar* [...]».

renuncia tácita al uso del domicilio y propiciar la omisión de pronunciamiento en la resolución judicial[35]. A este respecto, cabe resaltar la posibilidad de permuta que contiene el artículo 64.2 LO 1/2004: «*El Juez, con carácter excepcional, podrá autorizar que la persona protegida concierte, con una agencia o sociedad pública allí donde la hubiere y que incluya entre sus actividades la del arrendamiento de viviendas, la permuta del uso atribuido de la vivienda familiar de la que sean copropietarios, por el uso de otra vivienda, durante el tiempo y en las condiciones que se determinen*».

En tercer lugar, la medida consistente en «*determinar el régimen de guarda y custodia, suspensión o mantenimiento del régimen de visitas, comunicación y estancia con los menores o personas con discapacidad necesitadas de especial protección*». Se encuentra regulado en el artículo 103.1 CC, aun cuando debe guardar cierta lógica con las demás medidas que integran la orden de protección para que sean viables. Las medidas que se acuerden deben de tener como finalidad última el interés superior del menor, es decir, el mantenimiento de su integridad física y mental, por lo que se exigirá valorar en cada caso los elementos concretos, máxime cuando los hijos de las mujeres maltratadas también son víctimas de violencia de género[36].

En el caso de que existan indicios fundados de violencia, de acuerdo con el art. 92.7 CC, no procederá la custodia compartida. A este respecto, cabe destacar que cuando se dicte una orden de protección con medidas de contenido penal y existieran indicios fundados de que los hijos e hijas menores de edad hubieran presenciado, sufrido o convivido con la violencia a la que se refiere el apartado 1 de este artículo, la autoridad judi-

---

[35] GONZALO RODRÍGUEZ, M. T., «Medidas civiles en la orden de protección», *Práctica de Tribunales*, núm. 101, Sección Estudios, marzo-abril, 2010, 36-48.

[36] Véase a este respecto la Ley 26/2015, de 28 de julio, de protección a la infancia y a la adolescencia.

cial, de oficio o a instancia de parte, suspenderá el régimen de visitas, estancia, relación o comunicación del inculpado respecto de los menores que dependan de él. No obstante, a instancia de parte, la autoridad judicial podrá no acordar la suspensión mediante resolución motivada en el interés superior del menor y previa evaluación de la situación de la relación paternofilial.

En este sentido, caber destacar los artículos 65 y 66 LO 1/2004, en tanto contienen, respectivamente, una previsión relativa a la suspensión del ejercicio de la patria potestad y las visitas[37]. No obstante, es cierto que la Instrucción de la Fiscalía General del Estado 4/2004, de 14 de junio, acerca de la

---

[37]   El artículo 65 señala: «*El Juez podrá suspender para el inculpado por violencia de género el ejercicio de la patria potestad o de la guarda y custodia, respecto de los menores a que se refiera*». Por su parte, el artículo 66 dispone: «*El Juez podrá ordenar la suspensión de visitas del inculpado por violencia de género a sus descendientes*».

A tal efecto, también se puede aludir al artículo 544 quinquies LE-Crim –introducido por la Ley 4/2015, de 27 de abril, del Estatuto de la víctima del delito–, en tanto dispone en su apartado 1: «*En los casos en los que se investigue un delito de los mencionados en el artículo 57 del Código Penal, el Juez o Tribunal, cuando resulte necesario al fin de protección de la víctima menor de edad o con la capacidad judicialmente modificada, en su caso, adoptará motivadamente alguna de las siguientes medidas:*

a) Suspender la patria potestad de alguno de los progenitores. En este caso podrá fijar un régimen de visitas o comunicación en interés del menor o persona con capacidad judicialmente modificada y, en su caso, las condiciones y garantías con que debe desarrollarse.

b) Suspender la tutela, curatela, guarda o acogimiento.

c) Establecer un régimen de supervisión del ejercicio de la patria potestad, tutela o de cualquier otra función tutelar o de protección o apoyo sobre el menor o persona con la capacidad judicialmente modificada, sin perjuicio de las competencias propias del Ministerio Fiscal y de las entidades públicas competentes.

d) Suspender o modificar el régimen de visitas o comunicación con el no conviviente o con otro familiar que se encontrara en vigor, cuando resulte

protección de las víctimas y el reforzamiento de las medidas cautelares en relación a los delitos de violencia doméstica, los ha matizado estableciendo que la suspensión no puede ser automática, sino que quedará reservada a aquellos casos cuya gravedad o especial naturaleza así lo aconsejen, recordando que el legislador no ha querido arbitrar una medida sancionadora, sino una medida de protección de los menores. De igual modo, el Tribunal Supremo se ha manifestado al respecto y ha declarado expresamente, en la sentencia 568/2015, de 30 de septiembre[38] –que resuelve un recurso de casación formulado por el Ministerio Fiscal– que, «*repugna legal y moralmente, mantener al padre en la titularidad de unas funciones respecto de las que se ha mostrado indigno, pues resulta difícil imaginar un más grave incumplimiento de los deberes inherentes a la patria potestad, que la menor presencie el intento del padre de asesinar a su madre. Hay que recordar que la patria potestad se integra, por una serie de deberes de los padres para sus hijos menores, por lo que se trata de una institución tendente a velar por el interés de las menores que es el fin primordial de la misma, debiéndose acordar tal privación en el propio proceso penal evitando dilaciones que si siempre son perjudiciales, en casos como el presente pueden ocasionar un daño irreparable en el desarrollo del menor*» (RJ 2015, 4381).

En cuarto lugar, también se prevé la determinación del «*régimen de prestación de alimentos*», lo cual se encuentra regulada en el artículo 103.3 CC y no ofrece ninguna singularidad respecto a las prestaciones de alimentos que se solicitan y acuerdan en los supuestos fuera de violencia de género. Por tanto,

---

necesario para garantizar la protección del menor o de la persona con capacidad judicialmente modificada».

[38] Esta sentencia resuelve acerca de un hombre que es condenado por un delito de homicidio en grado de tentativa contra su pareja, perpetrado en presencia de la hija común de ambos de tres años.

comprende todo lo indispensable para el sustento, habitación, vestido, asistencia médica y educación.

El precepto alude, en último lugar, a cualquier disposición que se considere oportuna a fin de apartar al menor de un peligro o de evitarle perjuicios. De este modo, pueden acordarse no solo las medidas previstas en el artículo 103 CC, por remisión del artículo 771 LEC, sino también las del artículo 158 CC, así como las contempladas en los artículos 64 a 66 LO 1/2004, que aun cuando contienen esencialmente medidas penales, algunas de ellas tienen naturaleza civil, como sucede con la suspensión de la patria potestad. Igualmente, se podrán acordar las medidas a las que se refiere el artículo 768 LEC sobre prestación de alimentos provisionales en los procesos de reclamación de filiación.

3. Vigencia de las medidas civiles

Por su propia naturaleza, las medidas civiles no están destinadas a durar indefinidamente en el tiempo, sino que poseen un carácter provisional. En efecto, estas medidas tienen una vigencia temporal de 30 días. Como se trata de un plazo perentorio, su incumplimiento produciría la grave consecuencia de la extinción de las medidas acordadas. Por ello, el juez competente en materia civil debe ser ágil en la decisión a adoptar ante el perjuicio que su retraso pudiera conllevar, ya que el transcurso de los 30 días determina la inmediata caducidad y alzamiento de las medidas adoptadas. Ahora bien, si dentro de ese plazo fuese incoado a instancia de la víctima o de su representante legal un proceso de familia ante la jurisdicción civil, las medidas adoptadas permanecerán en vigor durante los 30 días siguientes a la presentación de la demanda.

En el referido plazo, las medidas deberán ser ratificadas, modificadas o dejadas sin efecto por el juez de primera instancia que resulte competente o, en su caso, por el JVM. Tal previsión supone una ventaja considerable, pues no tendrá que acudirse a un órgano judicial distinto al que adoptó la orden de protección, sino que se ratifican las medidas ante el mismo juzgado. De esta manera, el juez civil será el mismo juez que dicta la orden si se dan los requisitos previstos en el artículo 87 ter.3 LOPJ[39].

Excepcionalmente, si el JVM no puede dictar la correspondiente resolución dentro del plazo de 30 días desde la presentación de la demanda, podrá hacer uso de la posibilidad de dictar medidas *inaudita parte* siempre que concurran los requisitos previstos en el artículo 771.2.II LEC, procediendo a citar a la correspondiente comparecencia a la que se refiere su párrafo primero[40].

---

[39] Este precepto señala: «*Los Juzgados de Violencia sobre la Mujer tendrán de forma exclusiva y excluyente competencia en el orden civil cuando concurran simultáneamente los siguientes requisitos:*

a) Que se trate de un proceso civil que tenga por objeto alguna de las materias indicadas en el número 2 del presente artículo.

b) Que alguna de las partes del proceso civil sea víctima de los actos de violencia de género, en los términos a que hace referencia el apartado 1 a) del presente artículo.

c) Que alguna de las partes del proceso civil sea imputado como autor, inductor o cooperador necesario en la realización de actos de violencia de género.

d) Que se hayan iniciado ante el Juez de Violencia sobre la Mujer actuaciones penales por delito o falta a consecuencia de un acto de violencia sobre la mujer, o se haya adoptado una orden de protección a una víctima de violencia de género».

[40] MAGRO SERVET, V., «Medidas cautelares civiles y la Orden de Protección en la Ley Orgánica 1/2004, de 28 de Diciembre», *Práctica de Tribunales*, núm. 19, septiembre de 2005, Editorial La Ley, pp. 19-31.

4. Impugnación de las medidas civiles

Los pronunciamientos sobre las medidas penales acordadas en la orden de protección son susceptibles de recurso, ya sea en reforma o en apelación, al estar sujetos al régimen general de recursos de la LECrim. Sin embargo, contra los pronunciamientos sobre las medidas civiles no cabe recurso alguno. En este caso, las medidas deberán discutirse ante el juez civil competente, como se desprende de la interpretación sistemática de los artículos 217 y 766 LECrim, en relación con el artículo 771 LEC[41].

A fin de sustentar el carácter irrecurrible de estas medidas se emplean fundamentalmente tres razones. En primer lugar, porque tales medidas de naturaleza civil equivalen a las medidas provisionales previas reguladas en los artículos 771 a 773 LEC. Es por ello por lo que se entiende que debe aplicarse el régimen de irrecurribilidad que para este tipo de medidas se determina en la referida norma procesal, por la aplicación supletoria de la misma[42]. En segundo lugar, porque estas medidas civiles tienen su propio sistema revisorio, trasladando esta competencia revisora al orden jurisdiccional civil. Y, en tercer

---

[41]   SOSPEDRA NAVAS, F. J., *Las reformas del proceso penal de 2002 y 2003. Juicios rápidos. Prisión provisional y orden de protección. El juicio de faltas...*, *op. cit.*, p. 222.

[42]   El auto de la Audiencia Provincial de Zaragoza, Sección 2ª, 487/2011, de 27 de septiembre, señalaba que «*Tales medidas tienen una vigencia de 30 días pudiendo ser ratificadas o modificadas en el proceso civil que se inste y una naturaleza netamente provisional hasta la adopción de las definitivas en caso de nulidad , separación o divorcio, y, por tanto participan de la naturaleza de las medidas provisionales contempladas en los artículos 771 y 773 de la Ley de Enjuiciamiento Civil , rigiéndose por las normas procesales para ellas previstas en dicho Texto Legal*» (JUR 2011, 399185). En cuanto a las normas que prevén la irrecurribilidad de estas medidas: el auto de la Audiencia Provincial de Tarragona, Sección 4ª, 238/2017, de 18 de abril (JUR 2017, 204570).

lugar, por motivos de eficacia procesal, dada la escasa vigencia temporal de las medidas adoptadas. Este motivo, de carácter práctico, vendría a sostener que, si se admitiese un recurso frente a estos pronunciamientos civiles, cuya vigencia es de 30 días, de ordinario, antes de que hubiera sido posible resolver el recurso, tales medidas habrían decaído en su vigencia[43].

5. Ejecución de las medidas civiles

El incumplimiento de una medida cautelar civil permite que la víctima pueda instar, del juzgado que haya dictado la orden de protección, su ejecución (artículo 545 LEC). Y ello sin descartar la posibilidad de que el referido incumplimiento pueda estar tipificado penalmente, ya sea como delito de desobediencia, de impago de pensiones o de abandono de familia.

Para llevar a cabo la ejecución, es necesario que previamente se notifique la correspondiente resolución –auto– a todas las partes y a las Administraciones implicadas y se comunique para su inscripción en el Registro Central para la Protección de las Víctimas de Violencia Doméstica. En la práctica, es posible que, tras la notificación, las medidas se cumplan de forma voluntaria, pero en caso contrario, la parte favorecida por las medidas civiles incumplidas acudirá al JVM a fin de presentar la correspondiente demanda ejecutiva, interesando su despacho y el embargo. A este respecto, debe recordarse que las resoluciones dictadas en esta materia no están sujetas al plazo de espera de 20 días previsto en el artículo 548 LEC y no lo están porque los pronunciamientos civiles de la orden de protección son ejecutables desde el mismo momento en que se dictan, dada su naturaleza urgente, su finalidad y su vigencia temporal.

---

[43]   ABELLA LÓPEZ, J., «Impugnación de las medidas civiles adoptadas en la orden de protección», *La Ley Penal*, núm. 145, julio-agosto de 2020.

Como se observa, la legislación procesal aplicable para la ejecución de estas medidas es la civil y, por ende, se acude a la LEC, por lo que en el momento de instar la ejecución se abrirá pieza separada de ejecución de medidas civiles, cuya tramitación será la misma de una demanda ejecutiva de resolución judicial contemplada en la LEC.

IV. CONCLUSIONES

La violencia doméstica y de género constituye un problema grave de la sociedad actual, así como el ataque más flagrante contra los derechos fundamentales. Por ello, y partiendo de esta premisa, parece más que justificado que, dada la posición de garante que los poderes públicos ostentan frente a sus ciudadanos, recaiga en ellos la obligación de legislar para acabar con la violencia de género, articulando los mecanismos legales necesarios que comporten no solo la erradicación del problema, sino también la protección efectiva de las víctimas. En este sentido, ostenta un papel incuestionable la orden de protección como un instrumento legal diseñado para proteger a las víctimas de tal violencia frente a todo tipo de agresiones y para ello ésta contiene medidas de protección y seguridad de naturaleza penal y civil, además de mecanismos de asistencia y protección social a favor de la víctima.

Por tanto, el principio general que debe inspirar la actuación de los poderes públicos debe de ser el acceso fácil de la víctima a las solicitudes de orden de protección y a la información relativa a la misma, para que se consiga dotar a las víctimas de una verdadera protección integral frente al agresor.

Realmente, en los últimos años, se ha producido un incremento en cuanto al número de supuestos en el que se otorga esta orden de protección, así como en el número que se inscriben en el Registro Central para la protección de las víctimas de la violencia doméstica y de género. De este modo, parece que nos encontramos ante un avance en esta materia respecto a la visualización del problema, toda vez que las víctimas logran identificarlo y deciden denunciarlo, confiando en la protección que a las mismas se les puede ofrecer. Sin embargo, la realidad todavía es devastadora en cuanto al número de mujeres víctimas de violencia de género, lo que demuestra la necesidad de una mayor colaboración de las administraciones, instituciones y organismos al servicio del Estado, puesto que de ellos dependen en muchas ocasiones las víctimas. En consecuencia, el papel de todos estos organismos es fundamental en la lucha contra esta lacra tan presente en nuestra sociedad.

Bibliografía

ABELLA LÓPEZ, J., «Impugnación de las medidas civiles adoptadas en la orden de protección», *La Ley Penal*, núm. 145, julio-agosto de 2020.

CUADRADO SALINAS, C., «Mujer inmigrante en situación irregular víctima de violencia de género. Aspectos victimológicos, psicosociales y procesales», *Práctica de Tribunales*, vol. 100, Sección Estudios, 2013.

DEL POZO PÉREZ, M., «La orden de protección», en FIGUERUELO BURRIEZA, Á. e IBÁÑEZ MARTÍNEZ, M. L., *El reto de la efectiva igualdad de oportunidades*, Comares, Granada, 2006, pp. 89-136.

GÓMEZ FERNÁNDEZ, I., «Hijas e hijos víctimas de la violencia de género», *Revista Aranzadi Doctrinal*, núm. 8, 2018.

GONZALO RODRÍGUEZ, M. T., «Medidas civiles en la orden de protección», *Práctica de Tribunales*, núm. 101, Sección Estudios, marzo-abril, 2010, pp. 36-48.

MAGRO SERVET, V., «Medidas cautelares civiles y la Orden de Protección en la Ley Orgánica 1/2004, de 28 de Diciembre», *Práctica de Tribunales*, núm. 19, septiembre de 2005, Editorial La Ley.

MARCHAL ESCALONA, A. N., *Manual de lucha contra la violencia de género*, Aranzadi, Cizur Menor (Navarra), 2010.

MARTIN AGRAZ, P., *Tutela penal de la violencia de género y doméstica*, Bosch, S.A., L´Hospitalet de Llobregat, 2011.

MORENO CATENA, V. y CORTÉS DOMINGUEZ, V., *Derecho procesal penal*, Tirant lo Blanch, Valencia, 2021.

RODRÍGUEZ ÁLVAREZ, A., «La violencia de género en Italia», en CASTILLEJO MANZANARES, R. (Dir.) y ALONSO SALGADO, C. (Coord.), *Violencia de género y Justicia,* Servicio de Publicaciones e Intercambio Científico de la Universidad de Santiago de Compostela, Santiago de Compostela, 2013.

PERAMATO MARTIN, T., «La orden de Protección», en PORRES ORTIZ DE URBINA, E. (Dir.), *Hacia un catálogo de buenas prácticas para optimizar la investigación judicial,* Colección Manuales de Formación Continuada del Consejo General del Poder Judicial, Madrid, núm. 46, 2007.

PÉREZ FERNÁNDEZ, F. y BERNABÉ CÁRDABA, B., «Las Denuncias Falsas en Casos de Violencia de Género: ¿Mito o Realidad?», *Anuario de Psicología Jurídica,* núm. 22, 2012, pp. 37-46.

SERRANO HOYO, G., «Algunas cuestiones procesales que plantea la orden de protección de las víctimas de la violencia doméstica», *Anuario de la Facultad de Derecho,* vol. XXII, 2004, pp. 69-104.

SOSPEDRA NAVAS, F. J., *Las reformas del proceso penal de 2002 y 2003. Juicios rápidos. Prisión provisional y orden de protección. El juicio de faltas,* Civitas Ediciones, S.L., Madrid, 2004.

VALIÑO CES, A., «Problemática en torno a la denuncia de las víctimas mujeres inmigrantes en los casos de violencia de género», en GUZMÁN ORDAZ, R., GORJÓN BARRANCO, M. C. (Coords.) y SANZ MULAS, N. (Ed.), *Políticas públicas en defensa de la inclusión, la diversidad y el género,* Grupo de Investigación Reconocido GIR DIVERSITAS, Salamanca, 2019, pp. 600-613.

VALIÑO CES, A., «La orden de protección: estudio de las medidas para las víctimas de violencia doméstica y de género en el marco del artículo 544 ter de la Ley de Enjuiciamiento Criminal», *Revista Aranzadi de Derecho y Proceso Penal,* núm. 56, 2019, pp. 21-44.

VALIÑO CES, A., «Debate en torno a la expresión "análoga relación de afectividad" en los delitos de violencia de género», CERVILLA GARZÓN, M. D., JOVER RAMÍREZ, C. y RODRÍGUEZ TIRADO, A. M. (Dirs.), *Jurisprudencia y doctrina: ¿un matrimonio de conveniencia?,* Aranzadi, Madrid, 2020.

CUARTA PARTE

LA POSICIÓN DE LA MUJER EN EL DERECHO COMPARADO

Capítulo 16

Justiça de gênero no combate às desigualdades

MARIA VITAL DA ROCHA
Professora de Direito Civil
Universidade Federal do Ceará

RESUMO: O presente texto trata da desigualdade de gênero, apontando as suas causas e consequência, a partir de dados obtidos através de pesquisas realizadas por instituições governamentais e não governamentais que traba-lham a questão, e demonstra como uma efetiva justiça de gênero pode contri-buir na mitigação da desigualdade entre as pessoas.

PALABRAS CHAVE: desigualdade, gênero, justiça de gênero

ABSTRACT: The text deals with gender inequality. It points out its causes and consequences, based on data obtained through research carried out by gov-ernamental and non-governmental institutions that work on the issue and demonstrates how effective gender justice can contribuite to mitigating in-equality between people.

KEY WORDS: inequality, gender, gender justice

1. INTRODUÇÃO

Vivemos em uma sociedade marcada pela desigualdade entre homens e mulheres. Por isso, precisamos de instituições públicas e privadas pautadas internamente por uma constante busca da igualdade de gênero, em seus trabalhos e na prestação de seus serviços.

O artigo 2º. da Declaração Universal dos Direitos Humanos diz que:

"todo ser humano tem capacidade para gozar os direitos e as liberdades estabelecidos nesta Declaração, sem distinção de qualquer espécie [...]".

Vale dizer que *todas as pessoas nascem livres e iguais em dignidade e direitos*, porque são igualmente dotadas de razão e consciência com recíproco dever de fraternidade e são dotados da capacidade de gozar de direitos e liberdades sem distinção de qualquer espécie.

Para isso, é preciso acabar com todas as formas de discriminação e todas as formas de violência contra mulheres e meninas.

É importante destacar que esta violência pode ser física, sexual, psicológica, moral, econômica ou simbólica.

2. MINORIAS EM RAZÃO DO GÊNERO

É vergonhoso admitir que, em pleno século XXI, ainda é possível dizer que mulheres e pessoas LGBT+ constituem minoria, na sociedade.

Pode-se compreender minoria como todo grupo humano ou social que está em uma situação de inferioridade ou de subordinação em relação ao outro, considerado majoritário ou dominante, de modo que a "posição de inferioridade" se fundamenta em fatores como "socioeconômico, legislativo, psíquico, etário, físico, linguístico, de gênero, étnico ou religioso" que, de alguma forma se diferem da maioria da população ou em razão desses fatores são inferiorizados e contra quem se pratica discriminação.

No contexto social, estes grupos são marginalizados e relegados a uma posição de demérito o que os torna vulneráveis e alvos de humilhação e sofrimento.

Segundo a professora e coordenadora do Núcleo de Estudo de Gênero e Diversidade Sexual do campus Sorocaba da Universidade Federal de São Carlos (UFSCar), a psicóloga Viviane Mendonça, minorias sociais são definidas como grupos marginalizados dentro de uma sociedade devido aos aspectos econômicos, sociais, culturais, físicos ou religiosos, de gênero ou orientação sexual:

"Não são minorias porque são poucos, mas porque possuem poucos direitos garantidos, pouca representatividade nas instâncias de poder e pouca visibilidade no cenário social. São sujeitos que em uma sociedade possuem pouca ou nenhuma voz ativa para intervirem nas instâncias decisórias de poder"[1]

3. DESIGUALDADE DE GÊNERO

O conceito de gênero é relativamente novo. Sua contribuição foi mostrar que a construção do ser feminino e do ser masculino não é biológica, mas social e cultural, por meio de relações, ações e valorações.

---

[1] -*https://www.smetal.org.br/noticias/minorias-sociais-a-busca-por-mais-representatividade/20160906-162935-q729*.. Acesso em 05.03.2023.

Assim como as diferenças no corpo, as diferenças de comportamento e de destino eram consideradas naturais.

A conceituação do gênero como construção, performance, divisão de papéis concebida e consolidada no campo das relações humanas permitiu que as discrepâncias também fossem identificadas no campo das relações de poder e, portanto, passíveis de mudança.

A diferença de papéis entre homens e mulheres pode ser exemplificada na divisão sexual do trabalho.

Em muitas sociedades, as mulheres ficam a cargo do trabalho reprodutivo e do ambiente privado (cuidar da casa e da família) e os homens a cargo do trabalho produtivo no ambiente público (empreender, governar, conduzir a política e a economia).

A construção de masculinidade e feminilidade é aprendida desde o nascimento, envolve a maneira de agir, sentir, falar e pensar. A diferenciação dá-se de maneira muito rígida e hierárquica, isto é, há constrangimento e uma gama de punições para aquele que incorporar as características do outro lado, por exemplo, homens emotivos podem ser considerados "bananas" e mulheres que se portam com firmeza podem ser consideradas "machonas", não existe uma liberdade na formação para que meninos e meninas desenvolvam suas potencialidades que estão culturalmente atreladas ao grupo oposto.

O que é considerado "coisa de mulher", como ser emotivo, sensível, detalhista, é desvalorizado, o que é considerado "coisa de homem", como ser forte, viril, corajoso, é valorizado. Isso se reflete em todos os campos da vida.

O trabalho doméstico, mesmo essencial, é considerado inferior e por isso não é remunerado ou é mal remunerado. Cargos de liderança e de decisão por vezes são considerados incompatíveis com o "ser feminino", e isso é um obstáculo para que mulheres chefiem empresas, governem países, como no passado foi usado como justificativa para que não pudessem votar.

A legitimação da desigualdade entre homens e mulheres, em grande medida, justifica-se com base em características físicas, diferenças hormonais, assim, a mulher é considerada mais fraca, menos ágil, menos racional, portanto, apta a atividades menos complexas, possuidora de um instinto maternal e, por isso, apta a ser cuidadora dos demais por vocação, como uma missão que não carece ser reconhecida ou retribuída.

Essas percepções aparentemente validadas pela natureza são, na verdade, concepções sociais que limitavam, e ainda limitam, o campo de possibilidades das mulheres.

A desigualdade de gênero passa pela classificação e discriminação de qualquer natureza associada ao fato de ser homem ou ser mulher.

As diferenças entre o masculino e feminino são instrumentalizadas para controlar e cercear as possibilidades de quem se enquadra em cada grupo.

Portanto, desigualdade de gênero é a desigualdade de poder entre homens e mulheres.

Desigualdade de poder, por sua vez, refere-se ao acesso às oportunidades nos âmbitos econômico, político, educacional ou cultural.

Forma-se um círculo vicioso em que a ausência de mulheres nos espaços de liderança e decisão impede que haja melhorias para elas no ambiente corporativo, na esfera pública e no ambiente familiar.

Mulheres ganham menos, estão em menor número em posições de chefia ou em cargos eletivos, trabalham mais no ambiente doméstico, exercem mais trabalho não remunerado.

A partir do século XX vários direitos foram conquistados e a participação feminina ampliou-se nos diversos campos da vida social, ruma a desejada igualdade de gênero, que significa igual usufruto de direitos, oportunidades e recursos, independente do gênero. Não significa que mulheres, homens, meninas ou meninos são iguais, mas que o gênero não pode ser um fator limitante em suas vidas.

4. CONSEQUÊNCIAS DA DESIGUALDADE DE GÊNERO NA SOCIEDADE

A classificação das pessoas pelo gênero como melhor ou pior, inferior ou superior, gera consequências em todos os âmbitos da vida social. No mundo do trabalho, as mulheres recebem salários menores que os homens desempenhando as mesmas funções e realizam mais trabalho não remunerado, isto é, serviço doméstico e de cuidador.

No âmbito das relações afetivas, as mulheres possuem menos liberdade sexual e são duramente penalizadas quando decidem expressar-se sobre sua sexualidade, além disso são objetificadas, e isso faz com que sejam vítimas de assédio, importunação, que em alguns casos culmina em violência sexual.

Outra consequência da objetificação é o feminicídio, isto é, elas são objetificadas ao ponto de serem assassinadas por companheiros ou ex-companheiros quando não desejam prosseguir no relacionamento ou encontram outros parceiros.

Nas relações familiares, pesa sobre as mães uma cobrança muito maior do que sobre os pais na criação dos filhos.

Pode parecer que os resultados negativos da desigualdade de gênero afetam somente as mulheres, mas eles prejudicam o conjunto da sociedade, cerceiam a liberdade de homens que desejem seguir em caminhos profissionais ou comportamentos que são classificados como femininos e impedem que mulheres ofereçam e desenvolvam seu potencial em diversas áreas do conhecimento e liderança que são classificadas como masculinas.

Essa temática passou a ser amplamente debatida e alguns avanços já aconteceram, mas ainda há uma longa jornada a ser percorrida rumo à equidade de gênero.

Há um déficit de mulheres em posições de liderança nas empresas e na política, isso dificulta a aprovação de medidas em direção à equidade de gênero.

5. PRINCIPAIS CAUSAS DA DESIGUALDADE DE GÊNEROS

5.1. Acesso desigual à educação

Em todo o mundo, as mulheres ainda têm menos acesso à educação do que os homens, embora em alguns países a continuidade no processo de ensino seja mais evidente entre as mulheres.

Em todo o mundo, 25% das mulheres jovens entre 15 e 24 anos não terminam a escola primária. Esse grupo representa 58% das pessoas que não concluem o ensino fundamental e quase 70% das pessoas analfabetas.

O acesso igualitário à educação é premissa básica para a mudança desse contexto. Um ensino de qualidade aumenta as chances de boas oportunidades de trabalho e, principalmente, da percepção social de que o ser feminino pode ocupar qualquer posição na sociedade.

5.2. Falta de equidade no mercado de trabalho

Como consequência de vários aspectos históricos, estruturais e sociais, assim como a limitação das chances de aprendizagem, as mulheres também são privadas de boas oportunidades no mercado de trabalho.

Isso impacta diretamente na percepção da importância da atuação feminina fora do âmbito doméstico para o alcance de uma condição social mais libertária.

Soma-se a isso a maternidade, que restringe a atuação feminina no mercado de trabalho até que os filhos alcancem idade escolar.

A segregação é outro motivo evidente para essa dicotomia. Em muitas sociedades, existe uma crença limitante de que os homens são mais bem preparados para lidar com funções que exigem habilidades tradicionalmente associadas ao masculino. São exemplos aquelas que dependem de força física.

Às mulheres também são impostas as responsabilidades primárias de trabalhos não remunerados, como serviços domésticos e de _cuidados de terceiros_ (crianças e idosos da família). Todos esses fatores contribuem para uma menor participação das mulheres na força de trabalho remunerada.

Como forma de minimizar essa disparidade e até aumentar a sua atuação no mercado, muitas mulheres aceitam oportunidades de emprego de tempo parcial. Isso também limita o seu poder de renda e de exigência de direitos previdenciários.

5.3. Falta de proteções legais

De acordo com uma pesquisa do Banco Mundial, mais de um bilhão de mulheres não têm proteção legal contra a violência física, sexual ou patrimonial em âmbito doméstico.

Isso impacta significativamente na capacidade feminina de conquistar espaços, seja para ter mais liberdade, seja para obter vantagens há muito negadas em contextos profissionais.

Em muitos países, ainda faltam proteções legais contra o assédio (moral ou sexual) no local de trabalho, na escola e em transportes públicos. Esses lugares tornam-se ambientes inseguros e, muitas vezes, as mulheres os desconsideram para que não sejam subjugadas. Entretanto, isso prejudica a sua liberdade de escolha ou o seu direito de ir e vir.

5.4. Falta de autonomia sobre os próprios corpos

Muitas mulheres em todo o mundo não têm autoridade sobre seus próprios corpos, acesso aos métodos contraceptivos, atendimento médico e orientação sexual adequados, principalmente depois de se tornarem mães.

O acesso às políticas de controle de natalidade é restrito, seja por falta de interesse político e adesão em função de questões culturais, ou pela falta de concordância devido às crenças religiosas.

Segundo relatório anual do Fundo de População das Nações Unidas , quase metade das mulheres residentes nos 57 países em desenvolvimento não tem autonomia para decidir sobre seus direitos sexuais ou reprodutivos.

O relatório, criado com base nos dois indicadores da ONU sobre autonomia corporal das mulheres, mostra que apenas 55% das mulheres usufruem desses direitos.

O mesmo relatório também aponta que 71% dos países oferecem infraestrutura para cuidados na maternidade. 75% asseguram legalmente acesso igualitário e completo à contracepção, 80% têm leis que apoiam a saúde sexual feminina e 56% têm leis e políticas públicas específicas para educação sexual.

5.5. Falta de liberdade religiosa

Quando a liberdade religiosa é privada em uma sociedade, as mulheres integram o grupo mais prejudicado. De acordo com o Fórum Econômico Mundial, a imposição de ideologias extremistas e, consequentemente, a restrição à liberdade de culto, acentuam a desigualdade de gênero.

Além disso, em um *estudo* realizado pela Georgetown University e Brigham Young University, os pesquisadores conectaram a intolerância religiosa com a capacidade feminina de participação em questões estruturais, como a economia.

5.6. Pouca representatividade nos espaços

A representatividade é um aspecto fundamental para a mudança de paradigmas. Quando as mulheres se reconhecem em cargos políticos e outras formas de poder, elas elevam suas expectativas sobre si próprias.

Ainda, em uma democracia, fica mais fácil votar e aprovar políticas públicas de proteção e combate à misoginia e à violência contra as mulheres, ações de incentivo e formação de grupos de apoio que fomentem cada vez mais a participação feminina em todas as esferas sociais, uma vez que essas questões são comumente negligenciadas em parlamentos formados majoritariamente por homens.

5.7. Racismo

A desigualdade de gênero e o racismo estão intimamente conectados. Mulheres negras ocupam subempregos, sofrem duas vezes a discriminação, são ignoradas, têm menor poder de decisão, ganham salários menores e precisam negligenciar a atenção aos seus próprios filhos.

Essas mulheres são marcadas pela ingerência política, ocupam espaços periféricos, têm poucos ou nenhum direito previdenciário, sofrem pela violência das cidades e têm o corpo marcado por lutas sem fim.

O combate ao racismo também favorece a igualdade entre os gêneros, por isso é preciso criar ferramentas para a conscientização de toda a sociedade.

5.8. Mentalidade social

A percepção social impacta significativamente na igualdade de gênero. O modo como as pessoas interpretam as diferenças entre homens e mulheres determinam as relações no trabalho, no sistema jurídico e até na política.

Crenças sobre a inferioridade do gênero feminino são profundas. Embora muitas conquistas ao longo dos anos tenham desconstruído essa mentalidade patriarcal, discussões relevantes que poderiam agilizar a conquista de outros direitos essenciais ainda são ignoradas.

6. DADOS SOBRE A DESIGUALDADE DE GÊNERO

O Fórum Econômico Mundial realiza anualmente uma pesquisa que compara a paridade de gênero entre 153 países. Conforme dados de 2019, a equidade de gênero no mercado de trabalho só será alcançada daqui a 257 anos se permanecermos no ritmo atual.

A área trabalhista, no ano 2019, foi a única em que houve regressão. Nas demais: saúde, educação e política, os índices foram melhores que no ano anterior.

Conforme o relatório, na área trabalhista, a diferença salarial é decorrente do baixo número de mulheres em cargos gerenciais e também de outros fatores, como congelamento de salários e menor participação na força produtiva.

Quando se olha a disparidade de gênero de maneira global, envolvendo todas as variáveis, e não só o mercado de trabalho, a estimativa é que o tempo necessário para alcançar a plena equidade entre homens e mulheres no mundo é de 99,5 anos.

7. COMO A JUSTIÇA DE GÊNERO PODE COMBATER AS DESIGUALDADES

É necessário aprimorar leis existentes e promover mudanças na economia, na política, na educação, nas estruturas familiares e sociais.

A discriminação sistemática contra meninas e mulheres é tanto uma das causas como um dos resultados das desigualdades. Cada vez mais, ela é agravada por outros fatores, como de classe social, raça, etnia, orientação sexual e idade, assim como o fundamentalismo religioso.

Nos últimos anos, tivemos o reconhecimento amplo de que o cumprimento dos direitos das mulheres é necessário para se atingir a justiça social.

Também progredimos na garantia dos direitos das mulheres nas últimas décadas, mas elas continuam tendo os direitos violados.

Da mesma forma, a desigualdade extrema em todo o mundo tem impacto sobre a vida das mulheres.

A desigualdade que as mulheres enfrentam na sociedade significa, na prática, que elas têm menos acesso à terra, a recursos financeiros, à tomada de decisão, à proteção contra a violência, aos espaços políticos e a direitos básicos como saúde.

- Na média global, as mulheres ganham 23% a menos que os homens. Em países em desenvolvimento, a taxa de informalidade entre as mulheres chega a 75%.

A desigualdade salarial pode ser considerada uma das principais barreiras que as mulheres enfrentam no mercado de trabalho, ao lado da baixa representatividade das mulheres em cargos de liderança.

Pesquisa publicada pela revista britânica *The Economist* afirmou que "a igualdade de gênero faz bem ao crescimento econômico". Se as empresas tivessem mais mulheres como funcionárias, o PIB *per capita* da América Latina seria 16% maior.

Se a inclusão de mulheres no mercado de trabalho permite uma diversidade de ideias, pontos de vista diferentes e crescimento econômico, por que as empresas ainda apresentam resistência?

- 155 países têm ao menos uma lei que priva mulheres de direitos econômicos. Em 18 desses, os homens podem legalmente proibir que suas mulheres trabalhem fora de casa e em 100 as mulheres não são permitidas a fazer os mesmos trabalhos que os homens.

- Em todo o mundo, 1 em cada 3 mulheres já sofreu violência física ou sexual, na maioria pelo parceiro. Em 46 países, não há nenhuma legislação contra a violência doméstica.

Nesse sentido, ecoam forte as palavras de Marcella Beraldo de Oliveira, quando diz que: "Não se trata de exigir que as instituições judiciárias partilhem o ideário feminista. Porém, é relevante que tenhamos em mente esse deslocamento do objeto de intervenção e pensar sobre seus desdobramentos. Organizar ações que visam eliminar a violência de gênero implica esboçar outros modos de conceber a família. Mais do que corrigir os excessos, abusos ou anomias cometidos pelos chefes de família, erradicar esse tipo de violência supõe colocar em cheque a desigualdade de poder no seio familiar e tornar inadmissível qualquer atitude que fira os direitos fundamentais dos envolvidos".[2]

8. DESIGUALDADE DE GÊNERO NO BRASIL

A igualdade entre homens e mulheres no Brasil foi consagrada na Constituição de 1988, que proibiu a discriminação de qualquer tipo seja por raça, cor, sexo e qualquer outra forma de discriminação (art. 3o, IV). Nesse sentido, pode-se considerar que a Constituição, fundada em uma sociedade pluralista (Preâmbulo), não permite que o Estado promova ou permita haver discriminações, inclusive quanto à orientação sexual e à identidade de gênero; de igual forma, a Constituição coloca a dignidade da pessoa humana como um dos seus fundamentos (art. 1o, III),

Desde então, têm sido desenvolvidas políticas públicas e legislação específica para mulheres no âmbito político, no mercado de trabalho e no ambiente doméstico.

Há avanços e uma ampliação da participação feminina em todas as esferas, mas ainda há muitos obstáculos a superar para que a igualdade promulgada em lei seja plenamente efetiva na sociedade brasileira.

Em 2019, conforme o Fórum Econômico Mundial, o Brasil ocupava a 92ª posição em um ranking que mede a igualdade entre homens e mulheres num universo de 153 países.

---

[2] –OLIVEIRA. Marcela Beraldo de. Gênero, justiça e violência: mudanças jurídicas na defesa dos direitos das mulheres. In Teoria e Cultura (Revista da pós-graduação em Ciências Sociais da IFJF. Juiz de Fora, v. 6, n. 1 e 2, p. 95 a 102, jan./dez. 2011, pp.95-102

As mulheres brasileiras estão sub-representadas na política, têm remuneração menor, sofrem mais assédio e estão mais vulneráveis ao desemprego.

Segundo a Organização Mundial da Saúde (OMS), o Brasil é o quinto país do mundo em número de feminicídios.

Observando dados educacionais, é possível perceber que as mulheres permanecem mais tempo na escola e têm maior escolaridade do que os homens.

De acordo com a Pesquisa Nacional por Amostras de Domicílio Contínua de 2016, feita pelo IBGE, na população entre 25 e 44 anos, 21,5% das mulheres concluíram o Ensino Superior, enquanto entre os homens o percentual era de 15,6%.

No entanto, a maior escolaridade não se reflete no mercado de trabalho.

Conforme o IBGE, em 2017, as mulheres brasileiras ganhavam em média 24% menos que os homens e eram mais afetadas pelo desemprego (13.4%) do que os homens (10,5%).

Quando as pesquisas são estratificadas entre mulheres brancas e negras, observa-se que entre estas a taxa de desemprego era ainda maior, 15,9% contra 10,6% entre as mulheres brancas.

As mulheres negras constituem 27,7% da população brasileira e representam o principal grupo de pessoas pobres: 7,4% delas vivem em extrema pobreza, 34% vivem na pobreza e 53% estão em situação de vulnerabilidade.

53,6% das famílias chefiadas por mulheres no Brasil têm à frente mulheres negras. As mulheres negras são o grupo com menos representação política no Brasil – foram eleitas para prefeitas em apenas 3% dos municípios brasileiros. De todas as mulheres assassinadas anualmente no Brasil, 64% são negras.

Um estudo realizado pela Fundação Getúlio Vargas (FGV) constatou que a maternidade também é um dos principais motivos de discriminação sofrida por mulheres no mercado de trabalho.

A pesquisa que acompanhou a licença-maternidade de um grande grupo de mulheres entre 2009 e 2012 apontou que metade delas foi demitida no período de até dois anos após tirarem a licença.

Em relação ao assédio e violência, embora haja avanços, especialmente após a promulgação da Lei Maria da Penha, que é de 2006, é necessário ampliar a proteção de mulheres por meio de políticas públicas.

Segundo pesquisa Datafolha, no ano de 2016:

- 22% das brasileiras sofreram agressão verbal;
- 10% sofreram ameaça de violência física;
- 8% sofreram agressão sexual;
- 4% sofreram ameaça com objeto cortante ou arma de fogo;
- 3% sofreram tentativa de estrangulamento ou espancamento;
- 1% levou tiros.

De acordo com essa pesquisa, 503 mulheres são vítimas de violência a cada hora no Brasil.

Quando à participação política, a bancada feminina na Câmara dos Deputados está composta por 91 mulheres, após a eleição de 2022.

É uma bancada maior do que a eleita em 2018, de 77 mulheres. As mulheres vão representar 17,7% das cadeiras da Câmara dos Deputados. Hoje, a representação é de 15%.

A bancada feminina tem, pela primeira vez na história da Câmara dos Deputados, duas deputadas trans: Erika Hilton (Psol-SP) e Duda Salabert (PDT-MG), conforme dados divulgados pela Agência Câmara de Notícias.

Mas, a legislatura que começou em 2023, tem um número menor de mulheres nas cadeiras do Senado com, somente, dez senadoras.

No início da Legislatura anterior, em 2019, eram 12.

Apenas quatro senadoras foram eleitas nas eleições deste ano: Damares Alves (Republicanos-DF), Professora Dorinha (União-TO), Teresa Leitão (PT-PE) e Tereza Cristina (PP-MS). - Fonte: Agência Senado.

9. CONCLUSÃO

Axel Honneth, inspirado pela filosofia de Hegel, afirma que a luta social não se configura como uma luta por poder, mas, sobretudo, "por reconhecimento". A luta pelo reconhecimento dentro da dimensão do direito, deve encontrar na jurisdição constitucional um importante aliado[3].

Se a sociedade civil não consegue se desprender de pré-conceitos discriminatórios e marginalizantes e o parlamento se omite, as cortes têm o poder de reconhecer esses grupos, conferindo-lhes a dignidade de verem a si mesmos como sujeitos de direito bem como sujeitos pertencentes à sociedade civil, com voz e vez.

---

[3] Honneth, Axel. Luta por reconhecimento: a gramática moral dos conflitos sociais. São Paulo: Editora 34, 2009.

Todavia, para Nancy Fraser a noção de Justiça deve comportar, simultaneamente, redistribuição e reconhecimento, para não ser insuficiente em caso de adoção de apenas um[4].

Sob tal aspecto, a combinação de ambos é urgente adotando-se um modelo abrangente e singular que os integre.

Assim, o conceito de Justiça deve ser amplo capaz de acomodar reivindicações defensáveis de igualdade social e também as reivindicações defensáveis de reconhecimento da diferença

É premente a necessidade de igualdade entre homens e mulheres em todas as esferas – na economia, na política, nas estruturas familiares e sociais.

Isso significa não apenas aprimorar as leis e políticas existentes, mas também transformar as sociedades.

Resumindo a questão, Ricardo Fabrino Mendonça, em elucidativo artigo sobre a polêmica, diz que "as perspectivas de Honneth e Fraser podem ser combinadas em um viés, simultaneamente, atento à auto-realização de sujeitos e à participação paritária deles em interações sociais. Afinal, se é só por meio da participação interativa que a auto-realização pode ser pensada de maneira moral, é apenas através de uma socialização minimamente saudável que os indivíduos podem afirmar-se como sujeitos e participar (HABERMAS, 1997, v, p. 111). Com base nesses dois pilares, pode-se conceber uma sociedade que se constrói justa, por meio da troca livre e permanente de pretensões de validade criticáveis. Um tal modelo combinado pode-

---

[4]   FRASER, Nancy; HONNETH, Axel. Redistribution or recognition? A political-philosophical exchange. New York; London: Verso, 2003. Ver também: Rethinking recognition. New Left Review, n. 3, 2000, pp. 107-120.

ria arejar a teoria crítica, reagrupando ética e moral, cultura e economia, lutas invisíveis e lutas públicas, Honneth e Fraser".[5]

Referências

FRASER, Nancy; HONNETH, Axel. Redistribution or recognition? A political-philosophical exchange. New York; London: Verso, 2003. Ver também: Rethinking recognition. New Left Review, n. 3, 2000, pp. 107-120.

HONNETH, Axel. Luta por reconhecimento: a gramática moral dos conflitos sociais. São Paulo: Editora 34, 2009.

MENDONÇA, Ricardo Fabrino. Reconhecimento em debate: Os modelos de Honneth e Fraser em sua relação com o legado Habermasiano. In Revista de Sociologia e Política. N. 29, pp. 169-185.

OLIVEIRA. Marcela Beraldo de. Gênero, justiça e violência: mudanças jurídicas na defesa dos direitos das mulheres. In Teoria e Cultura (Revista da pós-graduação em Ciências Sociais da IFJF. Juiz de Fora, v. 6, n. 1 e 2, p. 95 a 102, jan./dez. 2011, pp.95-102

---

[5] –Mendonça, Ricardo Fabrino. Reconhecimento em debate: Os modelos de Honneth e Fraser em sua relação com o legado Habermasiano.In Revista de Sociologia e Política. N. 29, pp. 169-185.

Capítulo 17

A natureza semipública (mitigada) do crime de violação/coação sexual e as implicações da Convenção de Istambul - reflexões à luz do direito penal português[1]

MARGARIDA SANTOS

Professora Auxiliar da Escola de Direito da Universidade do Minho; Membro Integrado do Centro de Investigação em Justiça e Governação (JusGov)

SUMARIO: 1. CONSIDERAÇÕES INTRODUTÓRIAS. 2. O PROCEDIMENTO CRIMINAL E A CONVENÇÃO DE ISTAMBUL. 3. A NATUREZA DOS CRIMES CONTRA A LIBERDADE E AUTODETERMINAÇÃO SEXUAL EM PORTUGAL. 4. APONTAMENTOS FINAIS. Bibliografía.

---

[1] O presente texto renova, com adaptações, algumas das reflexões constantes da parte portuguesa do artigo que realizamos com Adriana Spengler intitulado "A natureza dos crimes contra a liberdade e autodeterminação sexual e a possibilidade de promoção oficiosa do processo no caso de violação/estupro: Uma análise dos ordenamentos jurídicos de Portugal e Brasil", *8° Congresso Internacional de Direito da Lusofonia: as liberdades e seus limites em Estados Democráticos*, Itajaí, 2022, no prelo.

RESUMO: O presente travalho refirese a regulamentação legal em Portugal, desde a reforma do Código Penal de 1995. Os crimes sexuais deixaram de estar inseridos nos crimes atentatórios dos fundamentos ético-sociais da vida social, ligados aos sentimentos gerais de moralidade sexual, para se inserirem no Título I, relativo aos "Crimes contra as pessoas", no Capítulo "Dos crimes contra a liberdade e autodeterminação sexual". O bem jurídico tutelado é a liberdade e autodeterminação sexual, assente na ideia de que toda a pessoa maior e capaz tem o direito de exercer a atividade sexual em liberdade. Ou seja, a ideia base, que tem vindo a ser reforçada nas várias alterações legislativas, sobretudo em 1995, 1998, 2015 e 2019, é a de que as relações sexuais consentidas entre adultos fazem parte da livre configuração da personalidade humana .

PALAVRAS-CHAVE: crimes sexuais, moralidade sexual, liberdade e autodeterminação sexual.

ABSTRACT: This work refers to legal regulation in Portugal, since the reform of the Penal Code of 1995. truth and sexual self-determination". The legally protected is sexual freedom and self-determination, based on the idea that all the greatest and capable people have the right to exercise sexual activity in freedom. Or to say, based on the idea, that I see being strengthened in the various legislative changes, especially in 1995, 1998, 2015 and 2019, that consensual sexual relations between adults are part of the free configuration of the human personality.

KEYWORDS: sexual crimes, sexual morality, freedom and sexual self-determination.

1. CONSIDERAÇÕES INTRODUTÓRIAS

Em Portugal, desde a reforma do Código Penal de 1995, os crimes sexuais deixaram de estar inseridos nos crimes atentatórios dos fundamentos ético-sociais da vida social, ligados aos sentimentos gerais de moralidade sexual, para se inserirem no Título I, relativo aos "Crimes contra as pessoas", no Capítulo

"Dos crimes contra a liberdade e autodeterminação sexual"[2]. Ou seja, a revisão do Código Penal de 1995 procedeu a uma profunda alteração dos crimes sexuais, transformando-os exclusivamente em crimes contra a pessoa[3].

Passou a entender-se como bem jurídico tutelado a liberdade e autodeterminação sexual[4], assente na ideia de que toda

---

[2] A opção político-criminal adoptada em 1995 levou a que o capítulo "Dos crimes contra a liberdade e autodeterminação sexual" fosse dividido em 3 secções: "crimes contra a liberdade sexual", "crimes contra a autodeterminação sexual" e "disposições comuns". Com a Lei n.º 59/2007 (o artigo 3.º, n.º 2 eliminou a secção III, relativa às disposições comuns) o capítulo dos crimes contra a liberdade e autodeterminação sexual passou a ser constituído apenas pelas duas primeiras secções, sendo os preceitos da anterior secção III incluídos na secção II. Não obstante, a revisão de 2019 voltou ao modelo tripartido. Assim, de acordo com o artigo 3 da Lei n.º 101/2019, de 06 de setembro, foi aditada ao Capítulo V, do Título I do Livro II do Código Penal, a Secção III, com a epígrafe "Disposições comuns", integrada pelos artigos 177.º a 179.º.

[3] Ver já, entre outros, Dias, Jorge de Figueiredo / Caeiro, Pedro, "Crimes contra a liberdade e a autodeterminação sexual", in *Enciclopédia Polis da Sociedade e do Estado*, Vol. 1, 2.ª ed. Lisboa, Editorial Verbo, 1997, p. 1394-1403. Têm existido várias outras alterações legislativas na matéria dos *crimes sexuais* (Lei n.º 65/98, de 2 de setmebro; Lei n.º 99/2001, de 25 de agosto; Lei n.º 59/2007, de 4 de setembro; Lei n.º 83/2015, de 5 de agosto; Lei n.º 101/2019, de 6 de setembro e Lei n.º 40/2020, de 18 de agosto).

[4] Aliás, defendendo mesmo (apenas) como bem jurídico a "liberdade sexual", "nas diversas dimensões deste bem jurídico que podem ser colocadas em causa e que devem ser alvo de censura penal", vai Leite, Inês Ferreira, "A tutela da liberdade sexual", *Revista Portuguesa de Ciência Criminal*, 21, 2012, também disponível em https://www.academia.edu/40857540/ A_TUTELA_PENAL_DA_LIBERDADE_ SEXUAL (p. 7). Como sublinha a Autora, "Assim, nem o facto de se ter recorrido a uma diversão linguística, distinguindo liberdade de autodeterminação sexual, deve servir de pretexto para entender que é já algo de muito diverso do conceito de liberdade que se en-

a pessoa maior e capaz tem o direito de exercer a atividade sexual em liberdade. Ou seja, a ideia base, que tem vindo a ser reforçada nas várias alterações legislativas, sobretudo em 1995, 1998, 2015 e 2019, é a de que as relações sexuais consentidas entre adultos fazem parte da livre configuração da personalidade humana[5].

O bem jurídico dos crimes de coação sexual e de violação, "o **núcleo** da protecção da liberdade sexual"[6], é "a liberdade da pessoa escolher o seu companheiro ou parceiro sexual e de dispor livremente do seu corpo"[7].

---

contra sob tutela nos crimes previstos nos artigos 171.º e seguintes". (...) No entanto, parece-nos que o conceito de autodeterminação não poderá ser separado da noção de liberdade. Neste sentido, na esteira da Autora (p. 8), o conceito de autodeterminação não poderá ser separado da noção de liberdade, correspondendo a uma das concretizações e manifestações da liberdade em sentido amplo. No mesmo sentido, Alfaiate, Ana Rita, *A relevância penal da sexualidade dos menores*, Coimbra, Coimbra Editora, 2009, p. 89 e, em certo sentido, também Dias, Maria do Carmo Silva, "Repercussões da Lei n.º 59/2007, de 4/9 nos «crimes contra a liberdade sexual»", Revista do CEJ, Lisboa, n.º 8, 2008. Na esteira da Autora: "A liberdade sexual – quer na sua dimensão negativa (nas palavras de Costa Andrade significando «resistir a imposições não queridas»), quer na sua dimensão positiva (no dizer do mesmo Autor expressando-se «pelo comprometimento livre e autêntico em formas de comunicação intersubjectiva») – é assim o único e específico bem jurídico que importa proteger e promover".

5   Ver, entre outros, Leite, André Lamas, "As alterações de 2015 ao Código Penal em matéria de crimes contra a liberdade e autodeterminação sexuais – nótulas esparsas", *Julgar*, n.º 28, 2016, p. 62.

6   Cf. Dias, Jorge de Figueiredo, "Comentário ao art.º 163.º", in Jorge de Figueiredo Dias (Dir.), *Comentário Conimbricense do Código Penal, Parte Especial, Tomo I*, Coimbra, Coimbra Editora, 2012, 2.º Edição, p. 716 (negrito do Autor).

7   Dias, Maria do Carmo Silva, "Repercussões da Lei n.º 59/2007, de 4/9 nos «crimes contra a liberdade sexual»", Revista do CEJ,

Têm existido várias alterações legislativas que têm ampliado a área de tutela típica dos crimes sexuais, nomeadamente dos crimes de coação e de violação[8]. Tendo o procedimento criminal referente aos "crimes sexuais" sido alvo de alterações legislativas (a última nesta matéria, em 2015, animada pela necessi-

---

Lisboa, n.º 8, 2008.

[8] Ver, entre outros, Dias, Maria do Carmo Silva, "Repercussões da Lei n.º 59/2007, de 4/9 nos «crimes contra a liberdade sexual»", Revista do CEJ, Lisboa, n.º 8, 2008. Para uma análise das principais alterações ocorridas em 2015 no âmbito em matéria de crimes contra a liberdade e autodeterminação sexuais, ver Leite, André Lamas, "As alterações de 2015 ao Código Penal em matéria de crimes contra a liberdade e autodeterminação sexuais – nótulas esparsas", *Julgar*, n.º 28, 2016. Ver também Beleza, Teresa, "«Consent – It´s as simple as tea»: notas sobre a relevância do dissentimento nos crimes sexuais, em especial na violação", in Maria da Conceição Ferreira da Cunha (Org.ª), *Combate à Violência de Género. Da Convenção de Istambul à Nova Legislação Penal*, Lisboa, Universidade Católica Editora, 2016, e Cunha, Maria da Conceição Ferreira da, "Do Dissentimento à falta de capacidade para consentir", in Maria da Conceição Ferreira da Cunha (Coord.), *Combate à violência de género – da Convenção de Istambul à nova legislação penal*, Porto, Universidade Católica Portuguesa, 2016. No contexto das alterações de 2019, ver, entre outros, Caeiro, Pedro, "Observações sobre a projetada reforma do regime dos crimes sexuais e do crime de violência doméstica", *Revista Portuguesa de Ciência Criminal*, set-dez 2019, pp. 644 e ss. Ver também Cunha, Conceição, "A tutela da liberdade sexual e o problema da configuração dos crimes de coação sexual e de violação – reflexão à luz da Convenção de Istambul", in *Crimes sexuais*, 2.º edição, Lisboa, Centro de Estudos Judiciários, 2021, *ebook*, disponível em *https://cej. justica.gov.pt/LinkClick.aspx?fileticket=uMxjnSJ_t24%3d&portalid=30* e Santos, Margarida, "A configuração dos crimes de coação sexual e de violação, a vontade cognoscível da vítima, e a Convenção de Istambul: breves apontamentos à margem das recentes alterações do Código Penal português", in Iglesias Canle, Ines e Bravo Bosch, Maria Josè (dir.), *Violencia Sexual y libertad sexual*, Valencia, Tirant Lo Blanch, 2022.

dade de compatibilização do ordenamento jurídico português com as exigências da Convenção de Istambul), e continuando a ser objeto de controvérsia, neste espaço pretendemos sobretudo discutir criticamente sobre a natureza dos crimes de violação e de coação sexual à luz do ordenamento jurídico português, analisando-se as implicações da Convenção de Istambul[9] neste domínio.

2. O PROCEDIMENTO CRIMINAL E A CONVENÇÃO DE ISTAMBUL

Nesta matéria, dispõe o artigo 55.º, n.º1, da Convenção de Istambul (*Processos ex parte e ex officio*) que "As Partes deverão garantir que as investigações das infrações previstas nos artigos 35.º [*Violência física*], 36.º[*Violência sexual, incluindo violação*] ,

---

[9] Convenção do Conselho da Europa para a Prevenção e o Combate à Violência Contra as Mulheres e a Violência Doméstica, designada por Convenção de Istambul, aprovada a 11 de maio de 2011, tendo sido ratificada por Portugal pelo Decreto do Presidente da República n.º 13/2013, de 21 de janeiro, e entrado em vigor a 1 de agosto de 2014. Para uma reflexão a propósito dos novos tipos legais de crime de mutilação genital feminina, casamento forçado e perseguição, ver os nossos "Implicações da Convenção de Istambul para o ordenamento jurídico-penal português: algumas reflexões a propósito dos novos tipos legais de crime de mutilação genital feminina, casamento forçado e perseguição", in Jerónimo, Patrícia (coord.) *Igualdade de Género: Velhos e Novos Desafios*, Braga, Direitos Humanos – Centro de Investigação Interdisciplinar/JusGov/ Escola de Direito, 2020, disponível em https://drive.google.com/file/d/1O7cFzH uPTxE4J81r3LwsiWmHzWeeMzGv/view, pp. 63 a 80 e "A configuração dos crimes de coação sexual e de violação, a vontade cognoscível da vítima, e a Convenção de Istambul: breves apontamentos à margem das recentes alterações do Código Penal português", in Iglesias Canle, Ines e Bravo Bosch, Maria Josè (dir.), *Violencia Sexual y libertad sexual*, Valencia, Tirant Lo Blanch, 2022.

37.º [*Casamento forçado*], 38.º [*Mutilação genital feminina*] e 39.º [*Aborto forçado e esterilização forçada*] da presente Convenção ou o procedimento penal instaurado em relação a essas mesmas infrações *não dependam totalmente da denúncia ou da queixa apresentada pela vítima* (…) e que *o procedimento possa prosseguir ainda que a vítima retire a sua declaração ou queixa*" (itálico nosso).

Aliás, no Relatório Explicativo da Convenção de Istambul sublinha-se que a opção pela utilização da expressão "não devem ser «totalmente dependentes» [«wholly dependant] da denúncia ou queixa apresentada por uma vítima" visa "abarcar as diferenças processuais de cada sistema jurídico, tendo em conta que assegurar as investigações ou a acusação das infracções enumeradas (…) é da responsabilidade do Estado e das suas autoridades". De resto, sublinha-se que "[o] facto de muitas das infracções abrangidas por esta Convenção serem perpetradas por membros da família, parceiros íntimos ou pessoas no ambiente social da vítima e os sentimentos de vergonha, medo e impotência daí resultantes levam a um baixo número de denúncias e, subsequentemente, de condenações. Por conseguinte, as autoridades que aplicam a lei devem investigar de forma proactiva, a fim de recolher provas, tais como provas substanciais, depoimentos de testemunhas, conhecimentos médicos, etc., a fim de garantir que o processo pode ser realizado mesmo que a vítima retire a sua declaração ou a sua queixa pelo menos em relação a delitos graves, tais como violência física resultando em morte ou danos corporais"[10].

---

[10] Cf. Relatório Explicativo da Convenção de Istambul, nos parágrafos referents ao Artigo 55.º (*Ex parte* and *ex officio proceedings*), p. 47: "279. Conscientious of the particularly traumatising nature of the offences covered by this article, the drafters sought to ease the burden which lengthy criminal investigations and proceedings often place on the victims while at the same time ensuring that perpetrators are brought to justice. The aim of this provision is therefore to enable criminal investigations and proceedings to be carried out

Ora, os legisladores da Convenção parecem, por isso, deixar às Partes a opção entre a natureza pública ou semipública "mitigada", reforçando – e isso é interessante notar – a necessidade de uma investigação "proativa", como de resto tem sido sublinado. Além disso, a Convenção de Istambul determina, no seu artigo 18.º, número 3, que as Partes deverão garantir que as medidas adotadas no contexto da *Proteção e apoio* (capítulo IV) visem evitar a vitimização secundária, o que neste contexto deve igualmente ser avocado, numa leitura sistemática da Convenção[11].

---

without placing the onus of initiating such proceedings and securing convictions on the victim.

280. Paragraph 1 places on Parties the obligation to ensure that investigations into a number of categories of offences shall not be "wholly dependant" upon the report or complaint filed by a victim and that any proceedings underway may continue even after the victim has withdrawn her or his statement or complaint. The drafters decided to use the terms «wholly dependant» in order to address procedural differences in each legal system, bearing in mind that ensuring the investigations or prosecution of the offences listed in this article is the responsibility of the state and its authorities. In particular, the drafters were of the opinion that acts resulting in severe bodily harm or deprivation of life must be addressed promptly and directly by competent authorities. The fact that many of the offences covered by this Convention are perpetrated by family members, intimate partners or persons in the immediate social environment of the victim and the resulting feelings of shame, fear and helplessness lead to low numbers of reporting and, subsequently, convictions. Therefore, law enforcement authorities should investigate in a proactive way in order to gather evidence such as substantial evidence, testimonies of witnesses, medical expertise, etc., in order to make sure that the proceedings may be carried out even if the victim withdraws her or his statement or complaint at least with regard to serious offences, such as physical violence resulting in death or bodily harm".

[11] Veja-se o disposto no artigo 18, n.º3, e n.º4, da Convenção de Istambul: "3. As Partes deverão garantir que as medidas adotadas nos

Nesta medida, apesar da letra ambigua da Convenção, não nos parece que do artigo 55.º, n.º1, primeira parte, da Convenção de Istambul, resulte a imposição de publicização destes crimes, nomeadamente no que diz respeito ao crime de violação/coação (no demais, tirando a questão da ofensa à integridade física a questão não se coloca). Parece resultar claro, no entanto, da segunda parte daquela norma, que o procedimento deve poder prosseguir ainda que a vítima desita da queixa.

---

termos deste capítulo:

- Assentem numa compreensão da violência contra as mulheres e da violência doméstica, que tem em conta o género, e estejam centradas nos direitos humanos e na segurança da vítima;
- Tenham por base uma abordagem integrada que tem em conta a relação entre vítimas, perpetradores, crianças e o seu ambiente social mais alargado;
- Visem evitar a vitimização secundária;
- Visem o empoderamento e a independência económica das mulheres vítimas de violência;
- Permitam, se for caso disso, a localização de um conjunto de serviços de proteção e apoio no mesmo edifício;
- Visem satisfazer as necessidades específicas de pessoas vulneráveis, incluindo as crianças vítimas, e que estas pessoas possam recorrer a elas.

4. A prestação de serviços não deverá depender da vontade das vítimas de apresentar queixa ou de testemunhar contra qualquer perpetrador". Assim, embora referindo-se ao artigo 36.º da Convenção de Istambul ver Beleza, Teresa Pizarro, Pinto, Frederico da Costa (Coord.), *Convenção do Conselho da Europa para a Prevenção e Combate à Violência contra as Mulheres e Violência Doméstica, adotada em Istambul a 11 de maio de 2011: reflexos no ordenamento jurídico português*, Lisboa, CEDIS, 2017, disponível em *http://cedis.fd.unl.pt/ wp-content/uploads/2017/04/Conven%C3%A7%C3%A3o-de-Istam- bul-04.04.2017.pdf*, p. 67.

3. A NATUREZA DOS CRIMES CONTRA A LIBERDADE E AUTODETERMINAÇÃO SEXUAL EM PORTUGAL

O procedimento criminal referente aos "crimes sexuais", na versão originária do Código Penal português, dependia de queixa do ofendido, do cônjuge ou de quem sobre a vítima exercesse poder parternal, tutela ou curatela (artigo 211.º, n.º1, do CP), com as limitações constantes do n.º 2 deste artigo[12].

Com a revisão do Código Penal ocorrida em 2005, com o DL n.º 48/95, de 15 de março, o procedimento criminal pelos crimes previstos nos artigos 163.º a 165.º, 167.º, 168.º e 171.º a 175.º depende de queixa, salvo quando de qualquer deles resultar suicídio ou morte da vítima (n.º 1, do artigo 178.º, do CP). Sendo que, de acordo com o n.º 2 deste artigo, quando a vítima for menor de 12 anos, pode o Ministério Público dar início ao processo se especiais razões de interesse público o impuserem, pelo que saíu reforçada a natureza semipública dos "crimes sexuais".

Com a revisão de 2007, pela Lei n.º 59/2007, de 4 de setembro, deixou de valer a regra (com desvios) da natureza semipública dos crimes contra a liberdade e autodeterminação sexual, que só pode afirmar-se relativamente aos crimes contra a liberdade sexual de maiores.

Com efeito, no regime português vigente, o procedimento criminal pelos crimes de coação sexual (artigo 163.º), violação (artigo 164.º), abuso sexual de pessoa incapaz de resistência

---

[12] Não era necessária a apresentação de queixa quando a vítima fosse menor de 12 anos, o facto fosse cometido por meio de outro crime que não dependa de acusação ou queixa, quando o agente fosse qualquer das pessoas que nos termos do n.º1 tivesse legitimidade para requerer procedimento criminal ou ainda quando do crime resultasse ofensa corporal grave, suicídio ou morte da vítima.

(artigo 165.º), fraude sexual (artigo 166.º), procriação artificial não consentida (artigo 168.º) e importunação sexual (artigo 170.º) depende de queixa, salvo se forem praticados contra menor ou deles resultar suicídio ou morte da vítima, caso em que o crime é público (n.º 1, do art.º 178.º, do Código Penal)[13].

Todavia, na redação atual e por força de alteração legislativa ocorrida em 2015, nos termos do n.º 2 do artigo 178.º, do Código Penal, "quando o procedimento pelos crimes previstos nos artigos 163.º e 164.º depender de queixa, o Ministério Público pode dar início ao mesmo, no prazo de seis meses a contar da data em que tiver conhecimento do facto e dos seus autores, sempre que o interesse da vítima o aconselhe".

Ou seja, numa palavra, no direito penal português vigente, o crime de violação/coação sexual tem uma natureza semipública mitigada. Neste sentido, o procedimento criminal depende da apresentação de queixa por parte da vítima, salvo se, nos termos do n.º 1 do art.º 178.º, do Código Penal, for praticado contra menor ou deles resultar suicídio ou morte da vítima. Além disso, nos termos do novo n.º 2 deste artigo (introduzido em 2015), pode[14] o Ministério Público dar início ao procedimento criminal sempre que o interesse da vítima o aconselhe.

Esta alteração promovida pela Lei n.º 83/2015, de 4 de setembro, deve ser enquadrada no conjunto de alterações legislativas que tiveram como escopo adequar o ordenamento jurídico português à Convenção de Istambul. Ora, cumpre deixar

---

[13] Nos termos do n.º 2, do art.º 178.º, do Código Penal, também o procedimento criminal pelo crime previsto no artigo 173.º (actos sexuais com adolescentes) depende de queixa, salvo se dele resultar suicídio ou morte da vítima.

[14] Aliás, deve entender-se que existe um *poder-dever* do Ministério Público de dar início ao procedimento *sempre que o interesse da vítima o aconselhe.*

a interrogação: está o ordenamento jurídico-penal português em sintonia com a o disposto na Convenção de Istambul?

No que concerne à primeira parte do artigo 55.º, n.º1, da Convenção de Istambul, cremos que não há dessintonias a apontar. Como sublinha Cláudia Cruz Santos, "acautelada a possibilidade de, nos termos no novo n.º 2 do artigo 178.º, o Ministério Público desencadear oficiosamente o processo em nome do interesse da vítima, a manutenção da natureza semi--pública destes crimes (...) parece a única solução coerente com o recorte dado ao bem jurídico que é a liberdade sexual e com o entendimento de que constitui inaceitável forma de vitimização secundária a imposição de um processo criminal indesejado por uma vítima de um destes crimes que tão flagrantemente contendem com a sua intimidade"[15]. Na esteira de Pedro Caeiro, "[d]esta maneira, a lei portuguesa encontrou um equilíbrio razoável entre o respeito pela decisão da vítima (de apresentar ou não queixa-crime) e o controle por parte do Estado de situações em que o procedimento penal seja a melhor maneira (no entender do Ministério Público) de proteger o seu interesse, nomeadamente quando a não apresentação de queixa pela vítima se deva apenas à coacção que sobre ela é exercida, e/ou crie para ela um risco acrescido de novas vitimizações"[16]. Assim, "a forma como o Estado pretende arrogar-se o direito de se substituir às vítimas em decisões com alto potencial lesivo para as respectivas vidas contrasta flagrantemente

---

[15] Ver o parecer relativo ao Projeto de Lei n.º 59/XV (BE)–Consagra os crimes de violação, de coação sexual e de abuso sexual de pessoa incapaz de resistência como crimes públicos (55.ª alteração ao Código Penal) (relatora Cláudia Cruz santos), p. 10.

[16] Caeiro, Pedro, "Observações sobre a projectada reforma do regime dos crimes sexuais e do crime de violência doméstica", *Revista Portuguesa de Ciência Criminal*, ano 29, n.º 3, 2019, p. 668.

com o discurso de empo- deramento das mesmas e de promoção da sua autonomia"[17].

Já quanto à segunda parte do artigo 55.º, n.º1, da Convenção de Istambul–que prevê a possibilidade de *o procedimento poder prosseguir ainda que a vítima retire a sua queixa*–temos dúvidas sobre a possibilidade de "prosseguimento do procedimento", no ordenamento jurídico português, nas situações em que exista uma desistência de queixa (até à publicação da decisão de primeira instância, desde que não haja oposição do arguido – artigo 116.º, do Código Penal e 51.º do Código de Processo Penal), a menos que o Ministério Público tenha previamente "dado início" ao processo porque o interesse da vítima o aconselhou, ao abrigo do disposto no artigo 178.º, n.º 2, do Código Penal. Não nos parece poder ser retirada da norma a interpretação de que em situações em que o Ministério Público abriu inquérito com base na apresentação da queixa, não exista a possibilidade de desistência da queixa. Impõe-se, por isso, que se acrescente esta *possibilidade*, ainda que se possa uma entorpia no sistema, não desejável em termos de coerência processual, mas justificada por motivos (formais) de conformidade com a Convenção de Istambul, plenamente justificados (materialmente), se "o interesse da vítima o aconselhe", quanto à manutenção de um processo *já* iniciado[18].

No essencial, tirando esta possibilidade que deve ser "somada", parece-nos que a solução avançada pela revisão de 2015

---

[17] *Idem*, p. 669.

[18] Assim também *idem*, p. 671. Na esteira do Autor (p. 671): "Eventualmente, será necessário adicionar um novo número ao art. 178.º (a inserir após o actual n.º 2), onde se preveja que, apesar da desistên-cia de queixa, o Ministério Público prossegue com o procedimento pelos crimes indicados no número anterior sempre que o interesse da vítima o aconselhe".

é mesmo a que "salvaguarda" o disposto neste normativo da Convenção de Istambul[19].

Não obstante, o certo é que não parece ser esta a leitura realizada no Relatório do Grupo de Peritos sobre o Combate à Violência contra as Mulheres e a Violência Doméstica (GRE-VIO) do Conselho da Europa publicado no dia 21 de janeiro de 2019[20]. No Relatório pode ler-se, em específico–no que diz respeito aos crimes contra a liberdade sexual (coação sexual e violação)–que o procedimento criminal por estes crimes exige a apresentação de uma queixa, a menos que cometidos contra um menor ou que resultem no suicídio ou na morte da vítima e, mais precisamente, "os crimes contra a liberdade sexual qua-lificam-se como crimes semi-públicos para os quais os serviços do Ministério Público podem decidir discricionariamente se devem ou não abrir um inquérito no prazo máximo de seis

---

[19]   Assim ver o parecer relativo ao Projeto de Lei n.º 59/XV (BE)–Con-sagra os crimes de violação, de coação sexual e de abuso sexual de pessoa incapaz de resistência como crimes públicos (55.ª alteração ao Código Penal) (relatora Cláudia Cruz santos), p. 9: "A nova re-dacção dada ao número 2 do artigo 178.º do Código Penal – e a pos-sibilidade de em certas situações o Ministério Público desencadear oficiosamente o processo criminal – parece salvaguardar o respeito por esta prescrição".

[20]   Cf. Relatório do Grupo de Peritos sobre o Combate à Violência contra as Mulheres e a Violência Doméstica (GREVIO) do Con-selho da Europa, publicado no dia 21 de janeiro de 2019, dispo-nível   em   https://www.coe.int/en/web/istanbul-convention/ newsroom/-/asset_publisher/anlInZ5mw6yX/content/grevio-pu-blishes-its-reports-on-portugal-and-swed-1?inheritRedirect=false&re direct=https%3A%2F%2Fwww.coe.int%2Fen%2Fweb%2Fistanbul-convention%2Fnewsroom%3Fp_p_id%3D101_INSTAN-CE_anlInZ5mw6yX%26p_p_lifecycle%3D0%26p_p_state%3Dnormal%26p_p_mode%3Dview%26p_p_col_id%3Dcolumn-1%26p_p_col_count%3D2, p. 61 (parágrafo 222 e 223).

meses a partir do momento em que tiveram conhecimento do crime, se considerarem que estão a fazê-lo no interesse da vítima"[21]. E nessa medida, o GREVIO "insta as autoridades portuguesas a alterarem a sua legislação para que esta esteja em conformidade com as regras relativas à acção penal *ex parte* e *ex officio* estabelecidas no artigo 55º, nº 1, da Convenção de Is-

---

[21]   Cf. O parágrafo 222 do Relatório do Grupo de Peritos sobre o Combate à Violência contra as Mulheres e a Violência Doméstica (GREVIO) do Conselho da Europa, publicado no dia 21 de janeiro de 2019, disponível em https://www.coe.int/en/web/istanbul-convention/newsroom/-/asset_publisher/anlInZ5mw6yX/content/grevio-publishes-its-reports-on-portugal-and-swed-1?inheritRedirect=false&redirect=https%3A%2F%2Fwww.coe.int%2Fen%2Fweb%2Fistanbul-convention%2Fnewsroom%3Fp_p_id%3D101_INSTANCE_anlInZ5mw6yX%26p_p_lifecycle%3D0%26p_p_state%3Dnormal%26p_p_mode%3Dview%26p_p_col_id%3Dcolumn-1%26p_p_col_count%3D2, p. 61 (tradução nossa): "While the Portuguese legislation conforms to this requirement for most of the forms of violence concerned, this is not the case for two types of offence. The first is the offence of simple bodily injury regulated under Article 143 of the PCC. Indeed, upon its ratification of the Istanbul Convention, Portugal did not enter a reservation which would have exempted it from the obligation to subject all acts of physical violence against women, including minor offences, to ex officio investigation and prosecution. The second is constituted by the crimes against sexual liberty, namely sexual coercion and rape regulated by Articles 163 and 164 of the PCC respectively: criminal proceedings for these crimes require the lodging of a complaint unless they were committed against a minor or resulted in the suicide or death of the victim. More precisely, crimes against sexual liberty qualify as semi-public crimes for which the prosecution services may discretionally decide whether or not to open an enquiry within the maximum term of six months from the moment they were notified of the crime, where they consider that doing so is in the interest of the victim".

tambul, no que diz respeito, nomeadamente, às infracções de violência física e sexual"[22].

Temos dúvidas acerca da compreensão do regime português constante do artigo 178.º, n.º 2, do CP e também a nós nos parece que não[23]. As entidades portuguesas, a este respeito, não se dedicaram a esclarecer a dúvida[24].

Em sequência, o GREVIO[25] reforça que devem ser tomadas novas medidas para implementar as recomendações dirigidas

---

[22] Cf. parágrafo 223 (tradução nossa): "GREVIO urges the Portuguese authorities to amend their legislation to make it conform with the rules regarding ex parte and ex officio prosecution set out in Article 55, paragraph 1, of the Istanbul Convention, as regards in particular the offences of physical and sexual violence".

[23] Como adianta Pedro Caeiro "...parece resultar do relatório a interpretação segundo a qual aqueles crimes requerem sempre a queixa, cabendo depois ao Ministério Público abrir inquérito se con- siderar que é esse o interesse da vítima" – Caeiro, Pedro, "Observações sobre a projectada reforma do regime dos crimes sexuais e do crime de violência doméstica", *Revista Portuguesa de Ciência Criminal*, ano 29, n.º 3, 2019, p. 670.

[24] Ver Reporting form on the implementation of the recommendations addressed to state parties, disponível em *https://rm.coe.int/pt-recommandations-cop-reporting-2022/1680a5b42c*, p. 56"Lastly, in respect of recommendation included in paragraph 223, we would like to highlight that articles no. 163 and 164 of the Criminal Code referring to crimes of sexual coercion and rape, respectively, were recently amended by Law No. 101/2019, of 6 September, adapting them to the provisions of the Convention of Istanbul. The amendments in question centres the basic conduct on the lack of consent, qualifying its practice with recourse to violence or serious threat as an aggravating factor of the legal type of crime".

[25] Ver Conclusions on the implementation of recommendations in respect of Portugal adopted by the Committee of the Parties to the Istanbul Convention, publicado em 8 de junho de 2022, disponível em *https://rm.coe.int/ic-cp-inf-2022-4-eng-cop-conclusions-portugal/1680a6d17*: "B. Encourages the Government of Portugal to

às suas autoridades, em particular para "assegurar que as regras sobre a ação penal *ex parte* e *ex officio* de crimes de violência sexual e de violência física estão em conformidade com o Artigo 55, parágrafo 1, da Convenção".

Em conclusão, parece-nos, e socorrendo-nos das palavras de Pedro Caeiro, que "«não depender inteiramente» significa, na leitura mais exigente, que *não pode haver nenhum caso em que a não apresentação da queixa por parte da vítima impeça o início de um procedimento penal* — e esse desiderato é rigorosamente cumprido pelo art. 178.º, n.º 2" [26]. Ou seja, a vítima não tem a possibilidade de impedir o início de um procedimento penal.

Têm sucessivamente existido iniciativas parlamentares no sentido, nomeadamente, de tornar pública a natureza de determinados crimes sexuais, como os crimes de coação sexual e de violação contra adultos, em linha com a Convenção de Istambul[27], estando ainda em discussão o Projeto de Lei n.º 59/

---

take further measures to implement the recommendations addressed to its authorities, in particular by: (...) 3. amending the criminal code to fully align it with Articles 36 and 40 of the Istanbul Convention and to ensure the rules on *ex parte* and *ex officio* prosecution of offences of sexual violence and bodily injury are in line with Article 55, paragraph 1, of the Convention".

[26] Cfr. Caeiro, Pedro, "Observações sobre a projectada reforma do regime dos crimes sexuais e do crime de violência doméstica", *Revista Portuguesa de Ciência Criminal*, ano 29, n.º 3, 2019, p. 670.

[27] Ver, entre outros, os Projetos de Lei mais recentes: os Projetos de Lei n.ºs: 522/XII/3.ª (BE), que «Altera a previsão legal dos crimes de violação e coação sexual no Código Penal»; 664/XII/4.ª (BE), que «Altera a previsão legal dos crimes de violação e coacção sexual no Código Penal»; 665/XII/4.ª (BE), que «Altera a natureza do crime de violação, tornando-o público»; 1047/XIII/4.ª (PAN), que «Altera o Código Penal, nomeadamente o crime de violação, adaptando a legislação à Convenção de Istambul»; 1058/XIII/4.ª (BE), que «Procede à alteração dos crimes de violação e coacção sexual no código penal, em respeito pela Convenção de Istambul». Ver

XV(BE)²⁸. Normalmente, os argumentos apontados em prol

---

também os Projetos de Lei n.ºs 250/XIV/1.ª, 701/XIV/2.ª, 702/
XIV/2.ª e 772/XIV/2.ª.

[28] Ver, por fim, a iniciativa mais recente–Projeto de Lei n.º 59/XV
(BE)–Consagra os crimes de violação, de coação sexual e de abuso sexual de pessoa incapaz de resistência como crimes públicos
(55.ª alteração ao Código Penal), tendo as respetivas partes I e III
sido aprovadas por unanimidade, na ausência da DURP do PAN e
DURP do L, na reunião de 15 de junho de 2022 da Comissão de
Assuntos Constitucionais, Direitos, Liberdades e Garantias (disponível em https://www.parlamento.pt/ActividadeParlamentar/Pagi-
nas/DetalheIniciativa.aspx?BID=121435). Com muito interesse ver
os pareceres aí constantes. Ver o *Contributo da APAV sobre o Projecto
de lei n.º 59/XV/1ª do Bloco de Esquerda consagra os crimes de violação,
de coação sexual e de abuso sexual de pessoa incapaz de resistência como
crimes públicos,* disponível em https://apav.pt/apav_v3/images/
pdf/Contributo_APAV_projeto-lei_59_XV_BE_crimes_sexuais_pu-
blicos_Junho22.pdf (p. 3) – "Entende-se que, qualquer que seja a
opção quanto à natureza do crime, a mesma deverá ser *mitigada,
ou híbrida,* de modo a permitir ao sistema de justiça a flexibilidade
suficiente para acomodar em simultâneo e na medida possível o interesse público, sobretudo ao nível da prevenção geral e especial,
e a vontade e as necessidades da vítima concreta" (sublinado do
autor). Aí se destaca (p. 4) que "(...) [as] duas "brechas" na natureza semipública do crime consubstanciam precisamente a mitigação
referida, afigurando-se especificamente a segunda – a consideração
do interesse da vítima – como uma "válvula de escape" que visa permitir uma ponderação em concreto das necessidades daquela". E
ainda (p. 6): "*Importa ainda sublinhar o seguinte: o sucesso de qualquer
uma das opções em discussão depende de fatores que extravasam a natureza
do crime, prendendo-se sim com a forma como a vítima é atendida, avalia-
da, informada, protegida e encaminhada por parte do sistema de justiça.*
Concretizando: para que o interesse da vítima seja fator de ponderação, esta deve ser alvo de avaliação, designadamente ao nível
do trauma e do risco. Para que a vontade da vítima seja atendível,
deve ser manifestada de forma livre e esclarecida. E para que isso
suceda, a vítima tem não apenas que estar devidamente informada
mas tem ainda que estar, e que se sentir, protegida". Ver também o

da publicização da natureza do crime centram-se na maior proteção da vítima, num contexto de dificuldade de conhecimento da prática do facto (praticado em regra num local de intimidade) e de vulnerabilidade, "onde a ascendência do agressor sobre a vítima e as relações de poder se verificam de forma especialmente intensa", como se destaca neste Projeto de Lei[29].

Como sublinha Cláudia Cruz Santos, "A opção sobre a natureza processual de vários crimes voltou a ser objecto de controvérsia político-criminal, a propósito de crimes como a coacção

---

parecer do Conselho Superior da Magistratura e o Parecer do Conselho Superior do Ministério Público, todos disponíveis em *https:// www.parlamento.pt/ActividadeParlamentar/Paginas/DetalheIniciativa. aspx?BID=121435*. De referir que a Ordem dos Advogados emitiu um parecer favorável à alteração da natureza do crime, alterando a perspetiva anteriormente apresentada: "Sobre o Projeto Lei em causa, o nosso Parecer é que o mesmo, face ao alargamento das situações de violência sexual e, bem assim, as consequências deste nas vítimas, nomeadamente o receio que incute nestas de repetição ou retaliação do agressor e o facto de pôr em causa a dignidade humana aliado à ideia de sentimento de impunidade por parte dos violadores, justifica a consideração destes crimes como de natureza pública".

[29]   Como se destaca neste prejeto "A maioria das vezes os autores do crime são pessoas que fazem parte das relações familiares ou de proximidade das vítimas (16,6% são familiares; 50,8% são pessoas conhecidas; 2,3% pessoas que prestam assistência ou formação; dados do RASI 2020). Este é, portanto, um crime onde a ascendência do agressor sobre a vítima e as relações de poder se verificam de forma especialmente intensa, motivo pelo qual é também uma violência entregar a vítima à sua sorte, dizendo-lhe que a decisão de investigar e acusar o crime por si sofrido, depende apenas da sua vontade" – cf. Projeto de Lei n.º 59/XV (BE)–Consagra os crimes de violação, de coação sexual e de abuso sexual de pessoa incapaz de resistência como crimes públicos (55.ª alteração ao Código Penal) disponível em https://www.parlamento.pt/ActividadeParlamentar/Paginas/DetalheIniciativa.aspx?BID=121435.

sexual e violação, relativamente aos quais se vem assistindo a uma tendência para o fortalecimento da componente pública ainda que, paradoxalmente, com o argumento da necessidade de protecção da vítima concreta"[30].

Em apertada síntese, e socorrendo-nos das palavras de Figueiredo Dias, a propósito de uma das triplas funções da queixa (e da acusação particular) que aqui parece estar em causa, "que pode servir a função de específica **protecção da vítima (ofendido) do crime**. É esse o caso, nomeadamente, dos crimes que afectam de maneira profunda a **esfera da intimidade**. Quem seja vítima de um crime que penetra profundamente em valores da intimidade – nomeadamente, mas não só, da esfera sexual... – deve poder, em princípio decidir se ao mal do crime lhe convém juntar o que pode ser o mal do desvelamento da sua intimidade e da consequente estigmatização processual; sob pena, de outra forma, de poderem frustar-se as intenções político-criminais que, nesses casos, se pretenderem alcançar com a criminalização"[31].

---

[30] Ver o parecer relativo ao Projeto de Lei n.º 59/XV (BE)–Consagra os crimes de violação, de coação sexual e de abuso sexual de pessoa incapaz de resistência como crimes públicos (55.ª alteração ao Código Penal) (relatora Claudia Cruz santos), p. 9 e Santos, Cláudia, *O Direito Processual Penal Português em Mudança – Rupturas e Continuidades*, Coimbra, Almedina, 2020, pp. 103 e ss.

[31] Dias, Figueiredo, *Direito Penal Português – As Consequências Jurídicas do Crime*, 2.ª Reimpressão, Coimbra, Coimbra Editora, 2009, pp. 667/668 (negrito do Autor). Igual entendimento tem Antunes, Maria João, "Comentário ao Art. 178.º", in Figueiredo Dias (dir.), *Comentário Conimbricense do Código Penal*, Tomo I, 2.ª Edição, Coimbra, Coimbra Editora, p. 896. Cf. o parágrafo 223 do Relatório do Grupo de Peritos sobre o Combate à Violência contra as Mulheres e a Violência Doméstica (GREVIO) do Conselho da Europa citado ("223. GREVIO urges the Portuguese authorities to amend their legislation to make it conform with the rules regarding *ex parte* and *ex officio* prosecution set out in Article 55, paragraph 1, of the Istanbul

4. APONTAMENTOS FINAIS

No direito penal português vigente, o crime de violação/
coação sexual tem uma natureza semipública (mitigada). Neste sentido, o procedimento criminal depende da apresentação
de queixa por parte da vítima, salvo se, nos termos do n.º 1 do
art.º 178.º do Código Penal, for praticado contra menor ou deles resultar suicídio ou morte da vítima. Além disso, nos termos
do novo n.º 2 deste artigo (introduzido em 2015), pode o Ministério Público dar início ao procedimento criminal sempre
que o interesse da vítima o aconselhe.

Sendo esta uma opção de política criminal, cremos que a
solução do legislador português é uma solução equilibrada,
que permite que seja realizada uma ponderação dos vários interesses e uma consideração, em concreto, das necessidades da
vítima (concreta e passada).

Apesar da letra ambigua da Convenção de Istambul, não
nos parece que do artigo 55.º, n.º1, primeira parte, da Convenção, resulte a imposição de publicização destes crimes, nomeadamente no que diz respeito ao crime de violação/coação.

Já quanto à segunda parte do artigo 55.º, n.º1, da Convenção de Istambul–que prevê a possibilidade de *o procedimento poder prosseguir ainda que a vítima retire a sua queixa*–temos dúvidas
sobre a possibilidade de "prosseguimento do procedimento",
no ordenamento jurídico português, nas situações em que
exista uma desistência de queixa (até à publicação da decisão
de primeira instância, desde que não haja oposição do arguido
– artigo 116.º, do Código Penal e 51.º do Código de Processo
Penal), a menos que o Ministério Público tenha previamente "dado início" ao processo porque o interesse da vítima o

Convention, as regards in particular the offences of physical and
sexual violence".

aconselhou, ao abrigo do disposto no artigo 178.º, n.º 2, do Código Penal. Não nos parece poder ser retirada da norma a interpretação de que em situações em que o Ministério Público abriu inquérito com base na apresentação da queixa não exista a possibilidade de desistência da queixa. Impõe-se, por isso, que se acrescente esta *possibilidade*, apesar das dificuldades que não desconsideramos.

No essencial, tirando esta possibilidade que deve ser acrescentada na legislação portuguesa, parece-nos que a solução avançada pela revisão de 2015 é a que melhor compatibiliza os interesses conflituantes, dando espaço à análise em concreto dos interesses da vítima.

Bibliografía

BELEZA, TERESA PIZARRO, PINTO, FREDERICO DA COSTA (Coord.), Convenção do Conselho da Europa para a Prevenção e Combate à Violência contra as Mulheres e Violência Doméstica, adotada em Istambul a 11 de maio de 2011: reflexos no ordenamento jurídico português, Lisboa, CEDIS, 2017, disponível em http://cedis.fd.unl.pt/wp-content/uploads/2017/04/Conven%C3%A7%C3%A3o-de-Istambul-04.04.2017.pdf

BELEZA, TERESA, "«Consent – It´s as simple as tea»: notas sobre a relevância do dissentimento nos crimes sexuais, em especial na violação", in Maria da Conceição Ferreira da Cunha (Org.ª), Combate à Violência de Género. Da Convenção de Istambul à Nova Legislação Penal, Lisboa, Universidade Católica Editora, 2016

CAEIRO, PEDRO, "Observações sobre a projectada reforma do regime dos crimes sexuais e do crime de violência doméstica", Revista Portuguesa de Ciência Criminal, ano 29, n.º 3, 2019

CAEIRO, PEDRO, "Observações sobre a projetada reforma do regime dos crimes sexuais e do crime de violência doméstica", Revista Portuguesa de Ciência Criminal, set-dez 2019

CUNHA, CONCEIÇÃO, "A tutela da liberdade sexual e o problema da configuração dos crimes de coação sexual e de violação – reflexão à luz da Convenção de Istambul", in Crimes sexuais, 2.º edição, Lisboa, Centro de Estudos Judiciários, 2021, ebook, disponível em   https://cej.justica.gov.pt/LinkClick.aspx?fileticket=uMxjnSJ_t24%3d&portalid=30

CUNHA, MARIA DA CONCEIÇÃO FERREIRA DA, "Do Dissentimento à falta de capacidade para consentir", in Maria da Conceição Ferreira da Cunha (Coord.), Combate à violência de género – da Convenção de Istambul à nova legislação penal, Porto, Universidade Católica Portuguesa, 2016

DIAS, JORGE DE FIGUEIREDO / CAEIRO, PEDRO, "Crimes contra a liberdade e a autodeterminação sexual", in Enciclopédia Polis da Sociedade e do Estado, Vol. 1, 2.ª ed. Lisboa, Editorial Verbo, 1997, p. 1394 1403. Têm existido várias outras alterações legislativas na matéria dos crimes sexuais (Lei n.º 65/98, de 2 de setmebro; Lei n.º 99/2001, de 25 de agosto; Lei n.º 59/2007, de 4 de setembro; Lei n.º 83/2015, de 5 de agosto; Lei n.º 101/2019, de 6 de setembro e Lei n.º 40/2020, de 18 de agosto).

DIAS, JORGE DE FIGUEIREDO, "Comentário ao art.º 163.º", in Jorge de Figueiredo Dias (Dir.), Comentário Conimbricense do Código Penal, Parte Especial, Tomo I, Coimbra, Coimbra Editora, 2012, 2.º Edição

DIAS, MARIA DO CARMO SILVA, "Repercussões da Lei n.º 59/2007, de 4/9 nos «crimes contra a liberdade sexual»", Revista do CEJ, Lisboa, n.º 8, 2008

DIAS, MARIA DO CARMO SILVA, "Repercussões da Lei n.º 59/2007, de 4/9 nos «crimes contra a liberdade sexual»", Revista do CEJ, Lisboa, n.º 8, 2008

DIAS, MARIA DO CARMO SILVA, "Repercussões da Lei n.º 59/2007, de 4/9 nos «crimes contra a liberdade sexual»", Revista do CEJ, Lisboa, n.º 8, 2008

JERÓNIMO, PATRÍCIA (coord.) Igualdade de Género: Velhos e Novos Desafios, Braga, Direitos Humanos – Centro de Investigação Interdisciplinar/JusGov/ Escola de Direito, 2020, disponível em https://drive.google.com/file/d/1O7cFzHuPTxE4J81r3LwsiWmHzWeeMzGv/view

LEITE, ANDRÉ LAMAS, "As alterações de 2015 ao Código Penal em matéria de crimes contra a liberdade e autodeterminação sexuais – nóTULAS ESPARSAS", JULGAR, N.º 28, 2016

LEITE, ANDRÉ LAMAS, "As alterações de 2015 ao Código Penal em matéria de crimes contra a liberdade e autodeterminação sexuais – nótulas esparsas", Julgar, n.º 28, 2016, p. 62.

LEITE, INÊS FERREIRA, "A tutela da liberdade sexual", Revista Portuguesa de Ciência Criminal, 21, 2012, também disponível em https://
www.academia.edu/40857540/

SANTOS, MARGARIDA, "A configuração dos crimes de coação sexual
e de violação, a vontade cognoscível da vítima, e a Convenção de Istambul: breves apontamentos à margem das recentes alterações do
Código Penal português", in Iglesias Canle, Ines e Bravo Bosch, Maria Josè (dir.), Violencia Sexual y libertad sexual, Valencia, Tirant Lo
Blanch, 2022

Capítulo 18

La detención femenina en Italia

PASQUALE BRONZO
Università Sapienza di Roma

SUMARIO: 1. MUJERES EN PRISIÓN. 2. MADRES EN PRISIÓN. 3. FUTUROS DE LA DETENCIÓN FEMENINA.

RESUMEN: La escasez numérica de mujeres que ingresan al circuito penal y penitenciario en comparación con los hombres conduce a un número reducido de instituciones femeninas y a la organización de la detención femenina en secciones especiales – aunque reducidas en número – de las cárceles masculinas, tema que se aborda en el presente trabajo.

PALABRAS CLAVE: cárceles, detención femenina, instituciones penitenciarias

SUMMARY: The numerical shortage of women entering the penal and penitentiary circuit compared to men leads to a small number of women's institutions and the organization of women's detention in special sections–although reduced in number–of the male prisons, issue addressed in this paper.

KEYWORDS: prisons, female detention, penitentiary institutions

1. MUJERES EN PRISIÓN

La detención del femenino es, en todas partes, un problema *en el* "problema-cárcel": depende, principalmente, del pequeño porcentaje de mujeres en comparación con la población carcelaria total. Un porcentaje que en Italia se ha mantenido a lo largo de los años casi constantemente atestiguado en torno al 5% del total de presencias. La escasez numérica de mujeres que ingresan al circuito penal y penitenciario en comparación con los hombres conduce a un número reducido de instituciones femeninas y a la organización de la detención femenina en secciones especiales – aunque reducidas en número – de las cárceles masculinas[1].

Al menos dos problemas importantes están relacionados con esta estadística.

En primer lugar, la escasez de centros de detención femeninos determina una fuerte *redimensión del principio de "territorialidad" de la expiación penitenciaria,* pues muchas veces compromete la posibilidad de expiar la pena en lugares no demasiado alejados de los seres queridos y del propio contexto de referencia. El principio en cuestión es un principio importante, tanto desde el punto de vista de la reeducación, porque las relaciones con la familia son una herramienta importante para la recuperación de la persona, como desde el punto de vista de reducir el impacto negativo del encarcelamiento, ciertamente mitigado por posibilidad de mantener vivos los afectos, tanto desde el punto de vista de la protección de los derechos de los detenidos, entre los cuales el derecho al cuidado de las relaciones familiares es objeto de derecho fundamental de la persona.

La importancia de este principio es completamente peculiar a las mujeres, porque las mujeres sufren más la separación de los afectos, de modo que el destierro de los afectos reduce mucho la función reeducativa de la pena y aumenta mucho el daño de la prisión. El problema se agudiza entonces en todos

---

[1]   M. MIRAVALLE, *Quale genere di detenzione? Le donne in carcere in Italia e in Europa,* in *Donne ristrette,* a cura di G. Mantovani, *Memorie del dipartimento di giurisprudenza dell'Università di Torino,* Ledizioni, 2021, p. 29

aquellos casos en que las detenidas tienen hijos encomendados al exterior (la distancia hace aún más difícil conciliar las limitaciones relativas a los días y horarios de las entrevistas con los compromisos escolares de los menores).

En segundo lugar, la relativa escasez numérica condena a las mujeres a un *sistema reeducativo residual*: la detención femenina vive como una "costilla" de la detención masculina[2], con pocas estructuras de detención, mucho menos equipadas que las de los varones, en las que se siguen reglas y métodos de expiación que constituyen una adaptación a las mujeres de las reglas y métodos de detención de los hombres.

Se trata de una verdadera y propia discriminación. Una discriminación involuntaria, que no surge de una voluntad institucional consciente, sino precisamente del hecho de que la prisión – precisamente por el número limitado de mujeres – es una organización diseñada para un gran número de hombres: esta muestra mayoritariamente masculina acapara todo el proceso reeducativo y la organización en general, y la oferta de tratamiento femenino, se ve muy sacrificada, también por la imposibilidad de que las reclusas compartan espacios y estructuras con los hombres. Hasta la fecha, solo hay cinco prisiones en Italia reservadas exclusivamente para la detención de mujeres (Trani, Pozzuoli, Roma Rebibbia, Empoli, Venecia Giudecca), mientras que en la mayoría (52 instituciones) las mujeres están recluidas en pabellones dentro de penitenciarías masculinas.

Sin embargo, en enero de 2018, el Comité Europeo para la Prevención de la Tortura elaboró un marco de estándares y reglas que todos los países miembros del Consejo de Europa deberían seguir. Esto es fruto de las buenas y malas prácticas

---

[2]   A. Lorenzetti, *Genere e detenzione. Le aporie costituzionali di fronte a una "doppia reclusione"*, Biolaw Journal, 1.1.2021.

observadas por el Comité durante sus inspecciones periódicas. El Comité aclaró que es necesario adoptar el modelo de separación rígida entre mujeres y hombres, para evitar la opresión y la violencia sexual, se deben compartir las actividades de formación y reeducación, con miras a que el mundo "adentro" sea lo más similar posible al externo. También se presta mucha atención a las condiciones de salud, en particular el acceso a los exámenes y controles ginecológicos, que debe garantizarse a toda la población femenina restringida, así como a las técnicas de registro personal (en particular, las inspecciones corporales) que pueden ser potencialmente un instrumento de acoso y violencia y que deben evitarse, salvo casos excepcionales, y en todo caso realizadas exclusivamente por personal sanitario.

En cambio, todo tratamiento penitenciario femenino se caracteriza por una residualidad constante.

La residualidad está *en las actividades de estudio y trabajo*, por ejemplo, respecto de la oferta de cursos para la profesionalización que no parecen estar orientadas al *empowerment* o en todo caso respondiendo a las especificidades femeninas. Está *en los modos y espacios de detención*: incluso los lugares que acogen a los reclusos han sido diseñados para hombres, sin considerar las necesidades de las mujeres, ni a nivel estructural ni en cuanto a los servicios ofrecidos: pensad cómo se estructuran los sanitarios por dentro las celdas. Está *en las reglas de conducta* durante la detención, que son el resultado de un pensamiento masculino, en el que se garantiza poco espacio a la esfera emocional, que es más propia de lo femenino y que ciertamente caracteriza el encarcelamiento de las mujeres de una manera diferente.

A todo esto añadimos un dato: las mujeres en prisión en Italia son un 40% de mujeres extranjeras (seis puntos porcentuales más que los hombres). El porcentaje, junto con el de Grecia, es el más alto de Europa; las tres nacionalidades más representadas son la rumana (24,3 %), la nigeriana (17 %) y la bosnia (6 %). Estas estadísticas son influidas en particular por la población gitana [Rom], de la que forman parte muchas reclusas, mientras que la presencia marcada por la población de mujeres nigerianas está, en cambio, fuertemente ligada al fenómeno de la trata de seres humanos y a las organizaciones que gestionan la prostitución.

En resumen, las mujeres presas son "marginadas entre los marginados".

2. MADRES EN PRISIÓN

En este marco de derechos desatendidos, la maternidad es el único problema de la detención femenina que realmente ha sido puesto de manifiesto por el legislador. Es fácil comprender por qué: por la presencia, entre los sujetos envueltos, de terceros, ajenos al delito y a la punición, y además particularmente necesitados de cuidados principalmente por parte de la madre detenida [ristretta]. Los niños menores de edad son "víctimas secundarias" de la detención. No sólo están involucrados los hijos presentes en prisión, sino también aquellos que – en la perspectiva de la cárcel – son los "hijos invisibles", es decir, aquellos menores, mayores de tres años, que residen, en la mayoría de los casos, en la familia de origen o son colocados con terceros, y que indirectamente viven la detención de su madre: desde la experiencia de la detención, pasando por llamadas telefónicas, hasta entrevistas.

La privación de libertad de una madre endeudada con la justicia tiene impactos devastadores, como es fácil imaginar, tanto en la madre, cuya salud psicofísica puede verse gravemente comprometida, como en los hijos cuya trayectoria de crecimiento y desarrollo se ve gravemente comprometida. Es por ello que la consideración legislativa de las mujeres madres se remonta y vuelve cíclicamente a las preocupaciones del legislador italiano, quien ha dedicado nada menos que cinco intervenciones diferentes a este tema, durante un período de

25 años (entre 1986 y 2011) sin encontrar, sin embargo, una solución al problema.

La consideración de la problemática relación entre ejecución penal y maternidad se encuentra ya en la institución del "*diferimiento en la ejecución de la pena*" de nuestro código penal. El diferimiento de la pena – que puede ser obligatorio (art. 146 del código penal) para mujeres embarazadas o con hijos menores de un año u facultativa (art. 147 del código penal) para madres de hijos menores de tres años – representativa inicialmente la única respuesta normativa al problema.

Para establecer el diferimiento de la pena, el juez debe evaluar dos cosas: debe verificar concretamente que la compatibilidad entre la pena privativa de libertad y la protección de los intereses valorados por la ley; debe controlar que no exista un riesgo real de reincidencia, que sería un obstáculo para el diferimiento. El diferimiento facultativo coloca al tribunal de control [tribunale di sorveglianza] ante una difícil elección entre la suspensión de la condenación y su ejecución en prisión: libertad o cárcel. Una elección dramática, cuando el encarcelamiento era muy perjudicial para los intereses de los hijos, pero el riesgo de reincidencia era alto.

En consideración a esto, en 1986 (ley 10 de octubre de 1986, n. 663, llamada ley Gozzini) se introdujo en la ley del ordenamiento penitenciario (ley 26 de julio de 1975, n. 354) lo que llamamos "*detención domiciliaria ordinaria*" como una alternativa medida a la detención que permite la detención extrapenitenciaria, entre otros, para mujeres embarazadas y para madres (o padres en caso de imposibilidad) con hijos menores de 10 años. Es una *tercera vía* entre la libertad provisional del diferimiento y la ejecución penitenciaria: permite evitar el encarcelamiento de personas que serían demasiado peligrosas en una situación de libertad total, pero cuya restricción en prisión correría el riesgo de dañar su salud o afectar el cuidado de los hijos.

Este instituto representa un gran avance en la protección de las madres presas, también por otras razones menos importantes pero no irrelevantes: en primer lugar, el diferimiento de la ejecución se presta a la explotación en hipótesis criminológicamente no infrecuentes, caracterizadas por ejemplo en comunidades nómadas, en las que la mujer y su maternidad es incluso explotada por el clan; en segundo lugar, la detención domiciliaria tiene una ventaja sobre el diferimiento de la ejecución, porque cuenta como una pena cumplida, y por lo tanto reduce el monto de la pena a cumplir en prisión, mientras que el diferimiento deja a la madre en deuda con la justicia.

Sin embargo, para beneficiarse de la detención domiciliaria ordinaria es necesario que la pena a expiar (incluso residual) no supere los 4 años: el hecho de que largas penas quedaran fuera de esta disciplina planteaba algunos problemas de razonabilidad, pues la gravedad del delito y la pena mayor de la madre no justifica – o justifica con mucha dificultad – la menor protección del menor frente a la madre con pena corta. Por lo tanto – aceptando también las solicitudes provenientes de la Recomendación del Consejo de Europa 1469 (2000) sobre "las madres y los niños en prisión" – se añadió otra medida a la caja de herramientas del juez de control con la ley del 8 de marzo de 2001, n. 40 (la llamada Ley Finocchiaro): la "detención domiciliaria especial" para las madres prisioneras (art. 47-quinquies de la ley del ordenamiento penitenciario) aplicable a los casos de penas largas, es decir, más de cuatro años.

La *primera hipótesis* de detención domiciliaria especial tiene por objeto facilitar la reunificación entre madre e hijos con edad no superior a diez años: exige el cumplimiento de una parte de la pena (un tercio, o 15 años en el caso de cadena perpetua [ergastolo]) además de la ausencia de un riesgo particular de recurrencia. Es una solución aplicable en la última parte de las sentencias largas, que permite favorecer el restablecimiento de la relación familiar de cara al final de la ejecución de la pena.

Una *segunda hipótesis* de detención domiciliaria especial (interpolada por otra ley para la protección de las madres presas, la ley del 21 de abril de 2011, n. 62) se hizo cargo de la particular necesidad de prevenir la desintegración de la relación madre-hijo, es decir, el problema constituido por la situación de la mujer con penas largas en la primera parte de la expiación, en ese primer tercio de la pena: es importante evitar en lo posible desde el principio la separación entre madres e hijos y sobre todo es importante para evitar la permanencia de los niños en las cárceles. De hecho, cuando la presa aún no ha cumplido la parte de la pena necesaria para acceder a la detención en su propio domicilio, los niños hasta los tres años son recluidos en las denominadas salas de cuna [sezioni-nido]; esta es la situación más dramática, porque las secciones de guardería son en realidad salas de detención, en las que los niños están de hecho "institucionalizados"; luego, cuando tienen tres años, los niños deben ser confiados al cuidado de personas distintas a la madre, quien puede continuar el cuidado de los niños ahora "libres" solo a través de salidas diarias similares a las de los trabajadores en el exterior, bajo ciertas condiciones. Esta estancia en prisión en años fundamentales para el desarrollo y la posterior – traumática — separación de la figura materna son evidentemente muy perjudiciales para el bienestar psicofísico de los niños.

Para estas últimas situaciones – es decir, para las mujeres madres que se encuentran en la primera parte de una larga condena – se previó entonces la posibilidad de disponer que la detención de madres y hijos no se lleve a cabo en prisión sino en instituciones penitenciarias con "custodia atenuada", los llamados "ICAM" (Instituto de Custodia Atenuada para mujeres Madres detenidas). Los ICAM son centros de detención – ubicados fuera de las cárceles – que tratan de disimular su naturaleza al máximo: los ambientes se asemejan más a los domicilios, los funcionarios no visten uniforme y hay personal especializado capaz de atender mejor las necesidades punitivas con las de un correcto crecimiento de los menores, que pueden permanecer allí hasta los seis años.

Esta disciplina fue originalmente excluida para las ejecuciones relativas a los delitos "obstativos" [ostativi] de conformidad con el art. 4-*bis* de la ley del ordenamiento penitenciario (es decir, aquellos delitos en los que tendencialmente se excluyen todas las medidas alternativas a la privación de libertad por una supuesta peligrosidad marcada del condenado), pero con la sentencia 239 de 2014, la Corte Constitucional declaró ilegítima la preclusión: este tipo de automatismos pueden ser razonables, y constitucionalmente tolerables, para medidas extramuros que respondan a necesidades de reeducación, de hecho, el interés por la reeducación tolera ser equilibrado con la necesidad de proteger la seguridad colectiva, hasta la exclusión de algunas medidas de desencarcelamiento (aunque hoy en día, en su carácter absoluto, hayan perdido su legitimidad constitucional: Cfr. Corte Constitucional núm. 253 de 2019 y núm. 97 de 2021)

Sin embargo, las lógicas presuntivas son mucho menos tolerables en relación con medidas e instituciones cuya principal *ratio* no es la reeducación, sino la protección de los intereses de personas ajenas a la relación ejecutiva y más necesitadas de una protección especial como los niños hijos de las mujeres en la expiación penal.

Lo disciplinario ya descuenta una tasa de automatismo poco afín a las garantías de la libertad, desde otro punto de vista: al valorar la necesidad de protección, el legislador de hecho utiliza como criterio índice la edad del menor (6 años para situaciones en que la madre es objeto de intervención restrictiva cautelar, 10 años para las madres en ejecución penal). Por tanto, el menor, al primer día siguiente de un determinado cumpleaños, pierde su protección particular mientras la necesidad concreta de protección pueda persistir y el juez no pueda responder a esta necesidad permanente con expedientes distintos. En realidad, las necesidades de protección de los menores en áreas menos problemáticas que la de la ejecución penal se abordan mediante evaluaciones "caso por caso" que prometen un margen de error menor.

En todo caso, una cosa es pensar en las necesidades de protección de los niños, vinculándolas a los datos personales, como en el último caso mencionado, y otra cosa es deducir de la naturaleza del delito – un criterio empíricamente no infundado, pero sí muy 'sumario' – la existencia de aquel peligro para la seguridad colectiva que puede neutralizar la necesidad de protección del menor como en el caso de la detención domiciliaria de la madre detenida.

Sin embargo, hay dos problemas con la detención en instalaciones especiales. Primero: solo tenemos cinco ICAM en Italia; según el ICAM siempre es un centro de detención que va en detrimento del correcto desarrollo del niño. En realidad, la ley de 2011 también contempla soluciones alternativas al ICAM, con miras a dar continuidad a la relación parental y promover el desarrollo psicofísico de los niños: esa parte inicial de la pena también puede ser expiada en el domicilio de la persona condenada, en otro lugar de residencia privada, en un lugar de atención o de acogida o – de nuevo – en los llamados "hogares familiares protegidos", estructuras verdaderamente no privativas de libertad, pero residencias en las que no hay personal policial, y los presos son controlados solo desde el exterior.

Desafortunadamente, actualmente solo hay dos "hogares familiares protegidos" en Italia – diez años después de la reforma legislativa que los preveía. En Roma está la Casa di Leda, creada en un edificio alejado de la delincuencia en el distrito Eur, que puede albergar a seis mujeres con niños. El segundo está en Milán y es privado, gestionado por la Asociación C.I.A.O.. La cifra no sorprende en absoluto: la ley 62/2011 que los establecía lo hacía "sin coste alguno para el Estado".

En realidad, el legislador italiano pensó en los hogares familiares como una solución alternativa al domicilio privado para situaciones caracterizadas por un lado por un bajo nivel de peligrosidad y por otro por la falta de una vivienda adecuada (situación muy frecuente), y no como un método regular de detención encarcelada de la madre de niños pequeños.

Ciertamente esta elección normativa se basó en la consideración de la tendencia a la reincidencia de la típica presa con hijos menores, es decir, la *mujer nómada con muchos hijos muy pequeños*, pero – no ocultemos la sospecha – también por siniestros problemas económicos: estos son estructuras muy caras.

Lo cierto es que hoy en día el internamiento de madres en casas de familia se aplica muy poco no sólo por la escasez de estructuras sino porque la asunción negativa de la ausencia del riesgo de reincidencia es muchas veces un obstáculo, un elemento difícil de evaluar debido a la escasez de información disponible, y que por ello muchas veces lleva a los jueces a centrarse en los antecedentes penales de la mujer, con el riesgo de una excesiva aplicación de la prudencia.

Hay quienes creen que el hogar familiar protegido debería convertirse en la regla para las mujeres madres de hijos pequeños, mientras que hoy es una medida de "segunda línea", como dicen los médicos de drogas. Una reciente propuesta de ley (propuesta de ley presentada a la Cámara de Diputados n.° 2298 del 19 de diciembre de 2019, denominada propuesta Siani) propone eliminar la restricción normativa asociada a la construcción de hogares familiares protegidos sin costo para el Estado, y en cambio, establece la posibilidad – pero no la obligación – de financiar su implementación a nivel estatal.

En realidad, la solución del hogar familiar protegido no está exenta de contraindicaciones: en primer lugar, no es muy adecuada para casos con alto riesgo de reincidencia; en segundo lugar, debe llenarse de contenidos de tratamiento, de lo contrario, se convierte en una mera medida de contención que aísla a la mujer del contexto social y ambiental, y la priva de cualquier reeducación. Es por esto que el funcionamiento de los hogares familiares como soluciones a la detención penal necesita del apoyo del territorio, intervenciones asistenciales para garantizar las salidas, el acompañamiento de los menores a la escuela y similares; probablemente necesiten aparatos estatales de ejecución penal externos, es decir, aquellas oficinas que dan seguimiento a las personas que están cumpliendo sus condenas en medidas alternativas a la prisión.

Y en cualquier caso, ICAM y las casas de acogida deben formar parte de un *sistema integrado*. Por ejemplo, el ICAM es precioso y casi insustituible en el contexto cautelar porque, por un lado, las medidas cautelares suelen estar encaminadas a evitar una fuga o una recurrencia no sólo previsibles sino casi podríamos decir previstas (en la fenomenología de delincuencia femenina las intervenciones restrictivas con el proceso en curso para evitar la reincidencia de los delitos son estadísticamente muy frecuentes) y frente a este riesgo existe una necesidad de vigilancia que es inalcanzable en los hogares familiares; por otra parte, el domicilio muchas veces es inexistente o inadecuado; Cabe señalar que con respecto a las medidas cautelares, la restricción domiciliaria sólo es posible por ley a condición de que no existan necesidades cautelares de excepcional importancia. En estos casos, por tanto, evitar el reingreso en prisión y proteger las necesidades educativas del menor sólo es posible mediante el internamiento en ICAM y la falta de ICAM hace inevitable la prisión.

3. FUTUROS DE LA DETENCIÓN FEMENINA

Después de tantas intervenciones normativas, ¿cuáles son los márgenes de mejora del sistema de detención de mujeres en Italia? Hoy necesitamos ir más allá de la dimensión de la mujer madre. Las protecciones al embarazo y la maternidad no deben desbordar la consideración de lo femenino en estas condiciones. Sería una actitud doblemente falaz: en primer lugar porque estamos ante experiencias ligadas a la corporalidad femenina, pero que no forman parte de la experiencia femenina universal, ya que no todas las mujeres son madres; en segundo lugar, porque las necesidades específicas del embarazo y de la maternidad se refieren a fases y períodos limitados en el tiempo, que cambian en función de la edad de los hijos, que ciertamente no abarcan toda la existencia, aunque se trate de una relación que sí no cesa a medida que aumenta la edad del niño implicado[3].

Es la consideración de todos los detalles femeninos lo que necesita mejorar. El tema de la detención femenina ciertamente nos exige garantizar la igualdad y reducir la discriminación, como decíamos al principio, pero ante todo nos exige pensar en la detención "femenina"[4].

Existe una diferencia sustancial de género en la forma de vivir en prisión que debe ser considerada: los hombres tienen una mayor capacidad para adaptarse al entorno o para aceptar el encarcelamiento como resultado de un comportamiento punible; los hombres sustituyen la privación del papel de sostén de su familia por el trabajo y el envío de dinero a casa; para las detenidas, sin embargo, verse privadas de este rol es un sufrimiento enorme.

Las mujeres viven la prisión con más sufrimiento: para las mujeres y la necesidad de agregación y sociabilidad es mucho más fuerte que para los hombres; las relaciones interpersonales, incluso en prisión, responden más a la lógica de la expre-

---

[3]   A. Lorenzetti, *Genere e detenzione*, cit.

[4]   G. Zuffa, *Ripensare il carcere, dall'ottica della differenza femminile*, in *Questione giustizia*, n. 2, 2015, p. 96 ss.

sión de la afectividad que a la de comparar la fuerza, ya sea la fuerza física o la fuerza del prestigio criminal.

Las mujeres tienen una percepción diferente sobre el crimen y el castigo: generalmente consideran los delitos que las llevaron a prisión como percances y no como elecciones de vida consciente; tienen un sentido de la vergüenza más pronunciado; la preocupación por el "después" está ligada no sólo a la posibilidad de reinserción laboral, sino también a ser aceptadas en la sociedad y poder volver a vivir una vida normal (muchas veces tenían una vida normal y no tenían antecedentes penales sobre los hombros).

Por tanto, la detención femenina debe responder a las especificidades de lo femenino y esto exige un cambio de mirada.

Cabe señalar la existencia en Italia de experiencias virtuosas, en las que se ensayan nuevas formas de atención a la detención femenina y sus necesidades, más allá del interés e incluso de la existencia de los niños en edades tempranas y dentro del marco normativo vigente. Por ejemplo, una estructura denominada "Ma.Ma" (Módulo de Vivienda para Maternidad y Afectividad), nombre que se le dio a un proyecto de la Università degli studi di Roma "La Sapienza", financiado por el mundialmente famoso arquitecto Renzo Slowly, con su sueldo de por vida. El proyecto ha permitido construir un verdadero módulo habitacional en Rebibbia, una de las cárceles de mujeres más importantes de nuestro país, en el espacio verde frente a la prisión, en las dimensiones mínimas para la habitabilidad, pero que reproduce el interior familiar y también en el exterior tiene la forma icónica de la "casa" con techo inclinado. Fue diseñado cumpliendo la normativa penitenciaria, y por tanto capaz de garantizar un entorno privado – con grandes ventanales bilaterales y rodeado de árboles que lo separan del resto de la vegetación y de la prisión, pero totalmente controlable desde el exterior. Ma. Ma. Es un espacio diseñado para mujeres privadas de libertad, para recibir visitas de niños, incluso adultos, y familiares, y quedarse con ellos quizás para compartir una comida en un ambiente que reproduce las características del lugar doméstico. Un buen ejemplo de atención a la especificidad de lo femenino.

Capítulo 19

Danno da processo e tutela delle vittime di violenza di genere

ELENA ANDOLINA

Professoressa associata di Diritto processuale penale
Università degli Studi "Magna Graecia" di Catanzaro

SOMMARIO: 1. PREMESSA. 2. GLI OBBLIGHI POSITIVI DI TUTELA PE-NALE DEL DIRITTO ALLA VITA NELLA GIURISPRUDENZA DELLA COR-TE DI STRASBURGO. L'OBBLIGO DI PREVENZIONE. 3. SEGUE. L'OBBLI-GO DI CONDURRE INDAGINI EFFETTIVE IN TUTTI I PRESUNTI CASI DI VIOLENZA DI GENERE. 4. DAL CASO TALPIS AL CASO DE GIORGI: LE CONDANNE DELL'ITALIA PER VIOLAZIONE DEGLI OBBLIGHI CON-VENZIONALI IN MATERIA DI VIOLENZA CONTRO LE DONNE. 5. LA DOPPIA VALENZA LESIVA DELLA CONDOTTA OMISSIVA DELLE AUTO-RITÀ. 6. I RIMEDI AL DANNO DA PROCESSO DELLA VITTIMA VULNERA-BILE: DALLA PREVENZIONE ALLA COMPENSAZIONE. Bibliografia.

RIASSUNTO: Nella presente indagine si prenderà in considerazione quel versante di vittimizzazione (o danno) da processo–oggetto di particolare attenzione da parte dei Giudici di Strasburgo–correlato alla responsabilità, a titolo omissivo, dello Stato per violazione degli obblighi positivi di tutela penale derivanti dall'art. 2 CEDU (Diritto alla vita).

La mancata adozione di misure appropriate per scongiurare la lesione o esposizione a pericolo del bene vita, oltre ad alimentare un clima favorevole alla violenza, con ciò di fatto concorrendo alla sua causazione, può, infatti, ingenerare nella vittima–alla luce delle condizioni di vulnerabilità morale, fisica e materiale in cui versa–la sensazione di abbandono e di impotenza a fronte di una sostanziale impunità dell'aggressore, tale così da acuire la frustrazione ed arrecare un doppio trauma.

PAROLE CHIAVE: vittimizzazione (o danno) da processo, violenza di genere, violazione, tutela penale

SUMMARY: In this investigation, consideration will be given to that side of victimisation (or harm) from trial–the subject of particular attention by the Strasbourg Judges–related to liability, the State for violation of the positive obligations of criminal protection deriving from art. 2 ECHR (Right to life).

Failure to take appropriate measures to prevent injury or exposure to danger to life, in addition to fostering a climate conducive to violence, thereby in fact contributing to its cause, may, in fact, engender in the victim–in the light of the precarious and vulnerable moral, physical and material–the feeling of abandonment and impotence in the face of a substantial impunity of the aggressor, such as to exacerbate frustration and cause a double trauma.

KEYWORDS: victimisation (or harm) by trial, gender-based violence, violation, criminal protection

1. PREMESSA

Il processo penale, seppur espletato con modalità lecite, può divenire un'esperienza fortemente traumatica per quelle categorie di soggetti che, in ragione delle caratteristiche biologiche (età, sesso, religione, disabilità, orientamento sessuale etc.) o del tipo di reato subito, sono suscettibili di risentire un particolare pregiudizio per effetto del funzionamento della giustizia penale e, per ciò stesso, titolari di specifiche esigenze di protezione ai sensi del Capo 4 della Direttiva 2012/29/UE, recante norme minime in materia di diritti, assistenza e protezione delle vittime di reato ([1]).

---

[1]   Sulla direttiva 2012/29/UE–quale vero e proprio Statuto europeo della vittima del reato e referente normativo obbligato rispetto a tutte le iniziative nazionali–cfr. Allegrezza S., *Il ruolo della vittima nella Direttiva 2012/29/UE*, in A.a.V.v. , *Lo statuto europeo della vittima di reato. Modelli di tutela tra diritto e buone pratiche nazionali*, a cura di Luparia, Cedam, Padova, 2015, p. 5 ss.

Su fattori di fragilità di impronta soggettivo-relazionale poggia l'accentuata propensione vittimogena delle vittime di violenza di genere e domestica, *id est* dei reati "violenti" motivati da pregiudizio o discriminazione correlati alle caratteristiche personali o a ragioni connesse alla relazione della stessa vittima nei confronti dell'autore del reato. Tali tipologie di vittime sono annoverate dalla suddetta Direttiva tra quelle che, nell'ambito della valutazione individualizzata *"case by case"* demandata in concreto all'autorità giudiziaria (cd. *individual assessment*)–su cui è incentrato il modello flessibile di vulnerabilità ivi delineato ([2]) -, «sono oggetto di debita considerazione» (art. 22.3) e destinatarie di «misure speciali» di protezione nel corso del procedimento penale (art. 23. 2 e 3).

Come è noto, sebbene lo stato di particolare vulnerabilità delle vittime di reato fosse già testualmente richiamato nella Decisione quadro 2001/220/GAI ([3]) e nella Convenzione del Consiglio d'Europa contro la tratta di persone (Varsavia, 16 maggio 2005), l'ingresso della vittimizzazione secondaria nel patrimonio giuridico degli operatori del diritto, è strettamente collegato alla tutela delle donne, vittime di violenza di genere, e dei minori, vittime di violenza sessuale ([4]). Ed è da ricondurre, segnatamente, alla Convenzione del Consiglio d'Europa sulla prevenzione e la lotta contro la violenza nei confronti del-

---

[2]   Per un'analisi dei passaggi essenziali di tale modello normativo di valutazione della vulnerabilità, cfr. Quattrocolo S., *Vulnerabilità e individual assessment: l'evoluzione dei parametri di identificazone, Vittime di reato e sistema penale. La ricerca di nuovi equilibri,* Giappichelli, Torino, 2017, p. 311 ss.

[3]   Sul punto, Gialuz M., *La protezione della vittima tra Corte EDU e Corte di Giustizia,* in A.A.V.v. , *Lo statuto europeo della vittima di reato,* cit., p. 59.

[4]   Cfr. Bouchard M., *La vittimizzazione secondaria all'esame della Corte europea dei diritti dell'uomo,* in *Dirittopenaleuomo,* (2021), p. 12.

le donne e la violenza domestica (⁵), dal cui ambito specifico la nozione in esame è, poi, transitata nella direttiva 2012/29/UE con riguardo, più in generale, alle «vittime con specifiche esigenze di protezione» (Capo 4 della direttiva).

Pur mancando in entrambe le fonti normative europee una definizione tipica di vittimizzazione secondaria, sembra tuttavia potersi cogliere una differenza tra i due atti.

Per vero, la direttiva 2012/29/UE, nel contesto del più ampio dovere degli Stati membri di protezione delle vittime in condizioni di particolare vulnerabilità sia dal rischio di vittimizzazione ripetuta, proveniente dall'autore del fatto, sia dall'ulteriore trauma derivante dall'impatto con il procedimento, prende in considerazione la sola vittimizzazione secondaria correlata all'audizione della vittima, durante gli interrogatori o le testimonianze (v. artt. 18, 23 e 24 della direttiva) (⁶). Dalla Convenzione di Istanbul sembra emergere una nozione più ampia ed articolata di danno da processo che

---

⁵ Firmata ad Istanbul l'11 maggio 2011 e ratificata dall'Italia con legge 27 giugno 2013, n. 77.

⁶ Com'è noto, nell'ambito della direttiva, l'istanza di giustizia di cui è titolare la vittima vulnerabile si declina in una triplice direzione: nell'esigenza di tutela "nel procedimento"- quale luogo e strumento di salvaguardia degli interessi della stessa vittima–attraverso il riconoscimento di diritti di informazione e partecipazione; nella tutela della vittima dal pericolo di re-vittimizzazione primaria proveniente dall'imputato pericoloso; ed, altresì, nella protezione della vittima "dal processo" (cfr. Rafaraci T., *La tutela della vittima nel sistema penale delle garanzie,* in *Criminalia,* a cura di Canzio-Rafaraci-Recchione, 2010, p. 259) ovvero dalla cd. vittimizzazione secondaria derivante dalle modalità, pur lecite, con cui la vittima stessa viene accolta dagli appartenenti al sistema giudiziario. A tale ultimo riguardo, si parla pure di «violenza del processo» (cfr. Allegrezza S., *La riscoperta della vittima nella giustizia penale europea,* in Allegrezza.-Belluta-Gialuz.-Luparia, *Lo scudo e la spada. Esigenze di protezione e poteri delle vittime nel processo penale tra Europa e Italia,* Giappichelli, Torino, 2012, p. 18).

rispecchia maggiormente la fluidità semantica ([7]), invece, che connota il fenomeno in esame (artt. 5.2, 12,14, 15, 49, 50, 51).

Orbene, per un verso, è indubbio che l'audizione, già di per sé momento di forte stress psicologico per la persona offesa dal reato, costituisca un'esperienza ancor più traumatica laddove la fonte dichiarativa sia una persona particolarmente vulnerabile; e sia tale da imporre l'attivazione di un regime di tutela rafforzata – insieme di presidi e misure di protezione, compendiabili nello statuto garantistico della prova dichiarativa della vittima vulnerabile–finalizzato a contenere l'ulteriore pregiudizio derivante sul piano emotivo dalle modalità, pur lecite, con cui le autorità si approcciano alla vittima in sede di audizione.

Per altro verso, non può trascurarsi che l'area dei fattori patogeni legati allo sviluppo del procedimento penale non si esaurisca nel solo danno da ascolto, ma sia tale da ricomprendere–in particolare nel contesto dei reati commessi con violenza alla persona cui è riconducibile la violenza domestica e di genere – ([8]) ulteriori situazioni, sino a qualche anno fa poco esplorate o sottovalutate, se non trascurate, suscettibili di amplificare il danno criminale già subito dalla persona offesa.

---

[7] In termini analoghi, si sottolinea, in dottrina, ora «l'evanescenza» (cfr. Lorusso S., *Indagini preliminari, danno da esposizione mediatica e tempi ragionevoli: fattispecie e rimedi*, in Aa.V.v., *La vittima del processo. I danni da attività processuale penale*, a cura di Spangher, Giappichelli, Torino, 2017, pp. 137-144) ora la «liquidità» del danno statale alla persona offesa (Delvecchio F., *Il danno alla vittima del reato e i suoi rimedi*, Cedam, Milano, 2017, p. 83 ss.).

[8] Invero, in conformità con le fonti normative europee, la categoria dei delitti commessi con "violenza alla persona" va intesa in senso ampio, risultando comprensiva di ogni forma di violenza fisica o morale, tale da cagionare una sofferenza anche solo psicologica alle vittime di reato: cfr., in tal senso, Cass. Sez. un., 16 marzo 2016, n. 10959.

In particolare, va evidenziato come la vittima di tale tipologia di delitti possa entrare, suo malgrado, in un circuito di
vittimizzazione secondaria in conseguenza dell'indifferenza e
svalutazione del danno subìto, da parte delle autorità statali,
per effetto sia della condotta omissiva, inerzia o superficialità nella gestione delle denunce, sia, altresì, di atteggiamenti
moralizzanti, colpevolizzanti o di biasimo–alimentati spesso da
stereotipi e pregiudizi di genere (cd. *victim blaming*) ([9])–che,
attuando una forma di discriminazione indiretta, scoraggiano
la fiducia della stessa vittima nel sistema giudiziario.

2. GLI OBBLIGHI POSITIVI DI TUTELA PENALE DEL DIRITTO ALLA VITA NELLA GIURISPRUDENZA DELLA CORTE DI STRASBURGO. L'OBBLIGO DI PREVENZIONE

Nella presente indagine si prenderà in considerazione quel
versante di vittimizzazione (o danno) da processo–oggetto di
particolare attenzione da parte dei Giudici di Strasburgo–correlato alla responsabilità, a titolo omissivo, dello Stato per violazione degli obblighi positivi di tutela penale derivanti dall'art.
2 CEDU (Diritto alla vita).

---

[9]   L'Italia è stata condannata dalla Corte europea (Corte Edu, Prima
       sezione, 27 maggio 2021, J.L. c. Italia. N. 5671/16) per violazione
       dell'art. 8 CEDU (Diritto al rispetto della vita privata e familiare) a
       causa dell'utilizzo nella sentenza assolutoria della Corte d'Appello
       di Firenze di un « linguaggio colpevolizzante e moralizzante che
       scoraggia la fiducia delle vittime nel sistema giudiziario» per la «vit-
       timizzazione secondaria cui le espone». Una preoccupazione in tal
       senso era stata, del resto, manifestata anche dal GREVIO nel suo
       recente rapporto sull'applicazione della Convenzione di Istanbul in
       Italia, in cui si era sottolineata l'inquietante «presenza di stereoti-
       pi persistenti nelle decisioni dei Tribunali sui casi di violenza» (cfr.
       Rapporto del GREVIO sull'Italia, 2020, § 17, p. 14).

La mancata adozione di misure appropriate per scongiurare la lesione o esposizione a pericolo del bene vita, oltre ad alimentare un clima favorevole alla violenza, con ciò di fatto concorrendo alla sua causazione, può, infatti, ingenerare nella vittima –in condizioni di vulnerabilità– la sensazione di abbandono e di impotenza a fronte di una sostanziale impunità dell'aggressore; tale così da acuire la frustrazione ed arrecare un doppio trauma.

Punto di partenza nella ricostruzione, da parte della Corte europea dei diritti dell'uomo, degli obblighi convenzionali scaturenti dall'art. 2 Cedu è la valutazione di particolare meritevolezza del bene giuridico –vita ed integrità psico-fisica– ivi tutelato. Quest'ultimo, integrando un valore fondante del sistema Cedu, rientra tra i diritti assoluti o fondamentalissimi (cd. *core rights*) che non ammettono bilanciamenti e, come tali, richiedono una protezione forte nell'ambito degli ordinamenti nazionali ([10]).

Proprio da tale postulato, la consolidata giurisprudenza della Corte Edu, trae la configurazione a carico degli Stati parte non solo di obblighi negativi di astensione da condotte lesive del bene tutelato, ma anche di una serie di obblighi positivi che non si esauriscono nel dovere di predisporre, sul piano formale, un quadro normativo idoneo a prevenire, reprimere e sanzionare la violazione del diritto alla vita.

A questo obbligo, di carattere sostanziale, incombente sul legislatore nazionale si affiancano obblighi positivi, di carattere procedurale, scaturenti a carico delle autorità nazionali – inquirenti e giudiziarie –, una volta verificata la violazione di tale

---

[10] Cfr. Scalia F., *Una proposta di ricostruzione degli obblighi positivi di tutela penale nella giurisprudenza della Corte europea dei diritti dell'uomo. L'esempio degli obblighi di protezione del diritto alla vita (I parte)*, in Archivio penale online, n. 3, (2020).

diritto fondamentale. Obblighi, questi ultimi, autonomi, seppur in stretta connessione con il primo in quanto funzionali ad assicurare l'effettività della tutela penale ([11]), che si declinano, in prima battuta, ove ricorrano talune circostanze ben definite, nel dovere statale di prevenire condotte dolose lesive del diritto alla vita; in seconda battuta, nel dovere di condurre indagini efficaci, tempestive, ed imparziali.

Al di fuori dei casi di responsabilità dello Stato per omessa protezione della società da atti lesivi o pericolosi posti in essere da soggetti sui quali le autorità avrebbero dovuto vigilare– come i detenuti per crimini violenti a cui siano concessi i permessi premio o la sospensione condizionale della pena ([12]) -, l'obbligo di prevenzione vincola le autorità ad adottare misure, di ordine pratico, idonee a proteggere l'incolumità di soggetti che si trovino in situazioni di particolare rischio, riconoscibile *a priori,* poichè identificabili, alla luce delle circostanze del caso, come potenziali vittime di aggressione ([13]).

Il contenuto ed i limiti di siffatto obbligo procedurale di prevenzione statale, scaturente dall'art. 2, par. 1 CEDU, sono stati progressivamente definiti dalla giurisprudenza evolutiva della Corte Edu.

Nel contesto della ricca casistica giurisprudenziale riguardante la tutela del diritto alla vita in relazione ai crimini violenti, l'attenzione si concentrerà sulle pronunce riguardanti i reati di violenza domestica e di genere.

---

[11] Cfr. Montagna M., *Obblighi convenzionali, tutela della vittima e completezza delle indagini,* in *Archivio penale online,* n. 3, (2019).

[12] Corte Edu, sent. 24 ottobre 2002, caso Mastromatteo c. Italia, ric. 37703/97, par. 69; nello stesso senso, Corte EDU, 15 dicembre 2009, *Maiorano e altri c. Italia,* ric. n. 28634/06, par. 107.

[13] Cfr. Zirulia S., *Art. 2,* in *Corte di Strasburgo e giustizia penale ,* a cura di Ubertis-Viganò, Giappichelli, Torino, 2016, p. 55 ss.

In questo specifico ambito, *il leading case* è costituito dal caso Osman c. Regno unito ([14]), in cui la Corte Edu ha enucleato gli specifici parametri-condizioni–integranti il cd. Osman *test*–da vagliare di volta in volta ai fini della verifica dell'adempimento dell'obbligo positivo di prevenzione da parte delle autorità statali e, dunque, della configurabilità della responsabilità per omessa predisposizione di misure di ordine pratico idonee a proteggere la vita dei soggetti in pericolo.

Con il consueto approccio pragmatico, ed aderendo ad un modello funzionalista, la Corte ha statuito che lo Stato possa ritenersi responsabile della violazione dell'obbligo di prevenzione quando, alla stregua di una scrupolosa valutazione delle circostanze del caso concreto, risulti, da un canto, la conoscenza da parte delle autorità, o la prevedibilità secondo criteri di ordinaria diligenza, dell'esistenza di un rischio reale ed immediato per la vita dell'interessato; e, dall'altro, che le stesse autorità abbiano omesso di fare «tutto ciò che era ragionevolmente possibile attendersi da loro per impedire la materializzazione» ([15]) di siffatto rischio.

La portata di tale obbligo–che non può comportare oneri sproporzionati o eccessivi a carico delle autorità statali–ed i limiti a quanto esigibile sul piano preventivo sono stati, di recente, ulteriormente precisati nel caso Kurt c. Austria ([16]).

Ivi, ribadita la natura di obbligo di mezzi derivante dall'art. 2 CEDU, la Corte ha ritenuto che, al fine di accertare, di volta in volta, se le autorità abbiano o meno esercitato la diligenza richiesta per impedire gli atti violenti, la verifica debba artico-

---

[14]   Corte Edu, sent. 28 ottobre 1998, caso Osman c. Regno Unito, ric. N. 23452/94.

[15]   Cfr. Corte Edu, sent. 28 ottobre 1998, caso Osman c. Regno Unito Osman c. Regno unito, cit., § 116.

[16]   Corte Edu, sent. 15 giugno 2021, caso Kurt c. Austria, ric. N. 62903/15, §§ 157-190.

larsi in tre *steps* decisivi. Implicanti l'adempimento del dovere di reagire immediatamente alle denunce di violenza domestica; di procedere ad una valutazione del rischio autonoma, proattiva del dovere ed esaustiva, che tenga in debito conto il contesto particolare dei procedimenti di violenza domestica; e di adottare misure operative preventive, che siano adeguate e quello di proporzionate al livello di rischio rilevato.

3. SEGUE. L'OBBLIGO DI CONDURRE INDAGINI EFFETTIVE IN TUTTI I PRESUNTI CASI DI VIOLENZA DI GENERE

Sul piano procedurale, ogniqualvolta sia coinvolto il diritto fondamentale alla vita e/o all'incolumità individuale, l'art. 2 CEDU impone alle autorità nazionali, in positivo, di attivarsi non solo nell'immediatezza della denuncia, adottando misure protettive idonee a prevenire la lesione del diritto fondamentale da atti criminali di un terzo e proporzionate al rischio atteso; ma, pure, successivamente, compiendo indagini efficaci in concreto all'accertamento dei fatti di reato.

Un obbligo, quest'ultimo, che, secondo i Giudici di Strasburgo, va espletato con particolare rigore ed accortezza, tali da comportare oneri investigativi aggiuntivi in relazione alle indagini concernenti i reati connotati da una matrice di cd. di genere e/o domestica ([17]), anche «qualora vi sia [solo] il

---

[17] Cfr. Corte Edu, Sez. II, 9 luglio 2019, Volodina c. Russia, ric. n. 41261/17, storica sentenza con cui i Giudici di Strasburgo, censurando le lacune normative in materia di violenza domestica, hanno condannato, per la prima volta, la Russia per violazione degli artt. 3 e 14 CEDU.

sospetto che il fatto sia stato motivato da odio di genere» ([18]). Imponendosi, in questo ambito, da parte delle autorità inquirenti, una «diligenza speciale» ([19]) per far fronte alle esigenze di tutela rafforzata indotte dalla natura specifica di siffatta violenza, che spesso non si esaurisce nel singolo fatto illecito ed espone la vittima ad un pericolo perdurante.

Concentrando l'attenzione sul versante dinamico della effettiva tutela dei diritti fondamentali di cui agli artt. 2 e 3 CEDU (Divieto di pene o trattamenti inumani e degradanti) ([20]), la Corte Edu ha, pertanto, sottolineato come le autorità nazionali, in tale ambito, non devono limitarsi–secondo un approccio meramente formalistico–a prevedere un quadro giuridico idoneo, in astratto, a contrastare e prevenire una reiterazione di siffatta violenza, ma devono anche impegnarsi a darvi attuazione mediante l'attivazione di misure di protezione adeguate ed indagini efficaci ([21]).

Si è così posto l'accento sul modo in cui sia stata applicata ("*quomodo*"), in concreto, la normativa nazionale ([22]) in attua-

---

[18] Corte Edu, Sez. II, 4 agosto 2020, Dhurata Tershana c. Albania, ric. n. 48756/14, in cui si è ampliata la portata della garanzia di tutela investigativa rafforzata enucleata nella prima pronuncia Volodina c. Russia (cfr. Fragasso B., *Le indagini in materia di violenza di genere: in capo agli organi inquirenti un onere investigativo rafforzato*, in *Rivista italiana di diritto e procedura penale*, n. 4, 1 dicembre 2020, p. 2112).

[19] Corte Edu, Sez. II, 9 luglio 2019, Volodina c. Russia, cit.; conf. Corte Edu, sent. Sez. IV, 11 febbraio 2020, Buturuga c. Romania, ric. n. 56867.

[20] Cfr. Bozheku E., *La tutela dei diritti fondamentali è "sacra" e non può tollerare inefficienze organizzative o mancanza di risorse*, in *Penale Diritto Processuale online*, (2020).

[21] Corte Edu, Sez. III, 14 settembre 2021, Volodina c. Russia, ric. n. 40419/19, § 49.

[22] Conf. Montagna M., *Obblighi convenzionali, tutela della vittima e completezza delle indagini*, cit., che sottolinea come «il controllo della Corte

zione di siffatto obbligo di mezzi e, dunque, sulla adeguatezza o correttezza della risposta delle autorità nazionali, così da valorizzare, in ultima analisi, il profilo della effettività delle indagini, «essenziale per mantenere la fiducia e il sostegno dei cittadini e per scongiurare qualsiasi apparenza di tolleranza o collusione da parte delle autorità rispetto agli atti di violenza domestica» ([23]). Obbligo di effettività che di per sè non può che implicare tempi di reazione tempestivi o quantomeno ragionevoli; modalità di conduzione delle indagini improntate a rigore, completezza, peculiare attenzione e diligenza speciale ([24]); e, non ultimo, adeguate risorse materiali sul piano organizzativo e funzionale ([25]).

Sono state, pertanto, censurate dalla Corte per violazione dell'obbligo procedurale di tutela investigativa rafforzata, scaturente dal combinato disposto degli artt. 2 e 3 CEDU, sia le situazioni di inefficienza investigativa di natura soggettiva, quali omissioni, ritardi o superficialità nella gestione delle indagini, sia le situazioni di inefficienza di natura oggettiva, imputabili ad inadeguatezza organizzativa e funzionale, o all'insufficienza delle risorse allorchè si traducano in un *vulnus* per la tutela dei diritti della vittima ([26]).

---

europea è una verifica sul caso concreto e sul "come" le leggi nazionali abbiano trovato applicazione».

[23] Cfr. Corte Edu, Sez. III, 14 dicembre 2021, Tunikova e altri c. Russia, ric. n. 28011/19, § 49.

[24] Per vero, «indagare e ben indagare è un dovere: tempi, scelte, modi e forme delle investigazioni non sono indifferenti» (cfr. Marandola A., *Reati violenti e Corte europea dei diritti dell'uomo: sancito il diritto alla vita e il "diritto alle indagini"*, in *Sistema penale online*, (2020).

[25] Corte Edu, Sez. II, 4 agosto 2020, Dhurata Tershana c. Albania, cit.

[26] Cfr. Bozheku E., *La tutela dei diritti fondamentali è "sacra" e non può tollerare inefficienze organizzative o mancanza di risorse*, cit.

4. DAL CASO TALPIS AL CASO DE GIORGI: LE CONDANNE DELL'ITALIA PER VIOLAZIONE DEGLI OBBLIGHI CONVENZIONALI IN MATERIA DI VIOLENZA CONTRO LE DONNE

Dopo una prima pronuncia relativa al caso Rumor c. Italia ([27]), in cui la Corte di Strasburgo non ha ravvisato alcuna violazione della CEDU sia per la conformità della normativa nazionale agli *standard* di protezione dei diritti umani sia per la pronta reazione delle autorità in seguito alla denuncia della ricorrente, una vera e propria inversione di rotta si è registrata nelle pronunce successive.

Nella causa Talpis c. Italia ([28]) l'Italia è stata condannata, per la prima volta, per violazione non solo dell'art. 2, ma anche dell'art. 3 CEDU. Si è, infatti censurato sia il ritardo con il quale le autorità competenti, –a seguito della denuncia della violenza domestica– adottavano le misure necessarie a tutelare la vittima, così privando di qualsiasi effetto la denuncia medesima e «creando una situazione di impunità, che aveva contribuito al ripetersi di atti di violenza sulla donna e sui suoi figli» ([29]); sia il mancato adempimento degli obblighi positivi di protezione, a causa del lungo periodo di inattività prima ddell'avvio del procedimento per lesioni aggravate. Sottolineandosi, poi, come il venir meno, anche involontario, di uno Stato all'obbligo di protezione delle donne contro le violenze domestiche –nel caso di specie «la passività generalizzata e discriminatoria della polizia» ([30])– si traduca in una violazione

---

[27]   Corte Edu, Sez. II, 27 maggio 2014, caso Rumor c. Italia, ric. n. 72964/10.

[28]   Corte Edu, Sez. I, sent. 2 marzo 2017, caso Talpis c. Italia, ric. n. 41237/14.

[29]   Corte Edu, Sez. I, sent. 2 marzo 2017, caso Talpis c. Italia, cit., § 117.

[30]   Corte Edu, sent. 2 marzo 2017, caso Talpis c. Italia, cit., § 141

del loro diritto a un'uguale protezione di fronte alla legge e sia, pertanto, intrinsecamente discriminatorio così da violare pure l'art.14 CEDU.

Dopo la sentenza Talpis, la Corte ha nuovamente condannato l'Italia per l'ineffettività della tutela delle vittime di violenza domestica a causa della mancata adozione, da parte delle autorità, di misure di protezione idonee a scongiurare le ulteriori condotte violente compiute ai danni delle donne e/o dei loro figli.

Sotto la lente di ingrandimento dei Giudici di Strasburgo è caduta, ancora una volta, l'insufficiente diligenza ed intempestività delle autorità nazionali che, omettendo di valutare la situazione di precarietà e vulnerabilità della vittima, alla luce delle circostanze specifiche, consentivano all'autore della violenza di perpetrare in un clima di impunità la propria condotta criminosa ai danni della prima.

Più nel dettaglio, nelle sentenze relative al caso Landi c. Italia ([31]) ed al caso De Giorgi c. Italia ([32]), la Corte ha evidenziato la discrepanza esistente tra il profilo formale della tutela offerta dal diritto interno e l'approccio metodologico adottato nella pratica dalle autorità inquirenti e/o giudiziarie nazionali. Invero, pur prendendosi atto delle riforme legislative intervenute nell'ordinamento italiano in attuazione della Convenzione di Istanbul già a partire dal 2009 ([33]), incrementate dopo la sentenza Talpis – e, segnatamente, la l. 19 luglio 2019, n. 69 contro

---

[31]   Corte edu, 7 aprile 2022, caso Landi c. Italia, n. 10929/19.

[32]   Corte Edu, 16 giugno 2022, caso De Giorgi c. Italia, n. 23735/19.

[33]   E precisamente, prima, il D.L. 23 febbraio 2009, n. 11–convertito, con modificazioni, nella L. 23 aprile 2009, n. 38–relativo al reato di atti persecutori (cd. stalking) di cui all'art. 612 *bis* c.p.; poi, la L. 15 ottobre 2013, n. 119, che ha introdotto, tra l'altro, il reato di diffusione illecita di immagini o video sessualmente espliciti (cd. "*revenge porn*") di cui all'art. 612 *ter* c.p.

la violenza domestica e di genere (cd. Codice rosso) (^{34})- , si è, però, stigmatizzata la risposta inadeguata delle autorità nazionali che, sottovalutando la gravità delle violenze familiari, hanno omesso di proteggere le donne e/o i loro figli; così da venir meno all'obbligo positivo di cui all'art. 2 CEDU.

Più di recente, la Corte Edu si è spinta oltre nella sentenza relativa al caso Scavone c. Italia (^{35}), in cui lo Stato italiano è stato condannato per la violazione degli obblighi positivi materiali e procedurali derivanti dal combinato disposto degli artt. 2 e 3 CEDU, a causa dell'intervenuta prescrizione determinata dall'inerzia delle autorità.

Muovendo dal rilievo per cui la protezione della vittima di violenza di genere non può dirsi effettiva ogniqualvolta il procedimento si concluda a causa del decorso del termine di prescrizione per l'inattività giudiziaria, la Corte ha puntato il dito contro le prescrizioni generate, nella prassi applicativa, da inadempienze delle autorità; invitando l'Italia a ripensare il sistema della prescrizione, in particolare, con riguardo a reati di particolare gravità come quelli di violenza domestica, i cui autori restano spesso impuniti proprio in ragione di siffatti ritardi.

Nel condividere le preoccupazioni espresse dal Gruppo di esperti sulla lotta contro la violenza nei confronti delle donne e la violenza domestica (GREVIO) (^{36}), i Giudici di Strasburgo

---

[34] Nell'ottica di rafforzare il sistema di tutela preventiva delle vittime *de quibus* attraverso la tempestiva adozione di misure di protezione, il cd. Codice rosso ha istituito una sorta di corsia preferenziale per le indagini in materia di violenza domestica o di genere (v., in particolare, gli artt. 347, comma 3, e 362, comma 1 *ter*, c.p.p.).

[35] Corte Edu, 7 luglio 2022, caso Scavone c. Italia, n. 32715/19.

[36] Cfr. il primo ed il secondo Rapporto di valutazione dello stato di applicazione in Italia della Convenzione di Istanbul, pubblicati dal GREVIO rispettivamente il 13 gennaio 2020 ed il 12 aprile 2021.

hanno, infatti, sottolineato, in senso critico, l'estinzione per prescrizione di un numero rilevante di procedimenti anche in *subiecta* materia, nonché la lunghezza dei procedimenti anche per reati minori (come le minacce e le lesioni lievi). Al contempo–ed è questo il profilo più interessante della sentenza–esprimendo perplessità in merito al susseguirsi negli ultimi anni di interventi riformistici di segno diverso in materia di prescrizione (prima, la l. 9 gennaio 2019, n. 3 e, poi, la l. 27 settembre 2021, n. 134) ([37]).

5. LA DOPPIA VALENZA LESIVA DELLA CONDOTTA OMISSIVA DELLE AUTORITÀ

Il decorso del tempo correlato ai ritardi e/o inerzia nell'amministrazione della giustizia presenta un'ulteriore valenza lesiva.

Com'è noto, il tempo rileva quale dimensione diacronica ed elemento strutturale del processo. Non è, però, superfluo sottolineare come il protrarsi del rito penale per un lasso temporale eccessivo–la principale causa di inefficienza del nostro sistema penale–rappresenti un fattore pregiudizievole per i soggetti coinvolti dall'attività giurisdizionale e, segnatamente, per la vittima vulnerabile ([38]).

Invero, a differenza di quest'ultima, l'accusato potrebbe avere interesse a protrarre la vicenda procedimentale al fine di beneficiare della prescrizione del reato che, nei suoi confronti, opera come una forma di riparazione; nella misura in cui pone

---

[37] Corte Edu, 7 luglio 2022, caso Scavone c. Italia, cit., § 146-147.

[38] Invero, come aucutamente osservato, la vittima ancor più dell'imputato rappresenta il soggetto «sicuramente (più) interessato ad una ragionevole durata» (Tranchina G., *La vittima nel processo penale*, in *Cassazione penale*, (2010), p. 4058).

un termine finale alla pretesa punitiva statale, impedendo che il processo a carico possa ulteriormente prorogarsi ([39]).

Lo stesso non può dirsi per la vittima del reato. Oltre a generare vittimizzazione secondaria amplificando il senso di frustrazione ed abbandono della persona offesa che versi in condizioni di fragilità morale, fisica e/o materiale, l'eccessiva durata del processo penale risulta, indubbiamente, lesiva dell'art. 6.1 CEDU e dell'art. 111 Cost., sotto il duplice profilo del diritto alla ragionevole durata del processo –da intendersi anche come diritto soggettivo oltre che come garanzia oggettiva– e del diritto di accesso al giudice.

Ciò nondimeno, a livello interno, stenta a trovare pieno riconoscimento l'estensione alla persona offesa dal reato delle garanzie del giusto processo, di cui la ragionevole durata costituisce un indubbio parametro di efficienza.

In una diversa direzione si muove la giurisprudenza della Corte europea, che, nonostante il silenzio della CEDU, sancisce da tempo –nel quadro della crescente valorizzazione delle prerogative della vittima di reato– il diritto di quest'ultima ad ottenere una risposta giudiziaria in tempi ragionevoli ([40]). Enucleandosi tale pretesa soggettiva ora dagli obblighi positivi degli Stati *ex* artt. 2, 3, 4 e 8 CEDU, quale parte integrante di tali diritti fondamentali della persona nella loro dimensione procedurale, laddove venga in gioco la lesione degli stessi; ora

---

[39]   Cfr. Viganò F., *Riflessioni* de lege lata *e* ferenda *su prescrizione e tutela della ragionevole durata del processo*, in *Diritto penale contemporaneo*, n. 3, (2013), p. 23 ss.

[40]   Sul diritto di accesso al giudice della vittima nel sistema CEDU, cfr. Gialuz M., *Il diritto alla giurisdizione dell'imputato e della vittima tra spinte europee e carenze dell'ordinamento italiano*, in *Rivista italiana di diritto e procedura penale*, n. 1, (2019).

dall'art. 6.1 CEDU seppure nelle sole ipotesi in cui la vittima vanti pretese di natura civilistica ([41]).

Al riconoscimento del diritto dovrebbe corrispondere la predisposizione di un meccanismo riparatorio che consenta (anche) alla vittima di reato di lamentare, nei casi patologici, l'irragionevole durata del procedimento, ottenendo un indennizzo.

Su questo versante, si registra, però, un *vulnus* ai diritti fondamentali della persona offesa-danneggiata ma non costituita parte civile nel processo penale ([42]), nonché uno squilibrio rispetto all'imputato, a causa dell'assenza nell'ordinamento italiano di un rimedio effettivo in favore della prima.

Com'è noto, al fine di deflazionare il contenzioso innanzi alla Corte europea a fronte dell'elevato numero di ricorsi contro l'Italia, si è apprestato, con la legge 24 marzo 2001, n. 89–denominata comunemente legge Pinto –un meccanismo indennitario, deputato a rendere effettive, in caso di violazione del termine di durata ragionevole del processo, le garanzie di cui agli artt. 111 Cost. e 6 CEDU relativamente alla vittima della violazione. Considerandosi, però, iniziato il processo penale, ai fini dell'equa riparazione, (solo) «con l'assunzione della qualità di imputato, di parte civile o di responsabile civile, ovvero quando l'indagato ha avuto legale

---

[41] Cfr. Corte Edu, 12 febbraio 2004, caso Perez c. Italia, n. 47287, in cui si sottolinea come l'art. 6.1 CEDU non si applichi alla vittima che intervenga in un procedimento penale con il solo intento di perseguire penalmente l'autore del reato, a meno che ciò non si accompagni a un'istanza risarcitoria, anche solo simbolica, o tesa alla salvaguardia di un diritto civile, come quello a una buona reputazione.

[42] Cfr. Cassibba F., *Durata irragionevole delle indagini preliminari e archiviazione: diritti dell'offeso-danneggiato,* in *Rivista italiana di diritto e procedura penale,* n. 3, (2021), p. 1141.

conoscenza della chiusura delle indagini preliminari» (art. 2, comma 2-*bis*) ([43]).

Sicchè, alla stregua della legge Pinto e del consolidato orientamento della giurisprudenza interna ([44]), la persona offesa dal reato in quanto tale, che non si sia costituita parte civile nel processo penale, non è legittimata all'equa riparazione; risultandole, pertanto, precluso l'accesso all'indennizzo.

Il vuoto di tutela, derivante dall'ineffettività, con riguardo alla persona offesa, del rimedio compensativo prospettato dal nostro sistema, è stato nuovamente censurato dalla Corte europea; formando oggetto di un acceso contrasto con la Corte costituzionale.

Più precisamente, in linea di continuità con i suoi precedenti arresti ([45]), i Giudici di Strasburgo hanno condannato l'Italia per la duplice violazione dell'art. 6 CEDU –nella dimensione della ragionevole durata del processo e del diritto di accesso ad un tribunale– nonchè dell'art. 13 CEDU (diritto ad un rimedio effettivo), con riferimento al caso di un procedi-

---

[43] Sugli effetti della Legge Pinto, Grosso V., *Appunti sull'applicazione della "Legge Pinto"in campo penale,* in *Diritto penale e processo,* n. 11, (2003), p. 1403 ss.

[44] Ritenendosi, «in tema di equa riparazione ai sensi della legge 24marzo 2001, n. 89, [che] la persona offesa dal reato […] costituita[si] parte civile nel processo penale ha diritto alla ragionevole durata del processo, con le connesse conseguenze indennitarie in caso di violazione, soltanto a partire dal momento della costituzione di parte civile; mentre non rileva la precedente durata del procedimento» (cfr. Cass. civ., sez. II, 29 aprile 2022, n. 13579; Cass. civ., sez. VI, 21 dicembre 2016, n. 26625; Cass. civ., sez. VI, 6 febbraio 2013, n. 2842; Cass. civ., sez. I, 29 aprile 2010, n. 10303; Cass. civ. sez. I, 30 maggio 2006, n. 12858).

[45] Corte Edu, 7 dicembre 2017, caso Arnoldi c. Italia, n. 35637/04 e Corte Edu, 29 marzo 2006, caso Cocchiarella c. Italia, n. 64890/01.

mento penale archiviato per prescrizione del reato, maturata a causa della prolungata inerzia degli organi inquirenti; tale da impedire alla persona offesa di far valere il suo diritto al risarcimento del danno attraverso la costituzione di parte civile nel processo penale ([46]).

Seguendo un approccio sostanziale, si è ritenuta convenzionalmente illegittima la scelta dell'ordinamento italiano di escludere la possibilità di azionare la cd. legge Pinto da parte della persona offesa-danneggiata dal reato, che non abbia avuto modo di costituirsi parte civile per causa imputabile alle autorità procedenti; rilevandosi come, ai fini della valutazione di irragionevolezza dei tempi processuali, il *dies a quo* cominci a decorrere dal momento in cui la prima eserciti uno dei diritti e/o facoltà riconosciutile dalla legge, a nulla rilevando la qualifica di parte civile ([47]).

Immediate sono state le ripercussioni sul piano interno.

La questione di legittimità costituzionale dell'art. 2, comma 2 *bis* della legge Pinto, per contrasto con l'art. 117 Cost. in relazione all'art. 6 CEDU–«nella parte in cui prevede che il processo penale si considera iniziato con l'assunzione della qualità di parte civile in capo alla persona offesa dal reato ai fini del

---

[46]   Corte Edu, 18 marzo 2021, n. 24340, caso Petrella c. Italia, in *Sistema penale online*, con nota di Grisonich E., (2021).

[47]   Come già argomentato dalla Corte Edu nel caso Arnoldi c. Italia, ai fini dell'applicazione dell'art. 6 CEDU, la posizione della parte lesa che, in attesa della costituzione di parte civile, abbia azionato almeno uno dei diritti di cui è titolare, non differirebbe da quella della parte civile.

computo della durata ragionevole»–([48]) è stata nuovamente dichiarata infondata dalla Corte costituzionale ([49]).

Confermando le argomentazioni svolte con la precedente sentenza n. 249 del 2020 ([50]), la Consulta, con il consueto approccio formalistico, ha sottolineato la coerenza della soluzione dettata dalla norma impugnata con l'assetto sistematico del c.p.p. 1988, che, proprio perchè ispirato all'idea della separazione dei giudizi civile e penale (art. 74 c.p.p.), esclude ogni automatica incidenza dell'esito delle indagini preliminari (di eccessiva durata) sul diritto di carattere civile del danneggiato dal reato; sempre tutelabile con l'azione restitutoria e risarcitoria nella naturale sede del giudizio civile, con un *iter* del tutto indipendente rispetto al giudizio penale (artt. 75, 651 e 652 c.p.p.).

Puntualizzandosi, altresì, come l'asserita illegittimità della suddetta previsione avrebbe come presupposto la necessaria identità tra la persona offesa e la parte civile. Equivalenza esclusa, secondo la Corte, in ragione della differenza strutturale tra le due figure nel processo penale italiano; dal momento che i poteri attribuiti all'offeso nel corso delle indagini preliminari non sarebbero finalizzati ad «una tutela anticipata» delle potenziali pretese civilistiche da far valere una volta avvenuta la costituzione di parte civile, ma avrebbero la mera funzione

---

[48]   Si segnala, peraltro, che detta questione di legittimità era già stata sollevata al momento del sopravvenire della sentenza Petrella.

[49]   Corte cost., sent. 28 ottobre 2021, n. 203, in *Processo penale e giustizia online*, (2021).

[50]   Corte cost., sent. 4 novembre 2020, n. 249, in *Processo penale e giustizia online*, (2020). Sulla pronuncia, La Rocca E.N., *Le due vie per il ristoro economico dell'offeso dal reato che escludono l'equa riparazione per irragionevole durata delle indagini preliminari*, in *Diritti comparati online*, (2020).

di coadiuvare la pubblica accusa nell'ottica dell'esercizio dell'azione penale.

Tuttavia, pur avallando la legittimità della legge Pinto, la Corte ha preso atto–convergendo su questo punto con la giurisprudenza di Strasburgo–del pregiudizio derivante alle prerogative dell'offeso dalla scelta di ottenere ristoro nella sede penale a causa del malfunzionamento della giustizia; in contrasto con l'art. 16 della Direttiva 2012/29/UE che sancisce il diritto della vittima ad una sollecita decisione in merito alla pretesa di risarcimento del danno da reato nell'ambito dello stesso procedimento penale.

Al contempo, si è, però, ritenuto che la soluzione più appropriata ai suddetti problemi debba individuarsi non nella illegittimità della norma relativa alla decorrenza del computo del termine di ragionevole durata, ma, piuttosto, in altri rimedi; riponendosi, segnatamente, affidamento nelle ampliate prospettive di giustizia riparativa dischiuse–al momento della decisione in esame–dalla legge 27 settembre 2021, n. 134 (Delega al Governo per l'efficienza del processo penale nonché in materia di giustizia riparativa e disposizioni per la celere definizione dei procedimenti giudiziari).

6. I RIMEDI AL DANNO DA PROCESSO DELLA VITTIMA VULNERABILE: DALLA PREVENZIONE ALLA COMPENSAZIONE

Oltre al malfunzionamento sistemico della macchina processuale, le recenti condanne dell'Italia da parte dei Giudici di Strasburgo hanno messo in luce pure taluni gravi limiti del sistema giustizia, in particolare sotto il profilo del *deficit* di effettività delle garanzie dell'equo processo in capo alla vittima del reato.

Significativi effetti positivi, sotto il profilo della razionalizzazione e del contingentamento dei tempi dell'*iter* procedurale, idonei a contenere lo *stress* psicologico e la sofferenza causate dall'eccessivo protrarsi dello stesso, si attendono ragionevolmente dall'ampia griglia di innovazioni apportate al rito penale dalla "Riforma Cartabia", *rectius*, dalla legge n. 134 del 2021 e dal relativo decreto attuativo 10 ottobre 2022, n. 150, in funzione dell'ambizioso obiettivo–imposto dal Piano nazionale di ripresa e resilienza (PNRR)–di ridurre i tempi processuali nella misura 25 per cento entro giugno 2026.

Vengono in particolare rilievo, in un primo versante, accanto agli interventi riformatori con finalità deflattiva del carico giudiziario–di natura sostanziale e processuale -, le misure acceleratorie dirette a porre un argine sia all'eccessiva lunghezza delle indagini preliminari sia all'ampia discrezionalità del pubblico ministero (segnatamente, la fissazione di criteri di priorità trasparenti e predeterminati nella trattazione degli affari penali, i controlli del giudice e dell'indagato sulla tempestività dell'iscrizione della notizia di reato nel relativo registro e l'eventuale potere del giudice di disporre la retrodatazione della stessa iscrizione in caso di inequivocabile ed ingiustificato ritardo).

In un altro versante, si segnala, poi, l'implementazione della *restorative justice*, non solo introducendo una disciplina organica *in subiecta materia* con riferimento alle modalità di svolgimento e agli esiti, ma, soprattutto, aprendone l'accesso, potenzialmente, ad ogni reato (inclusi quelli di violenza di genere e domestica), senza preclusioni e discriminazioni di sorta, per tutto l'arco del procedimento; limitandosi la fruibilità ai relativi programmi, soltanto in caso di pericolo concreto per i partecipanti, derivante dallo svolgimento del programma stesso.

Al di là delle ipotesi di irragionevole decorso del tempo correlato a disfunzioni oggettive della macchina processuale–come il sovraccarico giudiziario, le carenze di organico, le complessità burocratiche -, continua, tuttavia, a residuare una zona grigia di danno derivante da attività giudiziaria discrezionale (o negligenza inescusabile), idonea ad attrarre diverse fattispecie lecite, eppure pregiudizievoli, correlate a prassi giudiziarie lassiste (esemplificativa, in tal senso, è l'omessa adozione, da parte del p.m., delle misure di protezione della vittima vulnerabile nonostante le reiterate sollecitazioni della polizia giudiziaria).

Con riguardo a tali fattispecie di danno, accanto a rimedi preventivi, preordinati ad evitare "a monte" la vittimizzazione da processo, s'impongono, a violazione conclamata, concorrenti rimedi successivi di natura compensativa-riparatoria.

Sul piano della prevenzione, è necessario, innanzitutto, investire sulla professionalità e sulla formazione specialistica di tutti i funzionari suscettibili di entrare in contatto con la vittima – servizi di polizia, personale giudiziario, pubblici ministeri e giudici – al fine di promuoverne una rinnovata *forma mentis* più attenta e sensibile alle nuove esigenze vittimologiche; come prescritto, del resto, dalla normativa sovranazionale (artt. 12-15 Convenzione di Istanbul e art. 25 Direttiva 2012/29/UE) e, recentemente, sottolineato dal Parlamento europeo ([51]).

In tale direzione, un contributo rilevante può derivare, altresì, dalla sperimentazione di modelli operativi virtuosi – cd.

---

[51]   Nella Risoluzione del 16 settembre 2021 (recante raccomandazioni alla Commissione concernenti l'identificazione della violenza di genere come nuova sfera di criminalità tra quelle elencate all'art. 83, par. 1, TFUE), il Parlamento europeo ha invitato gli Stati ad investire sulla formazione di «giudici, pubblici ministeri, operatori giudiziari, esperti forensi e tutti gli altri professionisti che si occupano delle vittime della violenza di genere», per evitare la vittimizzazione secondaria cui, sempre più spesso, le donne vanno incontro quando entrano in contatto con il sistema giudiziario.

buone prassi–che orientino verso un approccio integrato di protezione della vittima; attraverso forme di raccordo e collaborazione sia interne al sistema giudiziario (tra settore penale, civile e minorile), sia esterne con istituzioni pubbliche (come i servizi sociali) e soggetti del terzo settore (in specie, i centri anti-violenza e le case rifugio) ([52]).

Su un piano successivo-riparatorio, sono, poi, quanto mai maturi i tempi per il superamento dell'indifferenza normativa avverso le implicazioni satisfattive del danno da attività giudiziaria lecita e la configurabilità, sul piano dogmatico, di un rimedio indennitario *ad hoc* ladddove in concreto si realizzi, in conseguenza di tale attività, una lesione delle prerogative della vittima. D'altro canto, l'attivazione di forme di ristoro–non è superfluo sottolineare–potrebbe contribuire a responsabilizzare le autorità procedenti, disincentivandone le condotte abusive ([53]).

In prospettiva *de iure condendo*, risulta, pertanto, condivisibile la proposta di istituire un fondo statale di garanzia per danno da attività giudiziaria lecita in favore delle vittime del processo ([54]); soluzione, questa, che imporrà al legislatore, in

---

[52] Come suggerito dal Consiglio Superiore della Magistratura, cfr. le delibere adottate il 3 novembre 2021, n. 411/VV/2019 ed il 9 maggio 2018, n. 214/VV/2017.

[53] Con l'ampia categoria dell'abuso del processo, in cui si iscrivono generalmente le deviazioni funzionali degli istituti giuridici, non va però confusa la responsabilità da atto lecito processuale, non implicante «usi necessariamente disfunzionali della macchina processuale o di un singolo atto, potendo configurarsi pure dinnanzi a una piena rispondenza degli atti agli schemi legislativi»: cfr. Maggio P., *L'indennizzo del danno da processo penale*, in *Archivio penale online*, n. 3, (2016).

[54] In tal senso, Lorusso S., *Indagini preliminari, danno da esposizione mediatica e tempi ragionevoli: fattispecie e rimedi*, cit., pp. 137-144; conf. Delvecchio F., *Il danno alla vittima del reato e i suoi rimedi*, cit., p. 164.

ossequio ad un'evidente esigenza di certezza, la delicata, ma necessaria, tipizzazione delle singole fattispecie di danno in concreto indennizzabili e del *quantum* irrogabile.

Bibliografia

ALLEGREZZA S., *Il ruolo della vittima nella Direttiva 2012/29/UE*, in Aa. V.v., *Lo statuto europeo della vittima di reato. Modelli di tutela tra diritto e buone pratiche nazionali*, a cura di Luparia, Cedam, Padova, 2015;

ID., *La riscoperta della vittima nella giustizia penale europea*, in Allegrezza-Belluta-Gialuz-Luparia, *Lo scudo e la spada. Esigenze di protezione e poteri delle vittime nel processo penale tra Europa e Italia*, Giappichelli, Torino, 2012;

BARGIS M.-BELLUTA H., *Vittime di reato e processo penale. La ricerca di nuovi equilibri*, Giappichelli, Torino, 2017;

BOUCHARD M., *La vittimizzazione secondaria all'esame della Corte europea dei diritti dell'uomo*, in *Dirittopenaleuomo*, (2021);

BOZHEKU E., *La tutela dei diritti fondamentali è "sacra" e non può tollerare inefficienze organizzative o mancanza di risorse*, in *Penale Diritto Processuale online*, (2020);

CASSIBBA F., *Durata irragionevole delle indagini preliminari e archiviazione: diritti dell'offeso-danneggiato*, in *Rivista italiana di diritto e procedura penale*, n. 3, (2021),

DELVECCHIO F., *Il danno alla vittima del reato e i suoi rimedi*, Cedam, Milano, 2017;

FRAGASSO B., *Le indagini in materia di violenza di genere: in capo agli organi inquirenti un onere investigativo rafforzato*, in *Rivista italiana di diritto e procedura penale*, n. 4, 1 dicembre 2020;

GIALUZ M., *Il diritto alla giurisdizione dell'imputato e della vittima tra spinte europee e carenze dell'ordinamento italiano*, in *Rivista italiana di diritto e procedura penale*, n. 1, (2019);

ID., *La protezione della vittima tra Corte EDU e Corte di Giustizia*, in Aa.V.v., *Lo statuto europeo della vittima di reato. Modelli di tutela tra diritto e buone pratiche nazionali*, a cura di Luparia, Cedam, Padova, 2015;

GROSSO V., *Appunti sull'applicazione della "Legge Pinto" in campo penale*, in *Diritto penale e processo*, n. 11, (2003);

LA ROCCA E.N., *Le due vie per il ristoro economico dell'offeso dal reato che escludono l'equa riparazione per irragionevole durata delle indagini preliminari*, in *Diritti comparati online*, (2020);

LORUSSO S., *Indagini preliminari, danno da esposizione mediatica e tempi ragionevoli: fattispecie e rimedi*, in Aa.V.v., *La vittima del processo. I danni da attività processuale penale*, a cura di Spangher, Giappichelli, Torino, 2017;

MAGGIO P., *L'indennizzo del danno da processo penale*, in *Archivio penale online*, n. 3, (2016);

MARANDOLA A., *Reati violenti e Corte europea dei diritti dell'uomo: sancito il diritto alla vita e il "diritto alle indagini"*, in *Sistema penale online*, (2020);

MONTAGNA M., *Obblighi convenzionali, tutela della vittima e completezza delle indagini*, in *Archivio penale online*, n. 3, (2019);

PARLATO L., *Il contributo tra azione e prova,* Torri del vento, Palermo, 2012;

QUATTROCOLO S., *Vulnerabilità e individual assessment: l'evoluzione dei parametri di identificazone*, *Vittime di reato e sistema penale. La ricerca di nuovi equilibri*, Giappichelli, Torino, 2017;

RAFARACI T., *La tutela della vittima nel sistema penale delle garanzie*, in *Criminalia*, a cura di Canzio-Rafaraci-Recchione, 2010;

SCALIA F., *Una proposta di ricostruzione degli obblighi positivi di tutela penale nella giurisprudenza della Corte europea dei diritti dell'uomo. L'esempio degli obblighi di protezione del diritto alla vita (I parte)*, in Arc*hivio penale online*, n. 3, (2020);

TRANCHINA G., *La vittima nel processo penale*, in *Cassazione penale*, (2010);

VENTUROLI M., *La vulnerabilità della vittima di reato quale categoria "a geometria variabile" del diritto penale*, in *Rivista italiana di medicina legale*, (2018);

VIGANÒ F., *Riflessioni* de lege lata *e* ferenda *su prescrizione e tutela della ragionevole durata del processo*, in *Diritto penale contemporaneo*, n. 3, (2013);

ZIRULIA S., *Art. 2,* in *Corte di Strasburgo e giustizia penale* , a cura di Ubertis-Viganò, Giappichelli, Torino, 2016.

Capítulo 20

L'attuazione della Convenzione di Istanbul in Italia: violenza contro le donne e strumenti (civilistici) di tutela

Brevi note in tema di ordini di protezione contro gli abusi nelle relazioni familiari ed attività dei centri antiviolenza e delle case rifugio

ANGELA BUSACCA
Ricercatore di diritto privato
Università "Mediterranea" di Reggio Calabria

SOMMARIO: 1. INTRODUZIONE. LA CONVENZIONE DI ISTANBUL E LA STRATEGIA INTEGRATA DELLE "QUATTRO P". LA SITUAZIONE ITALIA-NA. 2. GLI STRUMENTI DI TUTELA CIVILISTICI: OBBLIGHI DI PROTE-ZIONE NELLE RELAZIONI FAMILIARI TRA CODICE CIVILE E CODICE DI PROCEDURA CIVILE. 3. ATTIVITÀ DEI CENTRI ANTI-VIOLENZA (CAV) E DELLE CASE RIFUGIO (CR) TRA COMPLESSITÀ SOCIALE ED ATTIVI-TÀ INTERSEZIONALE. 4. FORMAZIONE & INFORMAZIONE COME LEVE PER UN REALE CAMBIAMENTO CULTURALE. Bibliografia.

PAROLE CHIAVE: violenza contro le donne – ordini di protezione – abusi familiari – centri antiviolenza – case rifugio

ABSTRACT: Gender-based violence appears as an articulated and complex phenomenon and manifests itself with different behaviours, actions, and violent episodes. Equally, it requires measures to help and support women and girls exposed to risks. The EU Council "Convention on preventing and combating violence against women and domestic violence" (so called Istanbul Convention) is the first legally binding international instrument aimed at creating a comprehensive regulatory framework for the protection of women against all forms of violence, through what is defined as the "4P approach", i.e., preventing, promoting, protecting, punishing. Alongside the criminal protection measures, indeed, the Convention also provides civil protection measures, including, protection orders against abuse in family relationships.

Taking as a starting point the remarks of the GREVIO report on the state of implementation of the Istanbul Convention in Italy, the essay analyses the Italian civil protection measures against gender-based violence, also considering the activities of Anti-Violence Centres, strategies to inform and promote the culture of gender equality and the fight against all forms of violence and oppression.

1. INTRODUZIONE. LA CONVENZIONE DI ISTANBUL E LA STRATEGIA INTEGRATA DELLE "QUATTRO P". LA SITUAZIONE ITALIANA

Il fenomeno della violenza di genere[1] rappresenta una problematica sociale legata non soltanto alla discriminazione contro le donne ma altresì alla mutata concezione dei rapporti all'interno dei gruppi familiari e sociali ed alla insofferenza

---

[1]   La locuzione "violenza di genere" è entrata nel lessico contemporaneo e, come affermato dalla dottrina, "costituisce un concetto chiave degli studi (giuridici, sociologici, antropologici, filosofici) che si occupano della discriminazione femminile e, più in genere, della situazione delle donne", sebbene essa sia "spesso affidata, in letteratura, ad una comprensione quasi intuitiva e/o caratterizzata in termini in cui alla forte valenza politico-ideologica, raramente si accompagna una chiarezza concettuale" (F. Poggi, Violenza di genere e convezione di Istanbul: un'analisi concettuale" in Diritti Umani e Diritto Internazionale, 2017, p.51.

verso degli antiquati stereotipi patriarcali[2]; le cronache degli ultimi anni hanno evidenziato un significativo aumento degli episodi di violenza contro donne, ragazze e finanche bambine ed al contempo hanno posto l'esigenza della predisposizione di strumenti, giuridici e sociali, idonei a prevenire e contrastare il dilagare del fenomeno. Si è verificata così una progressiva assunzione istituzionale del problema[3] con l'emanazione di una serie di normative indirizzate ad una ampia tutela delle vittime, effettive e potenziali, ed alla creazione di una rete territoriale di assistenza capillare, per garantire interventi tempestivi ed efficienti[4]. La Convenzione del Con-

---

[2]   P. Demurtas, C. Peroni, G. Sampaoli, Che genere di violenza? Appunti sulle definizioni di violenza, genere e patriarcato nei programmi per autori di violenza, in C. Rinaldi (a cura di) Quaderni del Laboratorio interdisciplinare di ricerca su Corpi, Diritti, Conflitti, Ed. PM, 2021, p. 99; M. Bettaglio, N. Mandolini, S. Ross, Rappresentare la violenza di genere. Sguardi femministi tra critica, attivismo e scrittura, Ed. Mimesis, 2018.

[3]   L'espressione è di G. Creazzo, La costruzione sociale della violenza contro le donne in Italia, in Studi sulla questione criminale, 2008, p. 15 ss; l'autrice evidenzia altresì come la situazione italiana si presenti complessa e, per certi versi, sembri adombrare anche quelli che vengono definiti problemi di competizione nella ownership dei problemi sociali, con confusione sulle stesse definizioni, sui soggetti legittimati ad intervenire ed al contempo ad essere destinatari delle risorse statali. Anticipando alcune considerazioni che saranno esposte più compiutamente nel paragrafo 4, deve evidenziarsi come solo nel 2014 si sia avuta una centralizzazione della legislazione in materia di accreditamento ed attività dei centri antiviolenza e delle case rifugio, in precedenza rimessa alla competenza regionale, con un conseguente carattere di disomogeneità.

[4]   Nell'ambito della vasta bibliografia sul tema, possono ricordarsi, senza alcuna pretesa di esaustività: A. Lorenzetti, B. Pezzini, La violenza di genere. Dal Codice Rocco al Codice Rosso, Torino, 2020; C. Pecorella (a cura di) Donne e violenza. Materiali di studio, Torino, 2020; T. Manete, La violenza nei confronti delle donne. Dalla Convenzione di Istanbul al Codice Rosso, Torino, 2019; P. Feliciani,

siglio d'Europa sulla prevenzione e la lotta contro la violenza nei confronti delle donne e la violenza domestica, generalmente indicata come Convenzione di Istanbul, viene comunemente considerata come il testo che segna, sia in termini qualitativi che in termini quantitativi, l'enforcement della tutela contro la violenza di genere, attraverso un approccio di tutela multilivello, in grado di guardare non soltanto alle misure repressive ma altresì alle dinamiche di prevenzione e, in ottica ancora più ampia, alle proposte di diffusione e consolidamento della cultura della parità e dell'uguaglianza. L'approccio scelto può essere indicato come approccio "delle 4 P", dalle iniziali delle quattro linee di intervento: prevenire, promuovere, punire, proteggere; accanto ai tradizionali strumenti della tutela penalistica, trovano infatti ampio spazio anche misure ed interventi di carattere civilistico nonché iniziative di informazione e formazione rivolte alla comunità ed attività e programmi di supporto agli operatori specializzati, quali i centri antiviolenza.

La Convenzione di Istanbul rappresenta il primo trattato internazionale giuridicamente vincolante che definisce le coordinate e gli strumenti del sistema giuridico di tutela delle donne contro qualsiasi forma di violenza, prevedendo, altresì, la costituzione di un organismo permanente, costituito da un gruppo di esperti (GREVIO) con funzioni di monitoraggio e controllo del reale grado di attuazione della Convenzione e di applicazione delle relative norme.

A. Sanna, Contrasto a violenza di genere e discriminazioni. Tutela della vittima e repressione dei reati. Milano, 2019; I. Corte, N. Mattucci, Violenza contro le donne. Uno studio interdisciplinare, Roma, 2016.

Proprio il I Rapporto del GREVIO[5], datato 2019, costituisce il punto di partenza per una analisi sulla concreta attuazione delle disposizioni della Convenzione, sulla effettività delle norme interne a tutela delle donne e sulle lacune ancora presenti nel sistema di tutela. Difatti, sebbene l'Italia abbia ratificato la Convenzione di Istanbul con la legge 27 giugno 2013, n.77[6] ed abbia implementato il sistema di tutele con una serie di disposizioni, principalmente di carattere penalistico, ma che interessano anche gli ambiti del diritto civile, del diritto di famiglia e del diritto delle migrazioni nonché la rete di assistenza e sostegno sul territorio[7], i più recenti dati[8] evidenziano la presenza di

---

[5] Il testo integrale del "Rapporto di valutazione di base" (I edizione, 2019) del GREVIO è consultabile all'indirizzo https://www.pariopportunita.gov.it/wp-content/uploads/2020/06/Grevio-revisione-last-08-06-2020.pdf.

[6] Legge 27 giugno 2013, n. 77 *Ratifica ed esecuzione della Convenzione del Consiglio d'Europa sulla prevenzione e la lotta contro la violenza nei confronti delle donne e la violenza domestica, fatta a Istanbul l'11 maggio 2011,* pubblicata in GU Serie Generale n.152 del 01-07-2013). Il testo integrale può leggersi all'indirizzo https://www.gazzettaufficiale.it/eli/id/2013/07/01/13G00122/sg. Per un primo commento, cfr. T. Vitarelli, E. La Rosa, L'attuazione della Convenzione di Istanbul in Italia: profili di rilevanza penale, in OIDU, 2019, p. 1 (https://www.rivistaoidu.net/wp-content/uploads/2021/12/1_Vitarelli-La-Rosa_0.pdf).

[7] F. Trapella, A dieci anni dalla Convenzione di Istanbul ed a due dal Codice Rosso: moniti sovranazionali, vulnerabilità, garanzie difensive, in Cassazione Penale, 2021, p. 3814; P. Pittaro, Il cd. "Codice Rosso" sulla tutela delle vittime di violenza domestica e di genere, in Famiglia e Diritto, 2020, p. 735.

[8] Per la redazione del presente contributo sono stati utilizzati i dati e le statistiche raccolte ed elaborate dall'ISTAT sul sistema di protezione delle donne vittime di violenza (https://www.istat.it/it/violenza-sulle-donne); la versione più aggiornata dei report relativa alla situazione italiana, ai percorsi di uscita dalla violenza ed alle reti di assistenza, ma altresì relativa al numero dei procedimenti

diverse situazioni di criticità in relazione, tra le altre cose, alla effettività della tutela, anche dal punto di vista della attuazione di misure cautelari e restrittive nei confronti degli autori delle violenze, ed alla possibilità di intervento tempestivo da parte degli operatori specializzati.

Proprio in considerazione del quadro normativo esistente e della situazione esperienziale restituita dalle statistiche e dalle esperienze degli operatori sul campo, può dirsi che la situazione italiana attuale presenti uno iato tra la tutela "su carta" e la tutela "in concreto", dal momento che sempre più spesso le vittime non ricevono adeguata tutela non per lacuna normativa, ma per lacuna applicativa della normativa esistente: lungaggini burocratiche nelle procedure e nei processi, effetti deterrenti della possibile "vittimizzazione secondaria", carenza di strutture e/o di dotazioni per poter supportare le vittime di violenza economica, mancanza di misure di risarcimento per le vittime di violenza di genere e talvolta anche mancata considerazione, in termini di violenza, di situazioni di sopraffazione ed abuso alle quali sono sottoposte le donne provenienti da diverse culture e tradizioni sociali (quali, ad esempio, l'usanza dei matrimoni imposti). Nelle considerazioni che seguono, avendo come riferimento le normative ed al contempo i rilievi mossi dal GREVIO, saranno analizzati alcuni istituti civilistici di tutela delle vittime della violenza di genere nonché alcune attività di protezione e supporto svolte dai centri antiviolenza e dalle case rifugio e, da ultimo, alcuni profili relativi alle attività di formazione ed informazione rivolte alla comunità dei consociati, per contribuire al consolidamento di una cultura della

---

e delle condanne per reati e delitti di genere, è stata presentata nell'ambito del Convegno "Proteggere le donne. Dati e analisi per contrastare la violenza di genere" svoltosi in data 25.11.2022 (comunicati e materiali disponibili all'indirizzo https://www.istat.it/it/archivio/277503).

parità di genere e di una rafforzata coscienza sociale che possano essere i più forti argini al dilagare dei fenomeni di violenza contro le donne.

2. GLI STRUMENTI DI TUTELA CIVILISTICI: GLI OBBLIGHI DI PROTEZIONE NELLE RELAZIONI FAMILIARI TRA CODICE CIVILE E CODICE DI PROCEDURA CIVILE.

Gli obblighi di protezione contro gli abusi familiari[9] costituiscono la misura civilistica più valida, sia in termini di efficacia che di celerità, per tutelare le donne ed i minori vittime di violenza nell'ambito domestico[10], offrendo un binario alternativo

---

[9]   Nell'ambito della vasta bibliografia sul tema, si segnalano, senza alcuna pretesa di esaustività: E. Camilleri, Ordini di protezione contro gli abusi familiari, bilanciamento degli interessi e primato della Persona, in Giustizia Civile, 2022, p. 157; A. Nascosi, Gli ordini di protezione civili contro gli abusi familiari a vent'anni dalla loro introduzione, in Famiglia e Diritto, 2021, p. 1189; G. M. Riccio, G. Giannone Codiglione, Ordini di protezione contro gli abusi familiari, in Commentario Schlesinger, Milano, 2019; A. Giordano, Gli ordini di protezione contro gli abusi familiari: una lettura, in giustiziacivile.com, 2018/9; F. Danovi, Ordini di protezione e competenza del giudice del conflitto familiare, in Famiglia e Diritto, 2017, p. 1073; M. Paladini, Gli "ordini di protezione" contro gli abusi familiari: misure "anticipatorie" dei provvedimenti provvisori nella separazione personale? in Famiglia, persone e successioni, 2010, p. 566; F. M. Zanassi, Gli ordini di protezione contro gli abusi familiari, Milano, 2008; L. Carrera, Violenza domestica e ordini di protezione contro gli abusi familiari, in Famiglia e Diritto, 2004, p. 388; F. Auletta, Misure (civili) contro la violenza nelle relazioni familiari: ipotesi ricostruttive della legge n.154/2001, ivi, 2003, p.294.

[10]   La norma si indirizza genericamente alla tutela dei familiari conviventi con l'autore delle condotte violente e/o abusive, senza specificarne il genere; sin da subito, tuttavia, proprio in relazione al

alla tutela di tipo penale ed altresì, eventualmente, prodromi-
co alla risoluzione della crisi familiare mediante separazione
e/o divorzio o, in relazione ai figli minori, all'adozione dei
provvedimenti cd. *de potestate.*

Già presente nel Codice civile e nel Codice di procedura civile sin dal 2001[11] e recentemente oggetto di (lievi) modifiche
da parte del d.lgs. 149/2022[12] nell'ambito della riforma della

---

forte incremento degli episodi di violenze domestiche a carico delle
donne e, molto spesso, dei minori coinvolti nei conflitti genitoriali,
la norma è apparsa funzionale a colmare la lacuna in tema di tutela
di genere, costituendo l'antecedente logico della legge 27 giugno
2013, n. 77 di "ratifica ed esecuzione della Convenzione della Convenzione del Consiglio d'Europa sulla prevenzione e la lotta contro
la violenza nei confronti delle donne e la violenza domestica". Sui
rapporti tra le due normative, cfr. R. Senigallia, La Convenzione di
Istanbul contro la violenza sulle donne e domestica, tra ordini di
protezione e responsabilità civile endofamiliare, in Rivista di diritto
privato, 2015, p. 111.

[11]   Il Titolo IXbis del libro I del Codice civile, rubricato "Ordini di
protezione contro gli abusi familiari", composto dagli artt. 342bis e
342ter, è stato introdotto con legge 04.04.2001 e successivamente novellato con legge 06.11.2003 e con legge 23.04.2009, n.38 che hanno
apportato solo lievi modifiche al testo in termini di presupposti e
durata dell'ordine; in parallelo, è stato novellato anche il Codice di
procedura civile con l'introduzione dell'art. 736 (Provvedimenti di
adozione degli ordini di protezione contro gli abusi nelle relazioni
familiari). Dal punto di vista penalistico, la stessa legge n.154/2001
ha introdotto anche l'art.282-bis del Codice di procedura penale
(Allontanamento dalla casa familiare).

[12]   La riforma della giustizia civile, attuata con d.lgs. 10.10.2022 n.149
(Attuazione della legge 26 novembre 2021, n. 206, recante delega al
Governo per l'efficienza del processo civile e per la revisione della
disciplina degli strumenti di risoluzione alternativa delle controversie e misure urgenti di razionalizzazione dei procedimenti in materia di diritti delle persone e delle famiglie nonché in materia di
esecuzione forzata), la cui entrata in vigore è fissata, per le norme
in tema di procedimenti di famiglia, al 28.02.2023) ha replicato il

giustizia civile, la disciplina degli ordini di protezione non soltanto ha avuto l'indubbio merito di colmare una lacuna presente nell'ordinamento, ma altresì di individuare una misura in grado di rispondere alle esigenze di tutela delle vittime degli episodi (sempre più frequenti e più gravi) di violenza domestica con uno strumento duttile ed autonomo rispetto alla tutela penale. Non di rado, infatti, le vittime si dimostravano restie a sporgere denuncia contro gli autori delle violenze domestiche proprio a causa delle implicazioni dell'azione in sede penale, temendo il verificarsi di situazioni di "vittimizzazione secondaria"[13].

---

contenuto degli artt. 342bis e 342ter e dell'art. 736bis nei nuovi artt. 473bis69, 473bis70, 473bis71 del Codice di procedura civile, abrogando espressamente l'art. 736bis ma senza tuttavia disporre alcuna abrogazione esplicita delle norme contenute nel Codice civile, inducendo quindi la dottrina a configurare una "abrogazione tacita" delle stesse (G. De Cristofaro, Le modifiche apportate al Codice civile dal decreto attuativo della "Legge Cartabia" (d.lgs. 10 ottobre 2022, n.149). Profili problematici delle novità introdotte nella disciplina delle relazioni familiari, in Nuove Leggi Civili Commentate, 2022, p.1407, ma spec. 1460)

[13] Il concetto di vittimizzazione secondaria è stato analizzato nell'ambito degli studi di psicologia ed indica uno stato emotivo e relazione derivante dal contatto della vittima con le istituzioni in genere, ma particolarmente con gli organi di polizia e con l'apparato della giustizia penale, laddove la donna diventa vittima una seconda volta proprio per effetto dei metodi utilizzati e dell'approccio del sistema giudiziario (in questi termini, R. Mendicino, La vittimizzazione secondaria, in Profiling, 2015; http://eprints.bice.rm.cnr. it/11798/1/La%20vittimizzazione%20secondaria.pdf). Sebbene inizialmente inquadrata nell'ambito dei rapporti con le istituzioni e con la giustizia penale, tuttavia la vittimizzazione secondaria assume una rinnovata connotazione in considerazione della sovraesposizione mediatica alla quale molto spesso le vittime di reati a sfondo sessuale o di genere sono sottoposte: come è stato osservato, molto spesso la narrazione mediatica delle vicende e dei processi penali che ne derivano si tramutano in indebite intrusioni nella vita delle

La previsione di uno strumento azionabile in sede civile, con finalità inibitoria e carattere temporaneo della misura disposta, risulta pertanto efficiente per interrompere il circuito della violenza, nascente o già instaurato, ed aiutare le vittime (ma anche gli autori delle condotte) a comprendere quale sia la più opportuna prosecuzione del rapporto familiare: se la separazione o un percorso che possa portare (l'autore delle condotte) al cambiamento, a nuovi comportamenti ed alla ricostruzione della comunità familiare; al contempo, in caso di prosecuzione del circuito della violenza con condotte in violazione degli ordini di protezione, tali condotte saranno sanzionabili penalmente ex art. 388 comma 1 c.p. (quale mancata esecuzione dolosa di un provvedimento del giudice).

Sintetizzando il dettato normativo, possiamo dire che l'ordine di protezione contro gli abusi familiari è un provvedimento assunto dal giudice con decreto, su istanza di parte, con il quale vengono disposti, a carico del familiare che ha tenuto una condotta violenta, una serie di obblighi, di natura personale

---

vittime e finiscono per cagionare una serie di alterazioni alla normale vita di relazione ed alla convivenza all'interno della comunità. Negli ultimi anni, peraltro, si sono registrati diversi interventi delle Corti sovranazionali in tema di vittimizzazione secondaria e non sono mancate occasioni nelle quali ad essere stato individuato come linguaggio espressivo abusivo è stato lo stesso linguaggio dei giudici: al riguardo, cfr. P. Gambatesa, Il peso delle parole nelle sentenze: note a margine di una importante sentenza della Corte EDU in tema di vittimizzazione secondaria, in Osservatorio Costituzionale, 2022, p. 232; M. Pellegrini, Linguaggio sessista dei giudici, violazione del diritto al rispetto della vita privata e familiare e vittimizzazione secondaria: la Corte EDU condanna l'Italia, in Famiglia e Diritto, 2022, p. 221; di carattere più generale, con riferimento ai rapporti tra informazione e processo penale, T. Alesci, Violenza di genere e rappresentazione mediatica, in Il processo, 2022, p. 399.

e (eventualmente, anche) patrimoniale, per una determinata durata temporale[14] e con determinate modalità di attuazione[15].

L'ordine di protezione è concesso su istanza di parte[16] e può essere adottato dal giudice, nei casi di urgenza, anche senza contraddittorio con contestuale assegnazione di un termine non superiore agli otto giorni per la notificazione del ricorso e del decreto al destinatario della misura e fissazione di un termine non superiore a quindici giorni per l'udienza di comparizione delle parti. Nei casi di emissione del decreto inaudita altera parte, l'autore della condotta violenta (nonché

---

[14] La durata degli ordini di protezione, inizialmente prevista fino a sei mesi, è stata successivamente portata ad un anno.

[15] Sui profili procedimentali e sui rapporti tra ordini protezione civili ed ordini di protezione emanati dal giudice penale o ancora tra ordini di protezione civili ed ordinanze presidenziali ex art. 708 cpc, cgr. C. Cecchella, Gli ordini di protezione, in L'osservatorio sul diritto di famiglia, 2018, p. 35; F. Danovi, Sulla competenza del giudice del conflitto familiare a decidere degli ordini di protezione contro gli abusi nelle relazioni familiari, in Famiglia e Diritto, 2017, p. 1073; G. Basilico, Profili processuali degli ordini di protezione familiare, in Rivista di diritto processuale, 2011, p. 1116; C. Delle Donne, Gli ordini di protezione contro gli abusi familiari, in Giurisprudenza di merito, 2005, p. 97.

[16] Sul punto appare opportuno evidenziare come l'art. 342bis preveda una legittimazione del coniuge o del convivente (al quale viene poi parificato, dalla legge n.76/2016, anche il partner dell'unione civile), mentre l'art.5 della legge 154/2001 prevede una più ampia categoria di soggetti dal momento che pone come requisito la situazione di coabitazione ed il rapporto familiare inteso in senso ampio, tanto da ricomprendere "le violenze che possono intercorrere tra genitori/figli, tra nipoti/nonni, tra fratelli/sorelle conviventi" (in questi termini, A. Nascosi, Gli ordini di protezione civili contro gli abusi familiari a vent'anni dalla loro introduzione, cit., p. 1189; l'autore richiama altresì la giurisprudenza, ricordando l'espressione "consorzio familiare" utilizzata da Trib. Rieti 06.032006, in Famiglia, Persone, Successioni, 2007, p. 606)

destinatario della misura) potrà essere immediatamente allontanato, dal momento che il decreto costituisce titolo esecutivo. Successivamente, all'esito dell'udienza, il giudice potrà confermare, modificare o revocare l'ordine di protezione ed i relativi profili temporali e di attuazione; come già anticipato, l'eventuale violazione dell'ordine di protezione comporterà una responsabilità penale per mancata esecuzione del provvedimento del giudice.

Come evidenziato dalla dottrina gli ordini di protezione rappresentano "un dispositivo rimediale complesso" [17] con non pochi punti di interesse e criticità, sia dal punto sostanziale che processuale, sulle quali non è mancata di intervenire la giurisprudenza.

In particolare, l'art. 342bis cc individua i presupposti, soggettivi ed oggettivi, per la richiesta dell'ordine di protezione. In relazione al presupposto soggettivo, viene in considerazione la relazione affettiva esistente tra l'autore della condotta violenta e/o abusante e la vittima della stessa, che può assumere le diverse qualificazioni (formali) del coniugio, dell'unione civile o della convivenza di fatto. In relazione al presupposto oggettivo, invece, viene in considerazione la situazione di "grave pregiudizio all'integrità fisica o morale ovvero alla libertà" determinata dalla condotta del soggetto violento/abusante in danno dell'altro: tale condotta deve avere una concreta valenza abusiva, non potendosi ricondurre all'art.342bis una situazione di intollerabilità causata da reciproche condotte che non siano mai degenerate in condotte lesive e/o offensive[18] o un

---

[17]   E. Camilleri, Ordini di protezione contro gli abusi familiari, bilanciamento degli interessi e primato della persona, cit., p. 159.

[18]   In questi termini Trib. Bari, 28.07 2004, richiamata da A. Nascosi, Gli ordini di protezione civili contro gli abusi familiari a vent'anni dalla loro introduzione, cit., p. 1189; il Tribunale evidenzia come debbano considerarsi estranei all'applicazione della disciplina sugli

singolo, isolato, episodio che non lasci presagire il ripetersi della condotta o l'instaurarsi di una situazione di abuso.

Quanto al contenuto, l'ordine di protezione può contemplare sia obblighi di carattere personale che obblighi di carattere patrimoniale; dalla formulazione dell'art. 342ter cc sembra potersi individuare un contenuto (minimo) necessario ed un contenuto (ulteriore) eventuale: il primo si riferisce all'ordine di cessazione della condotta e di allontanamento dalla casa familiare; mentre al secondo si riferiscono l'ordine di non avvicinarsi ad una serie di luoghi abitualmente frequentati dalla vittima, l'eventuale corresponsione di una somma di denaro a titolo di mantenimento e l'intervento dei servizi sociali o delle associazioni a tutela delle donne vittime di violenza operanti sul territorio. Oltre agli obblighi di condotta indirizzati all'autore delle condotte violente, il decreto del giudice ne indica anche la durata massima e le modalità di attuazione; in relazione a questo ultimo profilo, appare opportuno che sia disposta una comunicazione del decreto ai servizi sociali competenti, nonché all'autorità di pubblica sicurezza alla quale è rimessa la vigilanza sulla corretta esecuzione dell'ordine di protezione.

Dal punto di vista processualistico, accanto alla questione relativa alla natura degli ordini di protezione, che gran parte della dottrina affianca, per le maggiori affinità, alle misure cautelari[19], è stato evidenziato come l'art. 736bis detti una

---

ordini di protezione tutti quei comportamenti che non sfociano in violenze fisiche e psicologiche e, sebbene alterino l'equilibrio della coabitazione e del rapporto tra i coniugi/conviventi, tuttavia possono ricondirsi alle ragioni di intollerabilità della convivenza senza costituire offesa e lesione alla dignità della persona.

[19] Sul punto, cfr. A. Cianci, Gli ordini di protezione familiare, Milano, 2005, p. 237; anche la giurisprudenza ha ribadito, in più di una occasione, l'accostamento alle misure cautelari: Trib. Reggio Emilia 10.05.2007, in Famiglia, Persone, Successioni, 2007, p. 843.

normativa molto generica, che attribuisce al giudice un ampio potere discrezionale nella gestione della procedura e nello svolgimento di una istruttoria "in modo deformalizzato" ed al contempo sollevi alcune criticità in ordine agli strumenti di riesame avverso il decreto del giudice ed alla possibile reiterazione della richiesta di ordine di protezione a seguito di diniego. L'art. 736bis cpc prevede, infatti, che avverso il decreto del giudice monocratico sia ammesso reclamo entro i termini previsti dall'art. 739 cpc e che su tale reclamo decida il tribunale in composizione collegiale, con rito camerale all'esito del quale sarà adottato un decreto motivato non impugnabile. Proprio in considerazione di quest'ultimo elemento, si è posto il dubbio sui limiti di una eventuale riproposizione del ricorso (al giudice) per ottenere l'ordine di protezione: nel silenzio del legislatore sul punto, infatti, la questione verte sulla necessità, o meno, dell'allegazione di nuovi elementi e/o di nuove condotte, cioè di un elemento di novità, rispetto al precedente (rigettato) ricorso. Se è pur vero che la natura stessa ed il carattere di provvisorietà della misura non determinano il formarsi del giudicato, rendendo quindi astrattamente possibile una nuova proposizione, tuttavia la dottrina maggioritaria ritiene necessario (o, quantomeno, opportuno) che il ricorso sia basato su nuove condotte violente e/o abusive o su nuovi fatti e circostanze, seppur relative alle condotte già sottoposte alla valutazione del giudice, che tuttavia ne permettano una più completa valutazione.

Sebbene astrattamente idonei ad offrire una tutela "anticipata" nei casi di conflitto familiare e situazione (anche solo) di potenziale pericolo, gli ordini di protezione di natura civilistica presentano ancora diversi profili di criticità, soprattutto in relazione ad alcune lungaggini burocratiche che si riflettono sulla struttura del procedimento e possono compromettere l'efficienza stessa dell'istituto. Al momento, peraltro, non sono resi pubblici dati e statistiche che permettano di valutare la reale portata dell'istituto e la sua concreta valenza ai fini della deflazione del conflitto familiare e della risoluzione delle situazioni di abuso e maltrattamenti; i dati e le statistiche ISTAT, infatti, si riferiscono alle situazioni di rilevanza penale ed agli "ammonimenti" di natura amministrativa ma non contemplano anche misurazioni in ordine agli strumenti civilistici.

Con riferimento alla Convenzione di Istanbul, gli ordini di protezione possono essere ricondotti alla tipologia di interventi indicati all'art.29 (tra i "Procedimenti e vie di ricorso in materia civile", ed in particolare quanto previsto al comma 1, cioè *misure legislative o di altro tipo necessarie per fornire alle vittime adeguati mezzi di ricorso civili nei confronti dell'autore del reato*) nonché agli artt. 52 (*misure urgenti di allontanamento imposte dal giudice*) e 53 (*ordinanze di ingiunzione o di protezione*). Proprio in relazione all'applicazione delle norme da ultimo citate, il GREVIO ha manifestato diverse perplessità, evidenziando tra le principali criticità nell'applicazione degli ordini di protezione la lentezza dei procedimenti e la presenza di pratiche giudiziarie difformi e restrittive nella valutazione dei requisiti per accordare o prorogare la validità degli ordini di protezione; viene inoltre rilevato come in diverse ipotesi si pongano in essere delle pratiche indirizzare a trovare situazioni di compromesso tra vittima ed autore della condotta, con il risultato di svuotare di significato il valore deterrente dell'ordine di protezione. Elemento che aggrava ancora di più la situazione e non permette di effettuare valutazioni sulla reale efficacia degli ordini di protezione è l'assenza di un sistema di raccolta dati per elaborazione di statistiche, sia su base nazionale che su base territoriale.

Ulteriore elemento di criticità è ravvisato nella previsione dell'istanza di parte in caso di violazione dell'ordine di protezione: l'aver rimesso alla volontà della donna (vittima) la possibilità di denunciare l'uomo violento ed autore anche della violazione dell'ordine di protezione, se da un lato può sembrare in linea con la ratio di tutela, tuttavia si scontra con la realtà sociale dell'effetto deterrente del processo penale: molte donne preferiscono non denunciare per evitare che l'uomo possa avere una condanna; questo ingenera una sorta di "messaggio di tolleranza sulle infrazioni" (questi i termini utilizzati nel Rapporto del Grevio, p. 74) che può determinare l'autore della condotta a perseverare nella sua attività.

Su questi rilievi, il GREVIO ha rivolto alcune proposte che possono sintetizzarsi nel garantire la protezione della vittima e la continuità delle misure di protezione che comportano allontanamento del coniuge/convivente violento e non rischino di presentare lacune a causa di scadenza dei termini o lungaggini burocratiche che si riflettono sul procedimento; ed ancora, il GREVIO suggerisce al legislatore italiano di intervenire per modificare la normativa esistente che subordina all'agire della vittima, il procedimento e la sanzione per la violazione degli obblighi di protezione. Di particolare incisività è, inoltre, il punto f delle indicazioni contenute a pag. 75, laddove si sollecitano le autorità italiane a mettere fine "alle pratiche dei tribunali civili che assimilano la violenza a situazioni di conflitto e tentano di raggiungere accordi tra la vittima e l'autore della violenza invece di valutare le esigenze della vittima in termini di sicurezza".

In margine alle considerazioni in tema di ordini di protezione contro gli abusi familiari, appare opportuno un cenno alla recente riforma della giustizia civile e, particolarmente, dei procedimenti in materia di risoluzione delle crisi familiari, attuata con d.lgs. n.149/2022. Nell'ambito dell'articolato complesso di modifiche, la disciplina degli ordini di protezione ha subito solo alcune modifiche testuali, peraltro traducendo in termini di diritto positivo alcune elaborazioni della giurisprudenza ed istanze della dottrina; decisamente più incisiva appare la scelta di modificare la sede stessa della normativa, "trasferita", o per essere precisi "duplicata" nel Codice di procedura civile: a fronte dell'inserimento dei nuovi artt. 473bis69, 473bis70, 473bis71 del Codice di procedura civile[20], è stata prevista espressamente solo l'abrogazione dell'art 736bis cpc, senza nulla aggiungere in relazione alla sorte degli artt. 342bis e 342ter cc che, come già evidenziato, alcuni autori considerano tacitamente abrogati[21].

In relazione alle modifiche apportate in sede di riforma, possono ricordarsi, con riferimento all'art. 473bis69 cpc (in raffronto all'art. 342bis cc) la possibilità che gli ordini di protezione siano disposti anche in caso di convivenza già cessata e che, in caso di condotta pregiudizievole per i minori, l'istanza per l'adozione dell'ordine di protezione possa essere presentata d'ufficio anche dal pubblico ministero al tribunale dei minori e da quest'ultimo disposta. Con riferimento all'art. 473bis70 cpc (in raffronto all'art. 342ter cc), nel primo comma le modifiche sono minime: le parole "beneficiario della misura" sostituiscono "istante" in relazione all'individuazione della persona che frequenta i luoghi vietati al destinatario della misura (sostituzione che si spiega ricordando che l'ordine di protezione può essere emesso dal tribunale per i minori ed a beneficio del figlio, su istanza del pubblico ministero) e tra le eccezioni che possono giustificare la presenza del destinatario nel luogo "vietato" sono previsti, accanto ai motivi di lavoro, anche i motivi di salute; nel secondo comma, la modifica riguarda l'eliminazione dei centri di mediazione familiare dal novero dei soggetti il cui intervento può essere disposto dal giudice: la scelta del legislatore potrebbe spiegarsi con una applicazione letterale di quanto previsto dalla Convenzione di Istanbul sul divieto di

---

[20]   Le norme afferiscono all'intero nuovo Titolo IV-bis "Norme per il procedimento in materia di persone, minorenni e famiglie", nell'ambito del quale l'intero Capo III è dedicato alle questioni in tema di "violenza domestica o di genere"

[21]   G. De Cristofaro, Le modifiche apportate al Codice civile dal decreto attuativo della "Legge Cartabia" (d.lgs. 10 ottobre 2022, n.149). Profili problematici delle novità introdotte nella disciplina delle relazioni familiari, cit., p. 1460.

mediazione e di procedure di conciliazione stragiudiziale in caso di violenza di genere, tuttavia tale scelta non appare pienamente condivisibile dal momento che finisce per accomunare tutte le ipotesi di ordini di protezione, anche quelle che potrebbero, invece, portare ad una risoluzione positiva della crisi[22]; nel terzo comma, l'unica modifica concerne la possibilità che l'ordine di protezione sia prorogato su istanza del pubblico ministero quanto ne sia beneficiario un minore. Il successivo art. 473bis71 disciplina il procedimento e, di fatto, traduce in termini di diritto positivo tutte le elaborazioni della giurisprudenza in riferimento all'applicabilità del rito camerale ed alle possibili impugnazioni dei provvedimenti assunti.

Indubbiamente, da una prima lettura emerge la volontà del legislatore di confermare la validità dello strumento ed anzi ampliarne l'operatività, con la previsione del ricorso del pubblico ministero e della competenza del tribunale dei minori, superando le possibili ipotesi di condotte pregiudizievoli non denunciate per acquiescenza o timore da parte dell'altro genitore o in ipotesi di famiglie monogenitoriali. Sul punto, tuttavia, appare opportuna una precisazione, dal momento che la riforma avrebbe potuto rappresentare la migliore occasione per recepire appieno i rilievi mossi dal GREVIO e muoversi nella direzione di una maggiore rispondenza al dettato della Convenzione di Istanbul, con la previsione di una più ampia cerchia di soggetti legittimati a proporre il ricorso (nella

---

[22]   In relazione a questo ultimo profilo, probabilmente la scelta del legislatore del 2001, che riconosceva una maggiore autonomia al giudice, può apparire più opportuna, proprio per una considerazione di ogni possibile risoluzione del conflitto familiare e non solo della risoluzione/disgregazione della famiglia; parimenti, appare chiaro che in caso di episodi di violenza o maltrattamenti, il giudice non avrebbe potuto comunque richiedere l'intervento del centro di mediazione familiare, dal momento che lo stesso ente non avrebbe potuto lavorare per la ricomposizione dell'unità familiare

convenzione si parla di familiari, nell'art.342bis cc e nell'art. 473bis69 cpc si parla di coniuge o convivente) e di una maggiore trasparenza, con la previsione di una raccolta e pubblicazione dei dati, ovviamente in modalità aggregata ed anonima; resta il dato positivo di una maggiore attenzione alle diverse fasi del procedimento, proprio per evitare di incorrere in situazioni e lungaggini burocratiche che, in passato, avevano avuto effetti sul procedimento ed avevano determinato un vulnus di tutela per le vittime.

3. ATTIVITÀ DEI CENTRI ANTI-VIOLENZA (CAV) E DELLE CASE RIFUGIO (CR) TRA COMPLESSITÀ SOCIALE ED ATTIVITÀ INTERSEZIONALE

Nell'ambito delle strategie legate alle "P" riferite alla protezione ed alla promozione delle donne vittime, appare di primaria importanza ricordare le attività della Rete Territoriale di Assistenza, costituita dai Centri AntiViolenza (CAV) e dalle case rifugio ad indirizzo segreto[23]. Le attività dei servizi di supporto specializzati e delle case rifugio rappresentano, infatti, una delle principali risorse per offrire non soltanto sostegno psicologico e consulenza legale, ma soprattutto un sostegno logistico e sociale per garantire la possibilità di allontanamento da ambienti familiari violenti e/o tossici ed aiuto, a breve e lungo termine, per raggiungere l'indipendenza economica.

---

[23] In argomento cfr. N Fiano, Le recenti novità in tema di protezione delle donne vittime di violenza. Un'analisi alla luce del diritto costituzionale, in federalismi.it, 2/2023, p. 30; M. Cannito, Le violenze maschili contro le donne raccontate da Centri AntiViolenza e Forze dell'Ordine. Pratiche e linguaggi a confronto, in studi sulla questione criminale, 2019, p. 187; E. Marvelli, La Convenzione di Istambul: un approccio integrato alla violenza di genere, in Profiling, 2018.

Oltre ad essere specializzati nell'offerta dei diversi servizi di assistenza, i CAV e le case rifugio rappresentano una risposta efficace alle esigenze di tutela poiché hanno una diffusione capillare sul territorio nazionale ed un coordinamento, tramite il numero di pubblica utilità 1522, attraverso il quale è possibile essere indirizzati presso la struttura più prossima, ottimizzando quindi tempi e modalità di intervento. Nella pagina web del numero 1522, infatti, si trova la mappatura dei CAV aderenti ed accreditati nella Rete Nazionale, divisi per regione ed ulteriormente per provincia ed è possibile prendere visione delle modalità di contatto dirette dei singoli CAV o contattare direttamente il numero 1522. Già da una prima lettura dei dati relativi al rapporto ISTAT, emerge l'importanza delle attività del 1522: nel 2021 sono state più di 36mila con incremento del 13% rispetto all'anno precedente; circa il 70% delle donne che hanno chiamato il 1522 sono state indirizzate verso un servizio territoriale: la maggior parte (oltre 10mila chiamate pari al 90%) ad un CAV; il restante 10% è stato diviso tra le forze dell'ordine (Carabinieri o Polizia) e le Case Rifugio.

Dal Rapporto ISTAT 2022 "Il sistema di protezione per le donne vittime di violenza" emerge altres come l'85% delle Case Rifugio ed il 72% dei CAV siano raggiungibili h24 per prestare assistenza e supporto e come nel 2020 l'offerta sia in termini di servizi dei CAV che delle case rifugio sia aumentata sia con l'apertura di nuovi centri che con la realizzazione di un maggior numero di percorsi di assistenza: nel 2020 più di 54mila donne si sono rivolte ad un CAV e più di 30mila hanno iniziato un percorso di uscita dalle situazioni di violenza[24].

---

[24] Sebbene la Rete territoriale sia attiva in tutta Italia, non si può nascondere, tuttavia, come la diffusione sul territorio nazionale non sia ancora omogenea poiché si riscontra una maggior presenza nelle regioni del nord (il 41,7% dell'intero numero dei CAV ed il 70,2% del numero delle case rifugio), mentre fanalino di coda sono le isole con il 10% dei CAV ed il 5,2% delle Case Rifugio. Tale ultimo

Per comprendere al meglio il ruolo e le funzioni dei CAV e delle Case Rifugio, permettetemi una breve panoramica sulle attività svolte secondo la normativa nazionale di settore, modificata a seguito del "Piano Strategico Nazionale sulla violenza maschile contro le donne (2021-2023)" presentato al Consiglio dei ministri nel mese di novembre del 2021, e secondo l'Intesa Stato-Regioni, siglata nel settembre del 2022 e pubblicata in GU il 25 novembre 2022[25]. Le novità introdotte rispondono, da un lato, ai rilievi mossi dal GREVIO nel Rapporto di valutazione (potenziare la copertura e la capacità dei servizi specializzati, garantire accesso paritario per tutte le vittime sul territorio nazionale, prestare attenzione alle esigenze specifiche di gruppi di vittime che sono o potrebbero essere soggette a discriminazione intersezionale; sul piano finanziario: semplificare ed

---

dato, peraltro, non stupisce considerando che originariamente la normativa in tema di CAV e di accesso ai finanziamenti pubblici per il funzionamento dei centri, era definita su base regionale, creando quindi delle disparità sia sui servizi offerti che sui fondi disponibili e relative modalità di accesso ed utilizzo; solo da 10 anni, con la legge n.119/2013 ed il successivo accordo Stato-Regioni del novembre del 2014, si è avuta una armonizzazione dell'erogazione dei servizi offerti e delle modalità di accesso ai finanziamenti per l'attività di protezione e sostegno alle donne vittime di violenza e maltrattamenti.

[25] Intesa, ai sensi dell'articolo 8, comma 6, della legge 5 giugno 2003, n. 131, tra il Governo, le regioni e le Province autonome di Trento e Bolzano e gli enti locali, di modifica dell'intesa n. 146/CU del 27 novembre 2014, relativa ai requisiti minimi dei Centri antiviolenza e delle Case rifugio. (Rep. Atti n. 146/CU del 14 settembre 2022); il testo del documento può leggersi all'indirizzo https://www.gazzettaufficiale.it/eli/id/2022/11/25/22A06690/sg. Per un commento alle disposizioni più significative, anche in relazione alla precedente Intesa, cfr. N. Fiano, Le recenti novità in tema di protezione delle donne di violenza. Un'analisi alla luce del diritto costituzionale, cit., p. 30 (ma spec. §3 I Centri Antiviolenza e le case Rifugio, p. 38).

accelerare l'erogazione dei finanziamenti pubblici ai CAV ed alle Case Rifugio per evitare situazioni di difficoltà o interruzioni dei servizi), e dall'altro alle difficoltà emerse durante il periodo della pandemia: con la riduzione degli spostamenti e la coabitazione continuata, infatti, si è verificato un aumento degli episodi di violenza e maltrattamenti in ambito domestico e si sono ridotti i margini di ricorso ai CAV (sono diminuiti di molto soprattutto i primi contatti, mentre una diminuzione più contenuta si è avuta nei contatti da parte di donne che erano già in assistenza da parte dei centri).

Le attività dei CAV e delle Case Rifugio possono ben considerarsi esempi di "promozione di una trasformazione del sistema culturale e sociale nel quale si origina la violenza maschile"[26] e vengono svolte in chiave non soltanto difensivistica ma bensì "costruttiva" di percorsi di fuoriuscita dalla violenza.

L'art.1 comma 1 dell'Intesa definisce i CAV come enti che "erogano servizi di prevenzione e accoglienza, a titolo gratuito, nel rispetto della riservatezza e dell'anonimato, a tutte le donne vittime di violenza maschile o che si trovino esposte a tale rischio, congiuntamente alle/i loro figlie/i minori, indipendentemente dal luogo di residenza"; il successivo comma 2 prevede altresì che i CAV sostengano percorsi personalizzati di fuoriuscita dalla violenza, utilizzando la metodologia di accoglienza basata sulla relazione tra donne, senza praticare discriminazioni di età, etnia, provenienza, cittadinanza, religione, classe sociale, livello di istruzione, livello di reddito, abilità, o altre discriminazioni; intervengano sulla prevenzione sensibilizzando il territorio; contribuiscono alla formazione rivolta ad operatrici/ori dei servizi generali e partecipano alla strutturazione e/o al potenziamento delle reti territoriali antiviolenza.

---

[26]   In questi termini di esprime la Relazione finale della Commissione di Inchiesta sul Femminicidio, 2022, p.83

I CAV possono essere gestiti da enti pubblici ed enti locali, in forma singola od associata, che si avvalgono di operatrici con profilo professionale descritto all'art.3 dell'Intesa (personale femminile e volontarie adeguatamente formate) o da enti privati e precisamente associazioni e organizzazioni operanti nel settore del sostegno e dell'aiuto alle donne vittime di violenza, che abbiano maturato esperienze e competenze professionali specifiche in materia di violenza contro le donne che utilizzino una metodologia di accoglienza basata sulla relazione tra donne, con personale specificamente formato. Ulteriore possibilità che enti pubblici ed enti privati collaborino nella gestione in forza di una convenzione.

Il CAV è un ambiente protetto nei locali del quale la vittima, effettiva o potenziale, trova in primo luogo un servizio di accoglienza ed ascolto da parte di personale qualificato (assistenti sociali, psicologi, mediatori culturali, pedagogisti; avvocati e consulenti per gli aspetti legali); una analisi delle circostanze e delle criticità che caratterizzano la situazione di pericolo effettivo e/o potenziale precede la "presa in carico" da parte delle operatrici e degli operatori del CAV; di concerto con gli operatori ed i consulenti del CAV vengono definite le migliori modalità per la predisposizione di un "progetto di uscita dalla violenza" che può prevedere percorsi psicologici ma anche misure più drastiche quali l'allontanamento dalla casa familiare e/o la presentazione di istanze di richiesta di ordini di protezione di natura civilistica (ex art.342 c.c.) o di denunce per fattispecie penalmente rilevanti.

Come da previsione normativa, il CAV deve avere una sede con precisi requisiti strutturali ed organizzativi (in assenza dei quali il CAV non potrà essere accreditato come tale): locali idonei a garantire lo svolgimento delle diverse attività; tutela della riservatezza, sia delle utenti che fruiscono dei servizi in loco, sia dei documenti che esse consegnano e/o firmano; possibilità di offrire uno sportello di ascolto ed uno sportello informativo; possibilità di offrire uno sportello di assistenza legale. E' importante sottolineare che, in accordo con quanto previsto dalla Convenzione di Istanbul, non è possibile in caso di violenza domestica e/o di genere, fare ricorso alle tecniche ed alle modalità di mediazione familiare o di conciliazione: sebbene in alcuni paesi si stia sperimentando la possibilità di una mediazione penale anche in ambito di violenza di genere, al momento tale possibilità è del tutto vietata in Italia.

Il catalogo dei servizi del CAV è molto ampio ed accanto al contenuto minimo, determinato dalla normativa di settore (stilare e rispettare la Carta dei Servizi, avere un numero telefonico attivo tutti i giorni ed una sede accessibile almeno 5 giorni su 7) possono aversi diverse altre attività: l'ascolto in presenza o tramite colloqui telefonici; l'informazione; l'orientamento sociale, per co-costruire il percorso di uscita dalla violenza; il supporto psicologico; il supporto alla genitorialità; il supporto psicologico e pedagogico per i minori coinvolti nelle situazioni di violenza domestica; l'informazione ed il supporto legale sulle modalità per difendere i propri diritti ed accedere al gratuito patrocinio in caso di controversia giudiziaria. Nei casi di necessario allontanamento dalla casa familiare, il CAV si raccorderà con una casa rifugio per l'accoglienza e l'inserimento.

Di particolare importanza è altresì l'attività di supporto per contrastare le situazioni di violenza economica: secondo uno studio pubblicato dal MEF nel 2021 sulle diseguaglianze di genere, solo 1/3 delle donne che si rivolgono ad un CAV godono di un reddito sicuro; per il resto, 1/3 ha redditi non stabili ed 1/3 risulta privo di reddito e quindi esposto alla totale dipendenza. Per aiutare le donne vittime è stato previsto il cd. reddito di libertà, cioè un sussidio di carattere economico che può essere corrisposto per un periodo massimo di un anno a vantaggio dei soggetti più svantaggiati, che, una volta fuori dal nucleo familiare, si troverebbero in stato di povertà. La predisposizione di un supporto e di un percorso che sia dal punto di vista psicologico possa guidare la vittima verso una maggiore consapevolezza della propria indipendenza e dal punto di vista pratico possa aiutarla nella ricerca di un lavoro che possa garantire un reddito, rappresentano attività svolte dal personale dei CAV in interlocuzione e sinergia, con riferimento al secondo dei profili, con gli operatori economici del territorio.

Come già accennato, la situazione di violenza domestica può determinare la necessità di un allontanamento dalla casa familiare: si è già detto che la maggior parte delle donne che si rivolgono al 1522 o direttamente ad un CAV non ha solidità economica tale da poter affrontare un trasferimento ed una vita autonoma e spesso non presenta neanche quella stabilità emotiva che può determinare una risoluzione della convivenza pericolosa o già tossica, specialmente se porta con sé i figli per sottrarli all'ambiente violento. In queste ipotesi è possibile il ricorso all'ospitalità presso le Case Rifugio, che come i CAV "si inseriscono nella cd. rete antiviolenza territoriale". In particolare, riprendendo la definizione dell'art.8 dell'Intesa, le Case Rifugio sono "strutture dedicate a indirizzo riservato o segreto, che ospitano a titolo gratuito le donne e le/i loro figlie/i minori che si trovano in situazioni di violenza e che necessitano di allontanarsi per questioni di sicurezza dalla loro abitazione usuale, garantendo loro protezione indipendentemente dal luogo di residenza e dalla cittadinanza, o dal fatto di avere o meno denunciato i maltrattamenti alle autorità preposte. Le case rifugio sono strutture dedicate a bassa intensità assistenziale soggette ad autorizzazione al funzionamento secondo le procedure previste dalle normative regionali e possono essere di tre tipologie, in relazione al livello di rischio ed alla fase del percorso di fuoriuscita: a) per la pronta emergenza, in collaborazione con il CAV di riferimento territoriale; b) per la protezione delle donne ed eventuali loro figli e figlie laddove ricorrano motivi di sicurezza (protezione di primo livello), in collaborazione con il CAV di riferimento territoriale; c) per l'accompagnamento verso la semiautonomia (protezione di secondo livello) in collaborazione con il CAV di riferimento territoriale".

Anche per le Case Rifugio sono previsti dei requisiti di idoneità (relativi sia all'abitabilità dell'immobile che alla predisposizione di idonee garanzie per i servizi di ospitalità anche in caso di presenza di minori; garanzia dei beni primari per la vita quotidiana alle donne ed ai figli eventualmente presenti, in relazione al percorso ed al progetto personalizzato predisposto". L'attività delle Case Rifugio è descritta agli artt. 9, 10 ed 11 dell'Intesa evidenziando ancora una volta l'utilità dell'operare in raccordo con i CAV presenti sul territorio e con i servizi territoriali "al fine di garantire alle donne in situazioni di violenza supporto sanitario, psicologico, legale e sociale, l'inclusione abitativa nonché il supporto ai bisogni educativi e di socializzazione per le/i loro figlie/i minori".

L'esperienza delle Case Rifugio ha segnato senza dubbio un incremento qualitativo nelle strategie di tutela delle vittime di violenza di genere, tuttavia i dati che emergono dalle analisi Istat lasciano alcune perplessità soprattutto in relazione alla carenza di dispositivi che potrebbero rendere più sicura la permanenza nelle strutture; risulta infatti che sebbene la maggior parte delle case sia ad indirizzo segreto, tuttavia un certo numero (quasi il 6%) non ha sistemi di allarme o di collegamento diretto con la polizia od ancora misure di sorveglianza notturna che possano evitare o ridurre eventuali criticità o presenze non graditi.

L'attività delle Case Rifugio si articola su diversi livelli: già previste ospitalità e dotazioni primarie per la vita quotidiana e predisposizione del percorso individuale per uscire dalla situazione di violenza, ma accanto ad essi deve essere considerato anche il supporto per le donne ed i minori che si trovano in un ambiente nuovo ed estraneo, anche se improntato all'accoglienza, e spesso costretti a tagliare, anche se solo temporaneamente, i contatti con il proprio ambiente e la propria famiglia di provenienza: le operatrici e le volontarie delle Case Rifugio devono avere una solida formazione ed una forte capacità empatica per gestire le diverse situazioni ed affrontare le eventuali emergenze. Le complesse attività dei CAV e delle Case Rifugio vengono svolte naturalmente (e come peraltro ribadito dall'Intesa) a titolo assolutamente gratuito per le utenti: gli enti ricevono delle sovvenzioni e dei finanziamenti dallo Stato e dagli enti territoriali[27].

Accanto alle attività rivolte alle donne vittime di maltrattamenti e di violenza, i CAV possono essere accreditati per l'erogazione di servizi e percorsi rivolti ai soggetti autori delle condotte violente e/o lesive: si tratta di attività che guardano al matrattante nell'ottica della consapevolezza del disvalore della condotta e della volontà di uscire dalla violenza. Con l'aiuto di psicologi e di operatrici specializzate, i percorsi permettono all'autore della condotta di compiere un percorso di emancipazione che lo proietta in una dimensione di consapevolezza. Il percorso per i maltrattanti costituisce una misura alternativa che può essere disposta dal giudice ed accettata dal maltrattante, il quale, tuttavia, dovrà dare prova al CAV erogante di una concreta volontà di concludere il percorso e di applicarsi nello stesso. Questa misura è tutt'ora oggetto di contrastanti opinioni e dibattiti tra quanti la ritengono una forma di emancipazione da una visione unicamente punitiva delle sanzioni e quanti invece la ritengono una forma di allentamento della tutela che potrebbe lasciare al maltrattante margini per evitare, in parte, la doverosa sanzione della propria condotta.

---

[27] La questione delle sovvenzioni rappresenta una delle note critiche relativamente alla organizzazione della rete territoriale di assistenza, dal momento che troppo spesso, infatti, i ritardi e le lungaggini della burocrazia creano dei disagi che costringono i CAV a ridimensionare le proprie attività o a sostenerle per lunghi periodi con fondi propri o con gratuità delle prestazioni delle operatrici. Si tratta di un profilo spesso poco considerato, tuttavia non si può nascondere come una maggior attenzione da parte delle istituzioni sarebbe decisamente auspicabile.

4. FORMAZIONE & INFORMAZIONE COME LEVE PER UN REALE CAMBIAMENTO CULTURALE.

Accanto alle attività di assistenza e protezione delle vittime, effettive e potenziali, della violenza domestica e di genere, i CAV svolgono anche una costante opera di formazione per gli appartenenti a forze dell'ordine, alla sanità, agli istituti scolastici ed agli enti che possono, a diverso titolo, essere impegnati nelle attività a supporto delle donne vittime e degli stessi CAV. La formazione costituisce, infatti, un elemento irrinunciabile per poter disporre di operatori esperti ed in grado di fronteggiare le diverse forme di violenza alle quali donne e minori possono essere esposti; del resto anche la normativa di settore e la recente intesa Stato-Regioni sui CAV e sulle case rifugio, evidenzia il ruolo della formazione come elemento qualificante per la selezione delle operatrici e dei collaboratori. Ed è altresì importante sottolineare che la formazione per le operatrici non può avere solo un sostrato teorico, ma deve avere anche una componente pratica, preferibilmente in forma di tirocinio presso un CAV, per poter conoscere e "vivere" le peculiarità delle situazioni ed imparare a riconoscere e gestire le diverse richieste di assistenza ed aiuto.

Parallela alla attività di formazione per le operatrici dei CAV e più in generale per gli operatori del settore dell'assistenza e della protezione, deve poi considerarsi anche un'altra importante attività rivolta alla società civile: si tratta della informazione sulle misure di prevenzione e contrasto alla violenza di genere e della promozione di campagne di sensibilizzazione ed educazione alla cultura della parità di genere e della non prevaricazione. L'informazione rivolta alla comunità sociale non deve intendersi solo come appannaggio degli operatori del settore, dal momento che sono chiamati a svolgere attività per una reale cultura della parità anche e soprattutto le scuole e le università e le associazioni e gli enti che si rivolgono alla promozione sociale ed ai valori della crescita ed educazione della società.

Il Ministero per le Pari Opportunità ha più volte promosso campagne e programmi di sensibilizzazione per informare i consociati ma altresì per formare l'opinione pubblica; da ultimo, proprio per incrementare la trasparenza sulle dimensioni del fenomeno ed altresì per diffondere, sono stati potenziati anche gli strumenti di comunicazione web, attraverso la predisposizione e l'aggiornamento delle pagine web della Rete del Numero Nazionale 1522[28] e di una apposita sezione delle aree tematiche del settore Documentazione Parlamentare, dedicata alla normativa esistente ed alle iniziative in corso[29].

In riferimento alle informazioni ed alle elaborazioni dei dati relativi agli episodi di violenza contro le donne, appare significativo evidenziare la recente emanazione della legge n. 53/2022, in tema di statistiche sulla violenza di genere[30]; facendo seguito (anche) ad alcuni rilievi del GREVIO, la legge pone una serie di obblighi di comunicazione dei dati e delle notizie relative agli episodi di violenza di genere[31] per per-

---

[28] Il sito ufficiale del Numero di Pubblica Utilità 1522 è disponibile all'indirizzo https://www.1522.eu; proprio per facilitare l'accesso al sito ed alle diverse funzioni indicate, il sito è disponibile in diverse lingue dei paesi europei e del bacino mediterraneo.

[29] La sezione è consultabile all'indirizzo https://temi.camera.it/leg19/temi/violenza-contro-le-donne.html

[30] Legge 5 maggio 2022, n. 53 "Disposizioni in materia di statistiche in tema di violenza di genere", pubblicata in GU 24.05.2022, n.120.

[31] La legge n.53/2022 permette di implementare il sistema di raccolta dei dati e realizzazione delle statistiche, attualmente rimesso all'attività dell'ISTAT e del Ministero delle Pari Opportunità, ed organizzarlo a sistema attraverso le comunicazioni alle quali saranno tenuti "gli uffici, gli enti, gli organismi e i soggetti pubblici e privati che partecipano all'informazione statistica ufficiale" ed altresì "le strutture sanitarie pubbliche" (ed in particolare i presidi di pronto

mettere un monitoraggio continuo e completo del fenomeno ed al contempo la elaborazione delle più adeguate strategie di contrasto delle stesso. La legge n.53/2022 colma una lacuna esistente nell'ordinamento, dal momento che le tradizionali rilevazioni statistiche in tema di reati contro la persona non attribuivano rilevanza al genere della vittima; solo con la maturata attenzione al fenomeno della violenza contro le donne e con le normative, nazionali ed internazionali, che hanno evidenziato la nozione di "violenza di genere", si è evidenziata l'opportunità di raccogliere dei dati maggiormente dettagliati sul fenomeno e sulle violenze maschili poste in essere contro le donne.

Sul punto non è difficile constatare come, nella realtà italiana, sebbene siano state diverse le campagne di sensibilizzazione dell'opinione pubblica e di informazione sui caratteri e sulle dimensioni dei fenomeni di violenza di genere, persiste una situazione di criticità proprio in relazione alla conoscenza delle misure di tutela e delle norme a tutela delle donne; sebbene i dati delle chiamate al 1522 evidenzino una crescita della consapevolezza e dell'autonomia delle richieste di aiuto (quasi il 50% delle chiamate sono effettuate dalla richiedente in prima persona), da altre rilevazioni, emerge come, soprattutto nelle fasce di popolazione più vulnerabili e con grado di istruzione più basso permangano sia un senso di diffidenza verso le misure di tutela, soprattutto quelle di carattere penale,

---

soccorso), attraverso più articolare raccolte dei dati effettuate dal Ministero della Giustizia in relazione alle ipotesi di reati contro le donne, con particolare attenzione ai "dati riguardanti la relazione tra l'autore e la vittima del reato, la loro età e genere e le circostanze del reato", resi, naturalmente anonimi e presentati in forma aggregata e, da ultimo, attraverso un miglioramento, qualitativo e quantitativo, delle "rilevazioni annuali condotte da Istat sulle prestazioni e i servizi offerti rispettivamente dai Centri antiviolenza e dalle case rifugio".

che una mancanza di conoscenza per le misure alternative che potrebbero offrire una tutela celere e porre le premesse per una soluzione delle situazioni di crisi, evitando l'inasprirsi del circuito della violenza.

Purtroppo, sono ancora molte le donne che ignorano l'esistenza stessa dei CAV e delle attività che possono essere realizzate per la loro tutela; molte donne rifuggono l'idea di una denuncia con conseguente procedimento penale: si tratta, infatti, di una idea correlata ad una sorta di discredito sociale, soprattutto per le donne più vulnerabili che risentono di sovrastrutture sociali e di archetipi ormai superati ma ancora presenti in certe comunità ed in certe famiglie. Un'altra grande sfida dei CAV, ma più in generale di tutti gli attori sociali che rivendicano una più matura consapevolezza del principio di uguaglianza e del contrasto a tutte le forme di violenza, è proprio questa: riuscire a diffondere l'idea e la cultura del principio di uguaglianza e di non sopraffazione tra uomo e donna, tra ragazzo e ragazza, tra bimbo e bimba; affermare i valori della comprensione e del dialogo, contro ogni forma di violenza; ribaltare gli stereotipi della vecchia società patriarcale ed affermare l'indipendenza e l'autonomia, e la piena consapevolezza di sé.

Come detto in apertura, la tutela contro la violenza di genere, come emerge dalla Convezione di Istambul e dalla realtà dei nostri giorni, è composita e complessa; è una tutela fatta di norme, ma soprattutto di valori e di principi e dell'attività delle operatrici e delle volontarie che quei valori e principi traducono quotidianamente in atti ed attività: così la norma su carta diventa diritto vivente; ed ancora, attraverso la diffusione e l'attuazione dei valori di rispetto e di parità, il diritto vivente diventa patrimonio comune del sentire, del vivere e dell'essenza stessa di una comunità.

Bibliografia

CECCHELLA, Gli ordini di protezione, in L'osservatorio sul diritto di famiglia, 2018

A. GIORDANO, Gli ordini di protezione contro gli abusi familiari: una lettura, in giustiziacivile.com, 2018/9

A. LORENZETTI, B. PEZZINI, La violenza di genere. Dal Codice Rocco al Codice Rosso, Torino, 2020; C. Pecorella (a cura di) Donne e violenza. Materiali di studio, Torino, 2020

A. NASCOSI, Gli ordini di protezione civili contro gli abusi familiari a vent'anni dalla loro introduzione, in Famiglia e Diritto, 2021

DELLE DONNE, Gli ordini di protezione contro gli abusi familiari, in Giurisprudenza di merito, 2005

E. CAMILLERI, Ordini di protezione contro gli abusi familiari, bilanciamento degli interessi e primato della Persona, in Giustizia Civile, 2022

F. AULETTA, Misure (civili) contro la violenza nelle relazioni familiari: ipotesi ricostruttive della legge n.154/2001, ivi, 2003

F. DANOVI, Ordini di protezione e competenza del giudice del conflitto familiare, in Famiglia e Diritto, 2017

F. DANOVI, Sulla competenza del giudice del conflitto familiare a decidere degli ordini di protezione contro gli abusi nelle relazioni familiari, in Famiglia e Diritto, 2017

F. M. ZANASSI, Gli ordini di protezione contro gli abusi familiari, Milano, 2008; L. Carrera, Violenza domestica e ordini di protezione contro gli abusi familiari, in Famiglia e Diritto, 2004

F. POGGI, Violenza di genere e convezione di Istanbul: un'analisi concettuale" in Diritti Umani e Diritto Internazionale, 2017

F. TRAPELLA, A dieci anni dalla Convenzione di Istanbul ed a due dal Codice Rosso: moniti sovranazionali, vulnerabilità, garanzie difensive, in Cassazione Penale, 2021

G. BASILICO, Profili processuali degli ordini di protezione familiare, in Rivista di diritto processuale, 2011

G. CREAZZO, La costruzione sociale della violenza contro le donne in Italia, in Studi sulla questione criminale, 2008

G. DE CRISTOFARO, Le modifiche apportate al Codice civile dal decreto attuativo della "Legge Cartabia" (d.lgs. 10 ottobre 2022, n.149).

Profili problematici delle novità introdotte nella disciplina delle relazioni familiari, in Nuove Leggi Civili Commentate, 2022

G. M. RICCIO, G. Giannone Codiglione, Ordini di protezione contro gli abusi familiari, in Commentario Schlesinger, Milano, 2019

I. CORTE, N. Mattucci, Violenza contro le donne. Uno studio interdisciplinare, Roma, 2016

M. BETTAGLIO, N. Mandolini, S. Ross, Rappresentare la violenza di genere. Sguardi femministi tra critica, attivismo e scrittura, Ed. Mimesis, 2018

M. PALADINI, Gli "ordini di protezione" contro gli abusi familiari: misure "anticipatorie" dei provvedimenti provvisori nella separazione personale? in Famiglia, persone e successioni, 2010

M. PELLEGRINI, Linguaggio sessista dei giudici, violazione del diritto al rispetto della vita privata e familiare e vittimizzazione secondaria: la Corte EDU condanna l'Italia, in Famiglia e Diritto, 2022

P. FELICIANI, A. Sanna, Contrasto a violenza di genere e discriminazioni. Tutela della vittima e repressione dei reati. Milano, 2019

P. GAMBATESA, Il peso delle parole nelle sentenze: note a margine di una importante sentenza della Corte EDU in tema di vittimizzazione secondaria, in Osservatorio Costituzionale, 2022

P. PITTARO, Il cd. "Codice Rosso" sulla tutela delle vittime di violenza domestica e di genere, in Famiglia e Diritto, 2020

S. DEMURTAS, C. Peroni, G. Sampaoli, Che genere di violenza? Appunti sulle definizioni di violenza, genere e patriarcato nei programmi per autori di violenza, in C. Rinaldi (a cura di) Quaderni del Laboratorio interdisciplinare di ricerca su Corpi, Diritti, Conflitti, Ed. PM, 2021

T. ALESCI, Violenza di genere e rappresentazione mediatica, in Il processo, 2022

T. MANETE, La violenza nei confronti delle donne. Dalla Convenzione di Istanbul al Codice Rosso, Torino, 2019